D1229424

COLLECTION
FOLIO CLASSIQUE

Euripide

Tragédies complètes

II

*Texte présenté
traduit et annoté par
Marie Delcourt-Curvers*

Gallimard

CE VOLUME CONTIENT :

LES TROYENNES
IPHIGÉNIE EN TAURIDE
ÉLECTRE
HÉLÈNE
LES PHÉNICIENNES
ORESTE
LES BACCHANTES
IPHIGÉNIE À AULIS
RHÉSOS

NOTES
par Marie Delcourt-Curvers

LES TROYENNES

CETTE tragédie est la dernière d'une trilogie liée, la seule d'Euripide dont nous connaissions le sujet. Les deux premières pièces, qui sont perdues, développaient le thème qui, pour le poète, est le révélateur même de la misère humaine : l'erreur engendrant des maux qui la dépassent infiniment et dont nul ne peut plus arrêter la prolifération.

Dans Alexandros, Hécube et Priam sont avertis que l'enfant qui va naître d'eux sera la ruine de Troie. Ils font comme Laïos et Jocaste et exposent le nouveau-né ; des bergers de l'Ida l'élèvent et le nomment Pâris. Il reprend plus tard son nom d'Alexandros et son rang de prince. La seconde pièce racontait la mort du plus intègre de tous les chefs grecs, Palamède, accusé faussement de traîtrise par Ulysse et condamné par un conseil de guerre à être lapidé. Nauplios et Œax, père et frère de la victime, répondront à ce meurtre judiciaire par un acte tout aussi infâme, en allumant des bûchers sur la côte d'Eubée pour naufrager les vaisseaux grecs à leur retour. Ainsi, toute faute initiale est débordée, dans le temps et l'espace, par ses conséquences.

Il nous reste le dernier drame de la trilogie, un des plus beaux de toute l'œuvre. Avec plus d'ampleur qu'Andromaque, plus de puissance et d'altitude qu'Hécube, il reprend le thème des malheurs de Troie, symbolisés par les captives promises à l'esclavage. Elles sont groupées autour de la même Hécube, que la première pièce montrait comme une reine, une mère heureuse et comblée. Une ruine totale lui enseigne que les rois n'ont pas le droit de commettre une erreur. Son malheur, celui des siens, occupe la scène. Mais la tragédie le domine et lui donne son juste contrepoids en projetant derrière lui le malheur des vainqueurs grecs.

Tel est le sens de l'admirable prologue : Posidon rappelle qu'avec Apollon il a bâti les murs de Troie, et qu'il a toujours considéré les Troyens comme ses protégés. Les Grecs ont détruit la ville et saccagé les temples, crime qu'ils devront expier, eux qui à présent ne pensent qu'à remettre leurs bateaux à la rame pour rentrer jouir chez eux de leur gloire et de leur butin. Mais ils ont toute la mer à traverser ; elle leur réserve encore bien des épreuves.

A côté du dieu apparaît Athéna. On s'attend qu'elle plaide la cause des Grecs. Or, tout au contraire, pour avoir vu avec indignation le saccage des lieux saints et Cassandre, au mépris du droit d'asile, arrachée de son autel par Ajax, elle s'associe de tout cœur au plan de Posidon et lui promet son aide pour châtier les coupables.

Les spectateurs connaissaient les épreuves des Retours : la mort d'Ajax, les erreurs d'Ulysse, le meurtre d'Agamemnon. Ils savaient que la menace n'était pas vaine. Mais elle reste ici en suspens. Ils ne verront de leurs yeux que les malheurs des Troyennes, dont chacun inscrit un nouvel acte de démesure au compte de la culpabilité grecque. Agamemnon prend pour son lit Cassandre, vierge consacrée à Apollon. Polyxène est égorgée sur le tertre d'Achille. Il ne suffit pas qu'Andromaque soit jetée dans le bateau de Néoptolème : l'enfant Astyanax est précipité du haut des remparts. On ramène son cadavre : la mère est déjà loin, le maître de son corps n'ayant pas eu le loisir d'attendre. C'est la vieille Hécube qui ensevelit le dernier de sa race, immolé à la peur.

Ulysse et Agamemnon apparaissent dans Hécube, révélant ce que sont des chefs contraints, par leur rôle même, de parler et d'agir contre leur conscience. Les Troyennes ne montrent que leurs actions, qui sont coupables. C'est pourquoi on ne les voit point en scène, où ils n'interviennent que par leur héraut, Talthybios, qui représente la foule, celle qui est censée obéir et qui, en fait, commande. Un épisode met en présence Hélène et Ménélas. Il veut la tuer : on sait dès le premier mot qu'elle n'a rien à craindre ; elle est la plus forte. Le ton du passage relève de la comédie. En profondeur, aucun autre n'est plus amèrement tragique : ainsi donc, ces ruines, ces deuils, ces malheurs annoncés, voilà ce qui les a causés, voilà à quoi ils ont servi!

Pas plus que dans Hécube le chœur ne commente ce qui se passe sous ses yeux. Il est obsédé par ses propres malheurs. Mais en rappelant le passé, en évoquant un avenir redoutable, il tisse l'enchaînement des causes et des effets dont la conclusion, quelle que soit l'anecdote rappelée, est toujours la même : une faute n'a jamais fini de produire ses conséquences. L'incendie de Troie, contemplé avec une stupeur désespérée par le troupeau des femmes promises au servage, donne à la tragédie un dénouement digne d'elle : aucun autre drame n'en offre de plus grandiose, de plus riche en significations. Un seul Grec est présent, celui qui fut la voix de tous, Talthybios, qui servit de parlementaire entre eux et la cité abolie. Les autres, les chefs, sont déjà embarqués, tout à l'ivresse du retour, ignorant quelle malédiction est sur eux suspendue, et qu'Athéna ne les protège plus. Cassandre a triomphalement annoncé qu'elle causerait la mort d'Agamemnon ; la veuve d'Hector ne sait pas qu'elle est destinée à ruiner le bonheur d'Hermione et à perdre Néoptolème. Relire Andromaque dans la perspective des Troyennes, c'est descendre ce fleuve du mal que l'homme n'arrive jamais à épuiser.

La pièce fut jouée au printemps de 415, comme Alcibiade préparait l'expédition de Sicile. Pendant l'hiver précédent, les Athéniens avaient violé la neutralité de Milo, colonie dorienne ; ils avaient pris la ville, tué les adultes, vendu les femmes et les enfants, ce qui, entre cités grecques, était interdit par le droit des gens. Alcibiade reçut dans son lot une esclave milienne.

La trilogie troyenne n'eut que la troisième place, ce qui semble indiquer que les Athéniens comprirent la leçon, et qu'ils la trouvèrent amère.

LES TROYENNES

PERSONNAGES

Posidon
Athéna
Hécube, reine de Troie.
Le héraut Talthybios
Cassandre, fille d'Hécube.
Andromaque, veuve d'Hector.
Ménélas
Hélène
Chœur de captives troyennes.

*Devant les ruines de Troie, le camp des Grecs, prêts au départ. Au
centre, devant une grande baraque, Hécube est couchée, la face contre terre.
Au-dessus de la baraque apparaît Posidon.*

PROLOGUE

POSIDON

Je viens, moi Posidon, de l'abîme salé, de la mer
     Égéenne,
où les Néréides en chœur déroulent leurs rondes
     charmantes.
Depuis que nous avons entouré cette terre troyenne,
Phoibos et moi, d'une enceinte de pierre
exactement tracée, jamais mon cœur n'a renié
son penchant pour mes chers Troyens et pour leur ville.
Ce n'est plus à présent qu'une ruine fumante,
que la lance argienne a détruite et pillée.
Un homme du Parnasse, Épéios de Phocide, instigué
     d'Athéna,
bâtit de planches assemblées un cheval gros d'armures.
Il fit pénétrer dans la place la funeste effigie,
qu'on nommera plus tard le cheval de bois,
parce qu'il recélait le bois des lances[1].

    Voici déserts les lieux sacrés. Les sanctuaires
ruissellent de sang. Contre les degrés de l'autel
de Zeus protecteur du foyer tomba Priam frappé à mort.
Des masses d'or, de butin phrygien,
sont transportés aux vaisseaux grecs; ceux-ci attendent
d'avoir le vent en poupe, afin qu'après ces dix années
ceux qui sont venus prendre cette ville
aient le bonheur enfin de retrouver femme et enfants.

    Et moi, vaincu par la Dame d'Argos,
Héra, par Athéna aussi, liguées pour perdre les
     Phrygiens,
je dois quitter l'illustre Troie et mes autels.
Quand la solitude et la mort règnent sur une ville,
les dieux négligés n'y ont plus d'honneurs à recevoir.
Le Scamandre renvoie le cri désolé de mille captives
tirées au sort. L'une échoit à un Arcadien,
l'autre à un Thessalien, et d'autres sont le lot

des fils de Thésée, les deux princes d'Athènes.
Celles qui n'ont pas été adjugées
reſtent dans ce logis, réservées pour le choix des grands
  chefs.
Avec elles se trouve la femme de Sparte,
la Tyndaride Hélène, traitée comme une esclave : elle l'a
  mérité.
 Si l'on veut voir l'infortune en personne,
voilà Hécube étendue à l'entrée.
Que de pleurs elle verse! et pour combien des siens!
Polyxène sa fille, sur le tombeau d'Achille
eſt morte pitoyablement, et sa mère l'ignore[1].
Finie, la lignée de Priam! Cassandre,
qu'Apollon laissa vierge et livrée au délire,
Agamemnon, brutalement, la prend dans l'ombre pour
  son lit,
sans respeĉt pour le dieu et sa marque sacrée.
 Adieu donc, ville jadis heureuse, adieu,
beau rempart que j'ai ajuſté. Sans la main
de Pallas fille de Zeus, tu serais encore debout!

     *Athéna apparaît à côté de
lui.*

ATHÉNA

Toi, le plus proche parent de mon père,
dieu puissant, honoré par les dieux,
puis-je oublier notre haine passée et t'aborder ?

POSIDON

Tu le peux. Les entretiens entre parents,
dame Athéna, sont le baume des cœurs.

ATHÉNA

Je te remercie de ta bienveillance. Ce que je viens te dire
te concerne aussi bien que moi, seigneur.

POSIDON

Ce n'eſt pas, j'imagine, un nouveau message de Zeus[2],
ni de quelque autre dieu ?

ATHÉNA

Du tout. Il s'agit de Troie où nous sommes.
Je viens vers toi pour unir ma force à la tienne.

POSIDON

Aurais-tu déposé ton hostilité de naguère ?
as-tu pitié de Troie depuis qu'elle est en cendres ?

ATHÉNA

Réponds d'abord à ma demande : seras-tu de moitié dans
          mes plans,
afin d'accomplir avec moi ce que je veux ?

POSIDON

Certes, mais il me faut connaître ton propos.
Viens-tu servir les Grecs ou les Phrygiens ?

ATHÉNA

Ceux-ci étaient mes ennemis : je veux les réjouir
en apprêtant aux Grecs un pénible retour !

POSIDON

Pourquoi sauter ainsi d'un sentiment à l'autre,
haïr et aimer sans mesure, au hasard ?

ATHÉNA

Ne sais-tu pas l'affront qu'on m'a fait dans mon temple ?

POSIDON

Je sais. Ajax brutalement en arracha Cassandre.

ATHÉNA

Or les Grecs ne l'en ont ni puni, ni blâmé.

POSIDON

Et cependant, s'ils ont pris Troie, c'est grâce à toi.

ATHÉNA

Aussi je veux, avec ton aide, les accabler.

POSIDON

Je suis prêt à servir ton dessein. Quel est-il ?

ATHÉNA

Leur changer en douleur le bonheur du retour.

POSIDON

Tandis qu'ils sont ici, ou bien pendant la traversée ?

ATHÉNA

Quand ils navigueront de Troie vers leurs demeures.
Oui, Zeus leur enverra pluie et grêle en rafales,
et les nuages noirs des ouragans.
Il me promet de me prêter sa foudre
pour frapper les Grecs, incendier leurs vaisseaux.
Et quant à toi, dans ton domaine, sur leur route égéenne,
tiens prêts pour eux tourbillons et tempêtes;
que les falaises creuses de l'Eubée soient pleines de
          cadavres,
et que les Grecs apprennent désormais
à respecter mes temples, à craindre tous les dieux.

POSIDON

Il en sera ainsi. Tu n'auras pas à insister
pour obtenir ce service. Je vais agiter les eaux de l'Égée.
Les côtes de Myconos, les récifs de Délos,
et Scyros et Lemnos et les écueils de Capharée
verront venir des morts sans nombre.
Allons, monte à l'Olympe, et reçois des mains de ton
          père

les traits de la foudre, puis attends
que les vaisseaux des Grecs aient défait leurs amarres.

Athéna disparaît.

Il est fou le mortel qui saccage les villes,
et qui change en déserts les temples, les tombeaux,
lieux sacrés du repos : c'est lui qui périt pour finir.

Posidon disparaît.

HÉCUBE *(se soulevant lentement)*

Debout, infortunée, lève ta tête abîmée sur le sol,
redresse ta nuque. Il n'est plus ici ni de Troie,
ni de reine de Troie. La fortune a changé, résigne-toi.
Livre-toi au courant, livre-toi au destin,
sans vouloir redresser ta barque,
qui dérive au fil des hasards!
   Hélas, hélas! nul malheur ne m'est épargné.
Patrie, enfants, j'ai tout perdu.
Orgueilleuse splendeur, accumulée par mes aïeux,
qu'étais-tu ? un néant.
Que dois-je dire ? que dois-je taire ? sur quoi pleurer ?
Malheureuse, étendue le dos contre la pierre,
sur ce lit de misère qui brise mes jointures!
O ma tête, mes tempes, mes côtes!
Comme une barque qui roule, je voudrais balancer ma
           carcasse,
pour accompagner ma complainte et mes larmes sans fin!
C'est la seule Muse qui reste aux malheureux :
le refrain de leur infortune leur remplace les chœurs.

(Elle chante.)

STROPHE

Les proues rapides des bateaux,
vers la sainte Ilion, à la force des rames,
allaient, traversant les vagues pourprées,
d'un port à l'autre de la Grèce,
au péan joyeux des sifflets et des flûtes aiguës,
affreux pour nos oreilles.

Le filin d'Égypte les a mis à l'ancrage,
hélas, hélas, dans le sein même de Troie.
Ils venaient réclamer pour Ménélas la haïssable épouse,
la honte de Castor, le déshonneur de l'Eurotas, Hélène !
Elle a tué celui dont cinquante enfants sont issus,
Priam ! Moi, la pauvre Hécube, je lui dois mon naufrage !

ANTISTROPHE

    Ah ! Quelle garde je monte ici,
assise à la porte d'Agamemnon !
on emmène pour l'esclavage la vieille arrachée au foyer,
tête rasée pour le deuil, meurtrie par la douleur !
                      (Elle se tourne vers les
                      baraques).
    Épouses des Troyens armés de bronze, infortunées,
filles promises à de honteuses noces,
d'Ilion monte la fumée, pleurons ensemble !
Comme une mère sur sa couvée qui se disperse,
pour vous j'entonne ma chanson.
Ce n'est pas celle dont jadis,
appuyée sur le sceptre de Priam,
et marquant bien du pied la cadence phrygienne,
je donnais le signal pour célébrer les dieux.

                  Une partie des captives
                  sort de la baraque et vient
                  former un demi-chœur.

PARODOS

LE CORYPHÉE

POURQUOI ces cris, Hécube, et pourquoi ces appels ?
Qu'as-tu à nous dire ? A travers la cloison
j'ai entendu ta plainte. La terreur a percé le cœur
des femmes qui, dans ce logis, pleurent leur liberté
    perdue.

HÉCUBE

Sur les navires grecs, mes filles,
les mains déjà se tendent vers les rames.

LE CORYPHÉE

Hélas, hélas, que vont-ils faire ? Est-ce l'heure venue
de m'embarquer, de quitter le pays natal ?

HÉCUBE

Je ne sais. Je pressens un malheur.

LE CORYPHÉE *(criant vers les baraques)*

Venez, déplorables Troyennes,
apprendre quel sort vous attend!
Sortez de vos logis! L'armée se prépare à partir.

STROPHE I

HÉCUBE

Ne laissez pas, de grâce, sortir Cassandre,
la bacchante, la ménade en délire,
dont je rougis devant les Grecs !
Que je n'aie pas ce surcroît de douleur !

O Troie, voici pour toi le dernier coup :
en pleurant t'abandonnent et les vivants et les morts !

                Entre le second demi-
                chœur.

LE CORYPHÉE

Je sors en tremblant de ces tentes d'Agamemnon
pour apprendre de toi, ô ma reine,
si les Grecs ont résolu notre mort,
ou si, rangés aux poupes, les marins préparent les rames.

HÉCUBE

L'angoisse avant l'aube, ma fille, m'a envoyée ici.

LE CORYPHÉE

Un héraut des Grecs est-il déjà venu ?
Quel maître devrai-je servir pour mon malheur ?

HÉCUBE

Ton sort est près de se décider.

LE CORYPHÉE

Qui m'emmènera ?
Un homme d'Argos ? un homme de Phthie ?
sera-ce vers une île, désespérée de quitter Troie ?

ANTISTROPHE I

HÉCUBE

Hélas, pour quel maître, et dans quel pays
serai-je esclave, triste vieille, pauvre frelon,
misérable image de morte, tremblant fantôme ?
Il me faudra garder une porte, soigner des enfants,
moi qui avais à Troie les honneurs souverains !

STROPHE II

LE CHŒUR

Hélas ! quelles plaintes suffiraient
à pleurer ton abaissement ?
Ce n'est pas au pays de l'Ida
qu'assise au métier je ferai tourner, courir ma navette !
Pour la dernière fois je vois la maison paternelle[1],
pour la dernière fois. Des peines plus lourdes m'attendent :
le lit d'un Grec, et maudite la nuit qui m'y condamnera !
Ou bien, servante pitoyable, j'irai remplir mes cruches
à la source sacrée de Pirène.
Je voudrais être destinée
à la terre fameuse et bénie de Thésée,
mais non à l'Eurotas tourbillonnant,
odieux séjour d'Hélène, où je devrais saluer pour maître
Ménélas, le bourreau de Troie.

ANTISTROPHE II

Le noble pays du Pénée, beau socle où s'élève Olympie,
on le loue pour son opulence,
pour ses fleurs et pour ses beaux fruits.
A défaut de la sainte Attique, je choisis de m'y rendre.
La terre de l'Etna, domaine d'Héphaïstos,
mère des monts de la Sicile et pendant de la Phénicie,
obtient, dit-on, le prix de la valeur.
On vante aussi le sol auquel aborde ensuite
le marin naviguant sur la mer Ionienne[2].
Le Crathis, le plus beau des fleuves, l'arrose.
Qui s'y baigne en sort avec des cheveux fauves.
Son flot divin nourrit et rend prospère
un terroir riche en hommes vigoureux.

Le héraut Talthybios
entre par la gauche.

PREMIER ÉPISODE

TALTHYBIOS

Tu me connais, Hécube, pour m'avoir vu souvent venir
    à Troie
comme porte-parole de l'armée achéenne,
moi, Talthybios, qui vous apporte ici une nouvelle
    décision[1].

HÉCUBE

*Troyennes, mes amies, voilà ce que de longtemps je crai-
gnais.*

TALTHYBIOS

Si tel était l'objet de votre crainte,
le sort a décidé de vous.

HÉCUBE

*Hélas ! Hélas ! quelle ville vas-tu nommer,
en Thessalie, en Phthie, au pays de Cadmos ?*

TALTHYBIOS

A chacune de vous échoit un maître différent.

HÉCUBE

*Nomme les maîtres. Nomme les esclaves !
Qui de nous tira le sort le meilleur ?*

TALTHYBIOS

Je pourrai te le dire. Mais interroge en les énumérant.

HÉCUBE

A qui, dis-moi, échoit ma fille, ma pauvre Cassandre ?

TALTHYBIOS

Pour prix de sa valeur, le roi Agamemnon eut le droit de
  la prendre

HÉCUBE

Comme servante de sa femme, la Laconienne, ô dieux !

TALTHYBIOS

Non. Elle sera dans l'ombre l'épouse de son maître.

HÉCUBE

*Elle ? La vierge élue par Apollon, à qui le dieu aux
  cheveux d'or
accorda la faveur de vivre sans époux ?*

TALTHYBIOS

Une flèche d'amour a touché le roi pour la jeune
  inspirée.

HÉCUBE

*Rejette, ma fille, les clefs consacrées,
arrache ta couronne, tes saintes bandelettes !*

TALTHYBIOS

Entrer au lit du roi, n'est-ce donc rien pour elle ?

HÉCUBE

*Et l'enfant que naguère vous m'avez enlevée, où est-
  elle ?*

TALTHYBIOS

Tu veux parler de Polyxène, j'imagine ?

HÉCUBE

Oui, Polyxène. A qui le sort l'a-t-il attribuée ?

TALTHYBIOS

Elle est destinée à servir le sépulcre d'Achille.

HÉCUBE

Quoi ? Je l'ai mise au monde pour être esclave d'une tombe ?
Quel usage, quel rite, les Grecs ont-ils inventé là ?
Dis-le moi donc, l'ami ?

TALTHYBIOS

Loue le sort de ta fille. Elle a trouvé la paix.

HÉCUBE

Que veux-tu dire ? De grâce, elle voit le soleil ?

TALTHYBIOS

Son destin accompli l'affranchit de tous maux.

HÉCUBE

Et l'épouse d'Hector, le maître de la lance,
Andromaque la désolée, qu'advient-il d'elle ?

TALTHYBIOS

Le fils d'Achille l'a choisie pour sa part.

HÉCUBE

Et moi, qui devrai-je servir ? moi qui ne puis tenir
levée ma vieille tête
sans un troisième appui, un bâton sous ma main ?

TALTHYBIOS

Le sort t'adjuge au roi d'Ithaque, Ulysse.

HÉCUBE

O désespoir ! Meurtris ta tête rasée,
de tes ongles déchire tes joues !
C'en est trop ! Cet impur, ce perfide, mon maître ?
Ennemi du vrai, vipère sans loi,
il court d'un camp à l'autre
et partout calomnie et partout met la brouille.
Pleurez sur moi, Troyennes.
Ce dernier coup m'achève. Tout est fini pour moi.
Le sort n'aurait pu m'être plus funeste.

LE CORYPHÉE

Tu connais à présent, ton destin, noble dame,
qui donc parmi les chefs disposera du mien ?

TALTHYBIOS

Vous, serviteurs, allez. Conduisez ici sur-le-champ
Cassandre, que je la remette aux mains du roi,
avant de mener vers les autres chefs les captives choisies.
    Mais que vois-je ? Pourquoi là-dedans des torches qui
        brillent ?
Serait-ce un incendie qu'allument les Troyennes ?
Près d'être emmenées d'ici en Argolide, préfèrent-elles
se brûler vives ? Assurément une âme libre
devant un tel destin peut mal se résigner.

> *(Il frappe sur la porte de la*
> *baraque.)*

Mais ouvrez, ouvrez donc! Qu'on ne m'impute pas
ce qui serait à l'honneur de ces femmes
mais qui mettrait les Grecs fort en colère.

HÉCUBE

Elles n'ont point allumé d'incendie. C'est ma fille,
la ménade, Cassandre, qui s'élance vers nous.

> *Sort de la baraque Cas-*
> *sandre en habits de fête, portant*
> *une torche allumée.*

STROPHE

CASSANDRE

Haut la torche, éclairez-moi[1].
j'apporte lumière, sainteté, clarté — voyez, voyez ! —
à ce temple, avec mon flambeau !
Hyménée, ô seigneur Hyménée, louange à l'époux,
louange à moi aussi qui entre en fiancée
au lit du roi d'Argos,
Hymen, ô seigneur Hyménée !
Puisque tu n'es que pleurs, ma mère,
que plaintes pour mon père mort
et la chère patrie perdue,
c'est à moi de penser à mes noces
en tenant haut la flamme ardente, éclat, splendeur,
que je te dédie, Hyménée, que je te dédie, ô Hécate,
lumière exigée par le rite
aux noces d'une vierge !

ANTISTROPHE

Il faut bondir, bondir bien haut !
A toi de mener la danse, Évan, Évohé !
Comme aux jours glorieux de mon père,
notre chœur sert les dieux : conduis-le, ô Phoibos,
vers ton sanctuaire entouré de lauriers,
en l'honneur de ta prêtresse,
Hymen, ô Hyménée.
Il faut rire et danser, ma mère[2],
et par amour pour moi
régler ton pas sur ma cadence.
Chantez l'hyménée. Ho !
avec des cris de joie, louez la fiancée !
Filles de Troie, revêtez vos robes de fête
pour célébrer mes noces
et l'époux promis à mon lit !

LE CORYPHÉE

Reine, sa raison s'égare, retiens-la.
Sa danse pourrait la mener jusqu'au quartier des Grecs.

HÉCUBE

C'est ton rôle, Héphaïstos, de porter le flambeau nuptial.
Mais qu'il blesse mes yeux, celui que tu agites là
au démenti de mes plus beaux espoirs ! Que j'imaginais
       peu
les noces de ma fille parmi les épées et les lances grecques,
et pour l'acheminer à un tel mariage !
Donne-moi cette torche, tu la tiens de travers,
dans ton élan furieux. Nos malheurs, pauvre enfant,
ne t'ont pas dégrisée. Ta folie est toujours la même.
Emportez ces flambeaux, Troyennes. Ne répondez
que par des pleurs à ses chants d'hyménée.

CASSANDRE

Mets sur mon front, ma mère, les couronnes de la
       victoire,
et sois fière de me voir épouser le roi.
Conduis-moi vers lui, et si je te semble hésiter,
presse-moi, force-moi ! Aussi vrai qu'Apollon est vivant,
Hélène fut épouse moins funeste que je ne le serai
pour le fameux Agamemnon, le roi des Grecs !
C'est la mort que je lui apporte, et la ruine de sa maison,
à lui qui détruisit la nôtre, vengeant ainsi mes frères et
       mon père.
Et je ne dis pas tout[1]. Je ne veux pas chanter la hache
qui tranchera le col, à moi, et puis à d'autres,
les luttes matricides issues de mon hymen,
l'écroulement de la maison d'Atrée.
Je vais montrer que notre Troie eut un sort plus heureux
que la Grèce. Oui, le dieu me possède,
mais ce n'est pas comme inspirée que je parle à présent.
(Un temps.)
    Pour une seule femme et pour un seul amour,
pour nous reprendre Hélène, ils ont perdu des centaines
       de vies.

Leur chef, dans sa haute raison, pour un objet digne de
         haine,
a sacrifié ce qu'il aimait le plus au monde
et perdu le bonheur du foyer : son enfant,
au bénéfice de son frère, pour lui rendre une femme
partie de son plein gré, ravie sans nulle résistance.
Ils vinrent aux bords du Scamandre. Ceux qui tombaient,
ce n'était pas pour reconquérir leurs frontières,
leur citadelle. Arès les enlevait
sans qu'ils eussent revu leurs enfants. Les mains de leurs
         femmes
n'ont pas sur eux replié leur linceul. Étrangère est la
         terre
où ils gisent. Même disgrâce en leurs foyers
où mouraient des veuves, des parents sans enfants,
puisque c'était pour d'autres qu'ils avaient élevé leurs
         fils,
et nul à leur tombeau n'offrira le sang des victimes.
Oui, on peut les féliciter, ceux qui ont entrepris cette
         guerre !
Et je tais bien des hontes. Que la Muse jamais
ne me fasse dire ce qui est infâme.
   Les Troyens, au contraire, avaient dès l'abord la plus
         belle des gloires,
puisqu'ils mouraient pour leur patrie. Ceux que
         fauchait la lance,
portés par leurs amis dans leurs demeures,
ensevelis par ceux dont c'était le devoir,
recevaient dans le sol natal leur vêtement de terre.
Ceux que le combat épargnait vivaient chez eux au jour
         le jour
avec leur femme et leurs enfants, joie dont les Grecs
         étaient privés.
Quant à Hector sur qui tu pleures, écoute quel fut son
         destin.
Il n'est mort qu'après avoir prouvé sa valeur.
Sans l'arrivée des Grecs, qu'en aurait-on connu ?
Qu'ils fussent demeurés chez eux, son héroïsme
         demeurait obscur.
Pâris s'est uni à la fille de Zeus : s'il ne l'avait pas épousée,
qui dans sa maison parlerait de sa gloire[1] ?
Le devoir d'un sage est assurément d'éviter la guerre,
mais s'il faut la subir, c'est une gloire pour une cité

que de périr avec grandeur : la seule honte est de mourir
en lâche.
Cesse donc de pleurer sur ta patrie, ma mère,
et sur mon lit. Nos pires ennemis, à moi,
à toi, mon hymen va les perdre.

LE CORYPHÉE

Que tu te plais à rire de tes propres disgrâces,
à dire des oracles que ton sort même risque de démentir !

TALTHYBIOS

N'était Apollon qui te fait délirer,
tu paierais cher les vœux sinistres dont tu poursuis mes
chefs
sur le point de quitter ton pays !
Oui, vrai ! ceux qu'on vénère et qu'on estime sages
valent tout juste autant que les petites gens.
Voilà le plus grand roi des Grecs, le fils chéri d'Atrée,
qui se prend d'un amour sans égal
pour cette folle ! Et moi qui ne suis qu'un pauvre
homme,
je ne voudrais pas la demander pour mon lit[1].
Au reste, tu as l'esprit dérangé.
Insulte les Grecs, loue les Phrygiens :
autant pour moi en emporte le vent. Mais il faut me
suivre
vers les navires, belle promise de notre général.

(A Hécube.)

Toi, quand le fils de Laërte ordonnera
qu'on t'emmène, obéis. Tu seras la servante
d'une femme de bien, si j'en crois ceux qui sont venus à
Troie.

CASSANDRE

Il parle haut, le serviteur ! Pourquoi leur fait-on un
renom,
à ces hérauts, ces gens que tout le monde hait,
et qui ne sont que des valets des rois et des cités ?
Tu dis que ma mère devra suivre Ulysse
dans son palais ? Que devient alors le mot d'Apollon,
révélé à moi-même, que la mort la prendra

en ces lieux-ci ? Ce que je sais de plus, je ne veux pas l'en
　　　accabler[1].
Pauvre Ulysse, ignorant des maux qui l'attendent,
tels que les miens et ceux des Phrygiens
lui seraient de l'or en comparaison. En plus de celles qu'a
　　　durées la guerre,
dix années lui restent à passer,
avant de rentrer, seul survivant, dans sa patrie...
... (Il devra voir) le défilé rocheux où vit
la terrible Charybde; sur la montagne, nourri de chair
　　　crue
le Cyclope; la Ligurienne qui transforme en cochons,
Circé; et les naufrages dans la mer salée;
et l'attrait du lotos; et les vaches sacrées du Soleil
dont les chairs prendront voix pour lui prédire
des malheurs. Je ne dirai pas tout.
Vivant il ira aux enfers et n'échappera aux périls de la
　　　mer
que pour trouver chez lui mille calamités.
　　Mais qu'ai-je à faire flèche des épreuves d'Ulysse ?
Hâtons-nous de partir! C'est dans l'Hadès que m'attend
　　　un époux.
Chef suprême des Grecs, toi qui parais supérieur au
　　　destin,
tu recevras, ô misérable, honteuse sépulture, nocturne,
　　　dérobée au jour,
et mon cadavre, à moi, jeté nu au ravin,
dans le torrent furieux, près du tombeau de mon amant,
les roches l'offriront aux fauves en pâture, moi, la
　　　servante d'Apollon!

　　　　　　　　　　(Elle enlève ses ornements
　　　　　　　　　　rituels.)

　　O bandeau de mon dieu bien-aimé, ornements de la
　　　prophétesse,
adieu. C'en est fini des fêtes où je vous revêtais.
Détachez-vous de moi. Je les déchire avant que mon
　　　corps soit souillé,
et je les jette au vent afin qu'il te les rende, seigneur des
　　　révélations!
Où est le navire du roi ? où dois-je m'embarquer ?
Ne perds pas un instant. Guette le vent qui gonflera tes
　　　voiles.
C'est une des trois Érinyes qu'avec moi tu emmènes.

Ma mère, adieu. Il ne faut pas pleurer. O ma chère
    patrie,
mes frères couchés sous la terre, père qui nous donnas
    la vie,
vous allez bientôt me voir arriver triomphante,
ayant ruiné la maison des Atrides, cause de notre perte.

> *Elle sort avec Talthybios.*
> *Hécube se laisse tomber par*
> *terre.*

LE CORYPHÉE

Servantes de la vénérable Hécube, voyez-la
notre reine, tombée par terre sans un mot.
Il faut la secourir. Allez-vous, négligentes, la laisser sur
    le sol,
la pauvre vieille, sans l'aider ? Mais relevez-la donc.

HÉCUBE *(tandis qu'on veut la relever)*

Ah ! laissez-moi — un service n'est tel que s'il est désiré —
couchée où me voici tombée, chute à l'image
de mes maux présents et passés, et de ceux qui m'attendent.
O dieux du ciel ! On ne peut pas compter sur leur secours,
mais il convient de les prier dans l'infortune.
Pour commencer mon chant, j'aimerais dire mes
    bonheurs,
rendant ainsi plus pitoyables mes souffrances.
    J'étais une reine, j'épousai un roi.
De nous sortit une admirable descendance,
nombreuse, et, ce qui compte davantage, éminente parmi
    les Phrygiens,
telle que nulle femme, Troyenne, Grecque ou Barbare,
ne pourrait se targuer d'en avoir produit la pareille.
J'ai vu tomber mes fils sous la lance des Grecs.
J'ai coupé mes cheveux pour les offrir à leur tombeau.
Et le patriarche Priam, ce n'est pas sur la foi d'un
    récit
que je l'ai pleuré, non ! Je l'ai vu de mes yeux
égorgé au foyer de l'autel domestique,
tandis qu'on prenait Troie. J'élevais mes filles
en vue d'être l'honneur d'époux du plus haut rang,

et c'était pour des Grecs qui les ont arrachées de mes
       bras.
Je n'ai aucun espoir que jamais elles me revoient,
ni que moi-même je les revoie jamais.
Pour mettre enfin le comble à mes souffrances,
la vieille femme part en servitude pour la Grèce.
Les travaux les plus dégradants pour mon âge
me seront imposés. Je devrai garder une porte,
surveiller des verrous, moi, la mère d'Hector!
faire le pain, étendre sur la terre nue
mon dos osseux, qui vient d'une couche de reine,
revêtir de haillons usés ma peau usée,
de loques que les riches ne veulent plus porter.
Infortunée! pour le lit d'une seule femme
combien j'ai souffert et souffrirai encore!
O ma fille, ô Cassandre qui partageas les extases des dieux,
quelle ruine mit fin à ta virginité!
Et toi, ma pauvre enfant, où es-tu, Polyxène?
Quand tant d'enfants sont nés de moi, nul de mes fils et
       nulle de mes filles
n'est là pour secourir la malheureuse!

                *(Aux Troyennes qui la
       relèvent.)*

A quoi bon me relevez-vous? Dans quelle espérance?
Mes pieds, si délicats naguère à Troie,
ceux d'une servante à présent, guidez-les vers le lit de
       paille,
vers l'oreiller de pierre où je pourrai tomber et me laisser
       mourir,
rongée de larmes. Ne croyez au bonheur d'aucun homme,
fût-il des plus heureux, avant qu'il ne soit mort.

                  Elle se laisse retomber.

PREMIER STASIMON

STROPHE

LE CHŒUR

Muse, pleure et inspire-moi
un hymne tout nouveau pour Troie, un chant funèbre !
Pour elle va sonner mon cri de deuil,
racontant le char quadrupède
qui fit de moi, infortunée, une esclave des Grecs.
Laissé par eux, harnaché d'or, gros de soldats,
hennissant vers le ciel, un cheval était à nos portes.
Un cri monta du peuple entier, massé sur le haut du
      rocher :
« Nos travaux sont finis ! Courage !
Amenez jusqu'ici cette effigie sacrée
pour la Vierge fille de Zeus, Athéna d'Ilion. »
Pas une fille, pas un vieil homme,
qui ne sortît alors de sa maison.
Avec des chants joyeux on venait s'emparer
de l'embûche fatale.

ANTISTROPHE

Tout le peuple courut aux portes
voir le piège ouvré par les Grecs en sapin de montagne,
et l'offrir à la Vierge immortelle,
pour la ruine de la Dardanie.
On l'entoure de cordes, ainsi qu'on hale une carène noire ;
on le hisse au socle de marbre, au temple de Pallas,
au sol que notre sang allait rougir.
Sur le travail et sur la joie tombait enfin l'ombre du soir,
sonnaient les flûtes de Libye et nos chansons.
Les jeunes filles lançaient légèrement
leurs danses rythmées, leurs appels joyeux.

Aux torches de la fête il faisait jour dans les maisons,
et dans chaque foyer s'assoupissait
la terne ardeur du feu.

ÉPODE

Et moi, près de son temple, je célébrais parmi les
        chœurs
la reine des montagnes, Artémis née de Zeus,
quand un cri de mort venu des remparts
entra jusqu'au fond de chaque demeure.
Les petits enfants aux robes des mères
attachaient leurs mains crispées par l'effroi,
Arès sortait de l'embuscade,
Pallas accomplissait son œuvre !
Tout autour des autels coulait le sang troyen,
et, dans leur lit désert, des femmes aux têtes rasées[1]
témoignaient de la gloire des beaux fils de la Grèce,
du deuil de la patrie troyenne.

> Des soldats grecs amènent
> sur un chariot à quatre
> roues Andromaque, Astya-
> nax et des armes parmi les-
> quelles se trouve le grand
> bouclier d'Hector.

SECOND ÉPISODE

LE CORYPHÉE

Hécube, vois-tu Andromaque, portée sur un char par
    les étrangers ?
Elle se frappe la poitrine. Près d'elle est notre cher
    Astyanax,
le fils d'Hector. Où t'emmène-t-on en haut de ce char,
    malheureuse femme,
assise à côté des armes de bronze, celles d'Hector,
et du butin conquis sur les Troyens,
dont le fils d'Achille ornera les temples de Phthie
une fois revenu de Troie ?

STROPHE I

ANDROMAQUE

Les Grecs sont nos maîtres, ils m'emmènent.

HÉCUBE

Hélas !

ANDROMAQUE

A quoi bon sur moi entonner la plainte...

HÉCUBE

Hélas !

ANDROMAQUE

... due à mes souffrances...

HÉCUBE

O Zeus !

ANDROMAQUE

... et à ma ruine.

HÉCUBE

O mes enfants !

ANDROMAQUE

Nous avons cessé d'exister !

ANTISTROPHE I

HÉCUBE

Mort le bonheur, morte Ilion !

ANDROMAQUE

Douleur !

HÉCUBE

Morte ma belle descendance !

ANDROMAQUE

Pleurons !

HÉCUBE

Oui, pleurons mon sort...

ANDROMAQUE

... cruel !

HÉCUBE

Sort lamentable...

ANDROMAQUE

... de la cité...

HÉCUBE

... qui n'est plus rien que cendres.

STROPHE II

Andromaque

A moi, mon époux, viens...

Hécube

*Tu appelles mon fils, mais il est dans l'Hadès, pauvre
femme !*

Andromaque

... protéger ta compagne...

Hécube

... et toi que les Grecs outragèrent...

ANTISTROPHE II

Andromaque

... père de mon Hector, vénérable Priam...

Hécube

... emmène-moi dormir parmi les morts[1].

STROPHE III

Andromaque

O grands désirs...

Hécube

... grands comme nos douleurs...

ANDROMAQUE

regrets de la patrie perdue !

HÉCUBE

Les malheurs nous accablent !

ANDROMAQUE

A cause du courroux des dieux,
irrités que Pâris échappât à la mort !
Pour un odieux amour il a perdu la citadelle !
Aux pieds de Pallas la déesse
saignent les cadavres, attendent les vautours.
Pâris au cou de Troie a fixé le joug de l'esclave.

ANTISTROPHE III

HÉCUBE

Pauvre patrie !

ANDROMAQUE

Je te quitte en pleurant !

HÉCUBE

Tu vois ici la fin de ton bonheur.

ANDROMAQUE

La maison où naquit mon fils !

HÉCUBE

Mes enfants morts, en perdant ma patrie,
c'est de vous aussi que je me sépare !
Quel chant funèbre, quelle lamentation,
quels flots de larmes suffiraient à pleurer nos maisons ?
Le mort seul ignore à la fois et ses maux et les pleurs.

Le coryphée

Combien pleurer adoucit la souffrance,
et gémir et chanter son malheur!

Andromaque

Mère du héros dont la lance a tué tant de Grecs,
mère d'Hector, qu'es-tu forcée de voir ici?

Hécube

Oui, l'ouvrage des dieux! Ils aiment porter au sommet
celui qui n'était rien, et détruire les grands.

Andromaque

Je ne suis plus, avec mon fils, qu'un butin qu'on emmène.
Être né si haut! devenir esclave! ô vicissitudes!

Hécube

Lourd est le joug de la nécessité. A l'instant, de mes bras
Cassandre s'en est allée, emmenée de force.

Andromaque

Un autre Ajax, hélas, aura surgi
qui désire ta fille[1]. Mais ce n'est pas ton seul malheur.

Hécube

Ils sont sans nombre et sans mesure.
Chacun l'emporte sur le précédent.

Andromaque

Ta fille Polyxène est morte sur la tombe
d'Achille, égorgée, offerte à une ombre insensible.

Hécube

O douleur! c'était donc cela que tout à l'heure
Talthybios me donnait à entendre, obscurément.

ANDROMAQUE

Je l'ai vue de mes yeux; j'ai pu descendre de ce char,
la recouvrir de mon manteau et sur son corps me frapper
　　la poitrine.

HÉCUBE

O mon enfant! Immolation sacrilège!
Hélas, hélas! ô mort abominable!

ANDROMAQUE

Quelle qu'ait été sa mort, son destin en tous cas
est plus heureux que la vie qui me reste.

HÉCUBE

Comment peut-on, ma fille, comparer vie et mort ?
L'une est néant, l'autre admet encore l'espérance.

ANDROMAQUE

Tu émets là, ma mère, un jugement que je n'admire pas[1].
Écoute-moi, que je console un peu ton cœur.
Être mort, ne pas être né s'équivalent, je pense,
et mieux vaut mourir que de vivre dans la douleur.
On ne souffre pas de ses maux quand on est insensible.
Mais qui, ayant été heureux, tombe dans l'infortune
reste obsédé par le regret de ce qu'il a perdu.
Comme si jamais elle n'était née, Polyxène
dans la mort, ignore tout de ses propres malheurs.
　　Mais moi! J'avais visé la renommée parfaite,
et je l'ai bien atteinte, mais en passant à côté du bonheur.
Toutes les règles de décence qu'on s'ingénie à nous
　　prescrire,
j'ai tenu à les pratiquer dans la maison d'Hector.
Et tout d'abord, qu'elle soit ou non digne de reproches,
une femme encourt la critique
du simple fait qu'elle ne reste pas chez elle.
Je résistais à mon envie, je ne quittais pas la maison,
je tenais à l'écart les conseilleuses bavardes.
La nature pour me guider m'avait donné du jugement
qui suffisait pour me conduire.
J'offrais à mon époux bouche silencieuse et visage serein.

Je savais à propos l'emporter sur lui,
ou bien lui laisser la victoire.
Or, ce renom parvint au camp des Grecs,
et pour causer ma perte. Dès que je fus captive,
le fils d'Achille décida qu'il me prendrait
pour femme. Je serai donc esclave au foyer de nos
　　　　assassins !
Si j'écarte de ma pensée la chère figure d'Hector,
que je laisse mon cœur ouvert à mon nouvel époux,
je trahirai celui qui n'est plus. Mais si je repousse mon
　　　　maître,
je me ferai haïr de lui.
Une nuit, dit-on, suffit à détendre,
l'aversion d'une femme pour l'homme qui la met dans
　　　　son lit.
Mais moi je n'ai que du mépris pour celle
qui peut oublier son mari dans la couche d'un autre.
Même une cavale, quand on la sépare
de sa compagne d'attelage, se refuse à tirer le joug.
Et ce n'est qu'une bête, sans langage,
sans raison, en tout inférieure à notre nature.
　　Tu fus pour moi, Hector, un époux accompli.
Raison, naissance, et richesse et courage, tout en toi était
　　　　grand.
Tu es venu me prendre vierge au foyer de mon père,
et c'est de toi que j'ai appris ce que c'est que l'amour.
Et te voilà mort, et moi prisonnière,
embarquée vers la Grèce pour y être servante !
Hécube, tu le vois, au prix de mon malheur,
qu'est-ce que mourir, comme Polyxène que tu pleures ?
L'espoir, le dernier bien qui reste aux hommes,
je n'en ai plus, et ne puis m'abuser jusqu'à croire
qu'il m'arrive encore quelque joie.
Qu'il est doux cependant de se l'imaginer !

LE CORYPHÉE

Ton malheur est pareil au mien,
et ta plainte m'instruit sur ma propre misère.

HÉCUBE

Jamais moi-même je ne suis montée dans un bateau,

mais j'en ai vu sur les peintures et je les connais par ouï-
    dire.
Si les marins n'ont qu'un gros temps à essuyer,
ils mettent grande ardeur à préserver leur vie.
L'un veille au gouvernail et l'autre à la voilure,
un autre vide la sentine. Mais s'ils sont débordés
par la mer déchaînée, ils cèdent au destin,
ils se laissent aller à la merci des flots.
Et c'est ce que je fais. Trop de maux ont fondu sur moi,
et je reste muette et passive, vaincue
par la vague d'adversité que les dieux ont levée contre
    moi.
Ma chère enfant, cesse de penser à ton mari mort.
Tes pleurs ne peuvent rien pour lui.
Honore le maître qui te commande à présent,
fais-toi aimer de lui par le charme de tes manières.
Tu agiras ainsi pour le bonheur de tous les tiens.
Et puisses-tu élever le fils de mon fils,
donnant par là grande espérance à Troie,
que des fils nés de lui puissent un jour
la rebâtir, et qu'elle ressuscite!

                        (*Elle aperçoit Talthybios.*)
    Mais silence. Il nous faut changer notre entretien.
Que se passe-t-il que je doive voir ce valet des Grecs
revenir ici porteur de nouveaux ordres?

TALTHYBIOS

Veuve d'Hector, qui fut le plus brave des Phrygiens,
ne me maudis pas. C'est malgré moi que je viens annoncer
la décision des Atrides et de toute l'armée.

ANDROMAQUE

Prélude de mauvais augure! Qu'y a-t-il?

TALTHYBIOS

On a décidé pour ton fils... Comment dire le reste?

ANDROMAQUE

Non pas de lui donner un maître différent du mien?

TALTHYBIOS

Aucun des Grecs jamais ne deviendra son maître.

ANDROMAQUE

Alors on laisse ici ce reste des Troyens ?

TALTHYBIOS

Comment te rendre supportable ce que j'ai à te dire[1] ?

ANDROMAQUE

Je louerai ton scrupule, pourvu que tu n'aies pas de
malheur à m'apprendre.

TALTHYBIOS

Tu vas entendre le plus grand : ils vont tuer ton fils.

ANDROMAQUE

O douleur! coup plus affreux que le joug de l'hymen!

TALTHYBIOS

Ulysse à l'assemblée l'emporta en disant...

ANDROMAQUE

Hélas, encore hélas! Mon infortune est sans mesure!

TALTHYBIOS

... qu'il ne fallait pas laisser vivre le fils d'un tel héros.

ANDROMAQUE

Prévale ce même principe quand ses enfants seront en
cause!

TALTHYBIOS

Mais le jeter du haut des murs de Troie.

(Andromaque pousse un cri et
saisit l'enfant dans ses bras.)

Il n'en sera pas autrement, et tu prendras le parti le plus
      sage.
Ne le serre pas contre toi. Dans ta douleur sois grande.
Tu es sans force; ne t'imagine pas pouvoir nous résister.
Nulle part tu n'as un appui, songes-y bien.
Ta ville est détruite, ton mari est mort, tu es prisonnière.
Pour nous, une femme qui lutte seule
ce n'est rien. Dès lors, renonce à te débattre,
à rien faire d'indigne ou qu'on puisse blâmer.
Et même, je t'en prie, ne maudis pas les Grecs!
Que tu dises un seul mot dont s'irrite l'armée,
elle pourrait priver ton fils de sépulture et de plaintes
      funèbres.
Si tu te tais, si tu te soumets à ton sort,
tu ne laisseras pas à l'abandon le corps de ton enfant,
et les Grecs en auront pour toi plus de clémence.

ANDROMAQUE

O mon enfant, mon unique trésor,
tu vas mourir de la main de nos ennemis,
abandonnant ta mère infortunée.
Ce qui te fait périr, c'est l'héroïsme de ton père
qui fut le salut de tant d'autres, non le tien!
Infortuné, l'hymen qui me fit entrer au palais d'Hector!
Était-ce pour fournir une victime aux Grecs
que je souhaitais mettre au monde un fils?
C'était pour qu'il régnât sur l'Asie et ses belles moissons.
Tu pleures, mon enfant? Comprends-tu ton malheur?
A quoi bon m'enserrer de tes bras, te suspendre à ma
      robe?
comme un oiseau te blottir sous mes ailes?
Hector ne viendra pas avec sa glorieuse lance,
ressuscitant du sol pour te sauver,
pas plus que ceux de ton lignage, ou la puissance des
      Phrygiens.
Lancé d'en haut, impitoyablement, pour une chute
      affreuse

qui brisera ta nuque, tu rendras le dernier soupir.
O corps de mon enfant, si doux à étreindre,
ô suave odeur de ta peau ! c'est donc en vain
que mon sein t'a nourri lorsque tu étais dans tes langes !
En vain je me suis épuisée de peine et de tourment.
Donne ce baiser à ta mère ; ce sera le dernier.
Contre elle serre-toi, passe tes bras
autour de mon cou, pose ta bouche sur ma bouche.
   C'est vous, les Grecs, qui inventez des supplices
      barbares[1] !
De quel droit tuez-vous cet enfant innocent ?
Hélène, la Tyndaride, ce n'est pas de Zeus que tu es la
      fille,
nombreux sont tes parents : Fléau, Haine, Meurtre,
      Mort,
et tous les monstres issus de la terre.
Non, je n'oserais te donner Zeus pour père,
à toi, mauvais génie pour tant de Grecs et de Barbares !
Sois maudite ! Les champs fameux de la Phrygie,
tes beaux yeux en ont fait une hideuse solitude !
   Voilà mon fils, vous pouvez l'emmener, l'emporter,
le précipiter, si tel est votre bon plaisir
ou faire repas de sa chair. Les dieux ont voulu notre
      perte.
Comment pourrai-je empêcher mon fils de mourir ?

> *(Talthybios prend Astyanax ;*
> *le chariot se remet en marche.*
> *Andromaque se laisse tomber*
> *parmi les armes.)*

   Recouvrez mon malheureux corps et jetez-le dans le
     bateau.
Bel hymen où je vais, après avoir dû livrer mon enfant !

LE CORYPHÉE

O Troie infortunée, que de victimes,
pour une seule femme et son coupable amour !

TALTHYBIOS

Viens, mon enfant, romps la tendre étreinte de ta pauvre
     mère !
Il te faut marcher vers les hautes couronnes

des créneaux de tes aïeux, où l'on a décidé
que tu devras mourir.

(Aux gardes.)

Vous, emportez-le.
Pour donner de tels ordres, il faudrait un héraut
au cœur plus dur, au front moins honteux que le mien.

Ils sortent.

HÉCUBE

O mon enfant, fils de mon fils infortuné,
l'iniquité nous arrache ta vie, à ta mère et à moi.
Que faire ? Que puis-je pour toi, malheureuse ?
Me frapper la tête, me battre la poitrine ?
Je n'ai rien d'autre à te donner.
O ma cité, mon fils! que manque-t-il en cet écroulement
pour que notre désastre soit complet ?

*Elle s'affaisse de nouveau sur
le sol.*

SECOND STASIMON

STROPHE I

Le chœur

Nourricière d'abeilles, Salamine,
l'île battue des vagues était ton séjour, ô roi Télamon,
tournée vers les collines saintes où Pallas fit surgir
le premier rameau du pâle olivier,
couronne de gloire, envoyée du ciel à l'éclatante Athènes.
Partant pour de grandes prouesses avec l'archer, le fils
      d'Alcmène,
tu venais ici renverser Ilion,
Ilion, notre chère patrie,
quand jadis tu quittas la Grèce.

ANTISTROPHE I

Furieux qu'on lui eût refusé les chevaux[1]
le héros conduisait la fleur des guerriers grecs.
Au bord du Simoïs il fit poser les rames,
fixa les poupes à la rade et exhiba l'arc infaillible
dont il devait frapper Laomédon.
Au souffle roux de l'incendie il livra le mur ajusté par
      Phoibos,
puis ravagea le sol de Troie en un premier assaut.
Le second est venu, et la lance sanglante
détruit aujourd'hui nos remparts.

STROPHE II

Que nous servit, fils de Laomédon[2],
que portant langoureusement les vases d'or,

tu sois chargé de remplir la coupe de Zeus, admirable ser-
    vice ?
Troie t'a donné la vie et Troie est consumée !
Les grèves résonnent d'appels,
comme d'oiseaux criant pour leurs petits.
Des femmes pleurent leur mari, leurs enfants, leur vieille
    mère.
Tes bains frais, tes champs de courses n'existent plus.
Dans l'éclat du trône de Zeus, tu gardes, toi,
un front toujours beau, calme et jeune,
cependant que la lance grecque
détruit l'empire de Priam !

ANTISTROPHE II

    Ayant touché le cœur des habitants du ciel,
tu visitas jadis, Amour, la maison de nos rois,
grandissant la superbe Troie
par ces liens noués entre elle et les dieux.
Je ne dirai plus rien qui soit blâme pour Zeus,
mais quand ce matin l'Aurore aux ailes blanches
a paru, saluée de tous,
c'était pour voir notre désastre, et la citadelle détruite,
elle qui prit, pour époux dans sa chambre,
Tithonos, fils de notre sol,
enlevé sur son quadrige étoilé.
La patrie en conçut grand espoir,
mais sur le cœur des dieux
Troie n'a plus de pouvoir.

                    Entre Ménélas avec une
                escorte.

TROISIÈME ÉPISODE

MÉNÉLAS

Qu'IL est beau, le soleil éclairant la journée
qui met ma femme dans mes mains,
Hélène! Que d'épreuves j'ai dû subir
pour arriver ici, moi, Ménélas, avec l'armée des Grecs!
Si je suis parti contre Troie, c'est moins, comme on le
          pense,
à cause d'une femme, que pour atteindre l'homme,
cet hôte déloyal qui l'enleva de mon palais.
Celui-là, grâce aux dieux, il a subi sa peine,
et sa patrie avec lui-même est tombée sous la lance
          grecque.
Quant à la Laconienne (je prononce sans joie
le nom de cette femme qui fut la mienne)
je viens pour l'emmener. Car elle est là, dans la baraque,
une unité parmi tant de captives troyennes.
Ceux qui ont peiné pour la conquérir,
me l'ont donnée pour la tuer, à moins que j'y renonce,
et que je veuille la ramener vers Argos.
J'entends ne pas régler à Troie le sort
d'Hélène, mais l'embarquer pour la Grèce où je la livrerai
à la vengeance de ceux qui ont perdu à Troie des êtres chers.
   Gardes, allez! Entrez dans le logis,
saisissez-la par ses cheveux de perdition,
et traînez-la ici. Dès que les vents nous seront favorables,
nous l'emmènerons vers la Grèce.

> *Hécube s'est lentement redres-
> sée.*

HÉCUBE

O toi qui supportes la terre et qui es supporté par elle,
qui que tu sois, impénétrable essence,
Zeus, inflexible loi des choses ou intelligence de l'homme,
je te révère, car ton cheminement secret
conduit vers la justice les actes des mortels.

MÉNÉLAS

Qu'est-ce à dire ? Quelle prière inattendue !

HÉCUBE

Je te loue, Ménélas, de vouloir tuer ton épouse.
Mais refuse alors de la voir, de peur d'être repris par le
     désir.
Elle fascine les yeux des hommes, elle ruine les villes,
elle met les maisons en feu : tel est le pouvoir de son
     charme.
Je la connais, et toi aussi, et ses autres victimes.

Les gardes font sortir de la
baraque Hélène libre et très
parée.

HÉLÈNE

Que voilà, Ménélas, un début fait pour m'effrayer !
Tes gardes me saisissent,
et m'entraînent de force devant le logis.
Je sais que tu m'en veux. Et cependant,
je voudrais te demander quel arrêt
vous avez pris, les Grecs et toi, au sujet de ma vie.

MÉNÉLAS

Rien de précis, sinon que l'armée unanime
te livre à moi, que tu as offensé, afin que je te tue.

HÉLÈNE

M'est-il permis du moins de donner mes raisons
pour prouver que ma mort serait une injustice ?

MÉNÉLAS

Je ne viens pas pour discuter, mais bien pour te tuer.

HÉCUBE

Écoute-la ! Ne lui refuse pas cette grâce dernière

Ménélas! Mais que la réplique
soit accordée à moi! De ses méfaits à Troie,
tu ignores tout. Le compte une fois arrêté,
rien ne lui permettra d'échapper à la mort.

MÉNÉLAS

C'est perdre bien du temps. Enfin, si elle veut parler,
libre à elle. Mais elle doit savoir que si je cède
c'est pour t'entendre, toi, et non pour lui faire plaisir.

HÉLÈNE *(s'adressant à Ménélas et ignorant Hécube)*

Tu vois peut-être en moi, que mes raisons ou non te
        semblent bonnes,
une ennemie à qui l'on n'a pas de réponse à faire.
A moi donc de prévoir tes accusations
en mettant face à face tes arguments et ma défense.
    La cause première de tous nos malheurs,
c'est Hécube qui enfanta Pâris. Pour détruire et Troie et
        moi-même,
vint ensuite le vieil esclave qui laissa subsister le nou-
        veau-né,
figuré par la torche néfaste du rêve,
l'enfant qui serait un jour Alexandre.
Pour la suite écoute ce qui s'est passé.
Pâris a dû juger entre les trois déesses.
Pallas lui proposait en récompense
de conquérir la Grèce avec une armée phrygienne.
Héra lui promettait, s'il voulait la choisir,
qu'il régnerait sur l'Asie et l'Europe.
Cypris fit valoir ma beauté,
qui serait à lui, ce dit-elle, s'il lui donnait la palme.
Vois maintenant ce qui en résulta.
Cypris l'emporte, et mon hymen du moins
sert la Grèce en ceci que le joug des Barbares ne pèse pas
        sur vous.
Ils ne vous ont ni conquis ni soumis.
Ce qui fut le bonheur de la Grèce causa ma perte à moi,
vendue pour ma beauté. Et voici qu'on m'insulte
pour cela qui devrait me valoir des couronnes.
    Ce n'est pas là, me diras-tu, m'expliquer sur ma propre
        conduite,

sur mon furtif départ de ton palais.
L'homme qui vint était conduit par une déesse puissante ;
il me fut un mauvais génie ; nomme-le Alexandre
ou Pâris, à ta guise,
le même, ô lâche, que tu laissas dans ta demeure,
comme tu quittais Sparte pour voguer vers la Crète !
Il suffit.
Ce n'est pas toi, c'est moi qu'à présent j'interroge.
A quoi pensais-je, de quitter ma maison pour suivre
un étranger ? de trahir ma patrie, mon foyer ?
Tourne-toi contre la déesse, et fais-toi supérieur à Zeus
— lui qui règne sur tous les autres dieux,
et qui obéit à Cypris — mais à moi il faut pardonner !
    Tu pourrais m'opposer un grief spécieux.
Alexandre étant mort et descendu sous terre,
l'hymen voulu par la déesse n'existait plus et j'aurais dû
quitter le palais pour venir aux vaisseaux des Grecs.
Je l'ai tenté, et j'en prends à témoin
les gardiens de l'enceinte, les sentinelles des remparts,
qui souvent m'ont surprise, attachant au créneau des
        cordes,
pour me laisser glisser à terre et fuir.
Mais un nouvel époux m'avait prise de force,
Déiphobe, qui pour son lit me réservait en dépit des
        Troyens.
    De quel droit pourrais-tu, mon mari, me tuer,
si tu es équitable, moi que la force a unie à Pâris,
et qui, dans mon dernier foyer, loin d'être victorieuse,
ne fus rien qu'une pauvre esclave.
Tu veux l'emporter sur les dieux ? prétention insensée !

LE CORYPHÉE

Reine, défends tes fils et ta patrie,
et détruis l'effet de son éloquence, car elle parle bien
alors qu'elle agit mal. C'est un danger qu'il faut parer.

HÉCUBE

Je veux d'abord combattre en faveur des déesses,
et mettre en évidence le mensonge d'Hélène.
Jamais je ne croirai ni Héra, ni Pallas la vierge, folles
        au point

que l'une ait vendu Argos aux Barbares,
l'autre livré Athènes en servitude aux Phrygiens,
alors qu'un badinage, une pique à propos de beauté
les amenait au mont Ida. D'où pouvait donc venir à
      Héra la déesse
une telle ardeur de paraître belle ?
De l'envie de trouver un époux supérieur à Zeus ?
Pallas se cherchait-elle quelque dieu pour sa couche,
elle qui obtint de son père de rester vierge
tant l'hymen lui déplaît ? Ne prête pas la démence aux
      déesses
pour donner bonne mine à ta faute.
Tu n'en feras pas tant accroire aux personnes de sens.
   Cypris, dis-tu — il faut en éclater de rire —
avec mon fils entra dans le palais de Ménélas.
Comme si, en restant tranquillement au ciel,
elle n'aurait pas pu, avec tout Amyclées[1], te transporter à
      Troie.
Mon fils était très beau,
ton propre cœur, en le voyant, s'est fait Cypris,
car ce sont leurs désirs déchaînés que les humains
      appellent Aphrodite,
un nom qui commence en effet comme celui
      d'Aphrosyné[2].
En le voyant dans sa robe barbare, éclatant d'or,
tu t'es sentie perdre la tête.
Car tu vivais de peu dans ton Péloponèse.
En quittant Sparte pour la cité phrygienne
où la richesse ruisselait, tu comptais bien t'offrir du luxe
à flots, quand la maison de Ménélas ne pouvait te donner
de quoi satisfaire tes goûts éhontés.
Or donc, c'est mon fils, as-tu dit, qui t'emmena de force.
Quelqu'un à Sparte a-t-il rien vu de tel ? As-tu crié
au secours ? Et pourtant Castor adolescent
se trouvait là ainsi que son jumeau,
n'étant pas encore au ciel parmi les astres.
Tu vins donc à Troie, les Grecs sur tes traces,
et les batailles commencèrent.
Lorsque l'on t'annonçait quelque succès de Ménélas
tu le vantais, pour tourmenter mon fils
par la pensée que son amour avait ce valeureux rival.
Si la chance était du côté troyen, Ménélas cessait de
      compter.

Tu ne voyais que le succès, en t'arrangeant toujours
pour te trouver de son côté, sans considérer la vaillance.
Puis tu viens nous parler de ces cordes que tu aurais
fixées au rempart, pour t'évader, tenue à Troie contre
       ton gré!
T'avons-nous jamais prise à suspendre un lacet,
aiguiser un couteau, ce que toute femme de cœur
ferait, dans le regret de son premier mari ?
     Et cependant, combien de fois t'ai-je avertie :
« Ma fille, il faut partir. Laisse mes fils
prendre d'autres épouses. Je t'aiderai à gagner les
       vaisseaux
à leur insu. Mets fin à cette guerre
entre les Grecs et nous. » Mais l'avis te blessait.
Le palais d'Alexandre plaisait à ton orgueil.
Tu voulais devant toi des Barbares agenouillés.
Rien pour toi ne comptait davantage.
     Et après tout cela tu oses te parer,
et regarder le même ciel que ton époux, maudite que tu es!
Tu devais arriver en rampant, couverte de haillons,
trembler de peur, la tête rasée à la scythe,
tout humilité au lieu d'une telle impudence,
après les crimes que tu as commis.
     Vois-tu bien, Ménélas, comment se conclut mon
       discours ?
Accomplis la victoire grecque en immolant Hélène
à ton honneur. Et pour toutes les femmes établis cette
       règle,
que doit mourir celle qui trahit son époux.

Le coryphée

Punis ton épouse ainsi que l'exigent tes ancêtres et ta
       maison!
Que nul en Grèce ne t'accuse de manquer de virilité,
toi qui fus si brave devant l'ennemi!

Ménélas

Je tombe d'accord avec toi lorsque tu dis
qu'elle a de son plein gré délaissé mon foyer
pour le lit d'un étranger, et que seul son orgueil
met Cypris en cause. Va-t'en. On va te lapider.

Ta mort sera aux Grecs un bref instant de vengeance
après leurs longues peines. Et tu sauras ce qu'il en coûte
de m'outrager.

HÉLÈNE

J'embrasse tes genoux. L'erreur envoyée par les dieux,
ne me l'impute pas. Ne me tue pas. Pardonne-moi.

HÉCUBE

Ne trahis pas tes alliés morts par sa faute.
C'est pour leurs fils et c'est pour eux que je t'implore!

MÉNÉLAS

Silence, vieille Hécube. D'elle je ne tiens aucun compte.
A mes gardes j'ordonne de la conduire vers la rade
où elle devra s'embarquer.

HÉCUBE

Alors, ne monte pas sur le même navire!

MÉNÉLAS

Pourquoi ? Pèserait-elle plus lourd qu'auparavant ?

HÉCUBE

Un vrai amant ne cesse pas d'aimer.
Mais fais que ta pensée se détache de ton amour[1].

MÉNÉLAS

Je suivrai ton conseil. Elle n'entrera pas dans mon
bateau. Tu as raison.
Et de retour en Argolide elle mourra, la misérable,
misérablement, selon son mérite. Et toutes les femmes
en apprendront à se conduire. Lourde entreprise.
Mais son supplice tiendra en respect
leurs désirs déchaînés, si menaçants qu'ils soient.

Ménélas, Hélène et les gardes
s'éloignent vers la gauche.

TROISIÈME STASIMON

STROPHE I

LE CHŒUR

Ton temple d'Ilion, ton autel odorant,
tu les as donc livrés aux Grecs, ô Zeus,
avec la flamme des gâteaux sacrés,
la fumée de la myrrhe qui montait vers le ciel,
et aussi la sainte Pergame,
l'Ida, le grand Ida et ses ravins vêtus de lierre,
ses torrents d'eau glacée,
et l'auguste limite que frappe le soleil à son premier rayon,
séjour lumineux et divin.

ANTISTROPHE I

Finis les sacrifices, les beaux chœurs de louanges,
les fêtes de nuit en l'honneur des dieux.
Il n'y a plus de statues d'or !
Les Phrygiens, douze fois l'an,
ne célébreront plus le retour de la lune.
Dans l'éther, sur ton trône céleste,
as-tu souci, Seigneur, oui, je me le demande,
du destin de ta ville détruite, dévorée
par l'éclat aveuglant du feu ?

STROPHE II

O mon amour, ô mon mari,
tu n'es plus rien qu'une errante âme en peine,
qui n'a reçu ni eau lustrale ni tombeau.
Et moi, la barque sur les vagues, de ses ailes lancées,

va m'emporter vers l'Argolide aux beaux chevaux,
où montent jusqu'au ciel les murs bâtis par les Cyclopes.
La foule en pleurs de nos enfants
se traîne aux portes et gémit.
La jeune fille appelle :
« Mère, où es-tu ? Les Grecs me séparent de toi,
m'envoient seule sur un vaisseau noir,
qui va sur les plaines marines
vers Salamine l'île sainte,
ou vers la cime où l'Isthme domine deux mers,
porte du séjour de Pélops. »

ANTISTROPHE II

Quand la barque de Ménélas
arrivera au milieu de l'Égée,
puisse le double éclair frapper en plein le pont,
lorsqu'il m'exile de Troie ma patrie
et m'envoie désolée être servante en Grèce,
tandis qu'Hélène, la fille de Zeus,
tiendra nos miroirs d'or, aimés des jeunes femmes !
Que jamais Ménélas n'arrive en Laconie,
qu'il n'atteigne jamais son foyer ni son lit,
ni Pitané, ni les portes de bronze d'Athéna[1] !
pour avoir pris celle qui a marqué
la noble Grèce d'une souillure d'adultère
et vint aux bords du Simoïs
en y portant la ruine.

Arrive par la droite Tal-
thybios, avec des gardes qui
portent le corps d'Astyanax
dans le bouclier d'Hector.

EXODOS

Le coryphée

Hélas, coup sur coup se succèdent
pour le pays les infortunes.
Veuves désolées des Troyens, voyez le corps d'Astyanax
lancé comme un affreux jouet du haut des tours.
Il est aux mains des Grecs, ses meurtriers.

Talthybios

Hécube, un seul bateau est encore à la rame
pour emporter vers les côtes de Phthie
le restant du butin échu au fils d'Achille.
Néoptolème a déjà pris la mer, ému par les nouvelles
de Pélée, que le fils de Pélias, Acaste, a chassé du pays.
C'est pourquoi sur-le-champ, sans s'accorder aucun délai,
il est parti, emmenant Andromaque.
Ah! que de larmes j'ai versées en voyant son départ,
ses pleurs en quittant sa patrie, et son dernier salut
au sépulcre d'Hector! Elle a demandé à son maître
un tombeau pour le mort que voilà, le fils de ton Hector,
qui rendit l'âme en tombant du rempart.
Quant à ce bouclier de bronze, terreur des Grecs,
dont le héros se protégeait le flanc,
à sa demande on renonça à l'envoyer au foyer de Pélée,
lui épargnant ainsi la douleur de le voir
dans cette même chambre où elle doit entrer en épousée.
Mais au lieu d'un cercueil de cèdre, d'un sépulcre de pierre,
il servira de tombeau à l'enfant.
Elle m'a dit de te remettre le cadavre,
que tu l'entourerais de linge et de guirlandes
du mieux que tu pourras dans l'état où tu es,
car elle-même est loin. La hâte de son maître
l'empêche d'inhumer son enfant de ses mains.
Dès que tu auras enseveli le mort,
il nous faudra le mettre en terre, puis lever l'ancre.
Remplis donc ta mission au plus vite.
J'ai pu toutefois t'épargner une peine;

en passant à l'instant le Scamandre
j'ai baigné le corps et lavé ses blessures.
Je vais maintenant creuser une fosse pour le mettre en
    terre,
afin que bientôt, ton effort s'accordant au mien,
nous puissions faire voile vers notre patrie.

                                    Il s'éloigne vers la droite

HÉCUBE

Posez sur le sol l'orbe du bouclier d'Hector.
Le revoir devrait m'être joie et ne m'est que douleur.
On peut, ô Grecs, louer vos armes, non votre jugement!
Que craigniez-vous de cet enfant pour commettre ce
    meurtre
inouï ? qu'un jour il ne relève
Troie écroulée ? Vous étiez donc bien peu de chose!
Malgré les victoires d'Hector et de cent autres, nous
    avons péri.
Aujourd'hui que la ville est prise et les Phrygiens détruits,
ce nourrisson, vous le redoutez à ce point!
    Je méprise la peur
qui ne pèse pas ses propres raisons.
    O mon enfant chéri, combien ta fin est déplorable!
Tu serais mort pour ta patrie, ayant joui de ta jeunesse,
de l'hymen, de cette royauté qui nous égale aux dieux,
on louerait ton bonheur, s'il y a lieu de louer de tels biens.
Mais ton âme de trépassé ignore qu'elle a vu, qu'elle a
    connu
cette félicité qui n'a pu te servir quand tu la possédais
    dans ta maison[1].
    Pauvre petit, tête cruellement scalpée
par les murs qu'Apollon bâtit pour tes ancêtres!
Arrachées, ces mèches bouclées que ta mère soignait et
    baisait.
La mort y ricane entre les os fracassés : je ne veux pas
    nommer d'autres horreurs encore[2]!
Mains qui gardez la ressemblance que j'aimais
avec celles d'Hector, je vous tiens inertes, désarticulées!
Bouche chérie qui me faisais tant de promesses,
te voilà close par la mort! Tu mentais, mon enfant, quand
    tu te jetais sur mon lit

en me disant : « Ma mère, je couperai pour ton deuil une
    longue mèche
de mes boucles, et je conduirai tout le train de mes
    camarades
à ton sépulcre, en t'envoyant des baisers, des saluts. »
Non, ce n'est pas toi qui m'enterreras. C'est moi, la vieille
    femme,
sans patrie, sans enfants, qui vais t'inhumer, petit corps
    pitoyable !
Mes baisers, mes tendres soins, hélas,
nos sommeils de jadis, tout cela est perdu pour moi.
Que trouvera bien un poète à graver sur ta tombe ?
« Ici gît un enfant que les Grecs ont tué tant ils en
    avaient peur. »
Pour la Hellade, quelle flétrissure qu'une telle épitaphe !
   Enfin, frustré de l'héritage de ton père, tu auras
    cependant
son bouclier de bronze qui te servira de cercueil.
   O toi qui protégeais le bras d'Hector, sa puissante
    coudée,
tu as perdu celui qui jamais ne t'aurait quitté[1].
Que je chéris son empreinte sur ton anneau,
et sur ton rebord bien arqué celle de la sueur
qui coulait de sa face quand au cours du combat il y
    reposait son menton !

(Aux femmes.)

Allez, et pour orner le pauvre mort
prenez parmi ce qui nous reste. Le sort ne nous
    permet rien
qui soit magnifique. Tu recevras ce que j'ai.

(Quelques femmes entrent
dans la baraque.)

   Fou qui s'imagine, dans la prospérité,
pouvoir s'en réjouir comme d'un bien durable. Les
    destins se comportent
ainsi qu'un lunatique qui bondit au hasard.
Et jamais un même mortel ne goûte deux fois le
    bonheur[2].

LE CORYPHÉE

Voici tes compagnes, portant devant elles, pris dans le
    butin
de Troie, ce qu'il faut pour parer le mort.

Les femmes reviennent.

Hécube

Ce n'est pas, mon enfant, pour la victoire de ton char,
pour celle de ton arc parmi les rivaux de ton âge,
— jeux honorés des Phrygiens, mais sans excès —
que ta grand'mère sur ton corps fixe ces ornements,
pris sur le bien qui fut à toi. Mais l'ennemie des dieux
te les a enlevés, Hélène, la même qui t'arrache aussi la vie,
et qui a détruit toute ta maison !

Le chœur

Chacun de tes mots m'atteint en plein cœur.
Il devait régner, en grand souverain, sur notre cité !

Hécube

Les vêtements que tu devais porter
le jour où tu épouserais la plus grande princesse d'Asie,
splendeur des tissus phrygiens, j'en recouvre ton corps.
Et toi, arme triomphante jadis, mère de cent trophées,
écu cher à Hector, reçois cette couronne.
Intact, tu vas sous terre avec un mort, plus digne de
    respect
que n'est l'armure du subtil, du faux Ulysse.

Le chœur

Enfant, ô mon cruel chagrin, la terre va te recevoir.
Chante en gémissant, pauvre mère...

Hécube

Hélas !

Le chœur

... la complainte des morts.

Hécube

Hélas !

Le chœur

Hélas sur toi qui souffres sans répit !

Hécube

J'enroule ce bandage autour de tes blessures.
Triste médecin qui ne l'est que de nom et ne saurait
    guérir !
Ton père chez les morts s'acquittera du reste.

Le chœur

Frappe, frappe-toi la tête, à coups redoublés !
Douleur, ô douleur !

Hécube

Mes chères compagnes...

Le chœur

Parle à tes amies, Hécube. Qu'allais-tu leur dire ?

Hécube

Qu'y avait-il sur les genoux des dieux[1] ?
Rien en vérité, sinon mes souffrances,
et Troie qu'ils ont haïe entre toutes les villes.
Nos hécatombes n'ont servi à rien. Mais si un dieu
nous avait abîmés sous terre, en refermant le sol sur nous,
nous aurions disparu sans être célébrés,
sans donner de thèmes aux Muses, pour les poètes à
    venir.
Allez, et déposez ce corps dans son triste cercueil.
Il a reçu ce qui revient aux trépassés.
Aux morts importe peu, je pense,
la richesse des dons qui les suivent sous terre.
Il n'y a là rien qu'une vaine gloire pour l'orgueil des
    vivants.

> *Le chœur est rassemblé autour*
> *du corps.*

Le chœur

Que je plains cette mère qui voit s'évanouir en toi
les plus grands espoirs de sa vie!
Avoir été loué pour de si grands ancêtres,
et mourir si affreusement!

Hécube *(tournée vers le fond du théâtre)*

Mais quoi ? mais quoi ?
Là-bas, sur les hauteurs de Troie,
ne vois-je pas des torches qu'on agite ?
Un malheur nouveau menace Ilion!

> *Rentre Talthybios avec des gardes.*

Talthybios

Vous les capitaines chargés de mettre en feu
la citadelle de Priam, on vous ordonne par ma bouche
de ne pas laisser plus longtemps la flamme inerte dans vos
    mains.
Qu'elle se déchaîne et anéantisse la cité troyenne,
et qu'enfin commence pour nous le bonheur du retour.
    Et vous, filles de Troie, car ma mission a deux aspects,
dès que les chefs auront donné le signal des trompettes,
portez-vous vers la flotte grecque, pour votre embarque-
    ment.
    Pour toi, vénérable Hécube, la plus malheureuse des
    femmes,
il te faut suivre ceux qu'Ulysse envoie pour t'emmener,
puisque le sort te donne à lui en esclavage, bien loin de
    ta patrie.

Hécube

O douleur! Voici donc pour moi la suprême disgrâce.
Je quitte ma patrie, ma ville est livrée à la flamme.
Avance, pauvre vieille, vite, encore un effort,
pour saluer ta cité condamnée.
    O toi que ton orgueil dressait au milieu des Barbares,
Troie, jusqu'à ton nom fameux qui va être aboli!

La flamme te détruit, on nous emmène loin de toi
en servitude. Voyez, ô dieux! Mais à quoi sert de les
     prendre à témoin
jamais ils ne m'ont entendue quand je les invoquais.
Au bûcher, courons au bûcher! Le plus beau sort
     pour moi
est de mourir dans ma patrie en flammes!

TALTHYBIOS

Un génie te possède, infortunée, toi qui as trop souffert!
(Aux gardes.)
Vous, emmenez-la, sans la ménager. Elle doit être
     remise
entre les mains d'Ulysse, car elle est sa part du butin.

HÉCUBE

Je crie vers toi, fils de Cronos, seigneur de la Phrygie,
auteur de notre race[1], vois-tu le sort infâme
que l'on inflige au sang de Dardanos ?

LE CHŒUR

Il le voit. Mais la cité royale est effacée du nombre des
*   cités.*
Ilion n'est plus rien !

HÉCUBE

Je crie encore : Troie est en flammes.
Le feu embrase les toits de Pergame,
et la ville et le haut des remparts !

LE CHŒUR

Comme une fumée sous l'aile du vent,
notre cité vaincue s'efface et disparaît.
Après les lances ennemies, les flammes furieuses
ravagent les palais !

     Hécube se jette à terre et
     frappe le sol de ses mains.

HÉCUBE

O terre qui nourris mes enfants !
O mes enfants morts, écoutez, entendez !
Reconnaissez la voix de votre mère.

LE CHŒUR

Tu évoques les morts par la vertu du chant funèbre.

HÉCUBE

Je colle à la terre mes membres épuisés,
et je la bats de mes deux mains.

LE CHŒUR

Avec toi je tombe à genoux,
j'appelle des enfers mon malheureux époux.

HÉCUBE

On nous emmène, on nous emporte...

LE CHŒUR

Qu'ils entendent notre souffrance !

HÉCUBE

...vers le foyer où nous serons esclaves !

LE CHŒUR

Loin de notre patrie !

HÉCUBE

Priam, ô Priam, mort sans tombeau, mort non pleuré,
peux-tu ignorer ma misère ?

Le chœur

La nuit de la mort lui couvre les yeux,
pieuse victime d'un meurtre impie.

> Elles se relèvent et contemplent la ville.

Hécube

O temples des dieux, ô ville chérie,
livrés à la mort par la lance et la torche.

Le chœur

Écroulés bientôt sur cette terre aimée,
vous n'aurez plus même un nom.

Hécube

Balayée vers le ciel, la cendre s'élève en poussière
et me cache la place où était mon palais.

Le chœur

Jusqu'au nom du pays, tout sera oublié.
La ruine couvrira la ruine.
Tout est fini pour Troie l'infortunée !

Hécube

Entendez-vous, comprenez-vous ?

Le chœur

Le fracas de Pergame qui tombe...

Hécube

La terre est secouée.

Le chœur

Par l'écroulement d'une ville.

Hécube

Soutenez-moi, ô mes genoux tremblants,
conduisez-moi vers la journée de l'esclavage !

Le chœur

Adieu, malheureuse cité !
Il nous faut bien nous diriger vers les vaisseaux des Grecs.

IPHIGÉNIE EN TAURIDE

Comme la flotte grecque allait partir vers Troie et que le ciel lui refusait les vents favorables, le roi Agamemnon, pour les obtenir, dut sacrifier sa fille Iphigénie. Ainsi racontaient les Chants Cypriens. C'est Artémis qui exigeait ce jeune sang. En fait, les sacrifices humains pour acheter la réussite d'une entreprise remontent à des croyances archaïques bien antérieures aux Olympiens. Les poètes ont parfois expliqué l'exigence de la déesse par une faute d'Agamemnon ou, comme Euripide dans la présente tragédie, une promesse imprudente. Mais dans l'Orestie, dans Iphigénie à Aulis, ainsi que dans la pièce de Racine, elle apparaît avec sa gratuité apparente qui dissimule un marché tacite.

On voulut aussi qu'Artémis eût sauvé la condamnée, comme Jéhovah sauve Isaac. Mais, puisque sa place restait vide au foyer des Atrides, il fallait bien qu'elle eût été transportée ailleurs, et très loin. Or, Hérodote raconte que les Tauriens de la Crimée offrent des sacrifices humains à une déesse qu'ils nomment Iphigénie, fille d'Agamemnon. D'autre part, il y avait aux environs d'Athènes un sanctuaire d'Artémis Tauropole ; au cours d'un rite annuel, on y incisait la gorge d'un homme de façon à en faire couler quelques gouttes de sang. Non loin était un tombeau d'Iphigénie.

C'est sur cet arrière-plan qu'Euripide imagine sa pièce. Artémis a transporté Iphigénie chez les Taures et a fait d'elle une prêtresse obligée de consacrer les voyageurs grecs dont les crânes seront appendus à la frise du temple. D'autre part, rien n'a pu jusqu'ici rendre la paix à Oreste matricide. Apollon la lui promet s'il va en Tauride et ramène à Athènes la statue d'Artémis, celle qui sera la Tauropole. Oreste débarque avec Pylade ; il est fait prisonnier, amené devant Iphigénie. Comme le matricide dans Ion, le fratricide est ici évité de justesse.

L'éloignement, dans les rêves, est une litote de la mort. La *pièce d'Euripide marque fortement l'équivalence. Le pays des Taures est une terre barbare perdue au fond de la Mer Hostile. On n'y arrive qu'en franchissant les Roches-Noires, les Symplégades qui se rejoignent pour écraser les navires assez audacieux pour tenter le passage, sombre portique de l'au-delà. Sur la côte à l'ouest, est Leucé, l'île Blanche où Achille béatifié, immortel, a trouvé un stade tout prêt pour ses vains exercices. En apprenant l'arrivée d'Oreste et de ses compagnons, les jeunes Grecques du chœur se demandent ce qui a bien pu les pousser à quitter leur pays de félicité pour venir dans une terre maudite. Dans un autre chant, elles opposent à la terrible déesse avide de sang humain l'Artémis favorable aux naissances, protectrice des accouchées, née dans l'heureuse Délos. Il y a toujours en Artémis un élément funéraire (très sensible dans Hippolyte). Iphigénie, la morte vivante, en est l'expression même.*

Les personnages présents sur le théâtre sont eux-mêmes surplombés par deux figures à la gorge ouverte : Agamemnon sacrificateur d'Iphigénie et victime de Clytemnestre, Clytemnestre meurtrière d'Agamemnon et victime d'Oreste. La pièce ne comporte aucun conflit, ni ces fameux plaidoyers antithétiques auxquels Euripide excellait et qui sont un des morceaux essentiels de toutes ses œuvres sans autre exception*. Le poète a reculé devant le thème que l'événement lui proposait : Oreste défendant Agamemnon, Iphigénie défendant Clytemnestre. Le débat aurait été difficile à présenter, Iphigénie ignorant ce qui s'était passé à Argos depuis son départ**. Une raison plus secrète a détourné Euripide d'introduire un jeu oratoire : comment arracher la morte vivante à sa funèbre impartialité ? Lorsqu'elle apprend qu'Agamemnon est mort de la main d'une femme, et sans même savoir qui est cette femme, elle répond simplement : « Je plains la meurtrière et je plains la victime. » C'est ainsi qu'on juge de l'autre

---

* Dans *Hélène*, où il n'y a pas de conflit, Théonoé demande le plaidoyer de Ménélas après avoir entendu celui d'Hélène, ce qui donne à la scène l'apparence d'une joute oratoire, quoique les arguments aillent tous dans le même sens.

** Le dernier *stasimon* en donne à vrai dire la conclusion, en rappelant le triomphe d'Apollon sur Gê, la Terre, qui avant lui régnait à Delphes. C'est justifier en langage mythique la victoire d'Oreste sur Clytemnestre. Celui qui lit ce morceau pour la première fois a l'impression qu'il devrait figurer dans *Électre*, pour illustrer l'image de la Mère Terrible. Mais, dans *Iphigénie*, il tient subtilement la place du débat à peine indiqué, non traité.

*côté de la porte d'ombre. Les rancunes de la sacrifiée se réveillent
seulement avec les noms de Calchas, d'Ulysse ; autour d'Agamemnon, elles sont comme engourdies. Et la fiancée trompée
d'Aulis prononce avec mélancolie le nom d'Achille, hôte comme
elle, en ce moment, de la Mer Hostile.*

*Mais lui ne repassera pas les Symplégades, tandis qu'elle va
s'installer à Athènes, sacristine de sa déesse enfin apaisée et satis-
faite de sacrifices symboliques. L'imagination populaire recon-
naîtra dans ces rites la figure d'Oreste promis au couteau et sauvé
à la dernière seconde. Le tombeau d'Iphigénie recevra en offrande
les vêtements des femmes mortes en couches ; étrange cadeau pour
une femme qui n'a pas connu le mariage ; mais en elle sont les
deux natures d'Artémis. Elle exorcisera les germes avortés,
maléfiques, au profit des nouveau-nés promis à la vie.*

*L'apparition d'Athéna et les conclusions attiques de la tra-
gédie font un peu dévier l'intérêt. On sait gré cependant au patrio-
tisme d'Euripide de ne pas s'être exprimé plus directement. La
pièce est probablement de 414, contemporaine de l'expédition de
Sicile.*

IPHIGÉNIE EN TAURIDE

PERSONNAGES

IPHIGÉNIE
ORESTE
PYLADE
UN BOUVIER
THOAS, roi des Taures,
UN DE SES SERVITEURS.
ATHÉNA
Chœur de captives grecques.

Le temple d'Artémis, précédé d'un autel.

PROLOGUE

IPHIGÉNIE

PÉLOPS fils de Tantale vint à Pise avec ses rapides chevaux
qui lui firent gagner la fille d'Œnomaos.
D'elle naquit Atrée, père de Ménélas et d'Agamemnon.
Celui-ci, de la fille de Tyndare, m'engendra, moi, Iphigénie.
Sur le bord de l'Euripe aux vagues tournoyantes,
où le vent pressé renverse sans cesse le cours de l'eau sombre,
mon père pensa m'égorger à la requête d'Artémis,
(puisqu'il fallait reprendre Hélène) dans les passes célèbres d'Aulis.
Car c'est là que les mille vaisseaux de la flotte s'étaient réunis,
répondant à l'appel du roi Agamemnon,
qui voulait conquérir pour les Grecs la couronne
de la prise de Troie, et venger le lit insulté
d'Hélène, afin de venger ainsi Ménélas.
Comme le vent hostile empêchait le départ[1],
il fit consulter l'holocauste et Calchas déclara :
« Toi qui commandes cette armée des Grecs,
Agamemnon, jamais tes bateaux ne sortiront du port
qu'Artémis n'ait reçu ta fille Iphigénie
en sacrifice. Ce que l'année produirait de plus beau,
tu fis vœu de l'offrir à la déesse qui éclaire la nuit.
Or, sous ton propre toit, Clytemnestre t'avait donné
une fille — Calchas ainsi faisait de moi la fleur de cette année —
voilà celle que tu dois immoler. » Les mensonges d'Ulysse
surent m'enlever à ma mère, pour des noces, me disait-on, avec Achille.
Je vins donc à Aulis, pauvre victime, et soulevée

à bout de bras au-dessus de l'autel, déjà je mourais
    sous le glaive
quand Artémis me déroba aux Achéens, en laissant une
    biche à la place,
et à travers l'éther brillant me transporta
dans ce pays des Taures où je vis à présent.

    Un roi barbare y règne, gouvernant des Barbares,
Thoas, aussi vite à la course que les oiseaux au vol
et c'est pourquoi il a reçu ce nom[1].
Artémis m'a instituée prêtresse de ce temple,
et je dois pratiquer les rites qui lui plaisent,
en une fête[2] — nom bien trop beau pour la réalité,
mais je ne puis en dire davantage, car je crains la
    déesse —
où j'offre en sacrifice (la coutume existait bien avant ma
    venue)
tous les Grecs qui débarquent à ce rivage.
C'est moi du moins qui les consacre. D'autres ont charge
    de les égorger
en des rites secrets, à l'intérieur du sanctuaire.

    Or, cette nuit me fit, par le moyen d'un songe,
des révélations que je veux dire à la face du ciel,
dans l'espoir de les conjurer. J'ai cru, bien loin d'ici,
me trouver à Argos, dans ma chambre de jeune fille,
endormie, quand le dos de la terre commença de trembler.
Je sortis en courant et je vis s'écrouler le faîte du palais,
et du sommet des colonnes tout le toit en ruine
    s'affaisser sur le sol.
Seul subsistait, me semblait-il, de la maison de mes
    aïeux,
la colonne centrale, et de son chapiteau
flottaient des cheveux blonds, sortait une parole humaine.
Et moi, fidèle à mon office dont tout étranger est victime,
je l'aspergeais, comme quelqu'un qui va mourir,
et je pleurais. Voici comment j'interprète ce rêve.
Oreste est mort, et c'est lui que je consacrais.
Car les piliers d'une maison ce sont ses enfants mâles,
et la mort frappe ceux que mes lustrations ont touchés.
Quels proches aurais-je à qui s'appliquerait le songe ?
Strophios n'avait pas de fils quand je fus sacrifiée.
Je veux donc pour mon frère offrir des libations,
hommage de l'absente à un absent — puis-je rien faire
    d'autre ? —

avec les suivantes que m'a données le roi, des femmes
    grecques.
Comment se fait-il que je ne les voie pas ?
Il me faut regagner mon logis, dans le sanctuaire de la
    déesse.

> *Elle rentre dans le temple.*
> *Oreste et Pylade apparaissent*
> *à gauche.*

ORESTE

Prends garde de nous laisser surprendre par quelqu'un
    qui viendrait sur la route.

PYLADE

Je veille, et ne perds de vue aucune direction.

ORESTE

Crois-tu, Pylade, que c'est bien ici ce temple d'Artémis,
en quête duquel à Argos nous avons pris la mer ?

PYLADE

Je le pense, Oreste. Et tu dois le croire avec moi.

ORESTE

C'est donc là l'autel où coule le sang des victimes
    grecques ?

PYLADE

Oui, la frise encore en reste jaunie.

ORESTE

Vois-tu sous les corniches ces crânes suspendus ?

PYLADE

Trophées à coup sûr d'étrangers immolés.
Il nous faut avec soin reconnaître les lieux.

ORESTE

Vers quel nouveau piège, Phoibos, m'as-tu donc attiré,
avec tes prophéties, alors que tu m'as fait venger mon
        père,
tuer ma mère, et fuir devant les Érinyes
qui se relaient à ma poursuite, et m'exiler d'Argos ?
Épuisé par ces courses, ces retours en arrière,
je suis allé vers toi pour connaître le terme
de cet égarement qui sans cesse m'agite,
et des fatigues d'une fuite à travers la Hellade entière.
Tu m'as dit de venir à la terre taurique,
où ta sœur Artémis a des autels,
de prendre la statue qui, ce dit-on,
est ici tombée du ciel dans ce temple,
de la conquérir par ruse ou par chance,
puis, le danger passé, de la transporter dans Athènes.
Tu n'as pas dit ce qui arriverait ensuite,
sinon qu'alors je pourrais enfin respirer.
    J'ai obéi, et me voici en une terre
inconnue, inhospitalière. Je me tourne vers toi,
Pylade, puisque avec moi tu as assumé l'entreprise.
Qu'allons-nous faire ? L'enceinte de ces murs, tu en vois
la hauteur. Faut-il monter jusqu'aux accès du temple ?
Si nous ne forçons au levier ces traverses de bronze,
comment reconnaître ces lieux qui nous sont étrangers ?
Mais si l'on nous prend à ouvrir les portes, à violer
        l'entrée,
on nous mettra à mort. Mieux vaudrait encore
rallier le navire qui nous a ici amenés.

PYLADE

Fuir ? L'avons-nous jamais fait ? Nous n'y pouvons
        songer,
ni mettre à si bas prix l'oracle d'Apollon.
Éloignons-nous cependant de ce temple, et allons nous
        cacher
dans quelqu'une de ces cavernes dont la mer baigne le
        fond noir,
loin de notre navire : car si on le découvre,
et qu'on le signale au roi du pays, on nous y saisirait de
        vive force.

Mais quand s'ouvrira l'œil de la nuit ténébreuse,
il nous faudra tenter d'enlever la statue de ce temple
et pour cela nous mettrons tout en jeu.
Vois : entre les triglyphes sont des espaces vides
par où un corps pourrait passer[1]. Un homme de cœur
ose affronter les dangers. C'est le lâche qui se dérobe.

ORESTE

C'est vrai. Nos rames si longtemps auraient battu la mer,
et à peine le but atteint nous ne penserions qu'au départ ?
Ton conseil est bon, et je le suivrai. Il nous faut
    découvrir
un endroit où nous mettre en sûreté.
Car l'homme que je suis se refuse à rien faire
qui rende vaine la parole du dieu. A nous donc de
    risquer.
Quel obstacle pourrait excuser un jeune homme de se
    dérober à l'effort ?

> *Ils sortent à gauche tandis que*
> *le chœur entre par la droite.*

PARODOS

Le chœur

Silence en ce lieu saint, riverains de la Mer Hostile,
dont les deux rocs jumeaux ferment l'entrée,
en se rapprochant quand vient le navire !
Vers ta demeure, fille de Létô, Dictynne montagnarde,
vers le temple aux belles colonnes, aux corniches dorées,
je viens, pour servir la sainte prêtresse,
escorter son pas virginal,
moi qui ai dû quitter les remparts et les tours
de la Hellade aux beaux chevaux,
exilée de l'Europe aux beaux vergers,
et de ma maison paternelle.
A ta prière, me voici. Qu'arrive-t-il, et quel souci
t'a fait m'appeler vers le temple,
fille de celui qui partit vers les remparts de Troie,
avec son glorieux armement,
mille vaisseaux et dix mille soldats[1],
le fils d'Atrée ?

> Iphigénie vêtue de deuil
> sort du temple avec des ser-
> viteurs portant des vases
> sacrés.

Iphigénie

Je suis plongée, ô mes suivantes,
dans les plus amères des plaintes,
chants lugubres qui font taire les lyres,
se détourner les Muses,
gémissements de deuil, douleur, douleur !
si lourds sont les malheurs qui me suivent.
C'est sur mon frère que je pleure,
mort, comme en rêve je l'ai vu,
dans cette même nuit dont l'ombre vient de s'effacer.
C'en est fait de moi, de ma maison et de ma race !
Oui, pleure, Argos infortunée !
Destin, tu me dérobes mon seul frère,

tu l'envoies dans l'Hadès !
Je vais pour lui répandre sur la terre
ce breuvage composé pour les morts,
du lait des vaches élevées aux collines,
de la rouge liqueur de Bacchos,
et de l'industrie des rousses abeilles,
présent dont la coutume veut
qu'on apaise les morts.

(A un esclave.)
Présente-moi le vase d'or pour la libation funèbre.

Rameau d'Agamemnon enfoui sous la terre,
mort à qui je fais cette offrande, accueille-la !
Car je ne pourrai porter sur ta tombe
ni mes cheveux blonds, ni mes larmes,
éloignée que je suis d'une patrie où chacun me croit morte,
victime infortunée !

LE CHŒUR

A ton chant, maîtresse, répondra mon chant,
par le barbare écho des hymnes de l'Asie,
par la Muse de la plainte funèbre
aimée des morts, inspirée par Hadès,
tout opposée à celle du péan.

IPHIGÉNIE

Hélas, hélas ! du foyer des Atrides
s'est éteint le sceptre brillant.
O maison de mes pères, qui dans Argos possède à présent
le pouvoir accordé à ses rois bienheureux[1] ?

LE CHŒUR

De la douleur jaillit autre douleur
tandis que tournoient les chevaux ailés,
car le Soleil a renversé sa course,
détourné son œil, son rayon sacré.
Sur la demeure l'Agneau d'Or a déchaîné
peine sur peine, meurtre sur meurtre, et deuil sur deuil.
Du sang des Tantalides autrefois mis à mort
s'est levée contre la maison la vengeance.

Ton destin t'apporte en courant
ce que tu voudrais refuser.

IPHIGÉNIE

    Fatal pour moi, c'est vrai, depuis la première heure,
quand ma mère eut dénoué sa ceinture
pour la nuit de ses noces.
Dès ce moment, les destinées de la naissance
resserrèrent leurs liens autour de ma jeunesse.
Léda, ta fille infortunée,
dont tous les Grecs avaient brigué la main[1],
m'a mise au monde et m'a nourrie,
moi le premier surgeon de son lit nuptial,
pour qu'un père égaré m'égorge,
offrande que les dieux ne peuvent agréer.
Mon char avait passé par les sables d'Aulis,
amenant au fils de la Néréide
la fiancée promise et refusée.
Et me voici étrangère reçue
par cette mer qui hait les étrangers,
faisant mon séjour de ce lieu sauvage,
sans mari, sans enfants, sans patrie, sans amis.
Je devrais dans Argos chanter Héra,
faire sonner ma navette au métier,
et peindre sur l'étoffe
Pallas d'Athènes et les Titans,
alors qu'ici, fléau des voyageurs, je fais couler leur sang,
dans leurs cris de douleur, leurs sanglots de détresse !
    Mais aujourd'hui je ne veux plus penser à eux,
mais pleurer celui qui est mort là-bas,
mon frère, un nourrisson encore
quand je l'ai quitté tout petit, tendre fleur
dans les bras, sur le sein de sa mère,
Oreste, né pour régner sur Argos !

                Entre le bouvier par la
gauche.

PREMIER ÉPISODE

Le coryphée

Mais voici que vient, du bord de la mer,
un bouvier porteur d'un message.

Le bouvier

Fille d'Agamemnon, fille de Clytemnestre,
j'ai du nouveau à t'annoncer, écoute-moi.

Iphigénie

Qu'arrive-t-il qui doive à présent me distraire ?

Le bouvier

Un bateau réchappé des sombres Symplégades
est venu à la côte avec deux jeunes gens,
victimes désignées pour la déesse. Elle en sera con-
         tente.
Hâte-toi donc et prépare aussitôt
l'eau lustrale et les instruments de la consécration.

Iphigénie

D'où viennent-ils ? Qui sont-ils ? Comment les nom-
         me-t-on[1] ?

Le bouvier

Ce sont des Grecs. Je ne sais rien de plus.

Iphigénie

Tu n'as pas entendu leur nom ? Si tu le sais, répète-le.

Le bouvier

L'un d'eux, parlant à son ami, a dit « Pylade »...

IPHIGÉNIE

Ce compagnon, comment s'appelle-t-il ?

LE BOUVIER

Nous ne le savons pas, nous ne l'avons pas entendu.

IPHIGÉNIE

Comment les avez-vous découverts, capturés ?

LE BOUVIER

Au bord de la falaise que bat la Mer Hostile...

IPHIGÉNIE

Vous, des bouviers, qu'aviez-vous à faire au rivage ?

LE BOUVIER

Nous donnions à nos bœufs un bain dans l'eau salée.

IPHIGÉNIE

Reviens à ma question : dans quelles circonstances
et comment les avez-vous pris ? C'est cela que je veux
          savoir.
Voilà longtemps qu'il n'était plus venu personne,
et l'autel d'Artémis cessait d'être rougi du sang des Grecs.

LE BOUVIER

Nous amenions nos bœufs de leur pâturage en forêt
jusqu'à la mer où se dressent les Symplégades.
Là-bas sont des brisants creusés par les coups de la vague
où viennent s'abriter ceux qui pêchent la pourpre.
Un de nos compagnons y aperçut deux jeunes gens
et revint vers nous sur la pointe des pieds
nous dire : « Regardez-les. Ce sont des dieux, sans doute,
ceux qui là sont assis. » Un autre bouvier, un dévot
leva la main en les voyant et se mit à les invoquer :

« Fils de Leucothéa déesse de la mer, protecteur des
    navires,
seigneur Palémon, sois-nous favorable,
ou si c'est vous qui êtes là sur le rivage, ô Dioscures,
ou les fils chéris de Nérée, qui enfanta
le noble chœur de ses cinquante filles ! »
Un autre, un libertin, un homme endurci et sans loi,
se rit de la prière, affirmant que c'étaient des marins
    naufragés
qui s'étaient cachés dans la grotte, alarmés par notre
    coutume,
ayant entendu dire que nous sacrifions les étrangers.
La plupart d'entre nous pensèrent comme lui
et qu'il fallait les capturer, offrir son dû à la déesse.
Mais voilà qu'un des inconnus sort de la grotte,
se dresse avec de grands mouvements de la tête
et se met à gémir en agitant les mains
dans un transport de folie, criant comme un chasseur :
« Pylade, la vois-tu, près de moi ? Et l'autre,
ce monstre d'enfer qui veut me tuer
en lançant contre moi ses terribles vipères ?
Et celle qui ouvre sa robe pour souffler feu et sang,
les ailes battantes, portant ma mère dans ses bras,
un bloc de rocher à lancer sur moi.
O dieux ! elle va m'écraser ! Où fuir ? »
Nous ne pouvions rien voir qui eût cette apparence[1].
C'était lui qui prenait le meuglement des veaux et les
    abois des chiens
pour des semblants du cri des Érinyes.
Pour nous qui pouvions redouter le pire
nous restions terrés et muets. Lui alors tire son épée,
bondit comme un lion au milieu des génisses,
les blesse aux flancs, leur perce les côtés,
convaincu de lutter contre les Érinyes,
tellement que la mer était fleurie de sang.
Nous tous alors, voyant tomber nos bêtes massacrées,
avons songé à nous défendre.
Contre ces jeunes gens, bien exercés aux armes,
des bouviers, pensions-nous, seraient de piètres
    adversaires.
Mais en peu de temps nous fûmes nombreux.
L'inconnu cependant, dont le transport avait cessé, s'était
    laissé tomber.

L'écume lui coulait sur le menton. En le voyant
s'abattre si bien à propos, chacun de nous put s'en
        donner
et l'accabler de pierres, tandis que son compagnon
lui essuyait la bave sur la bouche, le redressait,
le couvrait de la bonne étoffe de son propre manteau,
attentif à parer les coups qui le visaient.
Ses soins bienfaisants entouraient son ami
qui reprit ses sens, et sortit de sa prostration
pour voir le flot hostile qui vers eux s'avançait
et, comprenant le danger imminent, il élève un gé-
        missement.
Nous, sans répit, nous les prenons pour cible, les
        harcelant de tous côtés,
quand nous parvient l'appel qui nous laisse tremblants :
« Pylade, nous allons mourir. Que ce soit tout au moins
noblement. Dégaîne et suis-moi. »
Lorsque nous avons vu levées les deux armes guerrières,
notre fuite a rempli la forêt du vallon.
Mais pour chaque recul de nouveaux assaillants entraient
        en jeu.
Et, ceux-là repoussés, les fuyards de tantôt revenaient à
        la charge.
Mais voici le plus incroyable. Alors que mille bras
        frappaient,
pas une pierre n'atteignit l'offrande due à la déesse.
Nous avons bien peiné, sans rien obtenir par la force.
On ne les a saisis qu'en les cernant, en dérobant leurs
        armes
à leurs mains épuisées, quand la fatigue
les eut fait tomber à genoux sur le sol.
Nous les avons conduits au roi qui, dès qu'il les eut vus,
m'envoya vers toi pour la lustration et le sacrifice.
Souhaite, ô vierge, recevoir souvent de telles victimes.
Par le sang versé de ces étrangers, la Grèce te compensera
        le tien,
et tu te vengeras du meurtre commis à Aulis.

LE CORYPHÉE

Ah! l'étrange récit que tu nous fais, de ce fou, quel qu'il
        soit,
qui part du pays grec pour venir dans la Mer Hostile!

IPHIGÉNIE

Tu peux partir. Ramène ici les étrangers.
Les rites qui suivront, c'est à moi d'y pourvoir.
   Mon cœur, mon triste cœur! Jusqu'à présent tu fus
         toujours
doux et compatissant envers les étrangers.
Ceux de mon sang recevaient mon tribut de pleurs
chaque fois que des Grecs tombaient entre mes mains.
Mais mon rêve aujourd'hui me remplit de rancune
parce que je me dis qu'Oreste ne voit plus le jour,
et vous me trouverez hostile, qui que vous soyez qui
         allez venir.
On a raison, je le vois bien, de dire, mes amies,
qu'un malheur plus grand que le nôtre
cesse de nous faire pitié quand s'accroît notre propre
         souffrance[1].
   Ah! pourquoi Zeus n'a-t-il jamais soufflé le vent,
poussé jusqu'ici le bateau qui, franchissant les Symplé-
         gades,
m'aurait livré Hélène, celle qui m'a perdue,
et Ménélas, de qui j'aurais pu me venger
par une Aulis semblable à celle de là-bas,
celle où des Grecs, me saisissant ainsi qu'une génisse,
m'égorgeaient, et le prêtre était l'auteur même de ma vie?
Hélas, je ne puis oublier cette heure affreuse,
quelles mains suppliantes je portais au menton,
aux genoux de mon père, et je m'y accrochais en lui
         disant :
« Mon père, à quelles noces m'as-tu donc condamnée?
Tandis que tu me tues, ma mère et les femmes d'Argos
         sont à chanter,
et la flûte résonne à travers le palais!
L'époux promis qui t'a servi d'appeau,
ce n'était donc pas le fils de Pélée, mais c'était Hadès!
Et mon char d'épousée m'amenait vers ton piège, vers
         ces noces de sang! »
   Oui, mes voiles légers avaient caché ma face, quand je
         regardais au travers
sans oser prendre dans mes bras mon frère,
celui qui est mort à présent, baiser la bouche de ma sœur,
tant la pudeur me retenait, car j'allais au foyer de Pélée!
Ah! combien de caresses ajournées à plus tard

dans la pensée d'un retour dans Argos!
Infortuné, si vraiment tu es mort, c'est après combien de désastres,
et d'ambitions paternelles que tu péris[1]!
   Pour ce qui est de la déesse, je réprouve ses arguties.
Qu'un mortel ait contact avec un meurtre,
effleure seulement une accouchée ou bien un mort,
elle l'écarte des autels, prétendant le tenir souillé.
Et elle-même prend plaisir à voir immoler des humains!
Comment Létô aurait-elle de Zeus
pu concevoir un être si absurde? Je ne puis croire
au repas que Tantale aurait offert aux dieux,
ni qu'ils se soient complus à manger son enfant.
Les gens d'ici sont sanguinaires dans leur cœur
et prêtent à la déesse leur propre cruauté.
Qu'un dieu fasse le mal, je ne saurais l'admettre.

PREMIER STASIMON

STROPHE I

LE CHŒUR

Flots noirs où se mêlent deux mers,
que franchit Io quand le vol du taon
la chassa d'Europe en Asie
à travers la houle de la Mer Hostile,
qui sont ces inconnus ? Ont-ils quitté
l'Eurotas à l'eau vive, aux roseaux verts,
ou bien Dircé, sainte rivière,
pour aborder en ce pays farouche,
où pour honorer la Fille de Zeus
le sang humain trempe un autel
et les colonnades d'un temple ?

ANTISTROPHE I

Sur deux rangs le sapin des rames battait la mer.
Le vent dans la voile emportait leur barque :
vers quel effort pour la grandeur de leurs maisons ?
L'espoir est cher à l'homme et il nous perd,
en nous rendant insatiables.
Et pour se charger d'or
on se livre au gré des tempêtes,
aux dangers des villes barbares.
Tous sont pris au même mirage,
mais l'un s'égare où rien n'est à gagner,
et la fortune échoit à d'autres.

STROPHE II

Comment ont-ils franchi les deux rocs qui se heurtent ?
la côte de Phinée où le vent jamais ne s'endort ?
longé la grève où dans le fracas d'Amphitrite
les Néréides en chantant mènent leur ronde ?
Ou bien le vent gonflant leur voile,
soufflant du sud ou de l'ouest,
le gouvernail grinçant dans sa râblure en poupe,
les a-t-il poussés vers l'Ile aux Oiseaux, vers la Roche-
        Blanche,
beau stade prêt pour qu'Achille y puisse courir,
sur le bord de Mer Hostile[1] ?

ANTISTROPHE II

Ah ! voir un jour, souhait de ma maîtresse,
l'enfant de Léda aborder ici en venant de Troie !
Sur les cheveux d'Hélène, l'eau lustrale en couronne
la livrerait à la main immolante.
A ma maîtresse elle paierait le prix du sang.
Mais plus douce encore serait la nouvelle
d'un voyageur venu de Grèce
pour mettre fin à mon triste esclavage.
Rien qu'en rêve, revoir ma maison, ma patrie,
et en jouir, bonheur donné à tous !

Oreste et Pylade enchaî-
nés sont amenés par des
gardes.

SECOND ÉPISODE

Le coryphée

Mais les voici qui viennent, les poignets enchaînés.
Artémis, grâce à eux, va retrouver un sacrifice.
Silence, mes amies,
tandis que s'approche du temple la fleur des Grecs,
car le bouvier n'a pas menti.
Si ce peuple vraiment agit selon ta volonté, déesse,
accepte cette offrande où la loi de chez nous voit une
        impiété[1].

Iphigénie

C'est bien. Que les rites de la déesse soient exactement
        accomplis,
c'est à moi d'y veiller d'abord. Libérez les bras de ces
        hommes.
Dès qu'ils sont consacrés, ils n'ont plus à porter de
        chaînes.
                                (Aux gardes.)
Vous, entrez dans le temple et tenez prêt
ce que l'usage exige pour semblable cérémonie.
                                (Aux deux Grecs.)
Hélas! Quelle mère vous a donné le jour?
et qui est votre père? Votre sœur — en avez-vous
        une? —
quels beaux jeunes gens, quels frères
elle va perdre en vous! Qui sait à qui un tel destin
peut être réservé? Tout ce qui vient des dieux
progresse dans la nuit. Vers quel but? on l'ignore[2].
Le destin nous attire à des fins inconnues.
D'où venez-vous, malheureux étrangers?
Faut-il qu'après une si longue route vous abordiez ici
pour l'éternel exil dans le sein de la terre[3]?

Oreste

Pourquoi gémir ainsi, femme, qui que tu sois,

et nous accabler sous le poids des maux qui nous
      attendent ? ˙
J'appelle un fou celui qui va mourir
et qui croit dans les doléances étouffer sa peur de l'Hadès
quand il se sait perdu. C'est se charger de deux maux au
      lieu d'un,
se faire taxer de sottise, et mourir tout de même.
Sur l'exigence du destin mieux vaut nous taire,
et ce n'est pas à toi de pleurer sur nous. Les sacrifices
que l'on fait en ces lieux, nous savons fort bien quels
      ils sont.

IPHIGÉNIE

Celui de vous qu'ici l'on entendit nommer
Pylade, lequel est-ce ? Je voudrais d'abord le savoir.

ORESTE

C'est lui, si cela peut te rendre heureuse.

IPHIGÉNIE

Né citoyen de quelle cité grecque ?

ORESTE

Et quand tu le sauras, qu'y auras-tu gagné ?

IPHIGÉNIE

Êtes-vous tous les deux nés de la même mère ?

ORESTE

L'amitié, non le sang, a fait de nous des frères.

IPHIGÉNIE

Et toi, quel nom à ta naissance ton père te donna-t-il ?

ORESTE

L'Infortuné aurait été le plus exact.

IPHIGÉNIE

C'est là t'en prendre à ton destin, quand je te demande
autre chose.

ORESTE

Je mourrai inconnu, sans livrer mon nom à la raillerie.

IPHIGÉNIE

Pourquoi ne pas m'accorder de réponse ? Si grand est ton
orgueil ?

ORESTE

Ton rôle est d'immoler mon corps, non pas mon nom.

IPHIGÉNIE

Et tu refuseras aussi de me dire ta ville ?

ORESTE

Qu'aurais-je à y gagner, puisque je vais mourir ?

IPHIGÉNIE

Je te demande cette grâce : qui t'empêche de me la faire ?

ORESTE

L'illustre Argos est ma patrie, et j'en suis fier.

IPHIGÉNIE

Est-ce possible, ô dieux ? C'est là que tu es né ?

ORESTE

Oui, à Mycènes, qui fut opulente autrefois.

IPHIGÉNIE

L'exil t'en a chassé ? ou quel autre accident ?

ORESTE

Un exil, oui, à la fois volontaire et imposé.

IPHIGÉNIE

Répondras-tu encore à une au moins de mes questions ?

ORESTE

Elles ne sont pour moi qu'un léger surcroît à mes peines.

IPHIGÉNIE

Quelqu'un pourtant a souhaité que tu viennes d'Argos.

ORESTE

Souhait fâcheux pour moi! S'il te réjouit, à ton aise[1]!

IPHIGÉNIE

Tu connais peut-être Ilion, dont on parle en tous lieux.

ORESTE

Que jamais, et pas même en rêve, je ne l'eusse connue!

IPHIGÉNIE

On dit qu'elle n'est plus, effacée par la guerre.

ORESTE

C'est vrai. On ne vous a rien dit qui ne soit vrai.

IPHIGÉNIE

Hélène est-elle revenue auprès de Ménélas ?

ORESTE

Assurément. Pour le malheur de l'un des miens.

IPHIGÉNIE

Sa dette envers moi est plus ancienne. Où est-elle à
présent ?

ORESTE

A Sparte, dans la maison et dans le lit de son époux.

IPHIGÉNIE

Femme en horreur aux Grecs et non point à moi seule!

ORESTE

Ah quel bienfait j'ai moi aussi reçu de ses amours!

IPHIGÉNIE

Et les Grecs sont rentrés chez eux, ainsi qu'on le raconte ?

ORESTE

C'est rassembler bien des questions en un seul mot.

IPHIGÉNIE

Tant que tu vis encore, je te demande d'y répondre.

ORESTE

Interroge donc, si tu veux, je parlerai.

IPHIGÉNIE

Un devin qu'on nomme Calchas, est-il revenu d'Ilion ?

ORESTE

Il est mort, disait-on à Mycènes.

IPHIGÉNIE

O déesse, merci! Et le fils de Laërte ?

ORESTE

Il n'est pas revenu, mais on le dit vivant.

IPHIGÉNIE

Qu'il périsse et jamais ne revoie sa patrie!

ORESTE

Cesse de le maudire. Il est bien assez durement frappé.

IPHIGÉNIE

Et le fils de la Néréide, vit-il encore ?

ORESTE

Il est mort. Les noces d'Aulis ne lui ont pas porté
bonheur.

IPHIGÉNIE

C'était un piège. Ceux qui y furent pris le savent bien.

ORESTE

Mais qui es-tu, pour t'informer si exactement de la
Grèce ?

IPHIGÉNIE

J'y suis née. Enfant, je la quittai pour mon malheur.

ORESTE

Tu as des raisons, je le vois, de désirer savoir ce qui s'y
passe.

IPHIGÉNIE

Et le grand chef, que l'on disait favorisé des dieux ?

ORESTE

Lequel ? Celui que je sais fut tout l'opposé.

IPHIGÉNIE

Un fils d'Atrée que l'on nommait Agamemnon.

ORESTE

Je n'ai rien à t'en dire. Laisse là ce sujet.

IPHIGÉNIE

Ah! parle, au nom des dieux, et fais-moi cette grâce!

ORESTE

L'infortuné est mort, causant en même temps la perte de
quelqu'un.

IPHIGÉNIE

Il est mort? dans quelle rencontre? Malheur à moi!

ORESTE

Pourquoi ce cri de douleur? Te touchait-il de près?

IPHIGÉNIE

Ma plainte va à sa félicité passée.

ORESTE

Et non sans cause. Il a péri de male mort, tué par une
femme.

IPHIGÉNIE

Je plains la meurtrière et je plains la victime.

ORESTE

En voilà assez. Cesse tes questions.

IPHIGÉNIE

Encore celle-ci. L'épouse de l'infortuné est-elle en vie?

ORESTE

Non. Le même fils qu'elle a porté l'a mise à mort.

IPHIGÉNIE

O maison écroulée! Pour quel motif a-t-il agi?

ORESTE

Pour venger le père qu'elle avait tué.

IPHIGÉNIE

O douleur! Affreuse justice, dont il se fit l'exact agent!

ORESTE

Oui, sa cause était juste. Les dieux ne l'en ont pas fait
plus heureux.

IPHIGÉNIE

Agamemnon a-t-il laissé un autre enfant dans sa maison?

ORESTE

Oui, son unique fille, Électre.

IPHIGÉNIE

Mais quoi? d'une autre qui fut immolée, on ne dit rien?

ORESTE

Rien, sinon qu'elle n'est plus de ce monde.

IPHIGÉNIE

Pauvre enfant, pauvre père aussi, parce qu'il l'immola!

ORESTE

Pour l'amour d'une femme qui méritait la haine!

IPHIGÉNIE

Et le fils du roi mort, vit-il ? habite-t-il Argos ?

ORESTE

Il vit, bien malheureux, étant partout et nulle part.

IPHIGÉNIE

Songes trompeurs, adieu! Vous n'étiez après tout que
    néant!

ORESTE

Sache-le bien : ces dieux dont nous célébrons la science
ne disent pas plus vrai que les songes fugaces.
Dans le monde des dieux tout va à tort et à travers,
aussi bien que parmi les hommes. Ce qui torture l'homme
qui, dans un esprit droit, prit l'oracle pour guide,
c'est de se voir perdu, ainsi qu'il l'est pour l'œil des clair-
    voyants[1].

LE CORYPHÉE

Et nous, hélas, et nos parents ?
Vivent-ils encore ? Sont-ils morts ? Qui pourrait nous
    le dire ?

IPHIGÉNIE

Écoutez-moi. L'idée me vient d'un plan
qui servirait vos intérêts, étrangers, et les miens tout
    ensemble.
On mène aisément une chose à bien quand tous sont
    d'accord pour la souhaiter.
Acceptes-tu, si je sauve ta vie, de te rendre à Argos,
avec un message de moi pour mes amis qui sont là-bas,
une lettre à leur apporter, qu'un captif ému par mon sort
écrivit en mon nom ? Il savait que mon bras
était innocent de sa mort, car c'est la loi qui le tuait
puisque Artémis justifie cet usage.
Mais je n'ai pu sauver aucun captif qui, retournant dans le
    Péloponèse[2],
aurait dans Argos rapporté ma lettre à cet ami qui doit la
    recevoir.

Or, te voici, homme bien né, à ce qu'il semble,
qui connais bien Mycènes et ceux que j'ai en vue.
Que ce soit ton salut à toi aussi, qui recevras en récom-
      pense
ta liberté pour le poids léger d'une lettre.
Quant à ton ami, puisque la cité le réclame,
qu'il soit, seul et sans toi, sacrifié à la déesse.

ORESTE

Je suis d'accord avec toi, étrangère, sauf sur un point.
Il me serait intolérable de laisser égorger mon ami.
C'est moi qui embarquai cette cargaison de malheurs,
lui n'est qu'un passager qui partage mes peines.
Comment serait-il juste d'acheter de sa mort
le service que tu demandes et mon propre salut ?
Voici ce qu'il faut faire : remets-lui ton message
qu'il emportera à Argos au mieux de tes désirs.
Quant à moi, me tue qui voudra s'en charger ! Quoi de
      plus honteux
que de lier à son malheur le sort de ses amis
pour ensuite échapper tout seul ? Enfin, celui qui est là
      m'est si cher,
que ma vie a pour moi moins de prix que la sienne.

IPHIGÉNIE

Cœur généreux ! Combien noble est ta race, et fidèle
      ton amitié !
Puisse être tel que toi le frère qui me reste.
Oui, j'ai un frère, étranger, privée seulement de le
      voir.
Si tel est ton désir, nous ferons partir ton ami
avec ma lettre, et c'est toi qui mourras, puisque aussi bien
une grande envie de mourir te possède.

ORESTE

Qui me sacrifiera ? Qui aura ce cruel courage ?

IPHIGÉNIE

C'est moi, puisque je suis chargée d'apaiser la déesse.

ORESTE

La tâche, jeune fille, n'est pas digne d'envie, ni pour te
rendre heureuse.

IPHIGÉNIE

La fatalité me l'impose. Comment m'y refuser ?

ORESTE

Ainsi toi, une femme, tu lèves l'épée pour tuer des
hommes ?

IPHIGÉNIE

Non. Je ne ferai qu'asperger tes cheveux d'eau lustrale.

ORESTE

Qui donc m'égorgera ? Puis-je le demander ?

IPHIGÉNIE

Ceux qui ont cet office sont dans le sanctuaire.

ORESTE

Et quel tombeau me recevra après ma mort ?

IPHIGÉNIE

Un feu sacré au fond du temple, une crevasse de rocher.

ORESTE

Hélas! Si les mains de ma sœur pouvaient m'ensevelir!

IPHIGÉNIE

Infortuné, ta prière est bien vaine!
Qui que tu sois, ta sœur habite loin de ce pays barbare.
Sache pourtant, puisque tu es d'Argos, qu'autant qu'il me
sera possible,

moi je n'omettrai rien de ce qu'elle aurait fait.
J'ornerai ta tombe d'offrandes, j'oindrai ton corps d'huile
      dorée.
Je verserai sur ton bûcher la liqueur que la rousse abeille,
la fille des montagnes, cueille parmi le suc des fleurs[1]...
    Mais je m'en vais prendre ma lettre dans le temple.
Et pour que tu n'aies nul reproche à m'imputer,
gardez-les, serviteurs, désenchaînés comme ils sont là[2].
Peut-être contre tout espoir atteindrai-je en Argos
celui des miens qui entre tous m'est le plus cher.
Ma lettre lui dira vivante celle qu'il a crue morte,
lui mandant un bonheur dont il ne pourra pas douter.

              Elle entre dans le temple.

SECOND STASIMON

STROPHE

LE CHŒUR (à Oreste)

*Je pleure sur toi
voué à la rosée de sang de l'eau lustrale !*

ORESTE

Il ne faut pas me plaindre! Et vous, femmes, soyez heureuses!

ANTISTROPHE

LE CHŒUR (à Pylade)

*Loué sois-tu pour ton bonheur,
jeune homme qui bientôt seras dans ta patrie !*

PYLADE

Envie-t-on l'ami qui voit mourir son ami ?

ÉPODE

LE CHŒUR

*Triste départ pour l'un, tandis que l'autre meurt !
Hélas, lequel faut-il plaindre le plus ?
Mon esprit partagé se demande
si c'est toi, si c'est lui que mon chant doit pleurer.*

TROISIÈME ÉPISODE

ORESTE

Par les dieux, Pylade, ton sentiment est-il le mien ?

PYLADE

Je ne sais. Ta question me prend au dépourvu.

ORESTE

Qui donc est cette jeune femme ? Comme elle se
    comporte en Grecque,
s'enquérant du siège de Troie, du retour de l'armée, de
    l'augure Calchas.
Elle a nommé Achille, a plaint l'infortuné Agamemnon,
m'interrogeant sur sa femme et sur ses enfants. Cette
    inconnue
est par le sang une Argienne de chez nous. Sinon jamais
elle n'enverrait cette lettre et n'en voudrait tant savoir,
montrant ainsi qu'elle prend part aux destinées d'Argos.

PYLADE

Tu me préviens de peu : c'est aussi ce que j'allais dire,
sauf cependant une réserve. Les malheurs de nos rois,
tous les connaissent, qui ne vivent pas isolés du monde.
Mais un autre souci occupe ma pensée.

ORESTE

Lequel ? Fais-le moi partager pour le pénétrer mieux.

PYLADE

Si tu péris, je ne te survivrai que dans la honte.
J'ai fait avec toi le voyage, et je dois partager ta mort.
Sinon l'on me dira un lâche, un faux ami,
et dans Argos et jusqu'au fond des vallées de Phocide.

Et la foule croira — les méchants sont nombreux —
que pour rentrer seul au pays je t'ai livré,
traîtreusement tué, tablant sur les malheurs de ta famille,
dans l'espoir de régner à ta place
comme époux de ta sœur que ta mort ferait héritière.
Voilà ce que je crains et qui me fait rougir d'avance.
Je ne vois qu'une issue : c'est d'expirer en même temps
   que toi,
prenant ma part du sacrifice et du bûcher,
car je suis ton ami, et je veux le rester sans reproche.

ORESTE

Ne parle pas ainsi. Je dois supporter mes propres
   malheurs,
mais c'est assez d'une souffrance sans en assumer deux
   fois plus.
La douloureuse honte dont tu parles,
elle est pour moi si je cause ta mort,
à toi qui as voulu partager mes épreuves.
Au point où j'en suis, ai-je à déplorer de quitter la vie
lorsque les dieux me traitent ainsi que tu le vois ?
Tu es heureux. Ton foyer est sans tache et sans fêlure,
tandis que moi je suis un souillé, un maudit.
Sauve ta vie. Tu auras des enfants de ma sœur que je t'ai
   donnée pour épouse,
et mon nom survivra, et l'on ne verra pas
s'éteindre ma maison faute de descendants.
Pars, vis, prends pour demeure celle de mon père.
Quand tu seras en Grèce cependant, dans Argos aux bons
   cavaliers,
je t'en conjure par ta main droite que je touche,
élève-moi un tertre où soit mon souvenir;
que ma sœur lui donne ses larmes et y dépose ses
   cheveux.
Dis comment je péris de la main d'une femme
d'Argos, par elle dévoué en sacrifice.
Et ne va pas abandonner ma sœur
en voyant désertée la maison de nos pères, la tienne par
   ton alliance.
 À présent, adieu. Tu fus pour moi le meilleur des amis,
le plus cher compagnon de mes chasses, de toute mon
   enfance,

ô toi qui as porté ta part de tous mes maux.

Ah oui! Phoibos le grand devin m'a bien leurré,
avec son stratagème pour m'entraîner le plus loin qu'il
        put de la Grèce,
tant il était honteux de ses premiers oracles!
Je me suis à lui donné tout entier, j'ai obéi à sa parole,
j'ai immolé ma mère, et me voici qui péris à mon tour!

PYLADE

Tu auras un tombeau. Et le lit de ta sœur,
mon malheureux ami, me trouvera fidèle.
Car mort tu m'es plus cher encore que tu ne l'es vivant.
Pourtant tout n'est pas dit. Si imminente qu'elle soit,
l'oracle d'Apollon n'a point parachevé ta perte.
Tu le sais bien : l'excès même de l'infortune
permet parfois les revirements les plus grands.

ORESTE

N'en dis pas plus. Les promesses du dieu ne me sau-
        veront pas.
La prêtresse à l'instant sort du temple.

                              *Paraît Iphigénie qui congédie
                              les gardes.*

IPHIGÉNIE

Éloignez-vous et allez dans le temple
tenir prêt ce qu'il faut aux sacrificateurs.
Étrangers, voici les tablettes où ma lettre est inscrite.
Ce qu'en plus je demande, écoutez-le.
Aucun homme en effet ne reste plus le même
en passant brusquement de la souffrance et de la peur à la
        sécurité.
C'est pourquoi je redoute qu'heureusement rentré chez lui
celui qui doit porter mon message à Argos n'en fasse
        plus le moindre cas.

ORESTE

Que te faut-il encore ? Que faire pour te rassurer ?

IPHIGÉNIE

Qu'il m'accorde serment de porter cette lettre
jusqu'à Argos, à ceux des miens que je veux qu'elle
   atteigne.

ORESTE

Et toi, tu lui rendras promesse pour promesse ?

IPHIGÉNIE

A quoi veux-tu que je m'engage ? Dis-le moi.

ORESTE

A le faire sortir vivant de ce pays barbare.

IPHIGÉNIE

Ce n'est que juste. Sinon, que devient sa mission ?

ORESTE

Mais est-ce que le roi voudra y consentir ?

IPHIGÉNIE

Oui,
persuadé par moi. Et son embarquement, j'y pourvoirai
   moi-même.

ORESTE

Tu peux jurer, Pylade. Toi, dicte le serment. Il le tiendra
   sacré.

IPHIGÉNIE

Il donnera — répète-le — ceci à mes parents.

PYLADE

Je donnerai à tes parents la lettre que voici.

IPHIGÉNIE

Moi, je te renverrai vivant jusqu'au delà des Roches
    Noires.

PYLADE

Quel dieu attestes-tu, qui garantira ton serment ?

IPHIGÉNIE

Artémis, dont je suis la prêtresse en son temple.

PYLADE

Moi, c'est le roi du ciel, l'auguste Zeus.

IPHIGÉNIE

Si tu manquais à ton serment et que tu me trahisses ?

PYLADE

Que je ne revoie jamais ma patrie! Et toi, si tu manquais
    à me sauver ?

IPHIGÉNIE

Que vivante jamais je n'imprime à Argos la trace de
    mon pas.

PYLADE

Écoute : il est un cas que nous avons omis.

IPHIGÉNIE

S'il nous est profitable, nous pouvons l'introduire[1].

PYLADE

Réserve-moi la chance que voici : si mon bateau périt
et si ta lettre dans les flots avec les autres biens
vient à sombrer, tandis que je serai sauvé tout nu,
que mon serment alors cesse de me lier.

IPHIGÉNIE

Deux sûretés valent mieux qu'une : voici ce que je vais
    faire.
Tout ce qui est noté dans les tablettes repliées,
je te l'énoncerai, et tu en feras part aux miens.
Ainsi je n'ai plus rien à craindre. Si tu sauves l'écrit,
il parlera sa langue silencieuse.
S'il disparaît dans la mer, ta personne sauvée sauvera mes
    paroles.

PYLADE

Tu as tout bien prévu et pour toi et pour moi.
Dis maintenant à qui je dois remettre les tablettes
en Argolide, et ce qu'il me faudra dire à ta place.

IPHIGÉNIE

Mande à Oreste, au fils d'Agamemnon :
« Celle qui fut immolée à Aulis te fait savoir qu'elle est
    vivante,
cette Iphigénie que chez vous l'on croit morte. »

ORESTE

Mais où est-elle ? Une trépassée qui revient ?

IPHIGÉNIE

Tu la vois devant toi. Cesse de me troubler de tes questions.
« Mon frère, ne me laisse pas mourir ici. Viens me
    ramener vers Argos,
loin du pays barbare, et délivre-moi de l'office de sang
que j'accomplis pour la déesse en immolant des
    étrangers. »

ORESTE

Pylade, que dire, je ne sais où je suis !

IPHIGÉNIE

« Ou bien mon imprécation frappera ton foyer,
Oreste ! » Entends ce nom encore et retiens-le.

ORESTE

O dieux !

IPHIGÉNIE

Pour quelle raison les invoques-tu ? Tout ceci ne touche
     que moi.

ORESTE

Sans raison, mais poursuis. Mon esprit s'égarait.

IPHIGÉNIE

Il t'interrogera, et entendra bientôt ce qu'il ne pourra
     croire[1].
Dis-lui qu'Artémis me sauva, en mettant à ma place
une biche qui fut immolée par mon père, lorsqu'il croyait
     en moi enfoncer son épée.
Puis elle m'établit ici. Telle est la teneur de ma lettre,
voilà les mots qui sont écrits sur ces tablettes.

PYLADE

Ah, qu'il exige peu d'effort, le serment dont tu m'as lié,
tandis que tu jurais la plus belle promesse !
Un seul instant, et j'aurai tenu ma parole.
Regarde-moi. J'apporte la tablette et la mets dans tes
     mains,
Oreste, venant de la part de ta sœur !

ORESTE

Je la reçois, mais à quoi bon la déplier ?
Je veux prendre d'abord un plus grand plaisir que celui
     des paroles.
Ma sœur très chère, dans mon étonnement
je t'entoure d'un bras qui ne peut croire à son bonheur,
et je me livre à l'allégresse en entendant tous ces
     prodiges.

                    Elle l'écarte.

LE CORYPHÉE

Étranger, tu n'as pas le droit de toucher la prêtresse,
de porter la main sur sa robe sacrée !

ORESTE

Ma sœur, née comme moi d'Agamemnon, ne me repousse
    pas,
lorsque tu viens de recouvrer le frère que jamais tu
    ne pensais revoir!

IPHIGÉNIE

Moi, je verrais mon frère ? Ah! tais-toi!
Il ne peut être qu'à Nauplie ou Argos[1]!

ORESTE

Non, pauvre sœur, ton frère n'est pas là.

IPHIGÉNIE

Quoi ? c'est la Laconienne, la fille de Tyndare, qui t'a mis
    au monde ?

ORESTE

Et le petit-fils de Pélops fut mon père.

IPHIGÉNIE

Qu'affirmes-tu ? Peux-tu m'en donner quelque preuve ?

ORESTE

Certes. Questionne-moi sur notre maison paternelle.

IPHIGÉNIE

J'aime mieux que tu parles, et moi je conclurai.

ORESTE

Je te dirai d'abord ce que je tiens d'Électre.
Tu sais qu'il y eut un conflit entre Atrée et Thyeste ?

IPHIGÉNIE

Oui, la querelle au temps de l'Agneau d'Or.

ORESTE

Te souviens-tu l'avoir brodé sur une belle toile ?

IPHIGÉNIE

Très cher, ta pensée vient à la rencontre de la mienne!

ORESTE

Avec l'image du soleil qui renverse son cours ?

IPHIGÉNIE

Oui, je l'ai figuré sur cette fine trame.

ORESTE

Et le bain nuptial qu'à Aulis tu reçus de ta mère ?

IPHIGÉNIE

Je n'ai pas oublié. Nul mariage heureux n'en a éteint le
    souvenir[1].

ORESTE

Et que tu donnas tes cheveux à porter à ta mère ?

IPHIGÉNIE

... pour mon tombeau, à défaut de mon corps, en
    mémoire de moi.

ORESTE

Ce que mes yeux ont vu, je le dirai aussi pour te
    convaincre.
L'antique lance de Pélops, au palais de mon père,
celle qu'il leva à deux bras pour gagner la vierge de
    Pise,
Hippodamie, en tuant Œnomaos,
c'est dans ta chambre de jeune fille qu'on la tient
    cachée.

IPHIGÉNIE

O très aimé, comment t'appeler autrement ?
Tu es bien ce que j'ai de plus cher dans le monde,
je te possède, Oreste, venu d'Argos, de notre lointaine
patrie !

ORESTE

Moi, je possède en toi celle qu'on disait morte.

IPHIGÉNIE

Pleurs et soupirs, et joie tout à la fois,
mouillant tes yeux avec les miens !
Le voilà donc, celui que j'ai laissé chez nous
tout petit nourrisson aux bras de sa nourrice !
Bonheur indicible, ô mon âme.
Ce qui nous échoit passe toute merveille
et toute attente.

ORESTE

Puissions-nous désormais être heureux l'un par l'autre!

IPHIGÉNIE

Je reçois, mes amies, une joie inouïe,
à craindre de le voir s'envoler, disparaître
de mes bras vers le ciel !
Foyer bâti par les Cyclopes, patrie, chère Mycènes,
merci de lui avoir donné la vie,
et merci de l'avoir nourri, de l'avoir élevé,
ce frère, pour notre maison
dont il est la lumière !

ORESTE

Oui, nous pouvons nous glorifier de notre race,
mais notre vie, ma sœur, fut pleine d'infortunes.

IPHIGÉNIE

Ah ! je l'ai su, pauvre de moi, quand mon père égaré
approcha son couteau de ma gorge.

ORESTE

Ciel! Je n'y étais pas, et je crois l'avoir vu!

IPHIGÉNIE

Il n'y eut pas, mon frère, de cris d'hyménée,
quand la ruse me conduisit
vers la tente et le lit d'Achille.
L'autel n'entendait que sanglots et plaintes.
L'eau lustrale m'y attendait !

ORESTE

J'ai pleuré, moi aussi, le crime osé par notre père!

IPHIGÉNIE

Je n'ai pas eu de père : voilà ce que le sort m'a refusé.
Et d'un malheur en naît un autre...

ORESTE

Que serait-ce si tu avais tué ton frère, infortunée!...

IPHIGÉNIE

... au gré de quelque puissance divine...
Ah, malheureuse, qu'allais-je faire,
quel forfait commettre, mon frère ?
Encore un peu et tu tombais, frappé d'un coup impie,
torturé par ma main.
De tout ceci, quelle sera l'issue ?
Saurai-je trouver un chemin
pour te faire sortir de cette ville, échapper à la mort,
et rentrer à Argos, ta patrie,
sans que l'épée ait atteint ton sang ?
Voilà, pauvre âme, ce qu'il nous faudrait découvrir.
Faut-il renoncer au bateau, prendre la route
et partir à marches forcées ?
Mais c'est frôler la mort à travers des races barbares
et des chemins impraticables !
Ou tenter le détroit, le passage des Roches Noires,

bien long voyage pour un navire en fuite !
Ah ! malheureuse que je suis !
Quel dieu, quel mortel, quel hasard imprévu
trouvera le moyen introuvable
de délivrer de tant de maux
les deux seuls survivants de la race d'Atrée ?

LE CORYPHÉE

Rencontre étonnante, et plus qu'on ne peut dire :
je l'ai vue de mes yeux, et non pas entendue de la bouche
    d'autrui[1].

PYLADE

Deux êtres qui s'aiment et qui se retrouvent, Oreste,
qu'ils se jettent aux bras l'un de l'autre, quoi de plus
    naturel ?
Mais, sans davantage nous attendrir, il faut
aviser aux moyens de capturer le Salut au beau nom,
et de nous évader de ce pays barbare.
Quand l'occasion lui est offerte, un sage ne va pas,
pour s'accorder quelque autre joie, laisser passer la
    chance[2].

ORESTE

Tu as raison. La fortune, je pense, est en ce moment avec
    nous,
mais il faut y mettre du nôtre. Qui donne son cœur à
    l'ouvrage
reçoit des dieux secours plus grand qu'il n'attendait.

IPHIGÉNIE

N'allez pas m'empêcher de m'enquérir d'abord
du sort d'Électre, car tous les deux vous m'êtes chers[3].

ORESTE

Elle est la femme de Pylade et vit heureuse avec lui.

IPHIGÉNIE

De quel pays est-il ? De qui est-il le fils ?

ORESTE

Il a pour père Strophios de Phocide.

IPHIGÉNIE

Le fils d'une fille d'Atrée, et mon parent par conséquent ?

ORESTE

Oui, ton cousin, et mon seul ami véritable.

IPHIGÉNIE

Il n'était pas encore né lorsque mon père m'immolait ?

ORESTE

Non. Strophios resta quelque temps sans enfants.

IPHIGÉNIE

Je te salue donc, époux de ma sœur!

ORESTE

Plus que mon parent, il est mon sauveur.

IPHIGÉNIE

Mais comment osas-tu cet attentat contre ta mère ?

ORESTE

Que je voudrais me taire! J'avais mon père à venger.

IPHIGÉNIE

Quelle raison eut-elle de tuer son époux ?

ORESTE

Cesse de parler d'elle. Tu n'as là rien de beau à apprendre.

IPHIGÉNIE

Je me tais. Argos à présent regarde donc vers toi ?

ORESTE

Non. Ménélas y règne et j'en suis exilé.

IPHIGÉNIE

Notre oncle aurait-il outragé notre maison dans la
détresse ?

ORESTE

Nullement. Les Érinyes sur moi ont jeté la terreur qui
me chasse d'Argos.

IPHIGÉNIE

Ce même délire qui, dit-on, t'a saisi au rivage, près d'ici ?

ORESTE

Ce n'est pas la première fois que j'ai laissé voir ma misère.

IPHIGÉNIE

J'ai compris. Agissant pour ta mère, elles te traquaient,
les déesses.

ORESTE

Au point que leur mors faisait saigner ma bouche.

IPHIGÉNIE

Mais en ce pays, comment parvins-tu ?

ORESTE

Phoibos par un oracle m'ordonna d'y venir.

IPHIGÉNIE

Dans quel dessein ? peux-tu le dire ? est-ce interdit ?

Oreste

Je veux bien parler. Ce fut le début de tous mes travaux.
Lorsque les actes de ma mère — je n'en dirai pas plus —
retombèrent sur moi, les Érinyes me poursuivirent
d'exil en exil, tant qu'Apollon enfin m'amena en Athènes
pour répondre à l'accusation des déesses que l'on n'ose
      nommer.
Là est un tribunal sacré que Zeus jadis
établit, lorsque Arès se fut souillé d'un meurtre[1].
En arrivant je ne trouvai nul hôte qui consentît à
      m'accueillir,
car tous voyaient en moi un ennemi des dieux.
Ceux qui eurent pitié me reçurent à part, me donnant
      une table
séparée de la leur, mais dans la même salle,
par leur silence m'obligeant à me taire,
à boire et à manger sans me mêler à eux.
Chacun avait son pot où l'on versait part égale de vin.
Eux s'égayaient, et moi, ne voulant pas incriminer leur
      hospitalité,
je feignais de ne rien comprendre, je souffrais sans rien
      dire,
en regrettant amèrement d'avoir tué ma mère.
En mémoire de mes malheurs, les Athéniens, dit-on,
ont institué une fête, et la coutume a subsisté
parmi le peuple de Pallas, que chacun ce jour-là boive à
      son pot.
   Puis je vins au coteau d'Arès pour y être jugé.
Deux sièges étaient là; l'un pour moi,
la plus vénérable des Érinyes prit l'autre.
Je parlai, et l'on fit parler le sang de ma mère.
Phoibos me sauva par son témoignage,
et, pour me faire triompher, le bras levé de Pallas
donna aux deux partis le même nombre de suffrages.
Je sortais vainqueur de l'épreuve prescrite au meurtrier.
Celles des Érinyes qui acceptèrent la sentence
se choisirent tout près un domaine qui devint un lieu
      saint.
Celles qui refusaient reprirent leur chasse
sans me laisser m'établir nulle part,
tant qu'enfin je revins au pays sacré d'Apollon,
où étendu devant le sanctuaire je me mis à jeûner,

jurant que ma vie se romprait en ce lieu
si lui ne me sauvait après m'avoir perdu.
Phoibos alors, du trépied d'or, prononça la parole
qui m'envoyait ici pour enlever une statue tombée du ciel
et l'ériger sur le sol athénien.
Il promettait à ce prix le salut,
et c'est pourquoi je demande ton aide. Maître de l'image
    divine,
mes délires cesseront. Mon bateau est là, bien garni de
    rames;
je t'y ferai monter pour notre retour à Mycènes.
    Sœur bien-aimée, ô chère tête fraternelle,
sauve notre maison et sauve-moi!
C'en est fini de moi, fini des Pélopides,
si nous ne pouvons enlever la céleste effigie.

Le coryphée

On dirait possédés d'une affreuse colère
les dieux qui soufflent les tourments contre la race de
    Tantale.

Iphigénie

Le désir que j'avais avant ton arrivée est dans ma main[1] :
c'est rentrer dans Argos et te revoir, mon frère.
Je veux de plus, autant que toi, que tu sois guéri de
    ton mal,
et relevée de sa ruine la maison de mon père,
car je suis sans rancune envers celui qui prépara ma mort.
Ainsi ma main resterait pure de ton sang et je sauverais
    mon foyer.
Mais comment abuser la déesse et le roi ?
J'ai peur de l'instant où il verra vide
le socle de granit où la statue se dresse.
Pour moi, c'est la mort à coup sûr. Quelle excuse
    alléguer ?
Ah! si d'un seul coup tout pouvait réussir!
Que tu enlèves la statue et m'amènes à ton bon navire,
quel beau risque à courir!
Mais s'il faut choisir entre ces deux fins, c'est moi qui
    mourrai.
Pourvois à ton salut, à ton heureux retour.
Je ne refuse pas la mort, pourvu qu'elle te sauve.

C'est quand l'homme périt que la maison est dans le deuil.
Une femme n'est rien qu'impuissance.

ORESTE

Non, je ne serai pas ton meurtrier
après avoir été celui de notre mère. C'est assez de son
    sang.
Je veux vivre avec toi ou, s'il faut périr, partager ton
    sort.
Et si je tombe, moi aussi, sur cette terre
j'y trouverai du moins une demeure puisque j'y serai
    avec toi[1].
    Mais voici l'idée qui me vient. Écoute : si Artémis était
        hostile
à cet enlèvement, pourquoi Phoibos m'aurait-il conseillé
d'emmener la statue dans la ville de Pallas ?
[Pourquoi dès à présent m'aurait-il accordé[2]]
de revoir ton visage ? L'ensemble de ces signes
me semblent présager un bon retour.

IPHIGÉNIE

Mais comment faire pour sortir vivants d'ici
avec l'objet que nous voulons ravir ? Voilà qui rend
    caduc
notre retour dans la patrie. Il nous faut en délibérer.

ORESTE

Ne pourrions-nous tuer le roi ?

IPHIGÉNIE

Qu'oses-tu proposer ? Tuer celui qui m'a reçue ?

ORESTE

Si c'est pour nous sauver tous deux, il faut courir le
    risque.

IPHIGÉNIE

J'admire ton audace, mais ne saurais m'y décider.

ORESTE

Et si tu me cachais au fond du sanctuaire ?

IPHIGÉNIE

Et qu'attendant la nuit nous nous sauvions ensemble ?

ORESTE

Car elle est l'amie des voleurs ; et le jour, de la vérité.

IPHIGÉNIE

Oui, mais le temple a ses gardiens. Nous ne leur échap-
perions pas.

ORESTE

Mais alors nous sommes perdus ! Où trouver une issue ?

IPHIGÉNIE

Une idée nouvelle vient de me venir.

ORESTE

Quoi donc ? Fais m'en part, que je juge.

IPHIGÉNIE

De ta souffrance même j'userai pour mon stratagème.

ORESTE

La femme vraiment s'entend à la ruse.

IPHIGÉNIE

Un parricide, vais-je dire, nous arrive d'Argos.

ORESTE

Sers-toi de mes malheurs, si tu peux y gagner.

IPHIGÉNIE

Et l'on ne peut, dirai-je encore, le sacrifier à la déesse.

ORESTE

Quel motif allégueras-tu ? Je crois le deviner.

IPHIGÉNIE

Tu es souillé. Je n'immolerai rien qui ne soit pur[1].

ORESTE

Et après ? La ſtatue n'en eſt pas capturée pour autant.

IPHIGÉNIE

Je dirai que je veux te laver d'eau de mer.

ORESTE

Mais le temple encore garde la ſtatue, en quête de quoi
    nous sommes partis.

IPHIGÉNIE

Tes mains l'ayant touchée, dirai-je, je dois la baigner elle
    aussi.

ORESTE

Où cela ? tu veux dire à la crique ?

IPHIGÉNIE

Là même où des câbles de lin tiennent ton navire amarré.

ORESTE

Eſt-ce toi ou un autre qui portera la ſtatue dans ses bras ?

IPHIGÉNIE

Moi-même, qui suis seule à pouvoir la toucher.

ORESTE

Et Pylade, quel rôle aura-t-il dans le jeu[1] ?

IPHIGÉNIE

Il sera censément souillé de meurtre comme toi.

ORESTE

Agiras-tu en te cachant du roi ou avec son accord ?

IPHIGÉNIE

Je saurai le persuader. Comment rien faire à son insu ?

ORESTE

Et la rame là-bas est prête à battre l'eau !

IPHIGÉNIE

Pour tout le reste, à toi d'assurer le succès.

ORESTE

Il nous faut encore ceci : être sûrs que ces femmes se
        taisent.
Va les prier, trouve les mots qui les convainquent.
Une femme s'entend à émouvoir.
Sinon, je crois que tout se dispose fort bien.

IPHIGÉNIE

Mes très chères amies, je me tourne vers vous.
Mon sort est dans vos mains. Vous pouvez tout sauver
ou tout faire échouer, me séparer de ma patrie,
de mon frère que j'aime et de ma sœur chérie.
Mon premier mot sera pour rappeler que nous sommes
        des femmes,
des êtres toujours prêts à s'entr'aider, chacune un appui
        sûr pour le salut de toutes.
Accordez-nous votre silence et secondez notre évasion.

Rien n'est précieux comme une langue dont la fidélité
  est sûre.
Voyez : un seul destin unit trois têtes chères
pour nous ramener au pays ou pour nous livrer à la mort.
Si je puis me sauver, tu auras ta part de ma chance,
je te ramènerai en Grèce. Par ta main droite, toi, je
  t'implore,
toi par ta chère joue, par tes genoux,
par les êtres aimés demeurés au logis, une mère, un père,
  peut-être des enfants.
Que dites-vous ? qui est d'accord ? et qui refuse ?
Parlez. Si vous repoussez ma requête,
je suis perdue avec mon frère infortuné.

LE CORYPHÉE

Rassure-toi, chère maîtresse, et ne songe qu'à ton salut.
J'en prends le grand Zeus à témoin, tu peux compter sur
  mon silence
pour tout ce que tu me prescris de taire.

IPHIGÉNIE

Soyez bénies pour ces paroles! que le bonheur vous
récompense.

(A Oreste.)

A vous deux maintenant d'entrer là dans le temple,
car le roi du pays va venir voir si les étrangers ont été
  immolés.

(Ils entrent dans le temple.)

  Grande déesse, dans les vallons d'Aulis
tu me sauvas des mains terribles d'un père meurtrier.
Sauve-moi encore à présent avec ces malheureux. Sinon
  par ta faute
la voix de Loxias cessera d'être crue.
Ah! quitte de bon gré cette terre barbare,
viens à Athènes. Est-il digne de toi
de demeurer ici quand tu peux habiter une cité heureuse ?

Elle entre dans le temple.

TROISIÈME STASIMON

STROPHE I

LE CHŒUR

Tout au long des écueils, Alcyone,
tu chantes ta plainte avec ton destin.
Ceux qui ont souffert savent la comprendre,
et que c'est ton époux que pleure ton refrain.
Alcyone humaine, mon gémissement répondra au tien.
O regret de la Grèce et de ses assemblées !
regret d'Artémis amie des accouchées,
Artémis la voisine du Cynthe,
du palmier feuillu, du laurier touffu,
du pâle olivier dont les rameaux sont vénérables,
car ils ont secouru Létô dans ses douleurs,
près du lac rond où l'eau tourbillonne, où le cygne
chante en l'honneur des Muses.

ANTISTROPHE I

Que de pleurs ont coulé sur mes joues
quand dans ma cité les tours s'effondrèrent
et qu'on me jeta captive au navire,
la proie des lances et des avirons ennemis !
Puis vendue à prix d'or je vins en ce pays barbare
servir la fille d'Agamemnon auprès d'Artémis chasse-
          resse,
vouée à des autels
où ne coule pas le sang des brebis.
J'envie celui qui souffre depuis sa naissance.
Sous les coups du sort, il sent moins sa peine :
elle est sa sœur de lait.
     Mais le revers est douloureux, qui détruit le bonheur :
lourd destin pour les hommes.

STROPHE II

Or voici, princesse, que vers ta patrie vont te ramener
les cinquante rameurs d'un navire argien.
La flûte aux joints de cire de Pan le montagnard
de ses notes aiguës fera voler les avirons,
tandis que Phoïbos le devin,
jouant de sa lyre à sept cordes,
t'escortera vers la splendide Athènes.
Mais moi, tu vas m'abandonner ici,
quand tu partiras, les rames battantes,
les cordages tendant la voile.

ANTISTROPHE II

Ah, suivre ta course, beau feu du Soleil, au char
        rayonnant
et quand tu passeras au ciel de ce pays
où fut ma maison, où j'avais mon lit,
laisser sur mon dos se fermer mes ailes,
dans les chœurs reprendre ma place !
Fille promise à de brillantes noces,
je quittais ma mère pour entrer dans la ronde,
dans le joyeux essaim de mes compagnes,
luttant avec elles de grâce, de belles et riches coiffures.
Mes voiles brodés et mes tresses
ombrageaient mon visage.

Le roi Thoas apparaît à
droite.

QUATRIÈME ÉPISODE

THOAS

Où donc est la gardienne de ce temple,
la Grecque ? A-t-elle enfin consacré les victimes ?
Le feu du sanctuaire fait-il flamber les corps ?

LE CORYPHÉE

La voici, seigneur, qui va te le dire.

*Iphigénie sort du temple,
tenant la statue.*

THOAS

Que vois-je ?
De son socle intangible, fille d'Agamemnon,
tu as pris la statue dans tes bras ! Tu l'emportes ! Pourquoi ?

IPHIGÉNIE

Seigneur, tu ne dois pas dépasser ce portique.

THOAS

Qu'est-il donc survenu dans le temple, Iphigénie ?

IPHIGÉNIE

Une faute que je rejette. Que la Pureté entende ma parole.

THOAS

Étrange début ! explique-toi enfin.

IPHIGÉNIE

Impures victimes, seigneur, que vous m'avez capturées là !

THOAS

Comment le sais-tu ? Est-ce un simple soupçon ?

IPHIGÉNIE

La statue sur sa base a bougé; elle s'est détournée.

THOAS

D'elle-même, ou la terre aurait-elle tremblé ?

IPHIGÉNIE

D'elle-même, et puis elle a fermé les yeux.

THOAS

Pourquoi ? d'horreur devant ces étrangers ?

IPHIGÉNIE

Comment en douter ? Car ils ont commis des crimes
    affreux.

THOAS

Ont-ils massacré de nos gens, sur la côte là-bas ?

IPHIGÉNIE

La tache d'un meurtre est sur eux, mais accompli dans
    leur pays.

THOAS

Quel meurtre ? Je veux le savoir.

IPHIGÉNIE

Ils se sont unis pour tuer leur mère de leur propre épée.

THOAS

Apollon, entends-tu ? Même en pays barbare, qui aurait
    cette audace ?

IPHIGÉNIE

On les a poursuivis, chassés de chaque cité grecque.

THOAS

Et c'est pourquoi tu as fait sortir la statue ?

IPHIGÉNIE

Je l'expose à l'éther sacré, pour la soustraire au sang.

THOAS

Comment découvris-tu le crime de ces hommes ?

IPHIGÉNIE

Quand la statue se détourna, j'ai pu obtenir leur aveu.

THOAS

Deviner si juste! La Grèce t'a nourrie dans la sagesse!

IPHIGÉNIE

Ils ont tenté pourtant de séduire mon cœur.

THOAS

En te parlant d'Argos ? en t'enivrant de leurs nouvelles ?

IPHIGÉNIE

Oreste, mon unique frère, y vit heureux.

THOAS

Dans ta joie, pensaient-ils, tu allais les sauver.

IPHIGÉNIE

Ils m'ont dit que mon père va bien, lui aussi.

THOAS

Mais toi, tu n'as pensé qu'à la déesse, avec raison.

IPHIGÉNIE

Oui, car je hais la Grèce entière, elle qui me perdit.

THOAS

Que ferons-nous, dis-moi, de ces deux étrangers ?

IPHIGÉNIE

Nous devons respecter la coutume établie.

THOAS

Qu'attends-tu donc ? prends l'eau lustrale et ton couteau.

IPHIGÉNIE

Je veux tout d'abord les laver conformément aux rites.

THOAS

D'eau de source ? d'eau de mer ?

IPHIGÉNIE

La mer emporte tout ce que l'homme a de mauvais.

THOAS

Artémis aura de la sorte des victimes plus dignes.

IPHIGÉNIE

Et ce qui me concerne en ira mieux.

THOAS

Puisque la mer arrive jusqu'au temple...

IPHIGÉNIE

Non, il faut un endroit désert, pour ce rite et d'autres
   encore.

THOAS

Mène-les où tu veux. Je ne demande pas à voir ce qui est
   interdit.

IPHIGÉNIE

Du même coup, je veux purifier la statue...

THOAS

... atteinte qu'elle fut par la tache du parricide...

IPHIGÉNIE

Sinon je ne l'aurais pas enlevée de son socle.

THOAS

Ta piété voit juste et prévoit tout.

IPHIGÉNIE

J'ai ceci à te demander...

THOAS

Quoi ? dis-le donc!

IPHIGÉNIE

Fais enchaîner ces hommes.

THOAS

Où pourraient-ils s'enfuir ?

IPHIGÉNIE

Qui peut se fier à des Grecs ?

THOAS

Gardes, allez les lier.

IPHIGÉNIE

Et puis, qu'on les amène ici...

THOAS

Ce sera fait.

IPHIGÉNIE

Leur manteau rabattu sur la tête...

THOAS

Pour ne pas offusquer le soleil.

IPHIGÉNIE

Donne-moi de tes gens pour escorte.

THOAS

Mes gardes iront avec toi.

IPHIGÉNIE

Envoie signifier à la ville...

THOAS

Quel ordre ?

IPHIGÉNIE

Que chacun demeure chez soi.

THOAS

De peur de rencontrer le meurtrier.

IPHIGÉNIE

Oui, son contact est dangereux.

THOAS

Avance-toi et dis-le leur.

IPHIGÉNIE *(proclamant)*

Que nul n'approche et ne cherche à voir...

THOAS

Quel souci tu as de la ville !

IPHIGÉNIE

Et de ceux à qui je me dois surtout.

THOAS

C'est moi que tu veux dire ?

IPHIGÉNIE

[Sans   doute[1].]

THOAS

Combien toute la ville t'admire à juste titre !

IPHIGÉNIE

Seigneur, ne quitte pas le temple.

THOAS

Qu'y dois-je accomplir !

IPHIGÉNIE

Un grand feu qui le purifie...

THOAS

pour qu'en revenant tu le trouves net.

IPHIGÉNIE

Quand eux sortiront...

THOAS

Que devrai-je faire ?

IPHIGÉNIE

Mettre ton manteau sur tes yeux.

THOAS

Pour me préserver de la pollution ?

IPHIGÉNIE

Et si je te parais rester bien longtemps..

THOAS

Quel délai fixes-tu ?

IPHIGÉNIE

Ne t'en étonne pas.

THOAS

Fais bien ce que veut la déesse, car rien ne presse.

IPHIGÉNIE

Puisse le rite réussir, comme je le souhaite.

THOAS

Mes vœux sont avec toi.

> *Il entre dans le temple,*
> *évitant la vue d'Oreste et Pylade*
> *qui en sortent, escortés de*
> *gardes.*

IPHIGÉNIE

Je vois venir les étrangers sortant du temple

avec les parures de la déesse et les agneaux nouveau-nés
   dont le sang lavera
la dangereuse tache, les flambeaux allumés et tout
ce que j'ai prescrit pour purifier et ces hommes et la
   déesse.

(Proclamant.)

Aux citoyens à présent j'interdis d'approcher, car ils
   seraient pollués.
Gardien du temple, qui te tiens les mains nettes pour les
   dieux,
homme qui vas te marier, femme grosse d'enfant,
fuyez, écartez-vous, que sur vous la souillure ne tombe!
   Fille de Zeus et de Létô, reine et vierge, si j'efface le
      crime
de ces hommes et que je sacrifie au lieu où je le dois,
tu y auras un séjour impollu et nous serons heureux.
Sans que j'en dise davantage, vous me comprenez,
toi déesse, et les dieux qui en savent plus long.

*Tout le cortège sort par la
gauche.*

QUATRIÈME STASIMON

STROPHE

LE CHŒUR

Létô, sois fière de ton fils !
Dans les vallons de Délos aux beaux fruits[1]
tu mis au monde un dieu aux cheveux d'or,
habile à la cithare et fier de ses flèches exactes.
Quittant l'illustre endroit de la nativité,
elle l'emporta loin de la falaise,
vers cette crête du Parnasse où naissent les torrents,
où Bacchos mène ses orgies.
Dans l'ombre du laurier se cachait un serpent,
dont le dos rouge chatoyait parmi des écailles de bronze,
monstre énorme issu de la Terre, gardien de la voix souterraine.
Tu n'étais qu'un petit enfant bondissant aux bras de sa
mère,
et tu l'as tué, ô Phoibos !
Au siège divin te voilà monté,
assis au trépied d'or, au trône véridique,
pour dire aux hommes tes avis
sortis du fond du sacré sanctuaire,
voisin des eaux de Castalie, en ce centre du monde
où tu as ta demeure.

ANTISTROPHE

A Thémis, fille de la Terre,
il avait enlevé les oracles divins.
La ténébreuse Terre enfanta les songes nocturnes,
qui révélaient aux hommes, dans l'obscurité du sommeil,
et le passé et le futur.
Pour venger sa fille, Gê prit à Phoibos ses honneurs fati-
diques.

D'un bond, le dieu fut dans l'Olympe,
son bras noué au trône de Zeus,
le priant d'écarter de la maison pythique
la rancune de la déesse souterraine.
Zeus rit de voir son fils venir si droit
s'assurer le tribut d'honneurs très opulents.
D'une secousse de sa chevelure,
il fit cesser les sombres visions,
il nous affranchit de l'ivresse nocturne[1],
à Loxias restitua ses privilèges,
et tous rendirent leur confiance
au trône prophétique où de la terre entière
viennent les pèlerins.

Un serviteur de Thoas
apparaît à gauche.

EXODOS

LE SERVITEUR

Hola, gardien du temple, surveillants des autels,
où se trouve Thoas, notre roi ? Allez l'appeler,
ouvrez ces portes verrouillées, et qu'il sorte du sanctuaire

LE CORYPHÉE

Que se passe-t-il, si je puis parler sans y être invitée.

LE SERVITEUR

Les deux jeunes gens se sont évadés.
C'est la fille d'Agamemnon qui a tout machiné.
Ils s'en vont loin d'ici, et la sainte statue,
enlevée par eux, est dans le fond de leur navire.

LE CORYPHÉE

J'ai peine à te croire. Quant à celui que tu veux voir,
il a quitté le temple et il s'en est allé.

LE SERVITEUR

Où cela ? Il faut qu'il sache ce qui vient d'arriver.

LE CORYPHÉE

Nous l'ignorons. Pars à sa recherche
et découvre-le pour lui faire ton message.

LE SERVITEUR

Voyez comme on doit peu croire les femmes :
vous avez votre part dans ce qui s'est passé.

LE CORYPHÉE

Tu déraisonnes ! En quoi leur fuite nous concerne-t-elle ?
Qu'attends-tu pour courir au palais ?

LE SERVITEUR *(heurtant)*

Que cette porte m'ait dit de sa part
s'il est ou non à l'intérieur.
Ohé! vous autres là-dedans, tirez les verrous,
et faites savoir au roi que j'attends ici,
lourd d'un paquet de fâcheuses nouvelles!

THOAS *(sortant du temple)*

Qui est là, à crier ainsi devant la maison d'Artémis,
à heurter la porte, en troublant le silence ?

LE SERVITEUR

Voilà! Qu'avaient-elles à dire, pour m'écarter d'ici,
que tu n'y étais pas ? Je me doutais bien que tu y étais!

THOAS

Quel pouvait être leur intérêt, ou leur dessein ?

LE SERVITEUR

Sur elles je m'expliquerai plus tard. J'ai plus pressant
à te faire savoir. La jeune femme, celle qui
desservait ici les autels, Iphigénie, s'en est allée,
avec les étrangers, emportant l'image sacrée de la
    déesse.
Son expiation n'était qu'un stratagème.

THOAS

Que dis-tu ? Emportée par quel vent de démence ?

LE SERVITEUR

Le désir de sauver Oreste. Oui, voilà le plus étonnant.

THOAS

Quel Oreste ? Le fils de la Tyndaride ?

LE SERVITEUR

Lui-même qu'Artémis réservait pour l'autel que voilà.

THOAS

Prodige! Il me faudrait, pour te nommer, un mot
    plus fort...

LE SERVITEUR

Ne cherche pas, écoute-moi plutôt.
Puis, tout bien vu, bien entendu, songe aux moyens
de donner la chasse à ces gens et de les capturer[1].

THOAS

Parle, tu as raison. Longue en effet la route
qu'ils auraient à courir avant d'être à l'abri de mes armes.

LE SERVITEUR

Nous arrivions près de la crique où le vaisseau d'Oreste
avait trouvé à cacher son mouillage.
Nous tenions, sur ton ordre, les chaînes des deux
    étrangers
quand la fille d'Agamemnon nous fit le signe
de rester à distance de l'holocauste redoutable,
du rite solennel qui devait laver la souillure.
Elle s'avança donc sans nous, à la suite des étrangers,
tenant leurs chaînes. Cela nous paraissait suspect
mais tes esclaves, mon seigneur, n'avaient qu'à obéir.
    Bientôt, pour nous paraître en faire davantage,
elle entonna le cri rituel et des chants de magie barbare,
comme pour effacer la souillure du meurtre.
Le temps d'attendre nous durait et nous nous demandions
si les hommes désenchaînés n'allaient pas la tuer et
    s'enfuir.
Mais la crainte d'apercevoir ce qui est interdit
nous tenait cois et en silence, jusqu'à ce qu'enfin tous
    furent d'accord
pour les rejoindre, enfreignant la défense.
    C'est alors seulement que nous découvrons le navire
    grec.

les avirons comme des ailes prêts à battre,
les cinquante marins assis à leurs bancs, rames au tolet,
et nos deux jeunes gens libres de toute entrave.
[A bord on s'affairait.[1]] On assurait aux gaffes la proue
    du vaisseau démarré.
On pendait l'ancre aux deux béliers,
on ramassait en hâte les amarres,
on descendait l'échelle pour permettre l'accès aux
    étrangers.
    Perdant tout scrupule à la vue de cette imposture,
nous avons tenté de saisir la prêtresse,
d'agripper les amarres, et, par les ouvertures,
les gouvernails du navire à la belle poupe.
Des propos s'échangeaient : « De quel droit venez-vous
nous voler nos statues, nos sacrificateurs ?
Qui es-tu, et qui est ton père, toi qui enlèves cette
    femme ? »
Il répondit : « Je suis son frère Oreste, sache-le,
le fils d'Agamemnon, et je viens reprendre
ma sœur, longtemps perdue pour ma maison. »
Nous n'en tenions que plus fort l'étrangère,
bien décidés à te l'amener jusqu'ici.
De là des coups qui ont meurtri nos joues.
Ils n'avaient pas d'armes et nous pas davantage,
mais leurs poings tombaient dru sur nous,
et leurs pieds nous frappaient aux côtes et au foie.
Chaque rencontre nous rompait les membres,
si bien qu'enfin, tout couverts de terribles marques,
les yeux, la tête en sang, nous avons fui vers les falaises.
Postés sur les hauteurs, nous étions mieux parés
pour combattre à grands coups de pierres.
Mais les archers embusqués à la poupe en nous criblant
    de flèches
nous gênaient et nous avons dû reculer.
Comme une vague énorme ramenait le vaisseau vers la
    terre,
la jeune fille eut peur de s'avancer dans l'eau.
Oreste alors la prit sur son épaule gauche,
traversa le flot, monta à l'échelle,
et déposa sa sœur à l'intérieur du bateau bien ponté,
ainsi que l'effigie tombée du ciel, l'image de la fille de
    Zeus.
    Au milieu d'eux retentit alors une voix

qui criait : « Matelots du navire grec,
prenez la rame et frappez l'écume d'un sillage blanc.
Ce qui nous fit pénétrer dans la Mer Hostile,
franchir les Symplégades, nous l'avons conquis! »
    A grand ahan, les voilà tout joyeux qui se mettent à
        battre la mer.
Tant qu'il fut dans la baie, le bateau fila.
Mais au passage de la barre,
une forte lame vint à sa rencontre et le fit peiner.
Car un vent violent s'était soudain levé
qui enflait les voiles en soufflant de proue. Eux tenaient
        bon,
luttant contre la vague. Le flot déchaîné cependant
les ramenait vers la côte. Alors, debout,
la fille d'Agamemnon dit cette prière : « O vierge fille de
        Létô,
sauve-moi, ramène ta prêtresse en Grèce,
loin du pays barbare. Pardonne-moi ce vol et cette fuite.
Tu as, déesse, un frère que tu aimes :
accepte donc que j'aime aussi le mien. »
Les matelots, pieusement, firent écho à sa prière
en chantant le péan, les bras nus,
les mains rivées aux rames, et suivant la cadence.
Mais le bateau, de plus en plus, donnait dans les récifs,
si bien que l'un des nôtres descendit dans l'eau,
et qu'un autre tenta de jeter un grappin.
    Moi, sans perdre de temps, j'ai voulu revenir
pour t'annoncer, seigneur, ce qui se passe.
Il faut partir avec des chaînes et des cordes.
Si la mer ne s'apaise pas,
les Grecs n'ont nul salut à espérer.
Le seigneur de la mer, l'auguste Posidon,
protège les Troyens et déteste les Pélopides.
Le fils d'Agamemnon, il va, je crois, le mettre dans tes
        mains,
dans celles de nos gens, comme une proie bonne à saisir,
et cette sœur aussi, oublieuse du meurtre d'Aulis,
et convaincue de trahir la déesse.

LE CORYPHÉE

Ah! pauvre Iphigénie, tu vas périr avec ton frère
en retombant entre les mains du roi!

THOAS

Sus, vous tous, habitants de ce pays barbare,
mettez la bride à vos chevaux, courez à la côte. Les
      épaves
du navire grec seront pour vous. La déesse, vous aidera.
Courez, donnez la chasse à des impies.
Lancez aussi sur l'eau vos rapides canots.
Poursuivons-les sur mer, et sur terre avec nos chevaux,
puis nous les saisirons, nous les lancerons du haut des
      rochers,
ou bien nous les empalerons.
    Et vous, femmes, qui avez connu ce complot,
plus tard, quand j'aurai du loisir,
vous en recevrez votre châtiment. L'instant me réclame,
et le devoir pressant qui m'oblige à partir.

Athéna apparaît sur le toit
du temple.

ATHÉNA

    Où vas-tu ? où veux-tu les poursuivre, seigneur
Thoas ? Écoute-moi, car c'est Athéna qui te parle.
Ne cherche pas à les rejoindre, à lancer contre eux ton
      armée.
Car c'est pour accomplir l'oracle d'Apollon
qu'Oreste est venu en ces lieux, fuyant les Érinyes et leur
      colère,
afin de ramener à Argos la personne de sa sœur
et conduire l'image sainte dans le pays qui est le mien.
Puis il sera enfin soulagé de ses peines.
C'est ce que j'avais à te dire. Celui que tu pensais tuer,
en le surprenant, grâce à la tempête,
Posidon, pour me plaire, lui donne une traversée calme.
    A toi aussi, Oreste, j'ai un message à dire,
car tu perçois, sans être ici, la voix de la déesse.
Va ton chemin avec ta sœur et avec la statue.
Tu seras bientôt à Athènes, que les dieux ont bâtie.
Aux confins de l'Attique, face aux rochers de Carystie,
est un lieu saint que mon peuple appelle Halæ.
Fais-y construire un temple, ériger la statue,

et donne-leur le nom de la terre taurique, monument des
    travaux
qui t'ont fait errer par toute la Grèce
sous l'aiguillon des Érinyes. Les mortels désormais
y invoqueront Artémis Tauropole,
et tu établiras ce rite : quand on célèbrera sa fête,
pour tenir lieu de toi, victime qui fus épargnée,
le fer, touchant le cou d'un homme, en tirera un peu de
        sang,
par pure piété, afin que la déesse reçoive son dû.
    Et toi, Iphigénie, près des terrasses sacrées
de Brauron, tu deviendras porte-clefs d'Artémis.
C'est là qu'après ta mort tu recevras ta sépulture,
et qu'en hommage on t'offrira les beaux tissus
que les mères mortes en couches laissent dans leurs
        maisons.
Quant à ces Grecques qui sont là, je t'invite
à les ramener chez elles, dans une intention de justice[1],
te souvenant, Oreste, que je t'ai sauvé une première fois,
        quand à l'Aréopage
mon vote te donna la moitié des suffrages.
L'usage restera que le partage égal absolve l'accusé.
Emmène donc ta sœur, fils d'Agamemnon.
Et toi, Thoas, sois sans colère.

THOAS

Dame Athéna, celui-là qui entend la parole des dieux
et ne s'y soumet point n'est pas un homme sage.
Je ne garde pas rancune à Oreste pour avoir enlevé la
        statue,
ni à sa sœur. A quoi sert de s'en prendre aux dieux
qui sont plus forts que nous ?
Qu'ils s'en aillent au pays qui t'est cher
avec la statue d'Artémis, et qu'ils l'érigent sous de bons
        auspices.
Et ces femmes aussi, je vais les renvoyer vers la Hellade
        fortunée
afin que tu sois obéie.
Je laisse retomber la lance que j'avais levée,
et les rames de nos bateaux, afin que tu sois obéie,
        déesse.

Athéna

C'est bien. La nécessité, sache-le, gouverne les dieux ainsi
      que toi-même.
Soufflez, vents favorables, conduisez vers Athènes le fils
      d'Agamemnon.
Je fais route avec lui, car je tiens à veiller
sur l'auguste effigie de ma sœur.

Le coryphée

Partez heureux dans la félicité de votre délivrance.
Pallas Athéna, vénérée des dieux, vénérée des hommes,
nous ferons ce que tu ordonnes.
Combien douce est pour nous l'annonce inespérée
que nous venons d'entendre!

    Très auguste Victoire, ne me quitte jamais,
et ne cesse pas de me couronner.

ÉLECTRE

L'ODYSSÉE *raconte comment Égisthe séduisit Clytemnestre en l'absence d'Agamemnon, prit à son retour le roi par traîtrise et le tua. Sept ans plus tard, Oreste grandi à l'étranger revint à Argos détrôner l'usurpateur et venger son père. Le vieux poète savait à coup sûr qu'Oreste avait fait justice de Clytemnestre ; il a préféré n'en rien dire, afin que nulle ombre ne ternisse Oreste, modèle de piété filiale.*

Des poèmes perdus accrurent à la fois le rôle de Clytemnestre et la signification de sa mort. Un vengeur qui reconquiert son patrimoine capté par un cousin déloyal ne donne prise à aucune discussion. Il en va autrement du matricide, qui a hanté les Grecs. Sur trente-trois tragédies conservées, huit traitent la légende des derniers Atrides. Et dix endroits en Grèce prétendaient avoir vu la purification d'Oreste (toujours recommencée, toujours inefficace), attestant ainsi l'extraordinaire popularité de l'épisode.

Aucun crime n'avait pour les Grecs la gravité du parricide. Le père a tous les droits sur les enfants, lesquels ne peuvent rien entreprendre contre lui. Le parricide habite néanmoins toutes les légendes grecques. Il n'apparaît nûment que dans les cosmogonies, où Cronos châtre Ouranos, où Zeus enchaîne Cronos. Entre humains, le conflit des générations se présente sous une forme moins choquante. Ou bien le fils ignore l'identité de celui qu'il frappe (c'est ainsi qu'Œdipe tue Laïos, que Télégone tue Ulysse) ; ou bien le coup est accidentel ; ou encore la mort résulte d'une erreur : Égée se détruit parce qu'il croit Thésée mort.

Dans un régime tout axé sur les droits du père, le matricide était peut-être juridiquement moins grave, mais il comportait une crainte mystérieuse qui le rendait peut-être plus redoutable encore. Les poètes l'ont traité avec un mélange d'horreur et de

*prédilection, un peu comme Shakespeare en joue tout au long
d'Hamlet, faisant redouter un coup qui ne vient pas, jusqu'à
ce que la mort presque fortuite de la mère réponde au vœu infor-
mulé du fils. Le matricide est parfois éludé, comme dans Ion,
ou bien la mère se tue après avoir frappé son enfant, comme
Althaia après avoir brûlé le tison de Méléagre, ou encore une
pieuse litote substitue à la mère la seconde femme du père ou
une autre parente. Accompli, ou évité de justesse par une reconnaissance de dernière minute, le matricide résulte toujours
d'une hostilité de la mère envers le fils. Mais cette excuse ne
suffit pas à le justifier ; il en faut une autre : le devoir envers le
père. L'image d'un fils tuant délibérément sa mère, en sachant
qui elle est, les Grecs l'ont admise uniquement dans le cas où le
meurtre est ordonné par le père ou par le dieu qui assume sa
cause. Ainsi agissent Oreste tuant Clytemnestre parce qu'elle
a tué Agamemnon, Alcméon tuant Ériphyle parce qu'elle a
causé la mort d'Amphiaraos.*

*L'Oreste d'Eschyle est armé par l'oracle de Delphes. On veut
que le poète ait suivi là une mythopée consacrant le privilège
du père sous l'influence du patriarcalisme de l'aristocratie
dorienne. En fait, rien ne permet de croire qu'il y ait eu une
« doctrine delphique » sur ce point, ni du reste sur aucun autre.
Si les Grecs ont vu en Apollon le défenseur naturel du fils vengeur, cela tient à des affinités profondes entre Oreste et le dieu de
Pythô. Antérieurement à Apollon, c'est la Terre qui règne à
Delphes, c'est-à-dire la Mère sous sa forme la plus terrible,
non pas, comme à Éleusis, celle qui donne le pain aux mortels,
mais la puissance ténébreuse qui s'exprime par les terreurs nocturnes. Apollon doit tuer le Python fils de la Terre pour conquérir son domaine et fonder des méthodes divinatoires rassurantes.
Ce jeune dieu vainqueur était le modèle même d'un adolescent
qui cherche à se libérer de son enfance et de tout l'inconscient dont
elle l'opprime encore. Après avoir tué le Python, Apollon se
purifie, ce qui signifie que tout meurtre est un crime, mais que
nulle souillure n'est ineffaçable. Et il purifie Oreste après le
matricide qu'il lui a conseillé.*

*L'image du jeune dieu assistant le jeune homme, son double,
le génie d'Eschyle l'a perçue dans toute sa richesse et l'a amenée
au niveau où le mythe naît du symbole. Mais c'est pour aussitôt
refuser la leçon qu'on pourrait en tirer, et condamner le matricide. L'Électre de Sophocle est un drame purement psychologique que ne sous-tend aucune conception religieuse. Les Érinyes
n'y apparaissent pas ; Apollon s'est borné à conseiller Oreste sur*

*la façon d'accomplir le meurtre. Euripide revient à la concep-
tion d'Eschyle, se rangeant comme lui au sentiment général des
Grecs qui n'ont admis, ni que l'acte fût défendable, ni que les
purifications prescrites par le dieu fussent suffisantes. Les poètes
ont voulu qu'Oreste fût tourmenté par les Érinyes nées du sang
maternel, déesses autrement puissantes qu'Apollon. Les phi-
losophes ont déclaré qu'il n'avait pu agir que sous l'influence de
la folie. Tous ont récusé l'autorité du dieu.*

*Les tragiques ont mis à côté d'Oreste sa sœur Électre. Dans
les Choéphores, elle est simplement l'alliée du justicier ; chez
Sophocle, elle l'excite sauvagement ; chez Euripide elle le force
d'agir alors que lui, ayant dépensé toute son agressivité à tuer
Égisthe, n'a plus assez de foi en Apollon pour voir dans le
matricide autre chose qu'un crime abominable.*

*Le personnage d'Électre est peut-être la plus géniale inven-
tion de la tragédie. La haine d'un fils pour sa mère reste colorée
dans l'inconscient d'émotions favorables. Celle de la fille, bien loin
d'être mitigée, se double de jalousie. Enfant négligée, effacée et
triste dans les Choéphores, Électre devient dans les pièces
suivantes une martyre volontaire qui aggrave son sort à plaisir
afin de mieux attirer la colère du ciel sur les meurtriers d'Agamemnon. Ce père qu'elle connaît à peine, qui a égorgé sa sœur,
est pour elle une sorte d'idole. Le véritable meurtrier de Clytemnestre, c'est elle bien plus qu'Oreste, qui ne fait que tenir le
couteau. Un halo de démence l'environne aussi bien que lui, mais
non au même moment. C'est avant le meurtre qu'elle apparaît
comme une obsédée qui s'avilit à plaisir en exagérant la honte de
son mariage et qui trouve d'amères délices à faire sonner sa
pauvreté. Quand elle voit devant elle le cadavre d'Égisthe, elle
tremble d'émotion, ne sachant quelle insulte lui lancer :*

Et cependant, quelle aube a lui, que je n'aie répété
les mots que je voulais lancer à ta figure
si une heure venait où je n'eusse plus à trembler devant toi !

*En ce trouble moment du réveil, où la raison lutte mal contre
les phantasmes de la nuit, quelles revanches a-t-elle rêvées sur
cette mère haïe, jalousée, secrètement admirée ? Mais dès qu'elle
la voit morte, elle semble se réveiller et s'écrie, brusquement
purgée des poisons de sa haine :*

Quels Apollons et quels oracles
ont fait de moi la meurtrière de ma mère ?

Oreste au contraire a agi sans passion, par ordre. Et c'est après qu'il a tué que, de ce sol sanglant d'où vont naître les Érinyes, se lèvent pour le hanter des images d'une affreuse précision :

Tu as bien vu l'infortunée
écarter sa robe, me montrer son sein
au moment où je la tuais,
et traîner, ô horreur, sur la terre
le giron d'où je suis sorti. Ah! je défaille!

Aucune pièce n'a une telle âcreté. Le seul témoin d'une générosité véritable est le laboureur mycénien, époux fictif d'Électre, en face d'un Oreste aigri, replié sur lui-même, qui dit simplement, en apprenant le mariage inégal de sa sœur : J'en gémis pour ton frère. Euripide marque cruellement à quel point le malheur rend égoïste.

Est-ce pour accroître l'horreur de ce drame qu'il le situe dans un décor campagnard, près d'une maison paysanne ? Voyez la mort d'Égisthe. Le roi est venu dans son jardin des champs où il va sacrifier un taureau aux nymphes. Passent sur la route Oreste et Pylade avec quelques serviteurs. Égisthe les hèle, les invite à entrer, à partager le repas qui suivra le sacrifice ; puis sans attendre, comme Oreste s'est dit Thessalien et que les Thessaliens sont habiles à dépecer, il prie le jeune homme de s'en charger et lui tend les couteaux. La scène a une vivacité, une fraîcheur extraordinaire, sur quoi se détache la double boucherie. Tandis qu'Égisthe se penche pour examiner les viscères de la bête ouverte, Oreste debout derrière lui se dresse, l'assomme et, d'un seul coup, lui brise les vertèbres. Pour un Grec, assurément, toute vengeance est licite, est louable. Mais un hôte est sacré. Clytemnestre est tuée au moment où elle vient chez Électre, invitée par celle-ci, et pour lui rendre service. Bienveillance de gens comblés, peu coûteuse assurément, mais qui affaiblit le plaidoyer des meurtriers. Le poète a multiplié autour d'eux les évocations de la naissance, par la présence des Nymphes protectrices des nouveau-nés, et même par l'annonce mensongère de l'accouchement d'Électre, comme pour donner à la maternité condamnée le repoussoir de la maternité bénie. Mais alors, comment croire Oreste lorsqu'il dit :

Ce sont les dieux d'abord qui m'ont conduit à la victoire.

La conclusion est prononcée du haut du ciel par les Dioscures, frères divins d'Hélène et Clytemnestre. Ils marient Électre à

*Pylade, doublet d'Oreste, ce qui n'est qu'une façon de dire qu'elle
compose avec son frère un couple inséparable ; et ils dictent au
meurtrier les longues étapes de sa purification. C'est peut-être
(avec les Bacchantes) le seul de ces dénouements ex machina où
les caprices des dieux ne soient pas écoutés en silence par des
hommes résignés. Électre se termine par une explosion de douleur et d'amertume, et par de redoutables questions concernant
les dieux. « Comment, demande le coryphée aux Dioscures,*

Comment se fait-il qu'étant dieux et frères de la morte
vous n'ayez pas chassé les Furies de son toit ?
— Ainsi le voulait l'arrêt du destin
et l'oracle imprudent prononcé par Phoibos.

*On ose discuter les ordres d'Apollon, non ceux de Zeus, qui
traite les hommes comme ses jouets. Les malheurs d'Agamemnon et des siens viennent de la guerre de Troie, dont le premier
stasimon évoque l'aspect brillant et puéril en décrivant le
bouclier d'Achille. Achille est mort et les vainqueurs ont souffert
autant que les vaincus. Or, Hélène jamais ne fut à Troie et c'est
Castor qui le dit, devant les dernières victimes du jeu divin.*

Voulant semer parmi les hommes le meurtre et la querelle,
Zeus avait envoyé à Troie un fantôme d'Hélène.

*Qu'ils y réfléchissent, les deux meurtriers accablés, Oreste
qui se retourne avec désespoir contre Apollon, Électre qui n'a
même pas cette ressource, car elle sait que le crime ne résulte
pas de la dictée des dieux, mais des colères chèrement nourries
par les hommes eux-mêmes.*

*La pièce est probablement de 413, jouée au moment où
Athènes envoyait une expédition au secours de l'armée qui,
depuis 415, assiégeait Syracuse sans parvenir à la prendre.*

ÉLECTRE

PERSONNAGES

Un laboureur mycénien.
Électre
Oreste
Pylade
Un vieil esclave d'Électre.
Un serviteur d'Oreste.
Clytemnestre
Les dioscures
Chœur composé de femmes mycéniennes.

Aux confins de l'Argolide, devant la maison d'un pauvre fermier.
Il fait encore nuit.

PROLOGUE

Le laboureur

Vallée de cette terre antique[1], fleuve Inachos !
c'est d'ici que jadis, avec mille vaisseaux,
le roi Agamemnon porta la guerre à Troie.
Ayant tué le roi qui gouvernait les plaines d'Ilion,
Priam, et pris l'illustre ville de Dardanos,
il revint vers Argos, et, dans nos temples élevés,
consacra les riches dépouilles des Barbares.
Car là-bas il avait été heureux. C'est à son foyer
qu'il trouva la mort, pris dans un piège par sa femme
      Clytemnestre,
et frappé par Égisthe, le fils de Thyeste.
Il a passé, laissant tomber le sceptre antique de Tantale,
et c'est Égisthe qui gouverne ici,
ayant dans son lit l'épouse du roi, la fille de Tyndare.
A son départ pour Troie, Agamemnon quittait à son
      foyer
un fils, Oreste, une fille déjà grande, Électre.
Un vieil homme, qui avait élevé Agamemnon,
sauva Oreste comme Égisthe allait le frapper à mort,
et le remit à Strophios pour être élevé en Phocide.
   Électre demeurait dans la maison de ses ancêtres.
Quand la saison de la jeunesse fleurit pour elle,
les premiers de la Grèce vinrent briguer sa main.
Mais Égisthe craignait qu'elle ne conçût de quelque
      seigneur
un fils qui vengerait Agamemnon, et il la retenait dans le
      palais,
refusant de lui donner un époux.
Comme ce refus même lui laissait redouter
qu'elle ne s'unît à un prince et ne devînt mère en secret,
il résolut de la tuer. Si cruelle que fût sa mère,
elle la sauva cependant des coups d'Égisthe.
Car elle avait bien une excuse pour le meurtre de son mari,

mais elle craignait de se faire haïr en tuant ses enfants.

Ce fut alors qu'Égisthe imagina son plan.

Pour l'exilé, le fils d'Agamemnon, on mit sa tête à prix.

On me donna Électre en mariage.

Or, je descends d'ancêtres mycéniens, titre que l'on ne peut me contester ;

leur race était illustre, mais leurs richesses

nulles, et c'est là ce qui met la noblesse à néant.

L'unissant à un homme de peu, il avait peu à redouter.

Un grand, qui l'aurait eue pour femme,

aurait réveillé ce qui dort à présent, le meurtre

d'Agamemnon, et la justice alors se serait levée contre Égisthe.

L'homme que je suis, Cypris m'en est témoin,

n'a pas infligé à Électre la honte de sa couche : elle est encore vierge.

Je rougirais d'outrager une fille de si haute maison

en la prenant sans être de son rang.

Et je souffre en pensant que celui qu'on dit mon beau-frère,

le malheureux Oreste, revenant un jour à Argos,

devra savoir les tristes noces de sa sœur.

Celui qui me jugerait fou, pour avoir fait entrer

une fille dans ma maison, sans vouloir la toucher,

qu'il le sache : son jugement faussé mesure la sagesse

à sa propre aune : le fou, c'est lui, c'est l'impudique.

> *Électre, une cruche sur la tête,*
> *sort de la maison.*

ÉLECTRE

O noire nuit, nourrice des étoiles d'or,

tu es encore là que je vais déjà, cette cruche posée sur ma tête,

puiser de l'eau à la rivière.

Non que je sois réduite à si grande indigence,

mais je tiens à montrer aux dieux comment m'outrage Égisthe,

à lancer dans le vaste éther mes plaintes vers mon père.

Oui, la cruelle Tyndaride, ma mère,

m'a chassée du palais pour plaire à son époux.

Depuis qu'elle a d'autres enfants dont Égisthe est le père,
elle nous tient, Oreste et moi, pour le rebut de son foyer.

LE LABOUREUR

A quoi bon, pauvre Électre, te fatiguer pour moi,
assumer ces travaux, toi qui fus élevée dans l'opulence ?
Quand je te le demande, pourquoi ne pas t'en abstenir ?

ÉLECTRE

Tu es pour moi un ami que j'égale aux dieux.
Jamais tu n'insultas à mes malheurs,
et c'est une grande chance que de trouver
un médecin de son infortune, tel qu'en toi j'en ai un.
C'est pourquoi, malgré ta prière, dans la mesure de mes
      forces,
j'entends alléger ta fatigue, te la rendre plus douce
en en prenant ma part. C'est assez pour toi d'assumer
tous les travaux du dehors. Ceux du foyer,
à moi de les mener à bien. Lorsque le laboureur rentre
      chez lui,
il aime à trouver son logis en ordre.

LE LABOUREUR

Puisqu'il te plaît ainsi, va donc. La source d'ailleurs
n'est pas loin de chez nous. Pour moi, au point du
      jour,
j'irai mener les bœufs au pré, ensemencer les sillons.
Jamais un paresseux, eût-il les dieux sans cesse à la
      bouche,
sans se donner du mal ne pourra gagner de quoi vivre.

*Ils sortent tous les deux par
la droite, tandis qu'Oreste et
Pylade entrent de l'autre côté.*

ORESTE

Je vois en toi, Pylade, l'homme qui s'est montré à mon
      égard
le plus fidèle de mes amis et de mes hôtes.

Seul entre tous, tu honorais Oreste,
réduit par Égisthe au sort que tu vois,
Égisthe qui tua mon père, assisté par ma misérable
mère. D'un sanctuaire redoutable, me voici arrivé[1]
sur le sol argien, à l'insu de tous,
pour rendre coup pour coup aux meurtriers.
Cette nuit même, je suis allé au tombeau de mon père;
j'y ai versé mes larmes, consacré mes cheveux,
et sacrifié sur le bûcher le sang d'une brebis.
Ceux qui gouvernent ce pays n'en savent rien,
car j'évite de pénétrer dans l'enceinte des forts.
Une double intention m'arrête ici sur la frontière,
d'où je puis aisément me jeter dans un autre pays
si quelque espion du roi me reconnaît,
et rechercher ma sœur (on dit qu'elle est mariée,
établie, ayant quitté son lit de jeune fille),
pour m'entendre avec elle et l'associer à ma vengeance,
ou du moins savoir d'elle ce qui se passe dans le donjon.
    Déjà l'aurore lève son front blanc. Il faut nous écarter
         de ce sentier.
Quelque laboureur ou quelque servante
se présentera bien, de qui nous apprendrons si ma sœur
         habite ceslieux
Mais j'aperçois une esclave
dont la tête rasée porte une charge d'eau.
Cachons-nous donc, Pylade, et tâchons de savoir
si cette femme pourra nous instruire
touchant l'affaire qui nous amène en ce pays.

*Ils se cachent, tandis qu'Élec-
tre rentre.*

STROPHE I

ÉLECTRE

*Presse le pas, car il est temps,
Marche, marche, tout en pleurant, ô douleur, ô douleur !*

*Mon père était Agamemnon,
me mit au monde Clytemnestre,
détestable fille de Tyndare.*

« *La malheureuse Électre* »,
dit-on de moi dans la cité.
Pour moi, honteux labeurs, vie dégradante.
Et toi, mon père, tu gis dans l'Hadès,
victime de ta femme et victime d'Égisthe,
le roi Agamemnon !

MÉSODE

Allons, réveille ta plainte éternelle,
rends-toi la volupté des larmes.

ANTISTROPHE I

Presse le pas, car il est temps.
Marche, marche tout en pleurant, ô douleur, ô douleur !

Quelle ville ou quelle maison,
te tient asservi, pauvre frère,
depuis qu'au foyer des ancêtres
tu as laissé ta pauvre sœur
en proie au destin le plus douloureux.
Ah ! reviens pour m'en délivrer
— que Zeus, oui que Zeus m'entende —
pour venger ton père et sa mort infâme !
Que la route de ton exil
te ramène en Argos !

STROPHE II

Que j'ôte à présent la cruche de ma tête
que monte vers mon père, répétée à l'aurore, la plainte de
          la nuit.
Père, j'envoie vers toi sous terre
le cri d'Hadès, le chant d'Hadès, avec l'hymne funèbre
auquel jour après jour je me consacre[1].
Et mes ongles lacèrent mon cou,
et je frappe ma tête rasée,
parce que tu es mort !

MÉSODE

Oui, oui, meurtris-toi le visage !
Comme un cygne à grands cris, sur les rives d'un fleuve,
appelle son père bien-aimé,
ainsi, mon père infortuné, mort dans les nœuds de rets
*   perfides,*
je pleure sur ta mort.

ANTISTROPHE II

Sur le dernier bain qui lava ton corps,
sur le lit déplorable où mort tu fus couché !
Douleur ! Fatales blessures frappées par la hache !
Fatale embuscade au retour de Troie.
Pour te recevoir ta femme n'avait diadèmes ni couronnes,
mais te livra, ô honte, au couteau aiguisé d'Égisthe
et celui que son lit recevait en secret
fut dès lors son époux.

Entre le chœur des jeunes
Argiennes.

PARODOS

STROPHE

Le chœur

Noble fille d'Agamemnon,
j'arrive, Électre, à ta maison rustique.
Quelqu'un est venu, un homme de Mycènes,
un de ces montagnards buveurs de lait,
avec cette nouvelle : le héraut argien annonce un sacrifice
qu'on fera dans deux jours : toutes les jeunes filles
visiteront Héra.

Électre

Ce n'est ni pour l'éclat des fêtes, mes amies,
ni pour des colliers d'or que bat mon cœur infortuné.
Ce n'est pas moi qui conduirai les danses
parmi les jeunes Argiennes,
en scandant du pied le rythme de la ronde.
Je passe mes nuits dans les larmes,
et donne mes jours à pleurer mon malheur.
Vois mes cheveux sordides, ces loques qui me couvrent :
est-ce digne de la princesse, de la fille d'Agamemnon,
est-ce digne de Troie, qui n'a pas oublié mon père,
car c'est lui qui l'a prise ?

ANTISTROPHE

Le chœur

Héra est puissante déesse. Courage !
Accepte donc de moi, pour ta parure,
une étoffe brochée, des bijoux d'or,
qui rehausseront l'éclat de la fête.
Crois-tu, ma fille, l'emporter sur tes ennemis,
sans honorer les dieux, et rien qu'avec des pleurs ?

Prière et piété, mieux que tant de sanglots,
te vaudront le bonheur.

ÉLECTRE

Mais parmi les dieux, qui entend la voix
de l'infortunée ? *Qui* se souvient
des victimes jadis immolées par mon père ?
Je pleure celui qui est mort,
et celui qui vit en exil sur un sol étranger,
proscrit reçu par grâce à la table des journaliers.
Et moi, je consume ma vie dans la maison d'un tâcheron
au milieu de rochers sauvages,
chassée du palais des ancêtres,
tandis que ma mère, dans le lit du crime,
dort avec son nouvel époux.

PREMIER ÉPISODE

LE CORYPHÉE

Et que de maux causa sa sœur Hélène
à tous les Grecs ainsi qu'à ta propre famille!

ÉLECTRE *(découvrant Oreste)*

Ciel, mes amies, cessons nos chants de deuil!
Des étrangers couchés sous le feuillage, tout près de mon
    logis[1],
surgissent de leur embuscade. Prends le chemin et fuis.
J'ai ma maison qui me dérobera à ces gens dangereux.

> *Oreste lui coupe la retraite et
> veut lui saisir la main, qu'elle
> retire.*

ORESTE

Arrête, infortunée. N'aie pas peur de ma main!

ÉLECTRE

Apollon, je t'implore, sauve-moi de la mort!

ORESTE

J'en tuerais d'autres volontiers, que j'aime moins que toi.

ÉLECTRE

Éloigne-toi sans me toucher : tu n'en as pas le droit.

ORESTE

Est-il une autre main que j'eusse mieux le droit de
    prendre ?

ÉLECTRE

Alors pourquoi, armé de ton épée, t'embusquer près de
ma maison ?

ORESTE

Attends, écoute-moi. Bientôt tu parleras tout comme moi.

ÉLECTRE

J'attends, puisque je suis en ton pouvoir, que tu es le
plus fort.

ORESTE

Je t'apporte un message au sujet de ton frère.

ÉLECTRE

O bienvenu! Il n'est pas mort ? Il est vivant ?

ORESTE

Vivant. Que je t'annonce tout de suite cette bonne
nouvelle.

ÉLECTRE

Ah! sois heureux, pour prix de ce cadeau de joie!

ORESTE

Je l'apporte à la fois et pour toi et pour moi.

ÉLECTRE

Où le triste exilé consume-t-il sa vie ?

ORESTE

En se pliant aux lois d'une ville après l'autre[1].

ÉLECTRE

Mais il ne manque pas du pain de chaque jour ?

ORESTE

Certes non, mais que peut un proscrit ?

ÉLECTRE

Pour quelle mission t'envoie-t-il ici ?

ORESTE

Il voudrait savoir si tu vis, et quel est ton état.

ÉLECTRE

Ne vois-tu pas tout aussitôt mon corps privé de soins ?

ORESTE

Détruit par le chagrin, à m'en faire pleurer !

ÉLECTRE

Et ma tête rasée, à la façon des Scythes[1] ?

ORESTE

Un frère, un père mort, déchirent peut-être ton cœur.

ÉLECTRE

Ne sont-ils pas, hélas, ce que j'ai de plus cher ?

ORESTE

C'est vrai. Et toi, que penses-tu que tu sois pour Oreste ?

ÉLECTRE

C'est un ami, mais un ami absent, qui devrait être ici.

ORESTE

Pourquoi habites-tu si loin de la cité ?

ÉLECTRE

J'ai dû me plier à l'hymen qui m'épargna la mort.

ORESTE

J'en gémis pour ton frère. Avec un Mycénien ?

ÉLECTRE

Mais non celui auquel mon père me destinait.

ORESTE

Dis-moi ce que j'aurai à redire à ton frère.

ÉLECTRE

J'ai ma retraite en ce logis qui est le sien.

ORESTE

Bon pour un terrassier, pour un bouvier !

ÉLECTRE

Celui d'un pauvre au noble cœur, plein de respect
    pour moi.

ORESTE

Qu'est ce respect que te témoigne ton époux ?

ÉLECTRE

Jamais il n'a osé s'approcher de mon lit.

ORESTE

Les dieux lui en firent scrupule ? Ou bien si c'est toi qu'il
    méprise ?

ÉLECTRE

Il se refuse à insulter à ma naissance.

ORESTE

Il n'a donc pas été heureux de profiter d'un tel hymen.

ÉLECTRE

Il ne reconnaît nul droit sur ma personne à l'homme qui
me maria.

ORESTE

Je vois. Il craint le jour où il rendra compte à Oreste.

ÉLECTRE

Il le redoute, certes. Mais avant tout son cœur est pur.

ORESTE

Cela est beau. Cet homme généreux sera récompensé.

ÉLECTRE

Si celui qui est loin revient jamais dans sa maison.

ORESTE

Et la mère qui t'a portée a souffert pour toi un tel
mariage ?

ÉLECTRE

Une femme, étranger, aime son mari, et non ses enfants.

ORESTE

Quelle raison poussa Égisthe à t'outrager ainsi ?

ÉLECTRE

Il a voulu que d'un mari sans force j'eusse des fils
sans force.

ORESTE

Pour éviter que des vengeurs naissent de toi ?

ÉLECTRE

Tel fut son plan. Puissé-je un jour l'en voir puni!

ORESTE

Le mari de ta mère sait-il que tu es vierge ?

ÉLECTRE

Non. C'est un secret que nous lui cachons.

ORESTE

Et ces femmes qui nous entendent, ce sont donc tes
    amies ?

ÉLECTRE

Elles sauront garder pour elles mes propos et les tiens.

ORESTE

Revenant à Argos, que pourrait faire Oreste ?

ÉLECTRE

Tu le demandes ? Rougis de ta question! N'est-il pas
    temps d'agir ?

ORESTE

Mais, supposé qu'il vienne, comment tuer les meurtriers ?

ÉLECTRE

Par une audace égale à ce que fut la leur.

ORESTE

Tu oserais, avec Oreste, tuer ta mère ?

ÉLECTRE

De cette même hache dont mon père fut abattu!

ORESTE

Le dirai-je à Oreste ? Peut-il compter sur ton appui ?

ÉLECTRE

Je veux bien mourir si j'ai fait sur Égisthe couler le sang
de ma mère égorgée!

ORESTE

Dieux, écoutez! Qu'Oreste n'est-il près d'ici pour nous
entendre!

ÉLECTRE

Mais, étranger, je le verrais, je ne saurais le reconnaître...

ORESTE

C'est vrai, tous deux vous étiez des enfants lorsqu'on vous
sépara.

ÉLECTRE

Un seul de mes amis pourrait le reconnaître.

ORESTE

Sans doute celui qui, dit-on, le déroba au meurtre.

ÉLECTRE

Oui, c'est un vieux de l'ancien temps, qui jadis éleva mon
père.

ORESTE

Et le corps de ton père, obtint-il un tombeau ?

ÉLECTRE

Sais-tu comment ? On le jeta hors du palais.

ORESTE

Que dis-tu là ? Apprendre les souffrances,

même celles d'autrui, blesse le cœur qui les découvre.
Dis cependant ce que je dois savoir, et que je rapporte à
      ton frère
des nouvelles sans joie, mais qu'il ne doit pas ignorer.
La pitié ne naît pas dans un esprit obtus,
mais dans un esprit pénétrant. Affiner à l'excès
sa propre intelligence est chose dont on paie la rançon.

LE CORYPHÉE

J'ai dans le cœur un vœu semblable au tien.
Vivant loin de la ville, j'en ignore les crimes.
Aujourd'hui je voudrais moi aussi les apprendre.

ÉLECTRE

Eh bien, je parlerai. Un ami a le droit de savoir
ma lourde destinée et celle de mon père.
Puisque tu as suscité ce récit, je t'en prie, étranger,
fais savoir à Oreste nos malheurs à tous deux.
    Dis-lui d'abord que je vis aux champs, vêtue ainsi que
      tu le vois,
quelle crasse pèse sur mon corps, sous quel toit
je demeure, moi qui proviens d'une maison royale,
que je dois peiner au métier, si je veux me vêtir,
faute de quoi j'irais à demi nue.
C'est moi aussi qui vais à la rivière puiser l'eau.
Je me tiens loin des fêtes, des rites et des danses.
Je dois éviter, étant vierge, la société des femmes,
et je fuis la pensée de Castor à qui ma main, comme parente,
était promise, avant qu'il fût au rang des dieux.
    Ma mère cependant, entourée du butin fait à Troie,
siège sur son trône. Sur les marches, des esclaves d'Asie
sont debout à ses ordres, celles que mon père a conquises,
toujours vêtues de robes phrygiennes, qu'attachent
des agrafes d'or. Le sang de mon père souille encore le
      palais,
noircissant, pourrissant, cependant que son assassin
monte dans son char et s'exhibe en public,
se vantant de tenir dans ses mains polluées
le sceptre dont le roi commandait à la Grèce.
Le sépulcre d'Agamemnon fut laissé sans honneurs,
ne reçut ni libations, ni même une branche de myrte,

et le bûcher resta vide d'offrandes.
Quand il est ivre et ruisselant de vin, le mari de ma mère,
l'illustre Égisthe va, dit-on, danser sur la tombe,
et frappe la dalle à grands coups de pierres,
puis ose encore se tourner contre nous :
« Où est Oreste ton cher fils ? Beau protecteur vraiment!
Toujours là pour défendre ta tombe! » C'est ainsi qu'il
    insulte l'absent.
   Va donc, étranger, va, je t'en conjure, lui faire ce
    message.
Beaucoup implorent Oreste, dont je suis l'interprète :
mes mains, ma bouche et mon cœur désolé,
ma tête rasée, et le père qui l'engendra.
Né de celui qui mit les Phrygiens à néant, ne doit-il
    pas rougir
si homme contre homme la force de tuer lui manque,
quand il a pour lui sa jeunesse et son sang glorieux ?

LE CORYPHÉE

Mais je vois ton mari, qui, sa besogne terminée,
revient vers la maison.
Entre le laboureur.

LE LABOUREUR

Eh quoi ? qui sont ces étrangers que je vois à ma porte ?
quel motif les amène à ma maison rustique ?
Est-ce moi qu'ils demandent ? Une femme en tous cas
ne peut sans indécence être parmi des jeunes gens.

ÉLECTRE

Mon ami cher, n'en viens pas a me soupçonner.
Tu vas savoir de quoi nous nous entretenions.
Ces étrangers venaient vers moi, chargés d'un message
    d'Oreste.
Vous, seigneurs, ne lui en veuillez pas pour ce qu'il vient
    de dire.

LE LABOUREUR

Que nous apprennent-ils ? Ton frère vit, et voit la
    lumière ?

ÉLECTRE

Ils le disent vivant. Je n'ai pas de raison d'en douter.

LE LABOUREUR

Garde-t-il dans l'esprit les malheurs de ton père et les tiens ?

ÉLECTRE

Il compte nous venger. Un proscrit a peu de ressources.

LE LABOUREUR

Que te rapportent-ils de la bouche d'Oreste ?

ÉLECTRE

Il les a envoyés connaître mes malheurs.

LE LABOUREUR

Leurs yeux en voient une partie. Tu peux dire le reste.

ÉLECTRE

Ils ont appris déjà ce qu'ils voulaient savoir.

LE LABOUREUR

Depuis longtemps ma porte aurait dû s'ouvrir devant eux.
Entrez chez moi. En échange de vos bonnes nouvelles, recevez ce présent d'hospitalité, tout ce que contient la maison.
Que leurs serviteurs emportent leur bagage à l'intérieur. Ah! ne protestez pas! Vous êtes des amis
qui venez de la part d'un ami. Je suis pauvre, il est vrai, mais mon cœur n'est point bas, et je saurai vous le montrer.

Il conduit les serviteurs d'Oreste dans la maison.

ORESTE

Par les dieux, c'est donc lui ce mari qui s'entend avec toi
pour éluder ton hymen, afin de ne pas offenser Oreste ?

ÉLECTRE

C'est lui. On le nomme l'époux de la malheureuse Électre.

ORESTE

Ah ! que c'est admirable !
La valeur généreuse n'obéit à aucune loi précise,
car les mortels sont faits d'éléments emmêlés.
Le fils d'un noble père peut être un pur néant,
et j'ai vu des enfants vertueux naître d'hommes pervers.
J'ai trouvé l'indigence dans l'esprit de gens opulents,
et de la grandeur d'âme dans le corps d'un pauvre.
Mais alors, quel signe choisir pour distinguer les bons et
       les mauvais ?
La richesse serait un bien mauvais critère.
Le dénuement ? Mais la pauvreté comporte une tare,
car le besoin pour l'homme est l'école du mal.
Faut-il partir de la valeur guerrière ? Mais qui, dans la
       mêlée,
oserait se porter garant qu'un homme est courageux ?
Mieux vaut accepter ces confusions sans y chercher de
       règle.
L'homme que voilà n'a pas rang élevé parmi les Argiens.
Il ne peut se targuer d'une origine illustre.
Pourtant, sorti du peuple, il révèle une âme d'élite.
Que ceux qui se laissent égarer, tout imbus de préjugés
       creux,
aient le bon sens de fréquenter les hommes,
pour juger la noblesse à la mesure de la conduite[1].
Des hommes semblables à notre hôte gouvernent bien
       leurs villes,
leurs maisons. Tandis que des masses de chair aux cer-
       veaux vides
sont bonnes tout juste à orner les places publiques.
Pour tenir sous le choc de la lance,
un bras faible peut valoir un bras fort.
La résistance est dans le cœur et le courage.

L'accueil offert n'est pas indigne du visiteur à la fois
    présent et absent,
le fils d'Agamemnon, au nom de qui je suis ici.
J'accepte donc l'abri de cette maison. Entrez-y,
    serviteurs.
Plutôt que par un homme riche, j'aime à être reçu par la
    cordialité du pauvre.
Aussi je reçois avec gratitude l'invitation de ton époux,
mais non sans regretter que ce ne soit ton frère
victorieux, qui puisse nous ouvrir son foyer victorieux.
Peut-être viendra-t-il. Loxias donne des oracles
sûrs. Des devins mortels je me soucie peu.

                    Oreste et Pylade entrent dans
                    la maison.

LE CORYPHÉE

Voici enfin, Électre, de la joie
pour réchauffer nos cœurs. Peut-être que le sort, en ses
    progrès ardus,
va s'arrêter pour ton bonheur.

ÉLECTRE

Mon pauvre ami, quand tu connais le dénuement de ton
    foyer,
pourquoi y inviter des hôtes d'un rang si supérieur
    au tien ?

LE LABOUREUR

Eh quoi ? Si leur noblesse est celle de leur apparence,
que nous ayons peu ou beaucoup à leur offrir, ils seront
    satisfaits.

ÉLECTRE

C'est que tu n'as que peu. Puisque la faute est faite,
pars, va trouver mon vieil ami, qui éleva mon père,
au bord du fleuve Tanaos, qui marque la frontière entre
    Sparte et Argos.
Il y vit parmi ses troupeaux, depuis qu'on l'a proscrit de
    la cité.
Prie-le de venir, et de passer par son logis,

pour nous apporter de quoi traiter nos hôtes.
Il sera dans la joie, il bénira les dieux
quand il saura vivant l'enfant qu'il a sauvé jadis.
Ce n'est pas au palais ni à ma propre mère
qu'il nous faudrait rien demander. Et la nouvelle nous
      coûterait cher,
si la misérable apprenait de nous qu'Oreste vit encore!

Le laboureur

Eh bien, si bon te semble, je vais apporter ton message
au vieux père. Rentre à présent sans plus tarder,
et fais les apprêts nécessaires. Une femme
de bonne volonté n'est jamais sans ressources pour com-
      pléter un repas.
Ma maison au surplus n'est pas dépourvue à ce point
de ne pouvoir nourrir nos hôtes une journée durant).
        (Électre entre dans la maison.)
C'est lorsque de tels cas s'offrent à ma pensée[1]
que je puis mesurer la valeur de l'argent :
quand il s'agit de recevoir des étrangers, quand un malade
ne peut être sauvé qu'à force de dépense. Le pain de
      chaque jour
n'en demande pas tant. Pour manger à sa faim,
le riche n'en emportera pas plus gros que le pauvre.

             Il sort par la droite.

PREMIER STASIMON

STROPHE I

LE CHŒUR

Quelle gloire fut la vôtre, ô navires
qu'emportaient vers Troie des milliers de rames,
dansant sur les flots parmi les Néréides !
Le dauphin ami du chant de la flûte
entourait de ses bonds vos proues couleur de nuit,
escortant le fils de Thétis,
Achille au saut léger,
qui s'en allait avec Agamemnon vers Troie
et vers les bords du Simoïs.

ANTISTROPHE I

Quittant la pointe de l'Eubée,
les filles de Nérée chargées des armes d'or
forgées par Héphaïstos sur ses enclumes,
le long du Pélion, des bois sacrés,
des vallons de l'Ossa où les nymphes s'abritent,
cherchaient l'adolescent qu'un Centaure élevait
pour briller dans la Grèce,
le fils de Thétis de la mer,
le prompt défenseur des Atrides.

STROPHE II

Quelqu'un qui revenait de Troie,
en passant par le port de Nauplie,
me décrivit, fils de Thétis, ton bouclier fameux,
et les emblèmes sculptés sur son orbe,
pour la terreur des Phrygiens.

Sur le pourtour on voit Persée
que les ailes de ses sandales
emportent au-dessus de la mer.
De Gorgone il tient la tête tranchée.
Près de lui est le messager de Zeus,
le fils de l'agreste Maïa.

ANTISTROPHE II

Au centre du grand bouclier
rayonne le Soleil ardent,
conduit par ses chevaux ailés,
et la ronde aérienne des étoiles,
les Pléiades, les Hyades,
qui forcèrent Hector à détourner les yeux.
Puis, sur le casque d'or, des Sphinx emportent dans leurs
*   serres*
la proie conquise par leur chant.
Sur la cuirasse enserrant la poitrine,
la lionne au souffle de feu bondit, griffes tendues
en voyant le cheval de Pirène[1].

ÉPODE

Enfin sur la lance homicide,
on voit des chevaux lancés au galop
dans des tourbillons de poussière noire.
Tels étaient ces guerriers.
Et c'est leur roi que tu as immolé,
fille de Tyndare, femme au cœur cruel.
Aussi les dieux du ciel t'enverront un jour à la mort.
Sous le couteau je pourrai voir enfin
de ta gorge couler le sang.

Entre par la droite le vieux
serviteur d'Électre.

SECOND ÉPISODE

Le vieillard

Où est la noble demoiselle, ma princesse, la fille
d'Agamemnon, qui autrefois me fut donnée à élever.
Ah! que l'accès de sa maison est escarpé
pour les jambes d'un vieux au corps raidi!
Mais quand ce sont des amis qui m'appellent
je dois bien hisser jusqu'à eux
mon échine courbée et mes genoux tremblants.

(Électre sort.)

Mais te voilà, ma fille, devant ta maison.
Je viens t'apporter, de mon propre troupeau,
cet agneau enlevé à sa mère, des couronnes,
des fromages tout frais retirés de la claie,
et ce vieux vin, trésor longtemps gardé,
tout parfumé[1]. Il y en a peu, mais une seule tasse,
mêlée à celui-là, qui est plus faible, le rendra délectable.
Qu'on porte ces présents dans la maison pour vos
     convives.
Moi il me faut, de ce lambeau de mon manteau,
sécher mes yeux trempés de larmes.

Électre

Mais pourquoi pleures-tu, vieux père?
Est-ce de me revoir après longtemps, mes peines ravi-
     vant les tiennes?
Ou pleures-tu Oreste et son pénible exil,
ou bien mon père que tes bras autrefois ont porté?
Oui, tu l'as élevé. Qu'en as-tu retiré pour toi et pour
     les tiens?

Le vieillard

Peu de bonheur! Mais ce n'est pas cela qui m'attristait[2].
En passant je me suis arrêté à sa tombe, près d'ici,
et j'ai pu à genoux y pleurer, l'endroit étant désert.
J'y ai versé du vin, de cette outre que j'apporte à tes hôtes,
et j'entourais la tombe de myrte,

quand sur le bûcher même, je vis une brebis noire,
immolée, son sang frais ruisselant encore,
et des boucles coupées sur une tête blonde.
Stupéfait, je me suis demandé, ma fille, qui a osé
venir à ce tombeau. Ce ne peut être un habitant d'Argos.
Mais n'est-ce pas ton frère, revenu en secret,
qui aurait honoré la triste sépulture ?
     Regarde ces cheveux, rapproche-les des tiens.
Vois s'ils n'ont pas couleur identique.
Car souvent les enfants d'un même sang
offrent dans leurs corps plus d'un trait semblable.

ÉLECTRE

Ce n'est pas là, vieux père, parler en homme sage,
de croire que mon frère, ce courageux, cet intrépide,
puisse être obligé, par crainte d'Égisthe,
de se cacher pour revenir dans son pays !
Comment d'autre part aurions-nous même chevelure ?
L'une a poussé dans la palestre où les princes s'exercent,
l'autre est féminine, assouplie au peigne. Impossible de
     les comparer.
Que de gens en revanche tu pourrais trouver dont les
     cheveux se ressemblent,
sans être pour cela nés de la même souche !

LE VIEILLARD

Eh bien, va donc marquer ton pied sur la trace de sa
     chaussure
et vois, mon enfant, s'ils n'ont pas mesure pareille !

ÉLECTRE

Comment, sur ce sol rocheux, un pied aurait-il laissé son
     empreinte ?
A supposer que cela soit, un frère et une sœur n'auront
     pas la même.
Celle de l'homme sera plus grande.

LE VIEILLARD

N'est-il pas de tissu fait par toi, à quoi tu puisses recon-
     naître

ton frère, s'il se présentait, celui
qu'il portait en ce jour où je l'arrachai à la mort ?

ÉLECTRE

Mais, l'as-tu oublié ? au temps qu'Oreste s'exila
j'étais bien jeune. Si ma navette avait travaillé pour
      l'enfant qu'il était,
comment serait-il encore vêtu de la même étoffe ?
Crois-tu qu'un vêtement grandit avec le corps ?
Non. Pensons qu'un étranger fut saisi de pitié à la vue du
      tombeau
et coupa ses cheveux, ou bien un homme du pays qui
      aura trompé les espions[1].

LE VIEILLARD

Où sont tes visiteurs ? Je désire les voir
et les interroger au sujet de ton frère.

ÉLECTRE

Tu les vois là qui sortent, du pas aisé des grands
      seigneurs.

                 Sortent Oreste et Pylade.

LE VIEILLARD

C'est vrai, leur air est noble. Mais ce signe est de ceux qui
      trompent.
Plus d'un fils de haute origine a l'âme d'un vilain.
Qu'importe! Étrangers, acceptez mon salut.

ORESTE

Vieillard, salut. C'est un ami à toi, Électre,
ce vénérable reste d'énergie ?

ÉLECTRE

C'est lui, étranger, qui éleva mon père.

ORESTE

Que dis-tu ? C'est donc lui aussi qui déroba Oreste ?

ÉLECTRE

Et qui le sauva, puisqu'il vit encore.

ORESTE

Dieux ! Qu'a-t-il à me regarder
comme on examine la frappe sur l'argent d'une pièce
neuve ?
On dirait qu'il me compare à quelqu'un.

ÉLECTRE

Sans doute il est heureux de voir un compagnon d'Oreste.

ORESTE

Oui, son ami. Mais pourquoi tourne-t-il ainsi autour
de moi ?

ÉLECTRE

Je m'en étonne également, seigneur.

LE VIEILLARD

O ma maîtresse, Électre, chère enfant, c'est le moment de
prier les dieux.

ÉLECTRE

Pour obtenir quel bien, éloigné ou présent ?

LE VIEILLARD

La possession du cher trésor que te découvre un dieu.

ÉLECTRE

D'accord, je les invoque. Mais qu'as-tu dans l'esprit,
vieux père ?

LE VIEILLARD

Regarde cet homme : tu n'as rien de plus cher au monde.

ÉLECTRE

Je l'ai bien assez regardé! Cesse ce jeu! N'as-tu plus ton
    bon sens[1] ?

LE VIEILLARD

Moi, perdre mon bon sens ? quand j'ai ton frère sous les
    yeux!

ÉLECTRE

Qu'as-tu dit, mon vieux père ? parole inespérée!

LE VIEILLARD

Je dis qu'ici je vois Oreste, le fils d'Agamemnon.

ÉLECTRE

Mais quel signe en as-tu auquel je puisse ajouter foi ?

LE VIEILLARD

Cette cicatrice, là près du sourcil. Un jour au palais,
poursuivant un faon avec toi, il tomba, se blessa...

ÉLECTRE

Mais oui, je reconnais la marque de la chute.

LE VIEILLARD

Et tu hésites à embrasser celui que tu chéris ?

ÉLECTRE

Ah, je n'hésite plus. Tes indices m'ont convaincue.
O frère attendu si longtemps, contre tout espoir je
    te tiens[2]!

ORESTE

Et moi aussi, je te retrouve enfin!

ÉLECTRE

Je refusais d'y croire...

ORESTE

Je ne t'attendais plus...

ÉLECTRE

Mon frère, c'est donc toi?

ORESTE

Ton unique allié, si je ramène plein le filet que je lance[1].

ÉLECTRE

Il en sera ainsi. Il faudrait ne plus croire aux dieux
si l'on devait voir triompher l'injustice.

LE CHŒUR

Tu viens enfin, jour longtemps désiré,
tu resplendis, révélant à la ville son phare,
celui qu'un exil ancien
avait chassé, infortuné, du foyer paternel.
Un dieu vers nous ramène la victoire, chère Électre.
Élève les mains, élève la voix, au ciel lance tes prières
afin que ton frère rentre dans Argos
sous la conduite du bonheur[2].

ORESTE

C'est bien. Je garde dans mon cœur la joie de ton baiser
que je te rendrai plus tard, à loisir.
Mais à toi de parler, vieux père, qui es venu si à propos.
Comment pourrai-je, à ton avis, punir l'assassin de mon
     père,

et ma mère aussi, qu'un hymen impie unit à cet homme ?
Ai-je encore dans Argos quelque ami dévoué,
ou ai-je tout perdu ? O dure destinée[1] !
Avec qui dois-je me concerter ? agir de nuit ou au grand
       jour ?
Quel chemin prendre pour atteindre mes ennemis ?

LE VIEILLARD

Nul, mon enfant, n'est plus l'ami de ta disgrâce.
C'est une chance rare que de trouver quelqu'un
qui veuille avec nous partager heur et malheur.
Tes amis t'ont connu ruiné de fond en comble,
à ne plus garder même espoir en ton retour.
Crois-moi : compte tout juste sur ton bras, sur la
       fortune,
pour recouvrer ta maison paternelle et ta patrie.

ORESTE

Qu'avons-nous à faire pour atteindre ce but ?

LE VIEILLARD

Tuer le fils de Thyeste et ta mère.

ORESTE

C'est la victoire que je veux. Mais comment la saisir ?

LE VIEILLARD

Dans l'enceinte des murs, il n'y faut pas penser.

ORESTE

Le roi est entouré de gardes et de lances ?

LE VIEILLARD

Assurément, car il te craint et ne dort jamais tout à
fait.

ORESTE

N'y pensons plus. A toi désormais de me conseiller, mon
vieux père.

LE VIEILLARD

Eh bien, écoute-moi, car je viens d'avoir une idée.

ORESTE

Ah, donne un bon avis, je ne demande qu'à le suivre!

LE VIEILLARD

J'ai vu Égisthe en venant par ici.

ORESTE

Nouvelle bienvenue! En quel endroit?

LE VIEILLARD

Là-bas, près des prairies où paissent ses chevaux.

ORESTE

Que faisait-il? L'espoir vient éclairer mon désarroi.

LE VIEILLARD

Il préparait, je crois, un sacrifice aux Nymphes[1].

ORESTE

Pour un enfant qui lui est né ou pour un enfant attendu?

LE VIEILLARD

Je ne sais que ceci : il s'apprêtait à tuer un taureau.

ORESTE

Avec lui combien d'hommes? ou est-il seul?

LE VIEILLARD

Aucun Argien n'est là, seulement des gens du palais.

ORESTE

Personne qui puisse me reconnaître ?

LE VIEILLARD

Tous des valets dont aucun ne t'a jamais vu.

ORESTE

Si je suis le plus fort, prendront-ils mon parti ?

LE VIEILLARD

Jamais esclave n'agit autrement, et c'est tant mieux
    pour toi.

ORESTE

Comment pourrais-je l'aborder ?

LE VIEILLARD

En t'avançant assez pour qu'il te voie quand il sacrifiera.

ORESTE

La route, j'imagine, longe son domaine.

LE VIEILLARD

Précisément. De là il te verra et t'invitera au festin.

ORESTE

Si Dieu le veut, un funeste convive !

LE VIEILLARD

La circonstance ensuite te dictera le reste.

ORESTE

Tout cela est sage. Et ma mère, où est-elle à présent ?

LE VIEILLARD

A Argos, mais elle doit assister au banquet[1].

ORESTE

Pourquoi n'a-t-elle pas fait route avec Égisthe ?

LE VIEILLARD

Craignant les rumeurs de la foule, elle est restée au palais.

ORESTE

Je comprends. Elle se sait odieuse aux citoyens.

LE VIEILLARD

C'est bien cela. L'épouse impie est suivie par la haine.

ORESTE

Comment alors tuer en même temps la femme et le mari ?

ÉLECTRE

C'est moi qui préparerai le meurtre de ma mère.

ORESTE

Pour Égisthe, la fortune mènera tout à bien.

ÉLECTRE

Qu'elle te serve donc pour ta part des deux tâches.

ORESTE

Il en sera ainsi. Quel plan as-tu formé pour tuer notre mère ?

ÉLECTRE

Va, vieil ami, va trouver Clytemnestre,
annonce-lui que je suis accouchée d'un fils.

LE VIEILLARD

Depuis un certain temps déjà, ou depuis peu ?

ÉLECTRE

Dis que j'en suis au jour où l'accouchée se purifie.

LE VIEILLARD

Comment cela servira-t-il à la tuer ?

ÉLECTRE

Quand elle me saura dolente de mes couches, elle viendra
    me voir.

LE VIEILLARD

Vraiment ? Crois-tu qu'elle ait souci de toi, ma fille ?

ÉLECTRE

Assurément, et jusqu'à déplorer l'humble rang de ma
    géniture.

LE VIEILLARD

Peut-être, mais j'en reviens à ma question.

ÉLECTRE

Si elle vient ici, voyons, mais elle est morte!

LE VIEILLARD

Eh bien donc, qu'elle passe ta porte[1]!

ÉLECTRE

Elle aura, peu s'en faut, passé la porte de l'Hadès!

LE VIEILLARD

Ah! je veux bien mourir, après avoir vu ce spectacle.

ÉLECTRE

Ton premier devoir, vieil ami, est de guider Oreste...

LE VIEILLARD

... vers le lieu où Égisthe à présent sacrifie.

ÉLECTRE

Puis, va trouver ma mère et fais-lui mon message.

LE VIEILLARD

Et si fidèlement qu'elle croira t'entendre.

ÉLECTRE

Toi, maintenant, mon frère, à l'œuvre. A toi revient le
premier coup.

ORESTE

Je suis prêt. Mais qu'on me montre le chemin.

LE VIEILLARD

Je ne demande qu'à t'accompagner.

ORESTE

Zeus notre ancêtre, qui mets les ennemis en fuite...

ÉLECTRE

... aie pitié de nous, qui avons souffert des maux
pitoyables!

LE VIEILLARD

Aie pitié d'eux : ils sont nés de ton sang.

ORESTE

Et toi aussi, Héra, reine des autels argiens.

ÉLECTRE

Donne-nous la victoire, si notre cause est juste.

LE VIEILLARD

Et fais que ces enfants puissent venger leur père.

ORESTE

Et toi, mon père, qu'un crime impie précipita aux demeures d'en-bas.

ÉLECTRE

Toi, Terre souveraine, que je bats de mes mains!

LE VIEILLARD

Viens au secours de ces enfants qui te sont chers.

ORESTE

Oui, viens! prends avec toi pour alliés tous les défunts...

ÉLECTRE

Tous ceux qui, sous tes ordres, ont défait les Phrygiens...

ORESTE

Nous entends-tu, toi que ma mère traita indignement?

ÉLECTRE

Tous ceux aussi qui ont en haine les impies[1]!

LE VIEILLARD

Votre père vous a entendus, j'en suis sûr. Il est grand temps de partir.

ÉLECTRE

Et maintenant je te déclare qu'Égisthe va mourir !
Si, vaincu dans la lutte, tu venais à tomber,
je mourrais, moi aussi. Ne crains pas que je te survive.
Une épée aiguë me frapperait au cœur.
Je vais rentrer et la tenir à portée de ma main.
Si donc il vient de toi une heureuse nouvelle,
tout le logis se remplira de cris de joie,
et de cris de deuil si tu meurs. J'ai tout dit.

ORESTE

J'ai compris.

> *Oreste, Pylade et le vieillard
> sortent.*

ÉLECTRE

Vous, mes amies, donnez-moi le signal
d'après les cris qui vont monter de ce combat,
tandis que moi je veillerai, tenant en main le couteau
prêt.
Si mes ennemis l'emportaient, je ne livrerai pas mon
corps à leurs outrages.

> *Elle rentre dans la maison.*

SECOND STASIMON

STROPHE I

LE CHŒUR

Une brebis, dit la vieille légende,
nourrissait son agneau dans la montagne d'Argolide.
Vint Pan, seigneur des lieux agrestes,
qui souffla un air ravissant sur ses pipeaux bien assemblés.
Et le suivit le bel agneau dont le poil était d'or frisé.
Debout sur les degrés de pierre le héraut crie :
« A l'agora, à l'agora, gens de Mycènes,
venez voir la merveille, promesse de bonheur
pour nos rois fortunés. » Et les chœurs célébraient
la maison des Atrides.

ANTISTROPHE I

Les temples ouvraient leurs salles dorées,
Tout Argos rayonnait aux flammes des autels.
La flûte servante des Muses sonnait ses plus beaux chants.
Des hymnes exaltaient l'agneau d'or merveilleux.
C'est alors que joua la fraude de Thyeste[1].
Dans un lit secret il persuada l'épouse d'Atrée,
reçut le talisman, le fut cacher dans sa demeure.
Puis, revenant dans l'assemblée,
il cria bien haut qu'il avait chez lui
le bélier à la toison d'or.

STROPHE II

C'est alors que Zeus renversa
les chemins lumineux des étoiles,
du soleil radieux et de l'aube au front blanc.

Vers le ciel du couchant se dirige aujourd'hui
la brûlante flamme divine,
vers l'Ourse s'en vont les nuées humides,
et les plaines d'Ammon sont desséchées,
privées de la rosée et des belles averses
que leur donnait le ciel.

ANTISTROPHE II

On le raconte ainsi,
mais j'ai grand'peine à croire
que l'astre rayonnant, détournant ses chevaux,
ait déplacé son domaine embrasé
pour le malheur de tous, afin de punir un seul homme.
Ces récits font peur aux mortels,
mais le culte des dieux en profite.
Tu cessas d'y penser, sœur des Jumeaux illustres,
quand tu mis à mort ton époux.

TROISIÈME ÉPISODE

LE CORYPHÉE

MES amies, entendez ce cri : est-ce que je me trompe ?
on dirait que Zeus tonne sous la terre.
Mais voici des bruits plus distincts.
Électre, ma princesse, il faut sortir de ton logis.

Électre revient, une épée à la main.

ÉLECTRE

Qu'y a-t-il, mes amies ? que puis-je attendre du combat ?

LE CORYPHÉE

Je ne sais, mais j'entends gémir un mourant.

ÉLECTRE

J'entends aussi ce cri, venant de loin.

LE CORYPHÉE

Oui, de très loin, et cependant distinct.

ÉLECTRE

Celui qui crie, est-ce un Argien, ou l'un des miens ?

LE CORYPHÉE

Je ne sais pas, car ce ne sont que des clameurs confuses.

ÉLECTRE

Tu me donnes là le signal de la mort. A quoi bon tarder
davantage ?

LE CORYPHÉE

Attends d'être certaine de ton sort.

ÉLECTRE

Non, car je suis vaincue. Des messagers seraient venus.

LE CORYPHÉE

Tuer un roi est une grande affaire.

Entre un serviteur d'Oreste.

LE SERVITEUR

Vierges de Mycènes, vous pouvez triompher.
Oreste est vainqueur! que ses amis le sachent!
Le meurtrier d'Agamemnon est étendu par terre,
Égisthe! Rendons d'abord grâces aux dieux.

ÉLECTRE

Mais toi, qui donc es-tu, que je sache si tu dis vrai?

LE SERVITEUR

Ne le sais-tu pas? Tu m'as vu escortant ton frère.

ÉLECTRE

O très cher, la frayeur m'a fait méconnaître
ton visage, mais je te remets à présent.
Que dis-tu? Le meurtrier, l'homme exécré, est mort?

LE SERVITEUR

Il est mort. Entends-le une seconde fois, puisque tu le
désires.

ÉLECTRE

O dieux! ô Justice, toi qui vois tout, tu es enfin venue!

Dis-moi comment, par quel enchaînement de faits,
Oreste a tué le fils de Thyeste, car je veux le savoir.

LE SERVITEUR

Au sortir de cette maison, nous avons suivi la grand'
    route
où les chariots se croisent avec bruit,
et rejoint le roi de Mycènes, l'illustre Égisthe.
Il se trouvait dans ses jardins bien arrosés d'eaux vives,
à cueillir pour s'en couronner de souples branches
    de myrte.
Il nous voit et s'écrie : « Étrangers, salut, qui êtes-vous ?
D'où venez-vous ? quelle est votre patrie ? »
Oreste dit : « Nous sommes Thessaliens, nous allons vers
    l'Alphée,
sacrifier à Zeus Olympien. » Sur quoi Égisthe lui répond :
« Tout d'abord restez avec nous, et acceptez d'être mes
    invités
pour le banquet. Car il se fait que je sacrifie aux Nymphes.
En quittant demain votre lit dès l'aurore,
vous arriverez aussi bien. Mais entrons,
(et ce disant, il nous prenait les mains, nous entraînait),
vous ne pouvez pas refuser. » Une fois entrés, il com-
    mande :
« Qu'on apporte aussitôt un bain pour mes hôtes,
afin qu'ils puissent approcher de l'autel, toucher à l'eau
    lustrale. »
« Mais, dit Oreste, nous venons de nous purifier à l'eau
    courante d'une rivière.
S'il est permis aux étrangers de sacrifier avec les citoyens,
nous voici prêts, seigneur Égisthe, à le faire avec vous. »
Tel fut leur entretien[1].
Leurs lances, où était le salut de leur maître,
les valets durent les poser pour mettre la main à l'ouvrage,
apporter le bassin pour le sang, soulever les corbeilles,
allumer les réchauds, disposer les chaudrons.
Toute la maison en retentissait.
L'amant de ta mère prend l'orge sacrée, la répand sur
    l'autel et dit :
« Nymphes des rochers, accordez-moi de sacrifier
    souvent encore,
avec ma femme, la Tyndaride, qui règne à mon foyer,

heureux comme à présent. Que le malheur frappe nos
    ennemis. »
Il voulait dire Oreste et toi. De son côté mon maître
faisait, à lèvres closes, la prière inverse,
pour recouvrer son patrimoine. Égisthe prend dans la
    corbeille
le couteau droit, et tranche au front de la victime
des poils, que sa main droite présente à la flamme sacrée,
puis égorge la bête qu'à deux bras les valets
tenaient levée par les épaules, et dit à ton frère :
« Un des talents dont on fait gloire aux Thessaliens,
avec celui de dompter les chevaux,
est l'art de bien dépecer un taureau. Prends ce fer,
    étranger,
et fais-nous voir si ce renom est mérité. »
Oreste alors s'empare du couteau dorien bien forgé,
il fait tomber de ses épaules son beau manteau richement
    agrafé,
et prend Pylade seul pour l'aider dans sa tâche,
écartant ainsi les valets. Puis, le pied de la bête bien en
    main,
et allongeant le bras, il met à nu les chairs luisantes,
levant la peau en moins de temps qu'un bon coureur
ne va et vient d'un bout à l'autre du stade des chevaux[1].
Alors il incise les flancs. Égisthe prend les viscères sacrés
et les examine. Un lobe manque au foie.
La veine porte et les vaisseaux près de la vésicule
révèlent à ses yeux des gonflements funestes.
Il s'assombrit et mon maître demande :
« D'où te vient cet air abattu ? » « Je redoute, étranger,
une embûche venant du dehors. Car j'ai un ennemi mortel,
le fils d'Agamemnon, qui est en guerre contre ma
    maison. »
« Et tu vas, dit Oreste, craindre un proscrit et ses
    manœuvres,
toi qui règnes dans la cité ? Allons! afin que nous
    puissions
nous régaler des viscères grillés, apportez-moi,
au lieu de ce couteau dorien, un couperet de Phthie, que
    je fende la poitrine. »
Il saisit l'arme et coupe. Égisthe alors prend les entrailles,
les détache, les examine. Pendant qu'il est penché,
ton frère se dresse sur la pointe des pieds,

le frappe aux vertèbres, lui fracasse le cou.
Son corps tout entier sursaute et se convulse.
Égisthe hurle et se débat dans l'agonie.
    A cette vue, les valets aussitôt bondirent sur leurs
        lances,
prêts à combattre ensemble contre eux deux.
Mais Oreste et Pylade firent front, lances dressées, avec
        courage.
Ton frère dit : « Je ne suis pas venu en ennemi de ma cité
        ni de mes gens,
mais pour venger le meurtre de mon père, moi,
le malheureux Oreste. Vous n'allez pas me tuer,
vous qui jadis avez servi Agamemnon. »
A ces mots, les piques s'abaissent, Oreste est reconnu
par un vieillard depuis longtemps en service au palais.
Avec des cris de joie ils couronnent ton frère
qui va venir lui-même te mettre sous les yeux
une tête, non du tout celle de Gorgone,
mais cet Égisthe que tu hais. Le sang a coulé pour le sang,
et la dette est payée au mort avec usure.

                    Il s'éloigne.

TROISIÈME STASIMON

STROPHE

LE CHŒUR

Viens mêler tes pas à nos danses, chère Électre.
Comme le faon, bondis légère jusqu'au ciel,
en ce jour d'allégresse.
Ton frère vainqueur emporte une couronne
dont la gloire passe celles d'Olympie.
Viens donc, accompagne ma danse de ton chant de
*   triomphe.*

ÉLECTRE

O lumière, ô char rayonnant du Soleil,
ô Terre, ô Nuit qui fus si longtemps mon séjour,
voici que mes yeux osent se lever, regarder librement,
car Égisthe est tombé, l'assassin de mon père!
Tout ce que j'ai de précieux, tout ce que contient ma
     maison,
vite, que je l'apporte, mes amies, pour orner ses cheveux,
pour couronner mon frère triomphant!

ANTISTROPHE

LE CHŒUR

Oui, certes, apporte ici de quoi parer sa tête,
tandis que je poursuis mes danses et mes chants
pour le plaisir des Muses.
Nos rois chers d'autrefois vont de nouveau nous gouverner,
car la justice a renversé l'usurpateur.
Que le son des flûtes s'accorde à ma ronde joyeuse !

          Entrent Oreste et Pylade
          avec des valets portant le
          corps d'Égisthe.

QUATRIÈME ÉPISODE

ÉLECTRE

O SPLENDIDE vainqueur, fils du héros qui triompha
dans la guerre pour Troie, Oreste,
reçois ces bandeaux pour ceindre tes cheveux.
Tu n'es pas celui qui revient, tout fier d'avoir couru six
   plèthres,
vaine émulation! Non, tu as tué l'ennemi,
Égisthe, qui tua notre père.
  Et toi, son compagnon, toi qu'éleva le plus pieux des
   hommes,
Pylade, laisse ma main t'offrir cette couronne,
car tu fus de moitié avec lui dans cet engagement.
Puissé-je toujours vous voir aussi heureux!

ORESTE

Électre, n'oublie pas que ce sont les dieux tout d'abord
qui m'ont conduit à la victoire. Ensuite seulement tu
   pourras me louer
de les avoir servis eux-mêmes et la fortune.
Oui, je reviens après avoir tué Égisthe.
Ce n'est pas un vain mot, mais un fait. Pour que nul n'en
   ignore
ajoutons ceci, ce mort que je t'apporte,
que tu peux, si tu veux, donner aux bêtes à manger,
à dépouiller aux oiseaux, enfants de l'éther,
un pal enfoncé dans le corps. Il est à toi,
ton esclave, lui qui fut naguère appelé ton maître.

ÉLECTRE

Je voudrais parler, mais j'ai honte...

ORESTE

De quoi ? Dis-le, tu n'as plus rien à craindre.

ÉLECTRE

De me rendre odieuse, en outrageant un mort.

ORESTE

Qui songerait à t'en faire un reproche ?

ÉLECTRE

Les gens sont malveillants, prompts à blâmer les femmes.

ORESTE

Parle ma sœur, si telle est ton envie.
Nous sommes liés à cet homme par une haine sans
    merci.

ÉLECTRE

Tu as raison. Mais par où commencer mon accusation ?
Comment la terminer ? Que mettre en son milieu ?
Je ne sais. Et cependant, quelle aube a lui, que je n'aie
    répété
les mots que je voulais jeter à ta figure,
si une heure venait où je n'eusse plus à trembler
    devant toi !
Enfin me voici libérée, et je puis te payer ma dette
d'injures, tout ce que je gardais en moi tandis que tu
    vivais.
   Tu m'as perdue; tu m'as faite orpheline
avec mon frère. Qu'avais-tu à nous reprocher ?
Honteusement uni avec ma mère, tu as mis à mort son
    mari,
qui avait conduit les Grecs contre Troie — Troie où tu
    n'allas point,
et tu fus assez fou pour espérer avoir en elle une épouse
    loyale,
après l'avoir amenée à souiller le lit de mon père.
Celui qui corrompt la femme d'un autre
en fait une adultère et puis est bien forcé de l'épouser,
qu'il le sache : il s'imagine à tort qu'elle lui gardera
la chasteté qu'elle a trahie ailleurs.

Tu vivais misérable, en croyant vivre heureux.
Tu savais bien que ton union était un sacrilège,
et ma mère savait qu'elle s'était unie à un impie,
mais de surcroît chacun de vous portait le poids de vos
        deux crimes,
elle du tien, et toi du sien[1].
    Les Argiens parlant de vous disaient toujours
« l'époux de Clytemnestre », non « la femme d'Égisthe ».
Il est pourtant honteux que dans une maison
ce soit la femme qui commande; et je déteste
qu'on nomme des enfants d'après leur mère, et non
        d'après leur géniteur.
L'homme qui prend plus haut que soi une épouse au
        grand nom
ne compte plus pour rien : on ne parle que de la
        femme.
    La plus grande erreur de ton ignorance fut de pré-
        tendre
être quelqu'un grâce à ta nouvelle opulence.
Cela ne vaut que pour le peu de temps où l'on en peut
        jouir.
Ce qui dure n'est pas la richesse, mais c'est le
        caractère,
car il nous est inné, et peut résister au malheur,
tandis que le bien mal acquis, compagnon de la faute,
s'envole des maisons après avoir fleuri un peu de temps.
    Pour ta conduite envers les femmes, il ne sied pas
à une vierge d'en parler, et je n'en dis que ce qu'il faut
        pour me faire comprendre.
Tu ne respectais rien, fort de régner sur le palais royal,
et fier de ta beauté. Pour moi, je voudrais un époux
qui n'eût pas, comme toi, un visage de fille, mais des
        façons viriles,
père de garçons faits pour les leçons d'Arès.
Les beaux fils comme toi ne sont bons qu'à orner les
        places à danser!
    Ah! sois maudit, toi qui n'as pas prévu que les années
t'apporteraient ton châtiment. Que je voie périr
        comme toi
tout méchant qui fait bellement la moitié de la course
et croit la justice vaincue quand il est loin du but
et n'a pas seulement passé le tournant décisif
        de la vie.

LE CORYPHÉE

Terrible fut son crime, terrible aussi le châtiment
qu'il vous paie à tous deux. La justice est puissante.

ORESTE

Assez. Il faut à présent porter ce corps à l'intérieur.
Mettez-le dans quelque recoin, serviteurs. Quand viendra
ma mère, qu'elle ne le voie pas avant d'être frappée.

ÉLECTRE

Arrête! Nous avons à présent autre chose à nous dire.

ORESTE

Que vois-je qui vient là? Des secours envoyés de
    Mycènes?

ÉLECTRE

Non, c'est la mère qui m'a mise au monde.

ORESTE

Voyez donc sa parure et son riche équipage!

ÉLECTRE

Elle vient bellement tomber tout droit dans nos filets[1].

ORESTE

Qu'allons-nous faire? C'est notre mère! Allons-nous la
    tuer?

ÉLECTRE

Hé quoi? La pitié te saisit pour la voir devant toi?

ORESTE

Comment tuer, ô dieux, celle qui m'a mis au monde et
    nourri?

ÉLECTRE

Ainsi qu'elle a tué notre père à tous deux.

ORESTE

Apollon! quel oracle insensé tu rendis!

ÉLECTRE

Si Apollon se trompe, qui donc aurait raison?

ORESTE

... toi qui m'ordonnes de tuer ma mère, acte interdit!

ÉLECTRE

Quel reproche crains-tu quand tu venges ton père?

ORESTE

Je vais être accusé de matricide, quand j'étais pur encore!

ÉLECTRE

Si tu ne défends pas ton père, tu seras un impie.

ORESTE

Ma mère, si je la tue, me poursuivra de sa vengeance.

ÉLECTRE

Et qui te poursuivra si tu n'exiges pas celle qui revient à
ton père?

ORESTE

Si un démon m'avait parlé, ayant pris le visage du dieu?

ÉLECTRE

Assis sur le trépied sacré? Je ne saurais le croire.

ORESTE

Je ne puis admettre non plus qu'un tel oracle dise vrai.

ÉLECTRE

Ne laisse pas faiblir ton courage.
Allons, entre là et tends-lui ce même piège
qu'elle tendit à son époux en le livrant à Égisthe.

ORESTE

J'entrerai, mais c'est pour une entreprise terrible,
et terrible est l'acte dont je suis chargé. Si les dieux l'ont
    décidé,
qu'il en soit ainsi. Exploit affreux qui ne peut rien me
    réserver d'heureux.

> *Oreste et Pylade entrent dans*
> *la maison. On voit arriver le*
> *char de Clytemnestre accom-*
> *pagnée d'esclaves en costume*
> *phrygien.*

LE CORYPHÉE

Salut, reine d'Argos, fille de Tyndare,
sœur des bons Dioscures, qui parmi les astres habitent
    l'éther pur,
et qui, dans le fracas marin, sont chargés de sauver les
    matelots.
Salut à toi que j'honore à l'égal des dieux
pour ta richesse et pour ton grand bonheur.
C'est le moment de rendre hommage à ta fortune! Reine,
    salut.

CLYTEMNESTRE

Troyennes, descendez du char et soutenez ma main
afin de m'aider à mettre pied à terre.
Les temples de nos dieux sont ornés des dépouilles
de la Phrygie. Pour moi, j'ai reçu ces femmes choisies
entre toutes, en échange de la fille qu'il a fait mourir[1] :
dérisoire présent, bon toutefois pour orner un palais.

ÉLECTRE

A moi cependant, l'esclave chassée du foyer et logée sous
　　ce pauvre toit,
laisseras-tu, ma mère, toucher ta bienheureu se main ?

CLYTEMNESTRE

Ces esclaves sont là, ne prends pas pour moi cette peine.

ÉLECTRE

Et pourquoi non ? Ne suis-je pas une captive, et par toi
　　reléguée ?
Ma maison conquise, j'en fus arrachée,
comme ces femmes de la leur, et orpheline tout comme
　　elles.

CLYTEMNESTRE

La faute en est aux attentats que ton père a commis
envers ceux des siens qu'il devait le plus épargner.
Je vais m'en expliquer. Et cependant, lorsque la malveil-
　　lance
prend pour cible une femme, chaque mot d'elle est mal
　　reçu.
A tort, je pense. Car il faut connaître les faits,
et rejeter, comme il est juste, ce qui est condamnable.
Sinon, de quel droit haïr ?
　　Quand Tyndare me donna pour épouse à ton père,
ce n'était pas pour voir mourir ni moi, ni les enfants que
　　je mettrais au monde.
Et lui, trompant ma fille par la promesse d'épousailles
avec Achille, l'emmena bien loin de chez nous,
vers les vaisseaux arrêtés à Aulis. Là sur l'autel il l'étendit,
et sa faux fit tomber la blanche joue d'Iphigénie.
Il l'aurait fait pour prévenir le sac de la cité[1],
pour servir sa maison, racheter ses enfants,
immolant l'un pour sauver tous les autres, on aurait pu
　　lui pardonner.
Mais non! Voilà une Hélène impudique, avec un mari
trop faible pour punir sa trahison,
et c'est à cause d'eux qu'il fait périr ma fille!
Après ce coup, tout offensée que j'étais,

je dominais ma colère, et je ne l'aurais pas tué.
Mais il me ramena cette inspirée, cette ménade,
qui dormait avec lui, si bien que nous étions deux épouses
à vivre sous le même toit.
L'amour affole la femme, j'en conviens,
mais, cela étant, si le mari se met en faute,
et dédaigne son lit conjugal, l'épouse à son tour se décide
à l'imiter et prend un autre pour amant.
C'est alors contre nous que le reproche éclate;
l'homme auteur de la faute n'a aucun blâme à encourir.
    Supposons Ménélas ravi, enlevé du palais,
devais-je donc tuer Oreste pour sauver l'époux de ma
        sœur ?
Comment ton père aurait-il pris la chose ? Il m'en aurait
        punie de mort.
Et lui me tuerait mes enfants sans que j'aie le droit de
        m'en prendre à sa vie ? Et pourquoi[1] ?
Hé oui, je l'ai tué, et par la seule voie qui me fût ouverte,
m'adressant à ses ennemis. Ceux qui l'aimaient,
auraient-ils accepté de le faire mourir avec moi ?
Parle si tu le veux, et réplique-moi, en tout liberté,
que la mort de ton père fut un déni à la justice.

LE CORYPHÉE

Tu as plaidé le droit. Mais de ce droit-là tu devrais rougir.
Une femme, si elle est sage, doit tout permettre à son
        mari.
Je me refuse à discuter avec celle qui pense autrement.

ÉLECTRE

Souviens-toi, ma mère, de ton dernier mot,
et de la liberté qu'il m'accorde envers toi.

CLYTEMNESTRE

Mais je ne songe pas, ma fille, à m'en dédire.

ÉLECTRE

Prends garde, ma mère, qu'au premier reproche, tu te
        retournes contre moi.

CLYTEMNESTRE

Du tout, si je puis ainsi apaiser ton cœur[1].

ÉLECTRE

Eh bien, je vais parler, car tu me donnes là mon
   préambule.
C'est ton cœur, ô ma mère, qu'il faudrait réformer.
On a loué, conformément à leur mérite,
la beauté d'Hélène et la tienne : deux véritables sœurs,
vaines l'une aussi bien que l'autre, indignes de Castor!
L'une ne demandait qu'à se faire enlever : c'en est
   fini d'elle.
Toi, tu as fait périr le plus grand héros de la Grèce,
en donnant pour excuse que tu vengeais ta fille.
Ne me dis pas cela à moi, qui te connais trop bien.
Sa mort n'était pas même décidée,
à peine ton mari quittait-il la maison,
tu attifais à ton miroir tes boucles blondes!
Celle qui, son mari absent, vient se parer pour plaire
   ailleurs,
il faut rayer son nom : c'est une épouse coupable.
Car pourquoi montrer au dehors un visage attirant
si ce n'est pour chercher la vilaine aventure ?
Ensuite, et je suis seule en Grèce à le savoir,
si les Troyens avaient une victoire, tu étais dans
   la joie.
S'ils reculaient, tes yeux s'assombrissaient,
car ton vœu n'était pas qu'Agamemnon revînt jamais.
   Et cependant, que de bonnes raisons pour toi de lui
   rester fidèle!
C'était un époux qui valait bien Égisthe, celui que la
   Grèce avait choisi pour chef!
Et les écarts d'Hélène te permettaient de te couvrir de
   gloire,
puisque le vice, par contraste, fait valoir la vertu.
Mon père a immolé ta fille, ainsi que tu l'as dit.
Mais moi, quel tort ai-je envers toi ? et quel tort a
   mon frère ?
Ton mari mort, au nom de quoi nous dépouiller de notre
   patrimoine
lui qui ne t'appartenait pas, et t'en acheter un mari ?

Égisthe qui bannit Oreste n'est pas pour autant exilé;
il n'a pas payé de sa mort celle qu'il m'infligea,
bien plus cruelle que celle de ma sœur, puisque vivante
      il m'a tuée!
Si un meurtre se venge en exigeant un autre meurtre, la
      mort t'attend, et de ma main,
et de celle d'Oreste, tous deux vengeurs de notre
      père.
Si sa mort était juste, la tienne le serait aussi.
   Celui qui, ébloui par l'or et la naissance,
épouse une méchante, est un insensé. Une union modeste
      et chaste
vaut pour une maison bien mieux que les grandeurs.

LE CORYPHÉE

On prend femme au hasard. Je sais tel qui s'en loue,
mais d'autres qui ont eu moins de bonheur.

CLYTEMNESTRE

Tu es faite, ma fille, pour toujours préférer ton père.
Il faut l'admettre. Certains enfants prennent parti pour
      l'homme,
tandis que d'autres aiment mieux leur mère.
Je ne t'en voudrai pas, car je n'ai pas tant lieu
de m'applaudir de ma conduite, mon enfant.
Je te vois là, privée de bains, pauvrement habillée,
alors que tu guéris à peine de tes couches!
O malheureuse, ô funestes calculs!
Ma rancune envers mon époux m'a entraînée trop loin.

ÉLECTRE

Tu déplores trop tard ce qui est sans remède,
puisque mon père est mort. Mais reste l'exilé,
son fils, qui n'a plus de foyer. Pourquoi ne pas le faire
      revenir?

CLYTEMNESTRE

Je le redoute, irrité qu'il est, me dit-on, du meurtre de son
      père.
Je fais passer mon intérêt avant le sien.

ÉLECTRE

Et pourquoi rends-tu ton mari si cruel envers nous ?

CLYTEMNESTRE

Tel est son caractère. Toi aussi, tu es intraitable.

ÉLECTRE

C'est que je souffre. Mais ma colère va s'apaiser.

CLYTEMNESTRE

Dans ce cas lui aussi sera moins dur pour toi.

ÉLECTRE

Ah! la grande âme! Il faut dire qu'il habite chez moi...

CLYTEMNESTRE

Te voilà bien! toujours à rallumer les anciennes querelles!

ÉLECTRE

Je ne dis plus rien. Je le crains autant que je dois le craindre.

CLYTEMNESTRE

Assez sur ce sujet. Pourquoi, ma fille, me faisais-tu venir ?

ÉLECTRE

On t'a bien dit, je pense, que j'ai eu un enfant ?
Veux-tu bien offrir à ma place, car je ne sais comment il faut le faire,
ce qui est d'usage pour le dixième jour du nouveau-né.
J'ignore ces pratiques, n'ayant pas encore eu d'enfant.

CLYTEMNESTRE

Une autre doit s'en occuper, la femme qui t'a délivrée.

ÉLECTRE

J'ai accouché sans aide et toute seule.

CLYTEMNESTRE

Votre logis est à ce point isolé, sans amis ?

ÉLECTRE

Nul ne recherche l'amitié des pauvres.

CLYTEMNESTRE

Eh bien, je vais entrer. C'est en effet le jour prescrit
de sacrifier pour l'enfant. Dès que je t'aurai rendu ce
      service,
j'irai au champ où mon mari immole une victime aux
      Nymphes.
Vous, serviteurs, conduisez mes chevaux devant le
      râtelier.
Lorsque vous jugerez que mon office envers les dieux est
      terminé,
revenez ici. Car il me faut également complaire à mon
      époux.

Les serviteurs s'éloignent avec
la voiture.

ÉLECTRE

Entre dans mon pauvre logis, et prends bien garde
de ne pas salir ta robe sous ce toit enfumé,
puisque tu vas offrir aux dieux le sacrifice qu'ils réclament.

(Clytemnestre entre.)

Oui, la corbeille est déjà préparée, aiguisé le couteau.
Le même a frappé le taureau auprès duquel tu vas
      tomber,
blessée à mort, afin d'épouser dans l'Hadès encore
celui qui dormait avec toi face au soleil. C'est la seule
      grâce
que tu auras de moi, tandis que mon père de toi recevra
      sa vengeance.

Elle entre dans la maison.

QUATRIÈME STASIMON

STROPHE I

Le chœur

Tout crime se paie. Le vent a tourné
qui soufflait sur cette demeure.
Un bain fut autrefois préparé pour la mort de mon roi.
On entendit crier,
la voûte et les créneaux de pierre répétant ces paroles :
« Misère ! Tu veux donc, ma femme, me tuer,
quand, après dix moissons écoulées,
je rentre enfin dans ma chère patrie ? »

ANTISTROPHE I

Voici la revanche. La Justice agit
contre cette femme infidèle,
qui tua son mari enfin de retour au foyer,
aux murs que les Cyclopes ont dressés jusqu'au ciel.
Elle-même a frappé.
De ses deux mains elle a saisi la hache,
l'audacieuse ! et c'était son mari
quelque mal qu'autrefois il lui eût fait souffrir.

Rôdant sous les chênes à la limite des cultures,
une lionne des montagnes n'agit pas autrement.

Clytemnestre (*à l'intérieur*)

Par les dieux, mes enfants, n'assassinez pas votre mère !

Le coryphée

Dans la maison, entends-tu cet appel ?

CLYTEMNESTRE

Malheur, malheur à moi!

LE CORYPHÉE

Oui, je gémis sur elle : ses enfants la saisissent.

LE CHŒUR

Oui, Dieu dispense la justice, à l'heure que veut le destin.
Tu paies le prix affreux du crime sacrilège
que tu commis en frappant ton époux.

Ils sortent tous de la maison. L'eccyclème amène les
corps d'Égisthe et de Clytemnestre.

LE CORYPHÉE

Les voici, teints du sang encore chaud de leur mère,
qui viennent, portant pour trophée de victoire,
le nom que leur jeta la malheureuse, et qui les marque
    désormais.
Nulle maison jamais ne fut plus éprouvée
que celle de Tantale et de ses descendants.

STROPHE II

ORESTE

O Terre, ô Zeus à qui nulle chose n'échappe
de ce que font les hommes,
voyez l'acte sanglant qui me souille,
ces deux corps couchés côte à côte,
frappés par moi pour venger mes malheurs[1].

ÉLECTRE

Ne pleure pas ainsi, mon frère, la coupable, c'est moi !
La malheureuse fille s'est consumée de haine
contre la mère qui la mit au monde.

Le chœur

Tu as enfanté, mère de malheur,
ton propre destin, qui dépasse l'horreur !
Tes enfants ont de toi exigé la vengeance.

ANTISTROPHE II

Oreste

Obscurs, Phoibos, les conseils que tu m'as chantés,
mais éclatants les maux qui en sortirent !...
Dans quelle cité aller à présent ?
Quel homme pieux m'ouvrira sa porte,
regardera le Matricide en face ?

Électre

Malheur à moi ! Quels chœurs, quels chants de fête
m'accueilleront encore ?
Quel époux dans son lit voudra me recevoir ?

Le chœur

Le vent en tournant a changé ton cœur.
La piété trop tard conduit ta pensée,
car l'acte impie est consommé, amie :
Tu y as entraîné ton frère malgré lui.

STROPHE III

Oreste

Tu as bien vu l'infortunée
écarter sa robe, me montrer son sein,
au moment où je la tuais,
et traîner, ô horreur, sur la terre,
le giron d'où je suis sorti. Ah, je défaille[1]!

Le chœur

Je comprends, je comprends : c'est toi qui étais en tra-
vail,
quand tu entendis le cri déchirant
de celle qui t'avait mis au monde.

ANTISTROPHE III

Oreste

En levant le bras pour toucher mon menton,
elle a jeté cette plainte :
« O mon enfant, je te supplie… »
Elle s'attachait à ma joue,
si bien que j'ai laissé tomber mon arme…

Le chœur

L'infortunée ! Comment as-tu pu supporter
de voir sous tes yeux ruisseler le sang
de ta mère expirante ?

STROPHE IV

Oreste

J'ai ramené mon manteau sur mes yeux,
et mon couteau a consacré le sacrifice
en s'enfonçant dans le cou de ma mère.

Électre

Et moi je t'excitais,
en tenant l'épée avec toi.

Le chœur

Tu as commis là le plus grand des crimes !

ANTISTROPHE IV

ORESTE

Prends mon manteau, couvres-en notre mère,
et ferme ses blessures.
C'est donc tes meurtriers que tu as mis au monde !

ÉLECTRE

O toi que nous n'avons pas pu aimer,
nous t'enveloppons dans ce vêtement.

LE CHŒUR

Dernier désastre pour cette maison !

> Au-dessus de la maison
> apparaissent Castor et Pol-
> lux. Castor seul parlera.

EXODOS

Le coryphée

Mais qui vois-je apparaître au-dessus de ce toit ?
Des génies ou des dieux venus du ciel ?
Car cette route-là n'est pas pour les mortels.
Pour quelle raison veulent-ils se montrer à nos yeux ?

Castor

Écoute, fils d'Agamemnon. Ceux qui t'appellent
sont les Gémeaux, les frères de ta mère, les Dioscures,
moi, Castor, et Pollux qui m'accompagne.
Un coup de mer, il y a peu, a mis en danger un
    navire.
Le temps de l'apaiser, nous voici à Argos,
car nous avions vu tomber notre sœur, votre mère.
La justice approuve son sort, mais non ton acte.
Et Phoibos — il est mon roi, et je n'en dois rien dire —
oui, Phoibos a beau être sage,
l'ordre qu'il t'a donné ne l'était point du tout.
Il faut t'y résigner. Mais désormais tu as à faire
ce que le Destin, ce que Zeus, ont arrêté à ton sujet.
Accorde Électre pour femme à Pylade qui l'emmènera en
        Phocide,
puis quitte Argos où tu ne peux rester après avoir tué
        ta mère.
Les terribles Furies, les déesses à face de chiennes,
vont te traquer, te rendre fou, sans te laisser de halte.
Pars pour Athènes, où est l'auguste image de Pallas.
Embrasse-la : elle contiendra leur acharnement,
et leurs redoutables serpents s'écarteront de toi
quand sur ta tête elle étendra son bouclier
qui porte la Gorgone en son milieu.
Une colline est là, qu'on dit celle d'Arès; car les dieux
        les premiers
y ont siégé pour le juger du meurtre qu'il avait commis,
Halirrhothios, fils du roi de la mer, ayant fait violence
à la fille du sauvage Arès, qui, furieux, tua l'impie.

On y rend depuis lors des verdicts justes et saints approu-
vés par les dieux[1].
C'est là que tu devras, toi aussi, répondre de ton crime.
Tu auras pour toi la moitié des voix,
ce qui te sauvera de la sentence capitale.
Car Loxias devra sur lui prendre ton acte, dicté par son
oracle,
et toujours prévaudra la coutume
d'acquitter l'accusé à égalité de suffrages.
Le coup atteindra durement les terribles déesses.
Elles cacheront leur défaite dans un gouffre du sol, au
pied de la colline,
lieu consacré où seront rendus des oracles.
   Quant à toi, tu iras habiter l'Arcadie et les bords de
l'Alphée,
près du sanctuaire de Zeus Lycaios,
et la ville de toi recevra son nom.
Voilà pour ce qui te concerne. Quant à ces morts,
que la cité d'Argos enferme en un tombeau le corps
d'Égisthe.
Ménélas d'autre part débarque à l'instant à Nauplie,
alors qu'il a pris Troie il y a si longtemps.
Il ensevelira ta mère avec l'aide d'Hélène.
Celle-ci vient de chez Protée, en Égypte,
car jamais elle ne fut en Phrygie.
Voulant semer parmi les hommes le meurtre et la
querelle,
Zeus n'avait envoyé à Troie qu'un fantôme d'Hélène.
   Pylade doit quitter Argos avec la vierge qu'on dit une
épouse,
et la conduire en son pays. Qu'il emmène aussi en terre
phocidienne
celui qu'on nomme ton beau-frère, et qu'il le comble de
richesses.
Toi cependant, mets-toi en route, et, par le col de l'Isthme,
atteins le rocher fortuné où Cécrops mit sa citadelle[1].
Quitte envers le destin qui te fit criminel,
tu es au terme de tes maux, tu pourras être heureux.

LE CORYPHÉE

Nous est-il permis, fils de Zeus, de vous adresser la
parole ?

CASTOR

Certes. Le meurtre commis ne vous souille pas.

ORESTE

Puis-je aussi vous parler, Tyndarides[1] ?

CASTOR

Oui, tu le peux aussi, car j'impute à Phoibos
le sang qui fut versé.

LE CORYPHÉE

Comment se fait-il qu'étant dieux et frères de la morte
vous n'ayez pas chassé les Furies de son toit ?

CASTOR

Ainsi le voulait l'arrêt du destin
et l'oracle imprudent prononcé par Phoibos.

ÉLECTRE

Mais moi, quel Apollon et quels oracles
ont fait de moi la meurtrière de ma mère ?

CASTOR

Vous ne pouviez agir sinon ensemble.
Vous n'avez qu'un destin.
Une malédiction unique vous a tous deux broyés,
celle que vous avez héritée de vos pères.

ORESTE

Ma sœur si longtemps séparée de moi,
je ne t'ai donc revue que pour être aussitôt privée de ton
        bienfait,
et te perdre comme tu me perds.

CASTOR

Elle aura un mari, un foyer,
son seul regret sera pour la terre d'Argos.

ÉLECTRE

Mais est-il rien qui vaille plus de larmes
que de devoir quitter le sol de sa patrie ?

ORESTE

Et moi, qui dois laisser la maison de mon père
et m'en remettre à des tribunaux étrangers,
pour expier le meurtre de ma mère !

CASTOR

Courage. Dans la cité de Pallas où tu vas te rendre
règne la piété. Garde un cœur ferme.

ÉLECTRE

Que je te serre sur mon cœur, mon frère bien-aimé,
avant que les imprécations nées du sang maternel
nous aient séparés, exclus tous deux du foyer de nos
        pères !

ORESTE

Oui, embrasse, étreins-moi,
et pleure sur moi comme sur une tombe.

CASTOR

Hélas, hélas, ta parole est cruelle à entendre, même pour
        les dieux,
car il m'est accordé, ainsi qu'aux autres habitants du ciel,
de plaindre les hommes qui souffrent.

ORESTE

Je ne te verrai plus...

ÉLECTRE

Plus jamais je ne serai près de toi...

ORESTE

Voici notre dernier adieu.

ÉLECTRE

Adieu, ô mon pays, adieu, chères concitoyennes!

ORESTE

Quoi, très fidèle, tu me quittes déjà?

ÉLECTRE

Et je pleure de m'éloigner!

ORESTE

Pylade, il faut partir. Sois heureux,
avec Électre pour épouse.

CASTOR

A eux de s'occuper de leur hymen. Déjà les Chiennes
sont là qu'il te faut fuir en partant pour Athènes.
Oui, vers toi elles dirigent leurs terribles foulées,
ces êtres noirs dont les bras sont des serpents,
qui font leur moisson d'affreuses douleurs.
   Quant à nous, nous partons vers la mer de Sicile,
sauver des vaisseaux qui fendent les vagues.
Car nous allons et nous venons par les plaines du ciel,
refusant notre aide aux méchants,
mais écartant le péril et la mort
de ceux qui, dans leur vie, font prévaloir justice et piété.
Que nul donc ne se montre injuste,
et ne s'embarque avec un parjure.
C'est ce que, moi un dieu, je prescris aux mortels.

LE CORYPHÉE

Adieu. Celui qui peut vivre content,
exempt de tout mal, doit se dire heureux.

HÉLÈNE

*T*ANDIS *que ne cessait de grandir l'image de la guerre troyenne, que toute une problématique s'élaborait autour de ses débuts et de ses prolongements, une curieuse légende apparaissait dans son ombre et comme pour en être le contrepoint.*

Hélène, disait-on, n'est jamais allée à Troie. Aphrodite l'avait promise au fils de Priam, Pâris, s'il lui donnait le prix de la beauté, mais les dieux ne voulurent pas qu'elle fût infidèle. Le Troyen n'emporta qu'un fantôme tandis qu'Hermès l'enlevait elle-même vers l'Égypte et la confiait au roi Protée. C'est ce que raconta le poète Stésichore, après avoir, comme tout le monde, maudit la coupable et dénoncé avec indignation les conséquences de son infidélité. Mais la fille de Zeus l'avait frappé de cécité et il s'était empressé de chanter la palinodie. La légende de la fausse Hélène fait dès l'abord figure de jeu satyrique en marge d'une tragédie.

L'étrange est qu'Hérodote l'ait trouvée en Égypte, où il voyagea vers 460. Les prêtres de Memphis lui racontèrent que le bateau de Pâris déporté par une tempête aborda près de chez eux. Quand le vertueux Protée sut qui demandait son hospitalité, il refusa son aide à un coupable, renvoya Pâris et garda Hélène. Les Troyens plus tard eurent beau affirmer à Ménélas qu'Hélène n'était pas chez eux, mais bien en Égypte, les Grecs incrédules n'en firent pas moins le siège de la ville. Ils ne se rendirent à l'évidence que lorsqu'elle eut été prise ; alors seulement Ménélas vint trouver Protée qui lui rendit son épouse. Le conte de fées est devenu une histoire édifiante, du moins à première lecture. Car elle recèle une involontaire démonstration par l'absurde de l'absurdité des conduites humaines.

Armer un peuple entier pour reprendre une femme enlevée n'est pas l'acte de rois sages, pensent les tragiques. Si c'est pour conquérir un fantôme, la responsabilité en est aux dieux, qui se jouent cruellement de la souffrance humaine ; et l'histoire illustre

comme aucune autre les incertitudes des mortels devant leur des-
tin. Euripide ne pouvait guère la traiter (ce fut probablement en
412) sans la corser quelque peu. Hélène est en Égypte depuis dix-
sept ans. Protée, à qui les dieux l'avaient confiée, est mort.
Théoclymène, le nouveau roi, veut épouser l'étrangère qui, après
avoir subi un premier outrage, s'installe en suppliante sur les
degrés du tombeau de Protée. Un naufrage jette sur la côte voisine
Ménélas avec quelques survivants et le fantôme qu'il croit être sa
femme, et pour lequel il a détruit Troie. Voilà les deux époux en
présence, Hélène heureuse de revoir enfin celui auquel elle est restée
fidèle, Ménélas incrédule d'abord, puis convaincu lorsqu'on vient
lui dire que le fantôme s'est évanoui dans les airs. Ils s'enfuiront
grâce à la complicité de la prophétesse Théonoé, la sœur du roi.

Tout cela compose une œuvre étrange, dissonante, baroque, qui
pourrait s'appeler la Tragédie des Erreurs, celles du corps et
celles de l'esprit. Pâris navigue de Sparte à Troie en compagnie
d'un fantôme. Ménélas s'empare du fantôme et erre avec lui sept
ans sur la mer, croisant sans le savoir la route de Teucer, chassé
de Salamine par le terrible Télamon qui ne pardonne pas au fils
bâtard d'avoir survécu au fils légitime. Teucer voudrait un conseil
de la sage Théonoé, après quoi il suit celui que lui donne cette
Hélène qu'il exècre ; et l'avis, qui est d'aller au hasard, se trouve
être bon. Mêmes dérisions dans ce qui suit. C'est devant l'Hélène
véritable que Ménélas se croit le jouet d'une illusion ; et, comme
elle le presse d'avoir confiance, il a ce cri admirable de celui qui
refuse d'avoir souffert pour rien :

J'en crois, plutôt que toi, mes immenses travaux d'Ilion.

Et cependant, parce qu'Hélène parut coupable, Léda s'est
tuée, Hermione grandit dans la solitude. En dehors de la peine
des hommes, qu'y a-t-il de véritable dans cet univers où les dieux
se plaisent à berner les humains et où ceux-ci ne peuvent survivre
sinon en se bernant les uns les autres ? Hélène et Ménélas enfin
détrompés devront duper Théoclymène pour rentrer chez eux et ce
ne sera pas difficile : on gouverne aisément un lourdaud vaniteux
qui a le respect des formes, qui se réjouit imprudemment d'avoir
une épouse scrupuleuse, et qui accorde des offrandes d'autant plus
volontiers qu'on les exige plus magnifiques. Le stratagème sera à
peu près le même que celui qui dénoue Iphigénie en Tauride :
le public devait aimer ces inventions que la postérité a jugées
assez sévèrement.

Les hommes ne sont pas sûrs. Les dieux le sont moins
encore :

Calchas n'a jamais dit, ni laissé entendre à l'armée,
qu'il voyait ses amis mourir pour un nuage,
ni Hélénos, et vaine fut la prise de la ville.
Un dieu, dira-t-on, le voulait ainsi.
Mais alors, à quoi bon demander des oracles ? Nous devons
sacrifier et prier les dieux sans faire cas des prophéties.
On les a inventées pour piper les mortels.
Les présages du feu n'ont jamais enrichi qui ne travaille pas.
Le vrai devin, c'est un sens droit et du courage.

   *Ainsi parle un vieux soldat qui apprend qu'il a peiné en vain
et qui pense au moment où il va se remettre à travailler son
champ. Tout donne à croire que le poète ne jugeait pas autrement. Mais ce n'est pas si simple. Protée a une fille, issue par sa
mère de Nérée, lequel lui a légué le don de voyance, privilège des
divinités marines (ce que Protée dans l'Odyssée, est également,
même s'il n'est ici qu'un roi vertueux). Cette Théonoé est une
sorte de sainte dont tous les oracles sont véridiques. Faut-il mettre
sa lucidité au crédit de la divination en général ? Non, car la
pieuse Théonoé ment à son frère pour sauver à la fois les deux
Grecs et la morale. Ainsi les volontés divines n'apparaissent
jamais qu'à travers des vapeurs qui les déforment et les rendent
méconnaissables. La sagesse de l'homme consiste à reconnaître
qu'il est leur jouet.
   La pièce demande beaucoup au merveilleux, sans se soucier de
mettre l'auditeur en état de grâce pour le recevoir. Une œuvre
comme Alceste se situe tout entière dans l'univers continu des
contes de fées ; dans Hippolyte, dans la Folie d'Héraclès, le
dieu n'intervient que pour accentuer le mouvement naturel d'une
tendance humaine ; un dénouement magique clôt Médée après
une explosion de passions trop violentes pour une conclusion terre
à terre. Ici c'est tout le contraire. La donnée même de l'action est
un tissu de miracles froidement exposés dès le départ. Et ces
mêmes dieux qui les ont si diligemment agencés rentrent dans leur
ciel inaccessible lorsqu'il s'agirait pour leurs victimes de sortir de
l'aventure. C'est une ruse humaine, minutieusement calculée, qui
les sauvera — non sans coûter la vie à plusieurs innocents, petites
gens qui comptent peu.
   Cette tragédie étrange ne comporte aucun conflit, comme si les
sentiments de l'homme en proie à l'erreur représentaient une dia-
lectique suffisamment riche. La seule péripétie vient trop tôt, au
début, quand Teucer donne à penser à Hélène que Ménélas est
mort et qu'il faut un oracle de Théonoé pour la détromper. A
partir de là, les événements n'obéissent plus qu'à la volonté des*

hommes et ils s'acheminent avec précision vers une conclusion heu-
reuse. L'intervention finale des Dioscures sert uniquement à cal-
mer la colère de Théoclymène furieux d'avoir été dupé par sa
sœur : ils approuvent, sans plus, ce qu'ont fait les humains.

   On ne voit pas comment aucun poète, à travers une œuvre aussi
baroque, aurait pu garder un ton unique. Euripide ne l'a même
pas essayé et, si l'œuvre est plaisante, c'est justement à cause des
continuelles ruptures qui tiennent l'auditeur en haleine. Une scène
étonnante met aux prises Ménél... à peine sorti du naufrage, vêtu
de loques et mourant de faim, avec la vieille portière du château.
Pour retrouver un dialogue aussi vert, aussi incisif, il faudra
attendre jusqu'à Plaute.

HÉLÈNE

PERSONNAGES

HÉLÈNE
TEUCER
MÉNÉLAS
UNE VIEILLE PORTIÈRE
UN SOLDAT de Ménélas.
THÉONOÉ
THÉOCLYMÈNE
UN MARIN de Théoclymène.
LES DIOSCURES
Chœur de captives grecques, compagnes d'Hélène.

*La scène représente le palais de Théoclymène, devant lequel se trouve
un tombeau de Protée, Hélène se tient sur les marches.*

PROLOGUE

CE beau fleuve est le Nil aux eaux pures.
Le ciel ne donnant pas de pluies à la terre
        d'Égypte,
c'est lui qui arrose les champs quand fond la neige
        blanche.
Protée, tant qu'il vécut, fut roi de ce pays,
habitant l'île de Pharos, mais régnant sur l'Égypte.
Il épousa l'une des filles de la mer,
Psamathé, qui avait pour lui quitté le lit d'Éaque.
Dans ce palais, elle lui donna deux enfants,
un fils, Théoclymène (Protée indiquait par ce nom
qu'il devait vivre en respectant les dieux[1]), et une
        noble fille,
Eido, délices de sa mère dès sa petite enfance.
Quand Eido arriva au bel âge des noces,
on la nomma Théonoé, car la science divine
du présent et de l'avenir est son partage,
privilège hérité de Nérée son aïeul.

    Quant à moi, ma patrie est un pays de grand renom,
Sparte, et mon père est Tyndare. On raconte pourtant
qu'afin de jouir d'un plaisir dérobé,
Zeus sut pénétrer dans le sein de ma mère[2],
Léda, sous la forme ailée d'un cygne fuyant
la poursuite d'un aigle. Cela est-il digne de foi ?
On me nomma Hélène. Les épreuves que j'ai subies,
je vais les dire. Vinrent trois déesses rivales
dans une grotte de l'Ida, devant Alexandros.
Héra, Cypris, et la vierge fille de Zeus
voulaient qu'il décidât qui était la plus belle.
Ma beauté — peut-on donner ce nom à ce qui fit
        ma perte ? —
Cypris promit de la livrer au lit d'Alexandros
et eut ainsi le prix. Pâris quitta l'Ida et ses étables

pour accourir à Sparte, où il pensait s'emparer de
mon corps.
Mais Héra irritée de n'avoir pas vaincu
fit que Pâris, croyant m'étreindre, ne saisit que du vent :
elle lui accorda, non ma personne, mais un fantôme
semblable à moi, fait d'éther et par elle animé.
Le roi fils de Priam crut donc me posséder
quand il ne tenait qu'un mirage. Vinrent ensuite
d'autres décrets de Zeus pour ajouter à mon malheur.
Car s'il porta la guerre à la terre des Grecs
ainsi qu'aux malheureux Troyens, ce fut pour soulager
　　　　notre mère la Terre
du fardeau des mortels qui allaient se multipliant,
et aussi pour donner la gloire au plus brave des Grecs.
L'enjeu de la lutte troyenne, le trophée proposé aux
　　　　Grecs,
ce n'était pas moi-même, mais mon nom seulement.
Car Hermès m'avait enlevée aux replis de l'éther,
cachée dans un nuage — Zeus en effet veillait sur moi —
et logée en ces lieux au foyer de Protée,
qu'il jugeait le plus vertueux des mortels,
pour que j'y garde intact le lit de Ménélas.
　　C'est donc ici que je demeure, tandis que mon époux
　　　　infortuné
réunit une armée, poursuit mes ravisseurs jusque sous les
　　　　murs d'Ilion.
Combien de vies aux rives du Scamandre
se sont pour moi éteintes ! Et moi qui n'ai fait que subir,
on me maudit, on me croit une épouse infidèle,
on m'impute la longue guerre qui éprouve les Grecs !
　　Comment se fait-il que je vive encore ? C'est que je
　　　　tiens de la bouche divine
d'Hermès que je dois revenir vivre un jour
dans la plaine illustre de Sparte, avec mon époux qui
　　　　saura
que je ne fus jamais à Troie, ayant voulu que dans mon
　　　　lit il fût seul à entrer.
　　Aussi longtemps que Protée vit le jour, rien ne menaça
　　　　mon honneur.
Mais depuis que la terre le cache dans sa nuit,
son fils me poursuit et veut s'unir à moi.
C'est ma fidélité au mari de jadis qui me tient prosternée
à ce sépulcre de Protée que je vénère,

le suppliant de me garder pour Ménélas,
et que si les Grecs décrient mon nom
la honte au moins épargne ici mon corps.

> *Entre par la gauche Teucer
> tenant un arc.*

TEUCER

A qui est ce donjon ? et quel maître y commande ?
On se croirait au palais de Ploutos[1], à voir
cette enceinte royale et ces créneaux puissants !
> *(Il découvre Hélène.)*

Mais quoi ? O ciel, que vois-je ? Le portrait abhorré
de la femme néfaste qui m'a perdu ainsi que tous les
      Grecs.
Que les dieux, pour ta ressemblance avec Hélène, te
      vomissent !
Si je n'étais sur un sol étranger,
de cette flèche qui toujours vole au but, je t'aurais fait
      mourir,
pour te récompenser d'être pareille à la fille de Zeus !

HÉLÈNE

As-tu le droit, qui que tu sois, pauvre homme, de détour-
      ner de moi
ta face avec horreur, à cause des malheurs d'une autre ?

TEUCER

Oui, j'ai eu tort. Et ma fureur m'a emporté trop loin.
C'est aussi que la Grèce entière déteste Hélène.
Pardonne-moi d'avoir parlé ainsi que je l'ai fait.

HÉLÈNE

Qui es-tu ? De quel pays viens-tu ?

TEUCER

Je suis un Grec, un de ces hommes malheureux.

HÉLÈNE

Rien d'étonnant dès lors que tu haïsses Hélène.
Mais qui es-tu, et comment puis-je t'appeler[1] ?

TEUCER

On me nomme Teucer, mon père est Télamon, et Salamine m'a nourri.

HÉLÈNE

Que viens-tu faire ici, dans ces plaines du Nil ?

TEUCER

Je suis proscrit[2], chassé de ma terre natale.

HÉLÈNE

Quelle doit être ta misère ! Mais qui donc t'a banni ?

TEUCER

Mon père Télamon. Qui aurait dû m'être plus attaché ?

HÉLÈNE

Et quel fut son motif ? Une faute grave, sans doute ?

TEUCER

Mon frère Ajax est mort à Troie. C'est ce qui m'a perdu.

HÉLÈNE

Comment ? Ce n'est pourtant pas ton couteau qui l'a tué ?

TEUCER

Il a péri en se jetant sur son épée.

HÉLÈNE

Il délirait sans doute ? Un homme de bon sens n'agit pas
de la sorte.

TEUCER

Le nom d'Achille, fils de Pélée, est-il connu de toi ?

HÉLÈNE

Assurément. Celui qui autrefois brigua, dit-on, la main
d'Hélène.

TEUCER

Lui mort, chacun de ses amis voulut avoir ses armes.

HÉLÈNE

Et comment ce débat fut-il funeste pour Ajax ?

TEUCER

Il les vit donner à un autre et n'y voulut survivre.

HÉLÈNE

Et maintenant c'est toi qui pâtis de sa peine ?

TEUCER

Hé oui, pour n'être point mort avec lui...

Un temps.

HÉLÈNE

Ainsi donc, étranger, tu partis vers la célèbre Ilion ?

TEUCER

J'ai pris part à sa ruine. Elle a causé la mienne.

HÉLÈNE

Le feu l'a-t-il consumée tout entière ?

TEUCER

Au point que l'on distingue à peine la trace des remparts.

HÉLÈNE

Ah misérable Hélène! Pour toi les Troyens ont péri!

TEUCER

Et les Grecs avec eux! Un grand malheur s'est accompli!

HÉLÈNE

Quelle durée s'est écoulée depuis le sac de Troie ?

TEUCER

Environ sept étés ont ramené le temps des fruits.

HÉLÈNE

Combien de temps auparavant êtes-vous restés sous ses
        murs ?

TEUCER

Beaucoup de lunes, jalonnant dix années.

HÉLÈNE

Et la femme de Sparte, vous l'avez capturée ?

TEUCER

Oui, ce fut Ménélas. Il la saisit par les cheveux.

HÉLÈNE

On te l'a dit, ou l'as-tu vue, la pauvre femme ?

TEUCER

Je l'ai vue de mes yeux, ainsi que je te vois.

HÉLÈNE

Prends garde[1] que les dieux, d'un faux semblant, ne vous
aient abusés!

TEUCER

Parle-moi de ce que tu veux, mais non plus d'elle!

HÉLÈNE

Vous jugez donc que l'apparence ne vous laisse aucun
doute?

TEUCER

Ce que mes yeux ont vu, mon esprit le confirme.

HÉLÈNE

Ménélas avec elle est-il enfin rentré chez lui?

TEUCER

Il n'est du moins ni à Argos, ni sur les bords de l'Eurotas.

HÉLÈNE

Hélas, triste parole pour ceux qu'elle concerne!

TEUCER

On les dit en effet disparus tous les deux.

HÉLÈNE

Tous les navires grecs n'ont-ils pas navigué de conserve?

TEUCER

Au début, oui, puis la tempête sépara leurs routes.

HÉLÈNE

En quelle région de la mer ?

TEUCER

Au milieu du voyage, dans la traversée de l'Égée.

HÉLÈNE

Et depuis, nul n'a vu aborder Ménélas ?

TEUCER

Personne. En Grèce on le dit mort.

HÉLÈNE

Malheur à moi! Et la fille de Thestias, vit-elle encore ?

TEUCER

Tu veux dire Léda ? Elle est morte et bien morte.

HÉLÈNE

De honte, peut-être, à cause d'Hélène ?

TEUCER

On dit qu'elle a noué à son noble cou une corde...

HÉLÈNE

Et les fils de Tyndare, les deux jeunes garçons ?

TEUCER

Ils sont morts et ne le sont pas, car on fait deux récits.

HÉLÈNE

Lequel est le plus sûr ? Que de malheurs pour moi !

TEUCER

On dit qu'ils sont devenus dieux, transformés en étoiles.

HÉLÈNE

Ah! voilà qui est bien! Mais quelle est l'autre histoire?

TEUCER

Ils se seraient tués à cause de leur sœur.
Mais en voilà assez. A quoi bon redire ces plaintes?
Car j'avais un motif pour gagner ce palais :
c'est Théonoé, la devineresse, que je voudrais voir.
Introduis-moi donc, que je reçoive ses oracles,
pour savoir où trouver le vent qui poussera ma voile
vers Chypre, au milieu de la mer, où, m'a dit Apollon,
j'aurai une demeure. Et je la nommerai
Salamine, comme mon île, en souvenir de ma patrie
        perdue!

HÉLÈNE

Tu trouveras ta route en naviguant, étranger.
Ne reste pas ici! Fuis avant que le fils de Protée,
le roi de ce pays, t'ait découvert.
Il est parti, attendant de ses chiens un carnage de
        fauves.
Il met à mort tout Grec qu'il peut saisir.
Pourquoi? Ne cherche pas à le savoir,
et dispense-moi de le dire! Cela ne te servirait pas.

TEUCER

Tu as raison, et que les dieux te récompensent pour tes
        bons offices.
Tes traits sont ceux d'Hélène, mais ton cœur est bien
        différent.
Qu'elle périsse et jamais ne revoie l'Eurotas!
Toi, au contraire, puisses-tu toujours être heureuse.

Il sort par la gauche.

Hélène

Préludant à la grande plainte pour ma grande souffrance,
comment faire sonner assez haut mon sanglot ?
Où trouver un chant pour tant de deuils, de regrets et de
larmes ?

> Un chœur de captives
> grecques entre par la droite,
> tandis qu'Hélène chante la
> strophe.

PARODOS

STROPHE I

HÉLÈNE

Jeunes filles ailées, vierges nées de la Terre,
venez, Sirènes, accompagner ma déploration,
sur la flûte libyenne ou sur la syrinx !
*Qu'*à mon refrain répondent vos larmes,
votre peine à ma peine et vos chants à mes chants.
Envoyez-les vers Perséphone, funèbre chœur,
et que de moi elle reçoive,
dans sa maison nocturne,
mes larmes et les seuls péans
que les morts puissent accepter[1].

ANTISTROPHE I

LE CHŒUR

Au bord du sombre flot, sur le gazon crépu,
j'étendais des robes de pourpre
à sécher au soleil sur les tiges des joncs.
De là j'entendis une plainte,
un chant qui refuse la lyre,
comme si une nymphe, une naïade éperdue,
réfugiée dans la montagne,
lançait du fond des grottes un appel de détresse,
sous l'étreinte brutale de Pan[2].

STROPHE II

HÉLÈNE

Hélas, hélas, ô jeunes Grecques,
butin d'un pirate barbare,
un navigateur m'apporte de Grèce
de nouvelles raisons de pleurer.
Troie ruinée est en proie aux ravages du feu,
à cause de moi la porteuse de deuil,
à cause de mon nom tout chargé de souffrances.
Léda s'est pendue, a choisi la mort,
torturée par ma honte.
Errant au large, Ménélas a péri.
Castor et son frère, honneur de leur patrie,
s'en sont allés bien loin de l'aire
où résonnait le galop des chevaux,
et des stades bordés par les roseaux de l'Eurotas,
où s'exercent les jeunes gens.

ANTISTROPHE II

LE CHŒUR

Hélas, hélas, cruel destin,
fortune acharnée contre toi !
A quelle vie le sort t'a condamnée,
du jour où t'engendra dans le sein de ta mère,
sous le plumage blanc d'un cygne,
Zeus lumineux fendant l'éther.
Quelle épreuve a manqué à ta vie ?
Voici ta mère morte, et les jumeaux,
les fils chéris de Zeus, ont perdu leur bonheur.
Ta patrie est bien loin de tes yeux,
et par les cités l'on va répétant
que tu t'es donnée, toi l'auguste, au lit d'un Barbare !
Cependant ton époux périt en mer.
Tu ne paraîtras plus en reine heureuse
dans le temple d'airain d'Athéna
ni au foyer de tes ancêtres !

ÉPODE

HÉLÈNE

Hélas, hélas, qui fut ce Phrygien
(ou était-ce un homme de Grèce ?)
qui pour le deuil de Troie a fait tomber le pin
dont le fils de Priam construisit son navire ?
Ses rameurs barbares chez moi l'amenèrent,
en quête de ma funeste beauté[1],
qu'il voulait pour son lit,
tandis que Cypris, fourbe et meurtrière,
préparait la mort pour les Grecs !
Pour moi, quelle disgrâce !
De son trône d'or, prête pour l'étreinte auguste de Zeus,
Héra répond en m'envoyant
le fils de Maïa, le prompt messager.
De mes roses fraîches cueillies
les feuilles remplissaient ma robe.
Je les portais à l'Athéna de Bronze[2]
quand Hermès me saisit, et, traversant l'éther,
m'apporte en ce triste pays,
faisant de moi le déplorable enjeu
de la querelle entre Grecs et Troyens.
Mon nom aux bords du Simoïs est livré au mépris
sans l'avoir mérité.

PREMIER ÉPISODE

Le coryphée

Ton lot est douloureux, je le sais bien. Mais en se résignant
on allège le faix imposé par la vie.

Hélène

A quel sort, mes amies, suis-je donc enchaînée ?
Ma mère ne m'a-t-elle conçue que pour étonner les humains ?
Vit-on jamais femme grecque ou barbare
se délivrer d'enfants inclus dans une coque blanche,
ainsi que, ce dit-on, Léda pour Zeus me mit au monde ?
Ma vie ensuite[1] et tout ce qui m'échut est en dehors des lois communes.
Héra en est la cause, et aussi ma beauté.
Comme on efface une peinture, ah ! si je pouvais effacer
ce visage, en prendre un autre qui fût laid !
faire oublier aux Grecs l'opprobre où je suis à présent,
et qu'ils ne gardent à la pensée que ma seule innocence,
eux qui ne se rappellent aujourd'hui que ma honte !
    Celui qui considère un seul aspect du sort,
si sur ce point les dieux le frappent, souffre du coup, mais peut le supporter.
Pour moi, tous les malheurs m'accablent à la fois.
Je n'ai rien fait de mal et chacun me méprise,
et c'est plus douloureux qu'un décri mérité.
Les dieux ensuite m'ont enlevée à ma terre natale,
je dois vivre au milieu de coutumes barbares, et loin des miens,
esclave, moi qui suis née libre,
car chez les Barbares chacun est esclave, sauf le seul qui commande.
Une ancre me restait pour sauver ma fortune :
mon mari reviendrait, mes maux seraient finis,
et voilà qu'il est mort, je ne le verrai plus !
Ma mère est morte aussi : c'est moi qui l'ai tuée,

dit-on, grief injuste, mais qui m'est imputé.
Celle qui fut la joie de mon foyer et de ma vie,
ma fille, ses cheveux blanchiront et nul ne voudra
    l'épouser.
Les fils de Zeus, qu'on nomme les deux Dioscures,
ne sont plus. Et moi, ayant souffert tout ce qu'on peut
    souffrir,
je meurs de mes malheurs et non pas de mes fautes.
Pour comble de misère, si je rentrais dans ma patrie,
on m'en verrouillerait les portes, car pour eux je serais
cette Hélène de Troie qui s'en revient sans Ménélas[1].
Si mon époux vivait, il me reconnaîtrait,
dès l'abord, à des signes certains, pour nous seuls
    évidents.
Mais il n'est plus d'espoir qu'il puisse être sauvé.
    Pourquoi rester en vie ? Que me reste-t-il à attendre ?
Faut-il, pour changer d'infortune, épouser un Barbare,
vivre avec lui, m'asseoir à ses festins ?
Mais une femme qui passe sa vie avec un mari
    qu'elle hait
se prend elle-même en horreur.
Mieux vaut mourir. Comment mourir avec honneur ?
La corde suspendue est un supplice indigne qui dégrade
    jusqu'aux esclaves;
le couteau est plus généreux, plus noble :
un seul instant, et les liens de la vie sont tranchés.
Voilà le gouffre au bord duquel je suis poussée.
La beauté donne le bonheur aux autres femmes.
La mienne m'a perdue.

LE CORYPHÉE

Hélène, quel que fût ce voyageur,
garde-toi de croire tout ce qu'il t'a dit.

HÉLÈNE

Mais de ce qu'il m'affirme résulte clairement que mon
    mari est mort.

LE CORYPHÉE

Bien des choses ainsi affirmées ne sont rien que
    mensonges.

HÉLÈNE

D'autres aussi sont pure vérité[1].

LE CORYPHÉE

Tu es inclinée à croire le mal plutôt que le bien.

HÉLÈNE

L'angoisse qui m'habite me fait trembler sans cesse.

LE CORYPHÉE

Quels sentiments a-t-on pour toi dans ce palais ?

HÉLÈNE

Tous y sont mes amis, sauf celui qui me veut pour épouse.

LE CORYPHÉE

Sais-tu ce qu'il faut faire ? Quitte ta place à ce tombeau.

HÉLÈNE

Que dis-tu là ? que me conseilles-tu ?

LE CORYPHÉE

Entre dans le palais. A celle qui sait toutes choses,
la fille de la Néréide, de la nymphe marine,
à Théonoé, va demander si ton époux voit encore le jour.
Lorsque tu le sauras, livre-toi, selon ton deſtin, à la joie
　　　　ou aux larmes.
Dans le doute où tu es, à quoi sert de te tourmenter ?
Crois-moi : quitte ce tombeau et va trouver Théonoé.
D'elle tu sauras tout. Une parole véridique
eſt ici-même à ton service[2]. Pourquoi chercher
　　　　plus loin ?
Je t'accompagnerai dans le palais
pour entendre avec toi ce que dira la prophétesse.
Le devoir d'une femme eſt de venir en aide aux autres.

PREMIER STASIMON

HÉLÈNE

J'accepte, amies, votre conseil.
Entrez dans le palais, et vous saurez les combats qui
    m'attendent.

LE CHŒUR

Je ne demande qu'à te suivre.

HÉLÈNE

O funeste journée !
Que vais-je entendre ? Quelle parole grosse de pleurs ?

LE CHŒUR

N'anticipe pas sur l'oracle ! Ne t'afflige pas à
    l'avance !

HÉLÈNE

Qu'a souffert mon infortuné mari ?
Ah ! Voit-il le jour, le char du soleil, les routes des
    astres ?
ou bien, parmi les morts sous terre,
son sort est-il soumis aux dieux infernaux ?

LE CHŒUR

Augure au mieux de l'avenir, quel qu'il doive être.

HÉLÈNE

C'est toi que j'invoque, par toi que je fais ce serment,
Eurotas au beau cours, Eurotas aux joncs verts,
si vraiment mon mari est mort...

LE CHŒUR

Que signifie cette parole obscure ?

HÉLÈNE

... Je veux me pendre, la corde me barrant le cou[1],
ou enfoncer l'épée qui de ma gorge fera couler le sang,
sous l'effort du fer transperçant la chair jusqu'à la garde !
Ainsi les trois déesses recevront leur victime,
et Pâris aussi, le fils de Priam, celui qui jadis
soutenait son chant des notes du pipeau,
près de ses étables[2] !

LE CHŒUR

Que tous les malheurs s'éloignent de toi !
Sois enfin heureuse !

HÉLÈNE

Pour un crime que nul ne commit
tu as souffert et tu péris, ô Troie infortunée !
Parce que Cypris m'a donnée en cadeau,
que de sang a coulé, que de pleurs !
Elle en reçut le prix : peines sur peines, larmes sur
*　　larmes.*
Les mères ont vu mourir leurs enfants,
les sœurs ont coupé leurs cheveux pour le deuil de leurs
*　　frères,*
tombés aux rives du Scamandre !
La Grèce a poussé un long cri,
le gémissement aigu des pleureuses.
Ses deux mains ont frappé sa tête, et de sillons sanglants
ses ongles ont meurtri sa tendre joue.

*　　Tu fus bienheureuse autrefois, Callisto l'Arcadienne,*
qui montas jusqu'au lit de Zeus, à quatre pattes,
sort bien meilleur que celui de ma mère[3],
car sous la fourrure d'un fauve,
avec tes yeux farouches de lionne,
nul ne songe à te dire coupable !
Tu ignores ta propre souffrance.

*　　Et toi qu'Artémis chassa de sa troupe,*
fille de Mérops, ô Titanide, changée en biche aux cornes
*　　d'or*

pour te punir de ta beauté ! Mon corps à moi
fut la perdition du donjon troyen,
fut la perdition des malheureux Grecs.

Hélène et le chœur entrent
dans le palais. Ménélas vêtu
de lambeaux entre par la
gauche.

SECOND ÉPISODE

Ménélas

Tu vainquis autrefois dans Pise Œnomaos,
à la course des chars, ô roi Pélops.
Que n'es-tu mort auparavant, quand on te mit à cuire
pour te servir à la table des dieux[1]!
Ainsi tu n'aurais pas appelé à la vie
Atrée mon père, lequel, du lit d'Aéropé,
nous suscita Agamemnon et moi, Ménélas, couple illustre.
    Nulle armée, je le dis sans jactance,
ne peut se comparer à celle que j'embarquai pour Troie,
sous mon autorité de chef, non de tyran,
car la jeunesse grecque me suivit de son libre gré.
On a bien fait le compte de ceux qui sont morts,
de ceux aussi qui eurent le bonheur d'échapper à la mer
pour rapporter chez eux les noms des disparus.
Mais moi, battu par la houle profonde, j'erre sur la mer
          grise,
depuis le temps que j'ai détruit les murs de Troie !
Mon seul désir est de rentrer dans ma patrie :
les dieux ne daignent pas me l'accorder.
Mon navire a longé les accès déserts et revêches
de la Libye, d'un bout à l'autre. Mais quand j'approche
          du pays,
le vent me renvoie vers le large, et jamais une bonne
          brise
n'a soufflé dans mes voiles pour me remettre au port.
A présent naufragé, misérable, survivant à la perte des
          miens,
j'échoue à cette rive. Mon bateau contre les rochers
gît fracassé en mille épaves.
Sur la quille disjointe de sa belle charpente,
j'ai pu, bonheur inespéré, me sauver à grand'peine,
avec Hélène que je tiens pour l'avoir enlevée de Troie.
Le nom de ce pays et de ce peuple, quel qu'il soit,
m'est inconnu. La honte me retient
d'affronter les gens pour m'en enquérir, revêtu de ces
          loques.

Je cache ma misère. Un homme qui de haut tombe dans
     la détresse
est plus gêné que ceux dont le malheur était le lot depuis
     longtemps.
   Mais le besoin me presse. Je n'ai rien à manger,
ni rien pour me couvrir. On le voit bien.
J'ai dû m'envelopper de lambeaux sauvés du naufrage.
Mes habits d'autrefois, mes beaux manteaux brillants,
mes ornements, la mer les emporta. Au fond d'une
     caverne
j'ai caché cette femme qui fut cause de mes malheurs.
En partant, j'ai donné la charge aux compagnons que
     j'ai encore
de bien veiller sur elle.
Et seul je m'aventure, cherchant pour ceux qui sont restés
     là-bas
comment trouver le nécessaire.
En voyant ce château tout entouré de murs,
dont la porte massive indique un maître riche,
je me suis avancé. Un logis opulent donne espoir aux
     marins.
De ceux qui ne possèdent rien, quelle ressource attendre ?
Ils voudraient nous aider qu'ils ne le pourraient pas.

                    (Il frappe à la porte.)

Holà, un portier! Qu'il sorte,
pour aller dire au maître la requête de ma misère!

                    Sort une vieille femme.

LA VIEILLE

Qui frappe ici ? Va-t'en bien vite,
sans rester planté à l'entrée de la cour,
pour déranger mes maîtres. Sinon tu mourras,
car tu es Grec, et ce sont gens à qui nous n'avons pas
     affaire.

MÉNÉLAS

Tu parles bien, la mère. Je suis d'accord et je vais t'obéir,
mais laisse-moi te dire un mot[1].

LA VIEILLE

Non, non, va-t'en, car vois-tu, étranger,

c'est moi qui ai la charge de ne laisser approcher aucun
Grec.

MÉNÉLAS

Halte-là, retire ton bras, ne me repousse pas si
brusquement.

LA VIEILLE

C'est bien ta faute. Tu ne m'écoutes pas.

MÉNÉLAS

Va là-dedans annoncer à tes maîtres...

LA VIEILLE

Il m'en coûterait cher, je pense, de faire ton message!

MÉNÉLAS

Je suis un voyageur, un naufragé, de ceux à qui
l'asile est dû.

LA VIEILLE

Demande-le où tu voudras, mais pas ici!

MÉNÉLAS

Voire. Je veux entrer et tu dois m'obéir.

LA VIEILLE

Sais-tu que tu es encombrant. On va te jeter dehors, et
tout de suite!

MÉNÉLAS

Hélas, où es-tu donc, ma glorieuse armée?

LA VIEILLE

Si tu fus grand ailleurs, tu ne l'es plus ici.

MÉNÉLAS

O mon destin! Un tel affront m'était-il dû?

LA VIEILLE

A quoi bon verser tant de larmes? qui veux-tu émouvoir?

MÉNÉLAS

Je pense à mon bonheur passé.

LA VIEILLE

Eh bien pars, et dépense tes pleurs parmi les tiens!

MÉNÉLAS

Quel est ce pays-ci? quel roi possède ce château?

LA VIEILLE

Protée habite là. Ce pays, c'est l'Égypte.

MÉNÉLAS

L'Égypte! pauvre de moi! jusqu'où la mer m'a emporté!

LA VIEILLE

Qu'as-tu à dire contre notre Nil bienfaisant?

MÉNÉLAS

Rien du tout. Ce que je déplore, c'est mon infortune.

LA VIEILLE

Les malheureux sont innombrables, tu es en compagnie.

MÉNÉLAS

Est-il chez lui, le roi dont tu as dit le nom?

LA VIEILLE

Sa tombe est là. C'est son fils qui gouverne.

MÉNÉLAS

Et où est-il ? à la maison ou bien dehors ?

LA VIEILLE

Il est absent. Et les Grecs n'ont pas de pire ennemi.

MÉNÉLAS

Pour quelle faute, que je doive payer ?

LA VIEILLE

La fille de Zeus, Hélène, habite ici chez nous.

MÉNÉLAS

Quoi ? qu'as-tu dit ? répète-le.

LA VIEILLE

La fille de Tyndare, qui autrefois vivait à Sparte.

MÉNÉLAS

D'où est-elle arrivée ? Je n'y comprends plus rien.

LA VIEILLE

Elle nous est venue du pays de Lacédémone.

MÉNÉLAS

Mais quand ? On n'a pu cependant l'enlever de la grotte!

LA VIEILLE

Avant même, étranger, que les Grecs ne partent pour Troie.

Allons, décampe. Un incident survient dans la maison
     royale
qui nous la met tout sens dessus dessous.
Tu as mal choisi ton moment. Si le maître te surprend,
son don de bienvenue sera la mort.
Je te préviens, car j'aime bien les Grecs.
Je n'ai dit de dures paroles que par crainte du maître.

Elle rentre dans la maison.

MÉNÉLAS

Je ne sais plus que croire. A mes malheurs passés
ce que j'entends vient en ajouter d'autres,
si vraiment, tandis que j'amène de Troie celle que j'y ai
     reconquise,
ma femme, et la tiens gardée dans une caverne,
une autre, qui porte le même nom, réside ici!
     Il paraît en effet que bien des gens, par tout le vaste
          monde,
portent le même nom, et des villes aussi bien que des
          femmes.
Ainsi donc, il ne faudrait pas s'étonner.
Mais la vieille parle d'une fille de Zeus :
Y aurait-il sur les rives du Nil un mortel nommé Zeus ?
Mais non! Il n'y a qu'un seul Zeus, et c'est celui du ciel!
Où donc est-il une Sparte sur terre, si ce n'est seulement
là où l'Eurotas coule entre les roseaux ?
Le nom de Tyndare désigne un homme unique.
Est-il une autre ville nommée Lacédémone ?
Une seconde Troie ? Je ne sais plus que dire.
     Mais les dangers dont parle une servante ne doivent
          pas me mettre en fuite.
Aucun homme n'a le cœur si barbare,
qu'entendant mon seul nom il ne me donne à manger.
Fameux est l'incendie de Troie, et moi qui l'allumai,
moi, Ménélas, célèbre par toute la terre.
J'attends ici le maître du château, prenant à son endroit
     deux garanties[1].
S'il se montre féroce, je me déroberai pour regagner le
     lieu de mon naufrage.
S'il paraît s'adoucir, je lui exposerai ce que réclame ma
     détresse.

Dans cette misère où je suis, le pire est de devoir, quand
        on est roi,
mendier son pain à d'autres rois. Il le faut cependant.
Ce n'est pas moi qui l'ai dit, mais c'est un mot bien sage :
la terrible nécessité est toujours la plus forte.

> *Il se cache derrière le tombeau. Hélène avec le chœur sort du palais.*

SECOND STASIMON

LE CHŒUR

J'ai entendu la vierge prophétesse.
Elle a paru dans le palais pour révéler
que Ménélas n'est pas allé au noir Érèbe,
qu'il n'est pas caché sous la terre,
mais qu'il peine toujours sur l'abîme marin,
sans pouvoir aborder aux ports de sa patrie,
errant et affamé, ses amis disparus,
touchant une terre après l'autre
depuis que son bateau a quitté Troie.

Hélène s'approche du
tombeau.

TROISIÈME ÉPISODE

HÉLÈNE

ME voici qui reviens prendre ma place à ce tombeau,
heureuse de ce que m'a dit Théonoé
qui sait la vérité sur toutes choses. Elle a bien déclaré
que mon époux vit et qu'il voit la lumière,
toujours errant en mer, entraîné çà et là, harassé de
   courses sans nombre.
Son épreuve enfin terminée, il reviendra.
Mais elle a tu ceci : une fois revenu, son salut sera-t-il
   assuré ?
Je n'ai pas songé à m'en enquérir plus précisément,
trop heureuse d'avoir appris qu'il est sauvé.
Il est, m'a-t-elle dit, quelque part près d'ici,
échappé d'un naufrage avec de rares compagnons.
Ah! quand reviendras-tu ? combien je le désire!

    (Elle s'est approchée du tom-
    beau et découvre Ménélas.)

 Mais quoi ? quel est cet homme ? Est-ce un piège
contre moi dressé par le fils de Protée, cet impie ?
Comme la rapide cavale, la bacchante du dieu,
courons vers le tombeau. Il a bien l'air d'un sauvage,
celui qui me poursuit pour me saisir.

MÉNÉLAS

De quel terrible élan tu t'es jetée
vers les degrés de cette tombe et les piliers des
   sacrifices!
Arrête-toi! Pourquoi t'enfuir ? La vue de ta personne
me laisse stupéfait et sans paroles.

HÉLÈNE

Au secours, mes amies! On me fait violence. Cet
   homme veut
m'écarter du tombeau afin de me livrer
au roi dont j'ai fui la poursuite.

MÉNÉLAS

Je ne suis pas un ravisseur. Je ne suis pas au service
du mal.

HÉLÈNE

Mais ces haillons alors, qui te recouvrent ?...

MÉNÉLAS

Ne te sauve donc pas! Tu n'as rien à craindre!

HÉLÈNE *(faisant halte au tombeau)*

Oui, je m'arrête, arrivée en lieu sûr.

Ils sont face à face.

MÉNÉLAS

Qui es-tu? quel est ce visage, ô femme, devant mes
yeux ?

HÉLÈNE

Mais toi donc, qui es-tu ? Ce que tu me demandes, je le
demande à toi.

MÉNÉLAS

Jamais je ne vis femme qui lui ressemblât davantage[1]...

HÉLÈNE

O dieux! Car reconnaître ce qu'on aime, c'est éprouver
la présence d'un dieu.

MÉNÉLAS

Es-tu Grecque, ou fille de ce pays ?

HÉLÈNE

Je suis Grecque. Je veux aussi savoir d'où toi tu viens.

MÉNÉLAS

Nulle que je vis ne fut plus que toi semblable à Hélène.

HÉLÈNE

Que toi à Ménélas! Les paroles me manquent.

MÉNÉLAS

Tu as bien reconnu le plus éprouvé des mortels...

HÉLÈNE

Enfin revenu dans les bras de ta femme!

MÉNÉLAS

Ma femme? que dis-tu? Ne touche pas mon vêtement!

HÉLÈNE

Celle que t'accorda Tyndare mon père.

MÉNÉLAS

Dame Hécate aux flambeaux, ne m'envoie que de bons
        fantômes!

HÉLÈNE

Je ne suis pas un rêve au service d'Hécate.

MÉNÉLAS

Et moi je ne suis pas l'époux de deux Hélènes!

HÉLÈNE

Et quelle autre que moi as-tu mise en ton lit?

MÉNÉLAS

Celle que j'ai cachée dans la caverne, par moi ramenée de
        Phrygie.

HÉLÈNE

Tu n'as qu'une femme. C'est moi et aucune autre.

MÉNÉLAS

Si mon esprit est sain, c'est ma vue qui se trouble.

HÉLÈNE

Regarde-moi. Ne vois-tu pas bien que je suis ta femme ?

MÉNÉLAS

Tu es pareille à elle. Mais l'évidence est contre toi[1].

HÉLÈNE

Vois. Que veux-tu de plus ? Qui mieux que toi peut me
reconnaître ?

MÉNÉLAS

Tu lui ressembles. Cela, je ne puis le nier.

HÉLÈNE

Et qui t'enseignera mieux que tes propres yeux ?

MÉNÉLAS

Ce qui dérange tout, c'est que j'ai une autre femme.

HÉLÈNE

Ce n'est pas moi qui suis allée à Troie, c'est un fantôme.

MÉNÉLAS

Voyons, qui forme ainsi des corps doués de vie ?

HÉLÈNE

L'éther ! dont les dieux en ont fait l'épouse que tu gardes.

MÉNÉLAS

Quel dieu ? cela dépasse toute attente.

HÉLÈNE

Héra fit ce double de moi, pour que Pâris ne pût me
    prendre.

MÉNÉLAS

Comment donc étais-tu ici, et à Troie tout ensemble ?

HÉLÈNE

La personne eſt en un seul lieu. Le nom peut se trouver
    partout.

MÉNÉLAS

Laisse-moi. J'étais bien assez accablé en arrivant ici.

HÉLÈNE

Quoi ? tu vas donc m'abandonner pour embarquer une
    illusion ?

MÉNÉLAS

Oui. Mais pour être si pareille à Hélène, salut à toi !

HÉLÈNE

Je meurs ! Je ne t'ai retrouvé, ô mon époux, que pour te
    perdre.

MÉNÉLAS

J'en crois, de préférence à toi, mes immenses travaux
    d'Ilion !

HÉLÈNE

O douleur ! quelle femme jamais fut plus malheureuse ?
Ce que j'ai de plus cher me renonce,
et jamais je ne reverrai les Grecs ni ma patrie.

*Arrive par la gauche un
vieux soldat de Ménélas.*

LE SOLDAT

Ménélas, j'erre à ta recherche par toute la contrée,
et j'ai eu grand'peine à te découvrir, envoyé par les
     compagnons qui nous restent.

MÉNÉLAS

Qu'arrive-t-il ? Les Barbares ne sont pas venus les
     dépouiller ?

LE SOLDAT

Il survient un prodige. Mot faible pour l'événement.

MÉNÉLAS

Parle. Qu'apportes-tu qui justifie ta hâte ?

LE SOLDAT

Voici : tes immenses labeurs, tu les souffris en vain.

MÉNÉLAS

C'est déplorer des maux passés. Qu'as-tu à me faire
     savoir ?

LE SOLDAT

Ta femme s'est envolée dans les airs, si haut
qu'elle a disparu, perdue dans le ciel.
En quittant la grotte sacrée où nous veillions sur elle,
elle a dit simplement : « O malheureux Troyens,
et vous, Achéens réunis, c'est donc pour moi qu'aux
     rives du Scamandre
vous alliez mourir, victimes d'Héra et de ses calculs!
convaincus que Pâris possédait Hélène, et c'était faux!
Je suis restée tout le temps qu'il fallait
pour obéir à l'ordre du destin. Je retourne au ciel vers
     mon père.
La pauvre Tyndaride fut décriée à tort; elle était inno-
     cente. »

                              (Il aperçoit Hélène.)

Mais salut, fille de Léda! Tu étais donc ici?
quand moi j'annonçais ton départ
pour le monde des étoiles, ignorant que tu eusses
　　　des ailes?
Je ne te permets pas de te moquer de nous une seconde
　　　fois.
Tu as assez sous Troie fait peiner ton époux avec
　　　ses alliés!

MÉNÉLAS

C'était donc vrai. Le récit confirme ce qu'elle a dit.
O jour désiré qui t'a rendue à mes embrassements!

TROISIÈME STASIMON

HÉLÈNE

O Ménélas mon bien-aimé, après si longtemps, quel
    bonheur enfin!
Voyez, amies, je retrouve avec joie mon époux,
mes bras l'enlacent tendrement,
après tant de retours du soleil éclatant !

MÉNÉLAS

Et moi de même. J'en aurai si long à te dire
que je ne sais par où commencer.

HÉLÈNE

La joie fait courir un frisson jusque dans mes cheveux
mes larmes coulent, mes bras t'étreignent
pour saisir leur félicité.

MÉNÉLAS

O vue chérie qui est tout mon bonheur.
Celle que je tiens est bien celle qui naquit de Zeus et de
    Léda.
Parmi les flambeaux des noces, ses frères sur leurs che-
    vaux blancs
la félicitaient autrefois.
Puis de mon foyer un dieu te ravit
pour t'envoyer vers de plus hauts destins.

HÉLÈNE

Le malheur s'est mué en bonheur,
pour nous réunir, mon époux[1],
Après une si longue attente, puissé-je enfin me réjouir !

LE CORYPHÉE

Réjouis-toi, tel est mon vœu.

L'un de vous ne saurait souffrir sans que l'autre souffre
aussi.

HÉLÈNE

Fini, amies, de lamenter le passé, d'en éprouver de la dou-
leur.
J'ai mon époux, alors que depuis tant d'années
j'attendais qu'il revînt de Troie.

MÉNÉLAS

Enfin nous sommes l'un à l'autre.
Mille fois le soleil s'est levé, jours épuisants,
avant que j'aie compris qu'une déesse me trompait.
A présent, c'est de joie que je pleure,
le temps des larmes est passé.

HÉLÈNE

Que dire ? qui jamais en aurait espéré autant ?
Je serre contre moi celui que je n'attendais plus.

MÉNÉLAS

Et je te serre moi aussi, toi que je pensais partie vers l'Ida
vers les murs de la malheureuse Troie !
Ah! par les dieux, dis-moi comment l'on t'a ravie à ma
demeure.

HÉLÈNE

Douleur ! C'est remonter à une source amère,
demander un amer récit !

MÉNÉLAS

Parle, car un présent des dieux n'admet aucun refus[1].

HÉLÈNE

Mais j'exècre les mots que je vais devoir dire...

MÉNÉLAS

Dis-les cependant. Les malheurs passés sont doux à
entendre.

HÉLÈNE

Je n'allais pas vers le lit d'un jeune barbare,
au vol de la rame, au vol d'un désir pour un hymen cou-
pable !

MÉNÉLAS

Quel génie, quel destin te sépara de ta patrie ?

HÉLÈNE

Le fils de Zeus et de Maïa m'apporta sur le Nil.

MÉNÉLAS

O prodige ! qui l'envoyait ? Étonnante parole !

HÉLÈNE

J'en pleure encore. Les larmes trempent mon visage.
L'épouse de Zeus m'a perdue.

MÉNÉLAS

Héra ? Que gagnait-elle à nous faire souffrir ?

HÉLÈNE

O bains, ô sources de l'Ida[1], où venaient les déesses
raviver leur beauté : de là partit le choix fatal.

MÉNÉLAS

Et comment est-ce toi qu'Héra pour ce choix accabla de
douleur ?

HÉLÈNE

Pour me retirer à Pâris...

MÉNÉLAS

Comment ? parle donc !

HÉLÈNE

Cypris à lui m'avait promise.

MÉNÉLAS

O malheureuse !

HÉLÈNE

Oui, malheureuse ! C'est ainsi qu'elle m'envoya en Égypte.

MÉNÉLAS

Et ne lui livra, m'as-tu dit, qu'un fantôme ?

HÉLÈNE

Et toi, ma mère, combien tu souffris,
assise à ton foyer, ô douleur !

MÉNÉLAS

Que dis-tu ?

HÉLÈNE

Ma mère n'est plus ; elle se pendit
tant elle avait honte de mon adultère.

MÉNÉLAS

Hélas ! Mais Hermione notre fille, elle vit ?

HÉLÈNE

Sans époux, sans enfant, à pleurer sur mon illusoire
hymen.

MÉNÉLAS

Tu ravageas, Pâris, tu renversas ma maison,
puis la ruse d'Héra te détruisit toi-même,
avec tant d'Achéens vêtus de bronze.

HÉLÈNE

Elle me jeta, condamnée et maudite,
loin de ma patrie, de ma ville et de toi.
Mais quand je dus quitter mon foyer et mon lit,
du moins je n'allais pas vers des noces de honte.

QUATRIÈME ÉPISODE

LE CORYPHÉE

Si désormais votre sort reste heureux,
ce ne sera pas trop au regard du passé.

LE SOLDAT

Donnez-moi, Ménélas, ma part de votre joie.
J'y assiste sans bien la comprendre.

MÉNÉLAS

Certes, vieux père, interroge-nous donc.

LE SOLDAT

N'est-ce pas elle qui se donna spectacle de nos travaux
     à Troie ?

MÉNÉLAS

Elle ? non pas, car les dieux nous avaient joués,
nos bras n'ont saisi qu'une image funeste, une nuée.

LE SOLDAT

Ah, que dis-tu ? C'était pour un nuage que nous peinions
     en vain ?

MÉNÉLAS

Par la faute d'Héra, et du conflit des trois déesses.

LE SOLDAT

Et celle-ci qui est vivante, elle est donc vraiment ton
     épouse ?

MÉNÉLAS

Elle-même. Tu peux en croire ma parole.

Le soldat

Ah, ma fille, que la divinité est chose capricieuse
et insondable! Elle excelle à nous agiter, à nous retour-
          ner de-ci, de-là.
L'un souffre, l'autre est indemne un moment, puis périt
          pitoyable.
Ton mari et toi, vous avez eu votre part de misère.
Toi, tu as souffert du mépris, lui de son ardeur au
          combat.
Il s'efforça tant qu'il pouvait, pour ne rien obtenir.
Aujourd'hui lui échoit, et sans qu'il l'ait cherché, le plus
          grand des bonheurs.
Ton vieux père et les Dioscures n'ont pas à rougir de tes
          actes,
puisque tu n'as rien fait de ce que l'on t'impute.
  Je puis donc maintenant me rappeler tes noces,
quand je portais la torche en courant à côté du
          quadrige,
où toi, la fiancée, tu étais assise à côté de lui,
quittant l'heureuse maison de ton père.
Méchant serviteur, celui qui tient ses maîtres pour
          si peu
qu'il reste à part de leurs joies, de leurs peines.
Je ne suis qu'un valet, mais je voudrais être compté
parmi les nobles, oui, les esclaves nobles,
et que, de l'homme libre, le nom seul me manquât,
non le cœur. Cela vaut mieux que de souffrir
en une seule personne, d'un double mal, avoir une
          âme basse
et devoir obéir aux autres, pour être né en servitude.

Ménélas

Allons, vieux père, tu as peiné, lutté à mon côté,
prends maintenant part à ma joie.
Va là-bas dire aux nôtres ce que tu as trouvé ici et en quel
          point nous sommes.
Qu'ils restent sur la côte en alerte, prêts aux combats que
          je prévois,
et qu'ils guettent un moyen de dérober Hélène,
afin que, s'il se peut, unis en une même fortune,
nous nous sauvions de ces Barbares.

Le soldat

Ce sera fait, seigneur. Mais combien ces devins
m'ont révélé leur vanité et leurs mensonges !
Que peuvent nous apprendre les flammes de l'autel
ou le cri des oiseaux ? Quelle naïveté
dans la seule pensée que des oiseaux aident des hommes !
Calchas n'a jamais dit, ni laissé entendre à l'armée
qu'il voyait ses amis mourir pour un nuage,
ni Hélénos, et vaine fut la prise de la ville.
Un dieu, dira-t-on, le voulait ainsi.
Mais alors, à quoi bon demander des oracles ? Nous
            devons
sacrifier et prier les dieux, sans faire cas des prophéties.
On les a inventées pour piper les mortels.
Les présages du feu n'ont jamais enrichi qui ne
            travaille pas.
Le vrai devin, c'est un sens droit et du courage.

Il sort à gauche.

Le coryphée

Sur les devins, je pense comme ce vieil homme.
Se faire aimer des dieux, c'est avoir chez soi le meilleur
        des oracles.

Hélène

Il suffit. Jusqu'ici, il est vrai, tout va bien.
Mais comment, mon ami, es-tu arrivé sauf de Troie ?
Je ne gagnerai rien à le savoir, sinon qu'on désire
        toujours
être informé sur les malheurs des siens.

Ménélas

D'un seul mot, d'une seule traite, tu demandes là bien des
        choses.
Comment te dire nos erreurs sur l'Égée,
les fanaux qu'en Eubée Nauplios alluma,
la Crète, la Libye et le Guet de Persée[1]? Je te rassasierais
de paroles qui feraient ma souffrance aussi vive

qu'au moment de l'épreuve, et ce serait doubler nos
    peines.

HÉLÈNE

Ta réponse est plus sage que ne fut ma demande
Laisse le reste et dis-moi seulement
combien de temps tu tracassas sur le champ de la mer.

MÉNÉLAS

En plus des dix années de Troie, j'en ai passé sept autres
        pour arriver ici[1].

HÉLÈNE

Hélas, hélas, infortuné, ô longue attente!
Et tu ne fus sauvé que pour trouver ici la mort!

MÉNÉLAS

Que dis-tu? Ah! quel coup tu me portes!

HÉLÈNE

Il faut fuir d'ici au plus vite.
L'homme dont voilà le château peut te tuer.

MÉNÉLAS

Mais qu'ai-je fait pour mériter un tel malheur?

HÉLÈNE

Ton arrivée gêne son espoir, car il veut m'épouser.

MÉNÉLAS

Quoi donc? Quelqu'un voulait s'unir à celle qui est
    mienne?

HÉLÈNE

Et me faire un outrage dont j'ai déjà souffert.

MÉNÉLAS

C'est un homme puissant ? un seigneur du pays ?

HÉLÈNE

Le roi lui-même, et le fils de Protée.

MÉNÉLAS

Voilà donc ce que la servante disait à mots couverts!

HÉLÈNE

A laquelle as-tu donc frappé, de ces portes barbares ?

MÉNÉLAS

A celle-ci. J'en fus chassé comme un mendiant.

HÉLÈNE

Tu demandais ton pain ? Que dois-je entendre ?

MÉNÉLAS

En fait c'était cela, si le mot ne fut pas prononcé.

HÉLÈNE

Tu sais donc tout, je crois, au sujet de mes noces.

MÉNÉLAS

Je ne sais pas si tu as pu y échapper.

HÉLÈNE

Sache que j'ai pour toi gardé mon lit intact.

MÉNÉLAS

Quel gage en ai-je ? Je suis heureux si tu dis vrai.

HÉLÈNE

Vois-tu sur ce tombeau ce grabat ? C'est ma couche.

MÉNÉLAS

Cette jonchée ? Ah, pauvre amie ! mais à quoi te sert-elle ?

HÉLÈNE

A obtenir des dieux qu'ils me sauvent du lit royal.

MÉNÉLAS

Est-ce ici la coutume ? N'y a-t-il pas d'autels ?

HÉLÈNE

Un temple ne saurait m'offrir un asile plus sûr.

MÉNÉLAS

Je ne puis donc te ramener dans nos foyers ?

HÉLÈNE

C'est l'épée qui t'attend, bien plutôt que mon lit.

MÉNÉLAS

Je dois donc être le plus infortuné des hommes.

HÉLÈNE

Bannissant tout scrupule, il faut t'enfuir d'ici.

MÉNÉLAS

En te laissant ? Moi qui pour toi ai détruit Troie !

HÉLÈNE

Cela vaut mieux que de mourir pour me rester fidèle.

MÉNÉLAS

Ce serait agir en homme sans cœur, non en vainqueur
de Troie.

HÉLÈNE

Tu penses peut-être à tuer le roi ? Tu ne le pourrais.

MÉNÉLAS

Allons[1] ! Son corps au fer est donc invulnérable ?

HÉLÈNE

Tu verras bien. Essayer l'impossible n'est pas d'un
homme sage.

MÉNÉLAS

Je dois donc me taire, et tendre les mains, pour qu'on
me les lie ?

HÉLÈNE

Oui, tu es dans l'impasse. Il faut trouver un plan.

MÉNÉLAS

S'il me faut mourir, que ce soit en me défendant.

HÉLÈNE

Il nous reste un espoir, un seul, de nous sauver.

MÉNÉLAS

Faut-il corrompre, intimider, persuader ?

HÉLÈNE

Le tyran doit ignorer ta présence.

MÉNÉLAS

Qui l'en avertirait ? Il ne saura pas qui je suis.

HÉLÈNE

Il a chez lui une alliée forte comme les dieux.

MÉNÉLAS

Un oracle installé au fond de sa demeure ?

HÉLÈNE

Non, mais sa sœur, que l'on nomme Théonoé.

MÉNÉLAS

Un vrai nom de voyante. Et quel est son pouvoir ?

HÉLÈNE

Elle sait tout. Elle dira ta présence à son frère.

MÉNÉLAS

Faute de pouvoir la tromper, je devrai donc périr ?

HÉLÈNE

Peut-être pourrions-nous la prier, obtenir d'elle[1]...

MÉNÉLAS

Quoi donc ? quel espoir me fais-tu miroiter ?

HÉLÈNE

... qu'elle cache à son frère que tu te trouves ici.

MÉNÉLAS

Et si nous la persuadons, nous pourrons nous enfuir ?

HÉLÈNE

Avec son aide ce serait facile, mais impossible à son insu.

MÉNÉLAS

Ce sera ton ouvrage. Aux femmes de s'entendre
entre elles.

HÉLÈNE

A mes bras suppliants elle ne pourra dérober ses genoux.

MÉNÉLAS

Bien. Si cependant notre prière est repoussée ?

HÉLÈNE

Tu mourras et mon corps sera pris par la force, ô
malheur!

MÉNÉLAS

Tu me trahirais donc ? La contrainte est pour toi un
prétexte!

HÉLÈNE

Par ta tête, je fais le serment redoutable...

MÉNÉLAS

De mourir, plutôt que d'entrer dans un autre lit ?

HÉLÈNE

Frappée du même fer, de m'étendre à côté de toi!

MÉNÉLAS

En foi de quoi touche-moi la main droite!

HÉLÈNE

Je la touche et mourrai si tu meurs!

MÉNÉLAS

Et si je suis privé de toi, je finirai ma vie.

HÉLÈNE

Et comment ferons-nous pour mourir avec gloire ?

MÉNÉLAS

Sur ce tombeau je te tuerai et me tuerai ensuite,
mais après avoir lutté jusqu'au bout
pour toi, pour la compagne de mon lit. Ose approcher
    qui la menace !
Je ne souillerai pas ma gloire acquise à Troie,
et ne rentrerai pas en Grèce pour m'y faire accuser.
Thétis pour ma cause a perdu son Achille,
j'ai vu le corps sanglant d'Ajax, le fils de Télamon,
Nestor fut privé d'Antimaque. Et quand il s'agit
de mon épouse, je refuserais de mourir ?
Oui, je saurai mourir, songeant que si les dieux
    sont sages,
quand un homme de cœur succombe en combattant,
d'une terre légère ils entourent son corps au tombeau,
mais écrasent le lâche sous un tertre de pierres[1].

LE CORYPHÉE

O dieux ! La race de Tantale puisse enfin
connaître le bonheur après de si grands maux !

HÉLÈNE (*s'approchant de la porte du palais*)

O malheureuse, ô fâcheux coup du sort !
Ménélas, nous sommes perdus ! J'entends sortir
Théonoé la prophétesse, résonner la maison
du choc des verrous que l'on tire. Fuis ! mais à quoi bon ?
Absente aussi bien que présente, elle sait que tu es en
    ces lieux.
Malheur à moi, je suis perdue !
Tu es sorti vivant de Troie et de ton errance en terre
    étrangère,
pour retomber ici sous l'épée d'un Barbare.

> *Théonoé sort du palais avec
> une escorte.*

Théonoé

Toi, porte devant moi le flambeau allumé,
et, suivant le rite sacré, envoie jusqu'au fond de l'éther
les vapeurs du soufre, pour que l'air du ciel nous
　　　arrive pur.
Et toi, promène la flamme lustrale
sur le chemin qu'un pied profane a peut-être souillé.
Secoue la torche devant moi, afin que je puisse avancer.
Quand j'aurai pour les dieux accompli mon office
vous rapporterez ce feu au foyer domestique.
　　　Hélène. que dis-tu de mes prédictions ?
Ménélas ton mari est de retour devant tes yeux,
séparé de sa flotte et du fantôme à ton image.
Infortuné, qui as traversé tant d'épreuves
et qui ne sais si tu reverras ta patrie ou s'il te faut
　　　rester ici!
La discorde est parmi les dieux. Ils décideront de
　　　ton sort
dans l'assemblée de Zeus, aujourd'hui même.
Héra longtemps te fut hostile.
Favorable aujourd'hui, elle entend bien te ramener
　　　chez toi,
avec Hélène, et que la Grèce apprenne
que l'hymen de Pâris, ce cadeau d'Aphrodite, fut pure
　　　illusion.
En revanche Cypris voudrait empêcher ton retour
pour éviter qu'on sache qu'elle acheta le prix de la beauté
mais qu'elle n'avait pas le droit de vendre pour cela la
　　　main d'Hélène[1].
　　　La décision se trouve en mon pouvoir. Le vœu de
　　　Cypris s'accomplit,
si je te perds en révélant ta présence à mon frère.
Ou bien, tenant avec Héra, je sauverai ta vie
en me taisant. Or, il m'a donné l'ordre
de l'avertir si tu venais à débarquer...
　　　Holà, quelqu'un! qu'on aille le lui dire,
afin que moi du moins je ne coure aucun risque.

Hélène

Je tombe, ô vierge, en suppliante à tes genoux,
et me prosterne ainsi qu'il sied au misérable,

t'implorant pour moi et pour lui, lui qu'à peine enfin
     retrouvé
je suis sur le point de voir étendu mort!
Non! ne révèle pas à ton frère que mon époux
se trouve ici, et tenu dans mes bras aimants.
Sauve-le. Ah! je t'en supplie!
N'immole pas la piété à ton frère,
en achetant sa gratitude au prix d'une injuſtice criminelle.
Dieu hait la violence. Il interdit de rien se procurer par le
     pillage.
Une richesse mal acquise eſt tôt perdue.
Car le ciel eſt un bien commun à tous les hommes,
la terre également : remplissons nos foyers de leurs dons
sans posséder le bien d'autrui ni rien prendre par force.
Hermès pour mon bonheur, pour mon malheur aussi,
m'a confiée à ton père, afin de me garder pour Ménélas
que voilà présent et qui veut me reprendre.
Il ne le peut que s'il survit. Comment Protée
pourrait-il à un mort remettre une vivante ?
Agis donc à la fois pour Hermès, pour ton père :
Le dieu et le défunt veulent-ils, oui ou non,
que l'on rende un dépôt à son maître ?
Je suis sûre que oui. Dois-tu vraiment
accorder moins à ton excellent père qu'à un frère égaré ?
Étant voyante et ayant foi aux dieux,
si tu mets à néant l'aĉte juſte accompli par ton père,
en faveur d'un devoir envers ton frère injuſte,
la science du divin te devient flétrissure,
car tu ne connaîtrais le présent, l'avenir, que pour
     ignorer la juſtice.
     Tu me vois malheureuse, en tant de maux plongée :
sauve-moi! faible faveur pour toi, mais qui peut décider
     de mon sort.
Hélène! Eſt-il un mortel qui ne la haïsse ?
On dit partout en Grèce que j'ai pu trahir mon époux
pour aller vivre aux palais dorés des Phrygiens.
Si je retourne à Sparte, ils sauront, ils verront, que la
     perte leur vint
des plans des dieux, sans que jamais j'eusse trahi
     les miens.
Ils me rendront mon bon renom,
je marierai ma fille dont nul ne veut pour femme,
je quitterai l'amer exil qui m'attendait ici,

pour jouir des trésors qui sont dans mon palais.
Ah! si Ménélas était mort, sacrifié à une tombe[1],
je lui aurais offert de loin le tribut de mes larmes.
Mais n'est-il là, sauvé, que pour m'être ravi ?

   O vierge, ne le souffre pas, écoute ma prière,
en m'accordant ce que je te demande, conduis-toi à
     l'instar
de ton père, ce juste. Est-il gloire plus belle
pour qui est issu d'un père excellent, que d'aller sur
     ses traces ?

THÉONOÉ

Tout ce que tu me dis m'inspire une pitié
qui se porte vers toi. Je veux aussi entendre Ménélas :
que dira-t-il pour défendre sa vie ?

MÉNÉLAS

Théonoé, je n'irai pas jusqu'à tomber à tes genoux,
ni à verser des pleurs. Car ma gloire troyenne
s'offusquerait de semblable faiblesse.
On dit bien qu'un homme de cœur
peut à ses malheurs accorder des larmes.
Mais si c'est là un privilège,
je ne suis pas de ceux qui le réclament. Je préférerai le
     courage.
S'il te plaît toutefois de sauver l'étranger
qui vient fort de son droit pour reprendre sa femme,
ah! rends-la moi et en plus laisse-moi la vie! Si tu refuses,
ce ne sera pour moi qu'un malheur après beaucoup
     d'autres,
mais toi tu y perdras ton renom de bonté.
La prière qui me paraît digne de moi, conforme à la
     justice,
faite surtout pour te toucher le cœur,
je la dirai en m'approchant du tombeau de ton père[2].
« O Vénérable en ta maison de pierre,
rends-moi ma femme que je viens réclamer.
Zeus ici l'envoya pour que tu me la gardes sauve.
Je ne puis, je le sais, la recevoir de toi, un mort.
Mais ta fille ne voudra pas que son père, sommé par moi
     dans les enfers,
voie ternie sa gloire, jadis sans rivale.

Car c'est elle à présent qui a pouvoir d'agir pour lui. »
Hadès, dieu infernal, toi aussi je t'appelle à mon aide!
Que de corps tu reçus pour la cause d'Hélène, fauchés
      par mon épée!
Tu as d'avance touché ton salaire.
Tu dois ou bien les renvoyer en vie,
ou exiger de cette femme une piété plus grande encore
que celle de son père, et qu'elle me rende mon épouse.
Si vous me l'enlevez, sachez de moi ce qu'elle n'a pas dit :
car un serment me lie, entends-le, jeune dame.
J'ai juré tout d'abord de combattre ton frère,
jusqu'à la mort de l'un de nous, et sans merci.
S'il se dérobe à ce duel, et veut nous forcer par la faim,
nous, suppliants sur ce tombeau,
j'ai résolu de tuer Hélène et moi-même ensuite,
m'enfonçant dans le cœur ce glaive à deux tranchants,
et sur ce tertre même, pour que le sang ruisselle
jusque dans le sépulcre. On nous verra gisant
côte à côte, deux corps sur la dalle polie,
pour ton éternelle souffrance, l'opprobre éternel de
      ton père.
Car Hélène jamais n'épousera ton frère,
ni aucun autre. Mais c'est moi qui l'emmènerai :
vers la patrie si je le puis, ou sinon chez les morts.
Si j'en venais aux pleurs, comme une femme,
j'exciterais, je le sais bien, plus de pitié. Mais c'est agir
      que je veux.
Fais-moi mourir, si bon te semble. Je mourrai sans
      m'être abaissé.
Laisse-toi plutôt fléchir cependant
et sers la justice en me rendant Hélène.

LE CORYPHÉE

C'est à toi, jeune fille, qu'il appartient de prononcer.
Rends un arrêt que tous approuvent.

THÉONOÉ

Je suis née pour servir les dieux et c'est mon seul désir.
J'ai souci de ma gloire, et celle de mon père
sera par moi gardée intacte. Je ne ferai pas à mon frère
une faveur qui ternirait mon nom.

Mon cœur est un temple où la justice habite,
innée en moi. Nérée me fit ce don
qui me porte aujourd'hui à vouloir sauver Ménélas.
Héra t'est favorable : mon suffrage donc se joindra
     au sien.
Quant à Cypris, qu'elle me soit propice. Mais nous
     n'avons rien de commun,
et mon effort toujours sera pour rester vierge.
Ce que près du tombeau tu revendiques de mon père
me paraît juste, et je commettrais une faute
en refusant de te restituer ta femme. Car s'il vivait
il vous aurait l'un à l'autre rendus.
Oui, pour des actes tels, il est des sanctions dans le
     monde infernal,
ainsi que parmi les vivants. L'âme des trépassés
a cessé d'être active, mais garde sa conscience
éternelle, en s'unissant à l'éternel éther.
En un mot, je tairai ce que vous me priez de taire;
la folie de mon frère n'aura pas en moi de complice.
Car malgré l'apparence, c'est lui rendre service
que de le ramener du sacrilège à la piété.
    A vous maintenant de chercher une issue.
Je me contenterai de rester à l'écart, en silence.
Commencez par les dieux, priez
Cypris, qu'elle te laisse, Hélène, rentrer dans ta patrie,
Héra, qu'elle persiste à vouloir vous sauver.
    Et toi, père défunt, autant qu'il dépendra de moi,
nul ne ternira ta sainte mémoire.

Elle rentre dans le palais
avec sa suite.

LE CORYPHÉE

L'homme injuste jamais ne jouit du bonheur.
Au juste seul est promis le salut.

HÉLÈNE

Théonoé a fait pour nous sauver tout ce qui dépend
     d'elle.
A toi maintenant, Ménélas, d'apporter ton avis
pour établir ensemble le plan de notre fuite.

MÉNÉLAS

Écoute donc. Tu es ici depuis longtemps,
vivant parmi les serviteurs du roi.

HÉLÈNE

Quelle idée as-tu en disant cela ? Tu as, j'en suis certaine,
conçu pour nous un dessein excellent.

MÉNÉLAS

Parmi ceux qui ont la charge des quadriges
n'en est-il pas que tu pourrais persuader de nous livrer
    un char ?

HÉLÈNE

Sans doute. Mais comment nous enfuir
à travers le site inconnu de ce pays barbare ?

MÉNÉLAS

Impossible, c'est vrai. Et si je me cachais dans le château
pour tuer le roi de mon épée bien aiguisée ?

HÉLÈNE

Mais sa sœur romprait son silence!
Crois-tu qu'elle supporterait que tu assassines son frère ?

MÉNÉLAS

Sans compter que nous n'avons plus même un bateau.
La mer a emporté le mien.

HÉLÈNE

Si tu veux d'un conseil donné par une femme, écoute :
accepterais-tu, en restant vivant, de passer pour mort ?

MÉNÉLAS

C'est d'un fâcheux présage. Mais si j'ai profit à le dire[1],
je suis prêt vivant à passer pour mort.

Hélène

J'irai me lamenter à la mode des femmes,
et, les cheveux coupés, mener mon deuil devant l'impie.

Ménélas

En quoi en serons-nous sauvés ?
La feinte est bien usée.

Hélène

Tu fus noyé en mer, ainsi dirai-je,
en demandant au roi, pour toi, un cénotaphe.

Ménélas

Admettons qu'il l'accorde. Sans un navire,
que nous servira-t-il de m'enterrer vivant ?

Hélène

Je demanderai une barque, d'où jeter à ton intention
une offrande funèbre dans le sein de la mer.

Ménélas

Bien combiné. Mais s'il te répond de faire les obsèques
sur la terre ferme, ton prétexte ne vaut plus rien.

Hélène

Je lui dirai que les coutumes grecques
ne veulent pas que l'on enterre les noyés.

Ménélas

Tu as raison encore! Ainsi donc je m'embarque avec toi,
emportant les présents dus aux morts.

Hélène

Tu devras être là avec tous les marins
qui ont échappé au naufrage.

MÉNÉLAS

Que seulement j'aie un navire prêt à partir!
tous seront en rang, l'épée à la main!

HÉLÈNE

C'est à toi de veiller à tout. Pourvu qu'un bon vent
nous souffle dans les voiles et que le bateau vole[1].

MÉNÉLAS

Il en sera ainsi. Les dieux mettront bien un terme à mes
    épreuves.
Mais quel messager, diras-tu, t'a fait savoir ma mort?

HÉLÈNE

Toi-même. Seul, diras-tu, parmi les gens de Ménélas
tu réchappas et tu le vis mourir.

MÉNÉLAS

Vois ces lambeaux sur moi, ces restes du naufrage:
ils confirmeront mon récit.

HÉLÈNE

Fort à propos, après un si fâcheux désastre!
Que le malheur, sans plus attendre, tourne à notre profit!

MÉNÉLAS

Dois-je avec toi entrer dans le logis,
ou m'asseoir immobile auprès de ce tombeau?

HÉLÈNE

Demeure ici, car si le roi voulait te maltraiter,
la tombe te protégerait ainsi que ton épée.
Moi j'entre là pour couper mes cheveux,
changer ma robe blanche contre une robe noire,
et marquer mes joues d'un ongle sanglant.

L'enjeu est grave, et je vois osciller le fléau :
ou bien ma feinte est découverte et il me faut mourir,
ou bien j'arrive à te sauver et nous rentrons à notre
        foyer.

O déesse allongée sur la couche de Zeus,
Héra! accorde un répit à deux pauvres humains.
Nous t'en prions, les bras haut tendus vers le ciel,
où tu résides parmi les astres scintillants.

    Et toi qui as conquis, au prix de ma personne, le prix
        de la beauté,
Cypris fille de Dioné, veuille ne pas me perdre.
C'est bien assez du mal que tu m'as déjà fait
en livrant aux Barbares, sinon mon corps, ce qui du
        moins porta mon nom.
Si tu veux me tuer, permets que je ne meure
que sur le sol de ma patrie. Es-tu donc de souffrance
        insatiable,
toujours à préparer. amours, pièges et tromperies,
philtres sanglants qui perdent les familles ?
Si tu gardais plus de mesure, nulle déesse
n'aurait pour les mortels autant de charme. Je le dis et
        dis vrai.

> *Elle entre dans le palais.*
> *Ménélas va se blottir derrière le*
> *tombeau.*

QUATRIÈME STASIMON

STROPHE I

Le chœur

Hôte des fourrés, des retraites des Muses,
rossignol, le plus harmonieux des oiseaux,
toi dont la voix n'est qu'un sanglot,
viens, que les trilles de ta gorge rousse
accompagnent ma plainte.
Je chante la peine d'Hélène, et celle des femmes de Troie
pleurant les coups des lances achéennes.
Le navire barbare, lancé sur la plaine écumeuse,
au foyer de Priam avait fait pénétrer,
Hélène, ton fatal amour.
Pâris, funeste fiancé, t'avait ravie de Sparte,
conduit par Aphrodite.

ANTISTROPHE I

Combien de Grecs, sous la lance et la fronde,
sont partis sans vie pour le sombre Hadès!
en laissant dans leurs maisons veuves des femmes aux
    cheveux rasés!
Dans son île d'Eubée, rameur solitaire
un seul homme sur son bateau perdit cent Achéens[1],
allumant fanaux et bûchers
pour les attirer vers les rocs Capharée, les récifs de
    l'Égée
à la lueur d'astres trompeurs.
Le mont Malée n'eut point de havre, et loin de sa patrie
l'orage rejeta Ménélas vers le large,
comme il ramenait de chez les Barbares
le prodige cause de guerre,
illusion œuvre d'Héra.

STROPHE II

Si c'est vraiment un dieu qui nous gouverne,
quel homme, après sa longue enquête,
se vantera d'en être sûr ?
Il voit les dieux agir dans un sens et un autre,
par caprices, revirements, décrets inattendus.
Hélène, tu as beau être fille de Zeus,
qui sous forme d'oiseau t'engendra dans le sein de Léda,
la Grèce pourtant te décrie,
te dit traîtresse, infidèle, perfide et sacrilège.
Nulle part au milieu du tracas des mortels
mon esprit ne trouve la moindre certitude.
Seule m'apparaît véridique
la parole des dieux.

ANTISTROPHE II

Insensé qui poursuit la gloire des combats,
et fou qui croit la lance assez puissante
pour mettre un terme aux malheurs des mortels.
Si le sang décide entre les rivaux,
jamais dans les cités la querelle ne fera trêve.
Elle fit pour les Priamides
un lit dans le sein de la terre,
quand leurs paroles auraient pu
apaiser le conflit né de toi, ô Hélène.
Hadès à présent les a sous sa garde.
Une flamme semblable à la foudre de Zeus
contre leur rempart s'est ruée.
Tu leur apportas peine et chant de deuil
parmi de grands malheurs.

> Théoclymène entre par
> la gauche, suivi de gardes.

CINQUIÈME ÉPISODE

Théoclymène

Salut à toi, sépulcre de mon père! Car si j'ai voulu
    t'inhumer,
ô Protée, à l'entrée du logis, c'est pour ce salut même.
Chaque fois qu'il sort ou qu'il entre,
ton fils Théoclymène te nomme avec respect.
Vous, serviteurs, ramenez au château les chiens et les
    filets de chasse.
    Pour moi, je me suis déjà fait bien des reproches :
ne dois-je pas punir de mort les malfaiteurs ?
Or, j'ai appris qu'un Grec, ouvertement,
a pénétré dans le pays, déjouant ma police,
pour épier peut-être, ou même pour me dérober
Hélène. Que j'arrive à le prendre, il mourra.

    Mais quoi ? Je trouve le coup fait, ce me semble.
La place est vide, qu'elle occupait ici : elle est partie,
la fille de Tyndare! Elle s'est embarquée, elle est loin!

    Holà! Tirez les verrous, faites sortir les chevaux
des écuries, serviteurs, amenez les chars!
Que l'on n'épargne rien pour empêcher l'évasion
de cette femme que je veux épouser!

                    *(Hélène en tenue de deuil sort
                    du palais.)*
    Attendez, car je vois venir celle que je poursuis.
Bien loin de fuir, elle était là dans la maison.
Mais pourquoi donc, Hélène, avoir mis cette robe noire
en place d'une blanche, et sur ta noble tête
avoir porté le fer, fauché ta chevelure,
mouillé de pleurs ta joue au point qu'elle ruisselle encore ?
Est-ce un songe qui t'incite à ces larmes,
ou as-tu reçu de chez toi une nouvelle qui te trouble ?

Hélène

Mon maître, car je dois à présent t'appeler de ce nom,
je suis perdue; tout est fini pour moi.

THÉOCLYMÈNE

Quel malheur te survient ? quel coup du sort ?

HÉLÈNE

Ménélas — j'ai peine à le dire — mon mari n'est plus.

THÉOCLYMÈNE

Je ne veux pas me réjouir de tes paroles. J'en suis heureux pourtant.
Comment sais-tu ? Est-ce Théonoé qui te l'a révélé ?

HÉLÈNE

C'est elle, ainsi qu'un témoin de la mort.

THÉOCLYMÈNE

Quelqu'un est donc venu, qui t'a fait un message sûr ?

HÉLÈNE

Qu'il poursuive sa route comme je le souhaite!

THÉOCLYMÈNE

Qui est-ce ? et où est-il ? Je veux en savoir davantage.

HÉLÈNE

C'est celui qui est là, blotti près du tombeau.

THÉOCLYMÈNE *(voyant Ménélas)*

Apollon! sous quels sordides vêtements!

HÉLÈNE

J'imagine, hélas, mon mari, dans un état semblable.

THÉOCLYMÈNE

Quelle est sa patrie ? Et d'où arrive-t-il ?

HÉLÈNE

C'est un Grec, un des marins de Ménélas.

THÉOCLYMÈNE

De quelle mort a-t-il dit que son maître a péri ?

HÉLÈNE

La plus misérable de toutes : noyé en mer.

THÉOCLYMÈNE

Naviguant sur quel point de la mer étrangère ?

HÉLÈNE

Aux dangereuses côtes de Libye. C'est là qu'il fit
naufrage.

THÉOCLYMÈNE

Et lui, son compagnon, comment donc n'a-t-il pas péri ?

HÉLÈNE

Les petits sont parfois plus heureux que les grands.

THÉOCLYMÈNE

Où pour venir a-t-il laissé l'épave du navire ?

HÉLÈNE

Ah! qu'il y eût péri, au lieu de Ménélas!

THÉOCLYMÈNE

Ménélas est donc mort. L'homme, quel bateau l'amena ?

HÉLÈNE

Des marins l'ont trouvé, l'ont recueilli, dit-il.

THÉOCLYMÈNE

Qu'est devenu cet être qu'Ilion pour sa perte reçut au lieu de toi ?

HÉLÈNE

Tu veux dire l'image, la nuée ? Elle a disparu dans les airs.

THÉOCLYMÈNE

O Priam, ô terre troyenne! Pour quel néant vous avez donc péri !

HÉLÈNE

J'ai eu ma part aussi des épreuves des Priamides.

THÉOCLYMÈNE

L'homme a-t-il déposé ton époux dans la terre ?

HÉLÈNE

Non. Son corps est à l'abandon. Malheur à moi!

THÉOCLYMÈNE

Et c'est pourquoi tu as coupé tes tresses blondes ?

HÉLÈNE

Où qu'il soit à présent, il me fut ici toujours cher[1].

THÉOCLYMÈNE

Tu as vraiment sa mort à déplorer ?

HÉLÈNE

Serait-il aisé d'abuser ta sœur ?

THÉOCLYMÈNE

Non certes. Mais vas-tu persister à te loger sur ce tombeau ?

HÉLÈNE

C'est ma fidélité à mon époux qui me pousse à te fuir[1].

THÉOCLYMÈNE

C'est assez te moquer de moi. Vas-tu toujours penser au mort ?

HÉLÈNE

Plus à présent, et tu peux préparer notre noce.

THÉOCLYMÈNE

Consentement tardif, mais qui me rend heureux.

HÉLÈNE

Sais-tu ce qu'il faut faire ? Oublions le passé.

THÉOCLYMÈNE

Que m'accorderas-tu ? Il me faut faveur pour faveur.

HÉLÈNE

Faisons la paix. Pardonne-moi ma résistance.

THÉOCLYMÈNE

Je ne sais plus rien de notre conflit. Il est oublié.

HÉLÈNE

Puisque te voici mon ami, je t'adjure par tes genoux...

THÉOCLYMÈNE

Qu'as-tu en suppliante à implorer de moi ?

HÉLÈNE

Je voudrais enterrer le corps de mon époux.

THÉOCLYMÈNE

Que veux-tu dire ? Peut-on inhumer un absent ? ensevelir une ombre ?

HÉLÈNE

Les Grecs ont cet usage, si quelqu'un meurt en mer...

THÉOCLYMÈNE

Lequel ? Les Pélopides s'entendent à ces choses[1].

HÉLÈNE

De donner sépulture à un lit vide.

THÉOCLYMÈNE

Célèbre donc le rite. Dresse la tombe où tu voudras.

HÉLÈNE

Non. Nous n'érigeons pas de tertre aux naufragés.

THÉOCLYMÈNE

Que faites-vous alors ? Je n'entends rien à vos coutumes grecques.

HÉLÈNE

Nous embarquons ce que nous destinons aux morts.

THÉOCLYMÈNE

Que dois-je, je te prie, donner pour le défunt ?

HÉLÈNE

Cet homme le sait mieux que moi. Ce malheur jamais ne m'avait atteinte.

THÉOCLYMÈNE *(tourné vers Ménélas)*

Bienvenue, étranger, la nouvelle que tu apportes!

MÉNÉLAS

Non pour moi, à coup sûr, et pour le mort pas davantage.

THÉOCLYMÈNE

Quels honneurs rendez-vous à ceux qui ont péri en mer ?

MÉNÉLAS

Chacun en décide d'après sa fortune.

THÉOCLYMÈNE

Demande à ton gré. Qu'importe la dépense quand il
s'agit d'Hélène ?

MÉNÉLAS

Le sang d'une victime doit d'abord couler pour les morts.

THÉOCLYMÈNE

Quelle victime ? Nomme-la moi, je te l'accorderai.

MÉNÉLAS

Décides-en toi-même. Quoi que tu donnes, ce sera bien.

THÉOCLYMÈNE

La coutume barbare veut un cheval ou un taureau.

MÉNÉLAS

C'est bien, mais assure-toi qu'ils n'aient aucun défaut.

THÉOCLYMÈNE

Avec nos grands troupeaux, nous ne manquons de rien.

MÉNÉLAS

On porte aussi un lit funèbre, qui reste vide.

THÉOCLYMÈNE

Ce sera fait. Que demande encore la coutume ?

MÉNÉLAS

Des armes de bronze, car il aimait la guerre.

THÉOCLYMÈNE

Cadeau digne des Pélopides, nous le ferons.

MÉNÉLAS

Puis tout ce que le sol porte de plus beau.

THÉOCLYMÈNE

Mais ces cadeaux, comment donc les immergez-vous ?

MÉNÉLAS

Un bateau sera nécessaire, et des rameurs.

THÉOCLYMÈNE

De combien devront-ils s'éloigner de la terre ?

MÉNÉLAS

Assez pour que du bord on cesse de distinguer le sillage.

THÉOCLYMÈNE

Quelle raison dicta aux Grecs un tel scrupule ?

MÉNÉLAS

Ainsi la vague vers la terre ne ramènera rien d'impur.

THÉOCLYMÈNE

Vous aurez un bateau phénicien, bon marcheur.

MÉNÉLAS

Ce sera bien, tout à l'honneur de Ménélas.

THÉOCLYMÈNE

Ne suffit-il pas que tu règles tout sans qu'Hélène y aille ?

MÉNÉLAS

C'est un devoir pour une mère, une épouse, un enfant...

THÉOCLYMÈNE

Elle doit donc, à ton avis, présider aux obsèques ?

MÉNÉLAS

Il serait impie qu'un rite funèbre s'accomplît à la dérobée.

THÉOCLYMÈNE

Eh bien soit. Il me convient de former ma femme
    à la piété.
Je vais rentrer. Quand j'aurai composé l'offrande[1],
ne crains pas que je te renvoie les mains vides
après le service que tu rends à Hélène. Tu m'as apporté
    de bonnes nouvelles.
Au lieu de tes loques, tu recevras habits et nourriture
pour te permettre de rentrer chez toi,
car je te vois dans un état bien misérable.
    Et toi, ma pauvre amie, cesse donc de te tourmenter
        sur l'irrévocable[2].
Le sort de Ménélas est accompli, et tes pleurs ne sauraient
    lui rendre la vie[3].

MÉNÉLAS

A l'œuvre à présent, jeune dame. Ton devoir est d'aimer

le mari qui est devant toi, d'oublier celui qui ne
    compte plus.
C'est en ce moment le meilleur parti.
Si je parviens vivant en Grèce j'interdirai qu'on te décrie,
mais à la condition que tu sois une épouse parfaite.

HÉLÈNE

Je le serai, et mon mari n'aura rien à me reprocher.
Tu le verras bientôt toi-même.
    Allons, pauvre homme, entre, pour te baigner
et prendre d'autres vêtements. Je n'ajournerai pas
la récompense que je te réserve : tu feras avec plus
    de cœur
ce qui revient à mon cher Ménélas si je t'ai donné ce que
    je te dois.

Ils rentrent tous les trois dans
le palais.

CINQUIÈME STASIMON

STROPHE I

LE CHŒUR

Jadis en courant, la Mère des dieux
descendit aux vallons boisés,
aux fleuves, à la mer grondante,
Dans son désir de retrouver sa fille disparue,
celle dont nul ne prononce le nom.
Les castagnettes agitées faisaient aller leur tintamarre,
tandis que des fauves traînaient le char de la déesse.
L'enfant avait été ravie dans la ronde de ses compagnes.
En quête d'elle se mirent deux déesses
aux pieds rapides comme la tempête :
Artémis armée de son arc,
Athéna aux yeux fascinants,
prête pour la guerre et tenant sa lance.
[Mais Zeus] qui du ciel les regarde
accomplissait un dessein différent.

ANTISTROPHE I

Lasse de courir, de chercher partout
quel ravisseur lui dérobait sa fille,
arrivée aux sommets neigeux de l'Ida,
où les Nymphes sont aux aguets,
elle tomba désespérée dans le taillis neigeux des rocs.
Elle laisse aux hommes des prés sans verdure !
Nul fruit ne sort plus des sillons :
c'est faire périr notre race !
Elle refuse aux troupeaux leur pâture,
l'herbe fleurissante et crépue.
La vie quitte les villes ; pour les dieux plus de sacrifices,
plus de gâteaux à brûler aux autels.

Elle interdit aux sources de donner leur eau écumante.
Rien ne lui fait oublier son regret.

STROPHE II

Quand elle eut mis fin aux festins
pour les dieux comme pour les hommes,
Zeus voulut adoucir son funeste courroux.
« Allez, dit-il, Grâces augustes,
apaisez par vos cris joyeux
le deuil de la déesse pour sa fille perdue,
et vous, Muses, par vos chœurs et vos chants. »
Cypris alors, la plus belle des bienheureuses,
fit résonner pour la première fois
le bronze grondant et le rhombe tendu de cuir.
Charmée par le cri rituel,
la déesse rit et tendit les mains
à la flûte sonore.

ANTISTROPHE II

. . . . .¹

Hélène et Ménélas sortent
du palais.

SIXIÈME ÉPISODE

Hélène

Tout dans la maison va selon mes vœux, mes amies.
La fille de Protée, secondant notre ruse,
n'a pas dit en réponse aux questions de son frère
que mon époux se trouve ici présent.
Venant à mon aide, elle a déclaré
qu'il est sous terre et ne voit plus le jour.
    Or, il a pu, par chance, s'emparer des armes à jeter dans
        la mer.
Son bras vaillant dans la courroie du bouclier,
la lance à la main droite, il les porte lui-même,
tout comme s'il allait en faire hommage au mort.
Quel bonheur qu'il ait pu s'armer pour un combat,
à disperser mille Barbares, s'il le faut,
quand nous serons parmi les rameurs du navire!
Je lui ai donné un vêtement neuf, en échange du sien
        déchiré par la mer.
Je l'ai paré, baigné. J'ai fait couler sur lui,
l'eau douce si longtemps attendue.

            (Théoclymène sort avec des
            esclaves portant les offrandes.)

    Mais je vois là sortir de la maison
celui qui croit déjà tenir en moi sa femme.
Je dois me taire. Vous aussi, car je compte
sur votre amitié, gardez-moi le silence.
Si nous parvenons à nous échapper, nous viendrons un
        jour vous sauver aussi.

Théoclymène

Avancez, serviteurs, dans l'ordre indiqué par cet homme,
avec les offrandes destinées à la mer.
Pour toi, Hélène, si tu acceptes mon conseil,
crois-moi, reste ici. Qu'importe ta présence
aux honneurs que tu rends à ton mari?
Je redoute en effet que ton regret t'emporte
jusqu'à te laisser glisser à la mer,

égarée par la mémoire du défunt.
Car je te vois pleurer avec excès celui qui n'est plus là.

HÉLÈNE

O mon nouvel époux, je dois bien cet hommage
au premier lit où j'entrai jeune et vierge.
Si grande est ma fidélité à Ménélas
que je mourrais volontiers avec lui.
Mais quel bienfait en aurait-il ? Laisse-moi donc
aller en personne lui porter ces offrandes.
Et que les dieux t'accordent ce que je te souhaite,
à l'étranger aussi, en faveur de son aide !
Ensuite tu m'auras à ton foyer, l'épouse que tu auras
       méritée
par tous tes bienfaits envers Ménélas et envers moi-même.
Nous sommes à présent tout près du but.
L'homme chargé de nous donner le vaisseau du convoi,
qu'il reçoive tes ordres, et rien ne manquera à ma recon-
       naissance.

THÉOCLYMÈNE

Toi, va, et dis qu'on leur prépare un bateau de Sidon,
avec cinquante rameurs à leurs bancs.

HÉLÈNE

Et qui commandera ? Celui, sans doute, qui préside aux
      obsèques ?

THÉOCLYMÈNE

Assurément. Mes marins auront à lui obéir.

HÉLÈNE

Répète l'ordre, afin que tous l'entendent bien.

THÉOCLYMÈNE

Je le répète, et, si tu veux, une troisième fois.

HÉLÈNE

Que les dieux te protègent, et moi aussi, en mon dessein.

THÉOCLYMÈNE

Ton teint va se flétrir. Tu verses trop de larmes.

HÉLÈNE

Le jour présent te prouvera ma gratitude.

THÉOCLYMÈNE

Que sont les morts ? peine perdue, et rien de plus !

HÉLÈNE

Je pense à des morts et à des vivants[1].

THÉOCLYMÈNE

Le mari que pour toi je serai vaudra bien Ménélas.

HÉLÈNE

Je n'ai qu'à me louer de toi. Au destin de faire le reste.

THÉOCLYMÈNE

Cela dépend de toi, du bon vouloir que tu m'accorderas.

HÉLÈNE

Je sais depuis longtemps aimer ceux que je dois.

THÉOCLYMÈNE

Veux-tu que je dirige avec toi le convoi ?

HÉLÈNE

Y penses-tu ? Tu n'as pas, seigneur, à servir tes esclaves.

THÉOCLYMÈNE

C'est bien. Que m'importe, après tout, la loi sacrée des Pélopides ?

Ma maison n'est point polluée, car ce n'est pas ici
que Ménélas a expiré. Que l'on aille dire à mes intendants
d'amener au palais tout l'appareil des noces.
Je veux que le pays entier résonne d'hymnes d'allégresse
pour mon hymen avec Hélène, et que tout le monde
m'envie.
    Toi, l'homme, va donner dans le sein de la mer
ces cadeaux à celui qui fut son époux avant moi.
Puis reviens aussitôt me ramener ma femme,
et recevoir ta part du festin nuptial
avant de rentrer chez toi, ou de rester chez nous, pour
    ton bonheur.

Il rentre dans le palais.

MÉNÉLAS

Zeus, toi qu'on nomme un père et un dieu sage,
ah! regarde vers nous, épargne-nous d'autres malheurs.
Nous peinons vers le faîte en remorquant notre
    infortune,
viens aider notre effort! Que le bout de ton doigt nous
    touche seulement
et nous atteindrons notre but. Nous avons bien assez
    souffert!
Que de fois, ô dieux, je vous ai attestés, pour vous
    remercier
et aussi pour me plaindre! Je ne dois pas toujours souffrir,
mais marcher cette fois d'un pas ferme. Accordez-moi
    cette grâce unique
et mon bonheur sera pour toujours assuré.

*Il sort par la gauche avec
Hélène.*

SIXIÈME STASIMON

STROPHE

Le chœur

Phénicienne, Sidonienne,
bon voyage, fine galère,
mère du sillage écumeux, aimée de tes rameurs !
Tu mènes les jeux, les chœurs des dauphins,
quand sous la brise la mer est calme,
quand Bonace aux yeux gris, la fille d'Océan[1]
crie aux marins : « Déployez les voiles,
ouvrez-les au bon vent du large,
prenez vos rames de sapin,
matelots, ohé, matelots !
C'est Hélène que vous ramenez
vers les côtes aux bons mouillages
où règnent les fils de Persée[2]. »

ANTISTROPHE I

Aux rives de l'Eurotas,
devant le temple de Pallas,
les filles de Leucippe sont peut-être à t'attendre[3],
quand tu viendras te joindre, après ta longue absence,
dans la joie d'une nuit de fête,
aux chœurs et aux cortèges en l'honneur d'Hyakinthos[4].
Apollon défié par lui
le tua de son disque lancé,
puis le fils de Zeus exigea que pour sa victime
le pays laconien sacrifiât des bœufs.
Tu reverras la fille restée dans ta maison
et pour qui les flambeaux des noces,
n'ont toujours pas brûlé.

STROPHE II

Ah ! nous envoler vers le ciel,
comme font les grues de Libye
fuyant en longues files l'hiver et ses averses,
au cri d'appel lancé par leur doyenne,
qui les conduit aux pays chauds, aux champs fertiles !
Oiseaux au long cou, rapides rivaux des nuées,
partez vers les Pléiades,
vers Orion qui toute la nuit reste au ciel.
Perchées sur l'Eurotas, annoncez la nouvelle :
Ménélas, le vainqueur de Troie,
rentre dans ses foyers.

ANTISTROPHE II

Sur votre char qui fend l'éther,
par le cercle éclatant des étoiles,
quittez, ô Dioscures, le ciel votre demeure,
pour venir secourir Hélène.
Sur les flots gris et noirs, et sur l'écume blanche,
pour les marins, du ciel obtenez de bons vents.
Et de votre sœur écartez la honte
d'avoir dormi dans le lit d'un Barbare.
De la querelle sur l'Ida elle est victime :
aux remparts d'Ilion que construisit Phoibos,
elle n'alla jamais.

Théoclymène sort du
palais comme un de ses
marins entre par la gauche.

EXODOS

Le marin

Seigneur, je suis fâché de te trouver chez toi,
car je n'ai rien de bon à te faire savoir.

Théoclymène

Qu'est-il donc arrivé ?

Le marin

Va demander la main d'une autre femme,
car Hélène a quitté le pays.

Théoclymène

Elle s'est envolée, ou bien elle est partie à pied ?

Le marin

Ménélas réussit à l'enlever par mer,
le même Ménélas qui vint nous annoncer sa propre mort.

Théoclymène

Ah, méchante nouvelle! Mais avec quel navire ?
Je n'arrive pas à te croire.

Le marin

Celui-là qu'il reçut de toi. Pour tout dire en un mot
il emmène aussi tes propres marins.

Théoclymène

Que s'est-il passé ? Je veux le savoir ? Comment me
    serais-je attendu
qu'un seul pût maîtriser un nombreux équipage dont tu
    faisais partie ?

Le marin

La fille de Zeus quitta donc le palais
pour aller vers la mer à pas menus, gémissant, la rouée,
sur ce mari prétendu mort qui marchait derrière elle.
Arrivés au chantier des navires,
nous faisons lancer le meilleur de tous,
une barque sidonienne bonne pour contenir cinquante
        rameurs.
On travaille à l'envi, à dresser le mât, à fixer les rames[1];
on met en place les voiles blanches, on ajuste les
        courroies du gouvernail.
Nous étions tous à travailler quand nous voyons, guet-
        tant l'instant,
des Grecs, des compagnons de Ménélas,
s'avancer sur la rive, couverts des lambeaux du naufrage,
garçons de solide apparence, malgré leur aspect
        misérable.
En les voyant, le fils d'Atrée feint la compassion et dit :
« Ah, malheureux! quel bateau grec perdu en mer vous a
        ici jetés ?
Ménélas est mort. Venez donc vous joindre aux
        honneurs[2]
que lui rend, quoique absent, la fille de Tyndare. »
Eux faisaient semblant de pleurer,
tout en montant à bord avec des offrandes pour Ménélas.
Cela nous paraissait suspect,
et nous nous disions entre nous que ces passagers étaient
        bien nombreux.
Mais nous n'avons pas protesté, voulant obéir à
        tes ordres.
Car c'est toi qui as tout perdu, en accordant à l'étranger
        le commandement du navire.
    Il fut aisé d'embarquer tout le reste
qui ne pesait pas lourd. Mais le taureau,
amené à la passerelle, refusa d'avancer,
et se mit à meugler, en roulant de gros yeux,
l'échine arquée, lançant entre ses cornes un regard
qui ôtait toute envie de le toucher.
Ménélas alors appela à l'aide :
« Vous qui avez pris Troie, vite enlevez-moi, ainsi qu'on
        fait en Grèce,
ce taureau-là sur vos bonnes épaules,

et emportez-le à la proue. Je tiendrai cependant
mon couteau bien en main[1], et le mort recevra sa victime.
Eux à son cri saisirent le taureau et l'amenèrent sur
le pont.
Quant au cheval, d'une caresse au cou, au front, il le
décida à monter.
Lorsque tout fut enfin embarqué,
Hélène posa son pied fin aux degrés de l'échelle
et s'installa sur le tillac, celui qu'on disait mort à
côté d'elle.
Les autres étaient là, à bâbord, à tribord,
assis deux à deux, chacun son coutelas caché sous le
manteau.
Enfin, parmi le bruit des vagues,
le chef crie un signal que nous reprenons tous en chœur.
Parvenus à bonne distance, ni trop loin, ni trop près
de la terre,
le pilote demande : « Étranger, puisque c'est toi qui
commandes,
faut-il poursuivre, ou est-ce bien ainsi ? »
« Je suis content », dit Ménélas. Prenant son épée, il
court à la proue
se mettre en place pour égorger la bête, et, sans mention-
ner nul défunt,
tranche la gorge en prononçant cette prière : « Seigneur
Posidon,
roi de la mer, et vous, saintes filles de Nérée,
ramenez-moi sain et sauf aux bords de Nauplie, avec mon
épouse,
loin de ce pays. » Un flot de sang avait jailli jusque
dans l'eau,
présage heureux pour l'étranger.
L'un de nous dit alors : « On nous a embarqués par
traîtrise.
Rentrons. Qu'allons-nous faire en Argolide ? Chef,
donne l'ordre[2].
Pilote, vire de bord. » Laissant le taureau mort,
le fils d'Atrée se dresse, hèle ses compagnons :
« C'est le moment, élite de la terre grecque,
de tuer, d'égorger ces Barbares, les jeter à la mer. »
A quoi le maître des rameurs oppose un autre cri :
« Vite, ramassez un levier, mettez les bancs en pièces,
enlevez la rame au tolet, frappez à la tête,

faites saigner ces étrangers, nos ennemis. »

    Nous voilà tous sur pied. Mais nos armes, à nous,
c'était ce que nous arrachions au bâtiment : eux avaient
      des épées.

Le bateau ruisselait de sang. Un appel partait de la poupe
où Hélène excitait ses gens : « Où est votre gloire
      troyenne ?

Révélez-vous à ces Barbares! » Dans le feu du combat,
on tombait, on se relevait, mais beaucoup restaient morts
      sur place.

Ménélas, bien armé, attentif aux endroits où les siens
      faiblissaient,

s'y portait aussitôt, l'épée haute, nous forçant à sauter
      par-dessus bord.

Il vida ainsi les bancs des rameurs. Et quant au pilote,
il lui ordonna de mettre le cap droit sur la Grèce.

Ils dressèrent le mât. Un bon vent leur soufflait en poupe,
et les voilà bien loin.

                  J'ai pu échapper au carnage
en me laissant glisser à l'eau le long de l'ancre.

J'étais épuisé lorsqu'un marin me recueillit, me mit à
      terre,

pour t'annoncer ce que voilà. Une sage méfiance
est ce que les mortels ont de meilleur au monde.

LE CORYPHÉE

Je n'aurais jamais attendu, seigneur,
que Ménélas nous eût, toi et moi, trompés de la sorte.

THÉOCLYMÈNE

Ah, malheureux que je suis, perdu par des ruses de
      femme.

Elle m'échappe, celle que j'épousais! Si je pouvais la
      rejoindre

en lançant une barque à sa poursuite, je mettrais tout en
      œuvre

pour les reprendre tous en mon pouvoir.

    Mais quelqu'un m'a trahi que je vais châtier. Ma sœur
a vu Ménélas ici dans la maison et ne m'en a rien dit.

C'est fini pour elle d'abuser les hommes par ses
      prophéties!

Il veut rentrer dans le palais.
Le coryphée l'en empêche.

LE CORYPHÉE

Maître, où vas-tu ? Qui veux-tu mettre à mort ?

THÉOCLYMÈNE

Je vais où me l'ordonne la justice. Toi, hors de mon
    chemin!

LE CORYPHÉE

Je ne lâcherai pas ton vêtement, car tu vas faire un grand
    malheur.

THÉOCLYMÈNE

Tu veux, esclave, l'emporter sur ton maître!

LE CORYPHÉE

Et j'ai raison.

THÉOCLYMÈNE

Pas à mes yeux, et si tu ne me laisses...

LE CORYPHÉE

Justement, je ne te laisse pas...

THÉOCLYMÈNE

Tuer ma sœur infâme...

LE CORYPHÉE

Très pieuse, veux-tu dire...

THÉOCLYMÈNE

... qui m'a trahie...

LE CORYPHÉE

Louable trahison!

THÉOCLYMÈNE

... en livrant ma femme à un autre...

LE CORYPHÉE

... à celui dont le droit est le plus fort...

THÉOCLYMÈNE

Qui aurait un droit sur mon bien ?

LE CORYPHÉE

L'homme qui reçut Hélène de son père.

THÉOCLYMÈNE

Mais le destin me l'a donnée !

LE CORYPHÉE

Le devoir te l'enlève.

THÉOCLYMÈNE

Tu n'as pas à juger ma conduite.

LE CORYPHÉE

Je parle mieux que tu n'agis.

THÉOCLYMÈNE

On me commande donc ? Je n'ai plus de pouvoir ?

LE CORYPHÉE

Celui de faire le bien, d'éviter l'injustice.

THÉOCLYMÈNE

Tu as envie que je te tue ?

Le coryphée

Soit! Mais tu me tueras avant d'avoir frappé ta sœur.
Un esclave au cœur noble trouve gloire à mourir pour ses
      maîtres.

> *Les Dioscures apparaissent*
> *au-dessus du palais.*

Un des Dioscures

Retiens ta colère, car elle t'égare,
Théoclymène, roi de ce pays. Ceux qui te parlent
sont ces deux fils de Zeus que Léda mit au monde,
frères de cette Hélène qui a fui ta maison.
Ta colère vient de ce que le sort s'oppose à tes noces.
Et c'est pourquoi la fille de la Néréide,
ta sœur Théonoé ne t'a fait aucun tort, docile simplement
au vouloir des dieux, aux ordres justes de son père.
Il fallait en effet que jusqu'au jour présent
Hélène demeurât toujours ici.
Mais Troie est détruite jusqu'en ses fondations;
les dieux n'ont plus à faire usage de son nom.
Il est donc temps qu'elle revienne à ses nœuds
      d'autrefois,
à sa maison, et qu'elle y vive avec son mari.
Écarte de ta sœur ton épée meurtrière, et dis-toi qu'elle
      agit avec sagesse.
Nous que Zeus a rendus immortels,
nous aurions dès longtemps secouru notre sœur,
si les destins n'avaient été plus forts que nous,
et les arrêts des dieux, maîtres de cet événement.
    C'est ce que j'avais à te dire. Voici mon message à
      Hélène :
Traverse les mers avec ton époux; les vents vous seront
      favorables.
Nous les Deux Frères, nous les Sauveurs,
chevauchant près de vous nous vous escorterons
tout au long de la mer jusqu'au retour dans la patrie.
Quand tu arriveras au terme de ta vie, tu compteras
      parmi les dieux.
En compagnie des Dioscures, tu auras part aux libations,
      aux banquets
que nous offrent les hommes. Telle est la volonté de Zeus.

Quand Hermès, par la voie des airs, t'enleva de Sparte,
te ravissant aux prises de Pâris,
il te mena d'abord dans une île déserte,
allongée comme une garde-côte au rivage d'Attique.
Pour t'avoir accueillie quand tu fus dérobée, on l'appel-
　　　　lera désormais Hélène comme toi.
Ce Ménélas qui a tant erré sur la mer, les dieux et les
　　　　destins
l'enverront habiter l'île des Bienheureux.
Car les dieux aiment les âmes généreuses,
même s'ils les éprouvent plus que les médiocres[1].

THÉOCLYMÈNE

Oui, fils de Léda et de Zeus, j'effacerai
ma querelle avec votre sœur,
comme je renonce à tuer la mienne.
Qu'Hélène rentre à Sparte, si tel est le vouloir des dieux.
Sachez que nulle femme n'est meilleure et plus chaste,
et qu'elle fait honneur à votre sang.
Soyez donc fiers de sa noblesse :
on n'en peut dire autant de la plupart des femmes.

LE CORYPHÉE

Les choses divines ont bien des aspects.
Souvent les dieux accomplissent ce qu'on n'attendait pas.
Ce qu'on attendait demeure inachevé.
A l'inattendu les dieux livrent passage.
Ainsi se clôt cette aventure.

LES PHÉNICIENNES

L*A légende d'Œdipe est faite de thèmes mythiquement syno-*
*nymes. L'enfance menacée, le parricide, l'énigme devinée,
la victoire sur un monstre, le mariage avec une princesse, l'union
avec la mère signifient chacun la conquête du pouvoir. Ils apparaissent dans bien des histoires, mais celle d'Œdipe est probablement la seule où ils figurent tous, coordonnés en une biographie.*

*De la conquête du pouvoir, les poètes épiques, dans des œuvres
perdues, ont traité l'aspect glorieux ; les tragiques ont représenté
le conquérant condamné par sa conquête. Il arrive aux modernes
de se demander si l'Œdipe Roi de Sophocle est un coupable ou une
victime. La question ne se fût pas présentée à l'esprit des Grecs.
Car ils savaient qu'une élévation excessive coûte à l'homme son
bonheur : à supposer qu'elle ne l'atteigne pas dans son équilibre,
comment supposer que les dieux n'en prennent pas ombrage ?*

*Grandeur chèrement acquise, celle de l'héritier dépouillé de son
patrimoine et qui le reconquiert à force de prouesses, grandeur
bien faite pour inspirer une confiance excessive. Les fautes
d'Œdipe, nous les graduerions d'après sa croissante responsabilité : l'inceste dont il est innocent ; un parricide où il se conduit
brutalement, mais après avoir été provoqué ; la malédiction qu'il
lance contre ses fils pour un motif insignifiant. La dernière serait
pour nous la plus grave. Les Anciens jugeaient autrement, plus
sensibles que nous à la matérialité de la faute, toute intention en
fût-elle absente. Mais je ne suis pas sûre qu'Eschyle et Euripide
n'eussent pas été, sur ce point, plus près de nous que de leurs
contemporains.*

*Dans les Phéniciennes, un poète septuagénaire donne un
tableau complet de la légende thébaine. Les scènes qui la
composent racontent seulement le siège de la ville, l'inquiétude
des assiégés, un vain essai pour réconcilier Étéocle et Polynice, la
défaite de l'armée argienne et le double fratricide. C'est à peu de
chose près le sujet des Sept devant Thèbes. Mais la pièce*

*d'Eschyle, qui clôt une tragédie liée, est rigoureusement encadrée
et se passe de tout retour en arrière. Celle d'Euripide est une
somme.*

Du palais de Thèbes sort une très vieille femme en robe noire,
les cheveux rasés en signe de deuil, c'est Jocaste. S'il y avait, depuis
Homère, une chose dont chacun était sûr, c'est que la mère-épouse
s'était pendue quand l'inceste fut découvert. Avec elle survit ici
tout le passé qui donne à la tragédie sa perspective légendaire et
psychologique. Ce palais aux portes fermées est une geôle : Étéocle
et Polynice y ont emprisonné leur père qui les fatiguait de ses
imprécations. Œdipe n'apparaît qu'au dénouement, fantôme de
lui-même, pour gémir sur la mort des siens comme s'il n'en était
pas l'artisan, et pour s'en aller vers l'exil en annonçant que son
aventure se terminera en Attique. Ouverte et fermée par ces deux
revenants, la pièce se prolonge à la fois vers le passé et vers le
futur.

Même élargissement dans le lieu. La ville aux Sept Portes,
inscrite dans sa robuste enceinte, n'est plus ici qu'un carrefour de
Grèce entre la lointaine Phénicie d'où partit Cadmos, le fonda-
teur, et Delphes, dont les oracles ont mis toute la machine en mouvement. Œdipe descend de Cadmos par son père Laïos. Jocaste et
son frère Créon sont des Spartes, issus des dents du dragon semées
par Cadmos. Au moment où le sort de Thèbes va se décider, les
dieux et le dragon exigent une victime : Ménécée fils de Créon se
dévoue et se coupe la gorge dans l'antre même du serpent ancestral.
L'épisode reste un peu extérieur à l'action, mais il évoque les
aspects les plus archaïques de la fable, et d'autant mieux que le
porte-parole de ce passé est le devin Tirésias, qui vécut le temps de
sept générations humaines. Tirésias revient d'Athènes où le roi
Érechthée, sur son conseil, a immolé ses trois filles pour le salut de
la ville, ce qui lui a valu la victoire. Cela n'est pas dit. Érechthée
n'est même pas nommé. Le devin n'utilise pas l'exemple athénien pour convaincre Créon. La seule mention d'Éleusis suffisait à
préparer, dès le début de la scène, le conseil terrible. Cela en dit
long sur les connivences du poète grec avec son public.

Le chœur est composé de jeunes filles que la cité de Tyr envoie, à
la suite d'une victoire, pour être consacrées au dieu de Delphes.
Elles ont fait halte à Thèbes*, où le siège les a arrêtées. Si Euri-

---

* Elles disent y être arrivées en franchissant la mer de
Sicile, ce qui à coup sûr est un étrange itinéraire. On a voulu

pide prête à ces étrangères le commentaire lyrique du drame, c'est qu'elles n'avaient qu'à paraître pour symboliser les lointaines origines de la cité, le temps de Cadmos et celui, plus reculé encore, où l' « ancêtre cornue », Io amante de Zeus, partait d'Argos donner une dynastie au lointain Orient.

De plus, le chœur ne pouvait être formé d'hommes ou de femmes solidaires du protagoniste, chargés de plaider ou d'agir pour lui. La pièce n'a pas de protagoniste. Polynice commet un crime en attaquant sa patrie avec une armée étrangère. Mais Étéocle s'est chargé de la faute initiale en refusant de lui céder le pouvoir ainsi qu'ils en étaient convenus. L'impartialité tragique est incarnée avec une douloureuse grandeur par Jocaste, qui souhaite Thèbes victorieuse, mais dont la préférence mal dissimulée va au fils cadet. Si elle se tue sur le corps des deux frères, abandonnant à leur misère son mari et ses filles, c'est peut-être pour se punir secrètement d'avoir souhaité une victoire qui aurait ruiné Thèbes.

La Thèbes d'Eschyle est une cité sûre de son droit. Celle d'Euripide se sait menacée par les sept armées et, beaucoup plus gravement, par l'ambition coupable d'Étéocle. Un vieil esclave mène Antigone sur la terrasse et lui désigne dans la plaine les campements des chefs. Son cœur est plein d'angoisse, car il sait que Polynice a le droit pour lui et que les dieux s'en souviendront. Un chœur de demi-étrangères est bien fait pour exprimer ces doutes, ces inquiétudes, qui dépassent la matérialité des événements. Il n'est pas là, comme on l'a trop souvent répété, pour donner le futile plaisir d'une musique, de costumes, de gestes exotiques, mais pour créer le vaste champ de durée et d'espace qui donne aux jugements les distances nécessaires.

Faire la somme de la légende thébaine obligeait à mettre une chronologie dans des épisodes primitivement indépendants. On peut imaginer Antigone guidant son père aveugle ou enterrée vive pour avoir inhumé son frère. Dans Œdipe à Colone, dans Antigone, Sophocle met en scène l'un des deux événements et laisse

---

que leur point de départ fût Carthage, colonie phénicienne. S'il en était ainsi, en parlant du « flot tyrien » et de l'« île phénicienne » qui ne peuvent guère suggérer que Tyr, Euripide aurait brouillé les pistes à plaisir. On oublie volontiers que les Anciens n'avaient pas d'atlas dans leur bibliothèque. Les allusions historiques que l'on a cru découvrir dans le chœur initial sont des plus douteuses.

l'autre dans l'imprécision. La fin des Phéniciennes *les juxtapose, en un épilogue où le spectateur oubliait probablement de se demander comment elle concilierait les deux devoirs. D'autres problèmes sont pareillement escamotés. La présence d'Ismène aurait dispersé l'intérêt. Non seulement elle ne paraît pas, mais la tragédie fait à peu près abstraction de son existence même. En opposition à la dure Antigone de Sophocle, Euripide montre au prologue une enfant timide, qui n'est jamais sortie du gynécée et qui a besoin d'aide pour gagner la terrasse du palais. Est-ce bien cette fillette qui ensuite tient tête à Créon ? Quel âge a Jocaste, représentée comme très vieille avec de si jeunes enfants ? Œdipe enfin, comment peut-il paraître plus sénile encore que sa mère-épouse ? Questions de lecteurs. Toute œuvre* populaire, *au sens plein du mot, exagère les écarts d'âge, et d'autant plus qu'elle joue davantage de la pitié. Doit-on examiner de trop près les détails d'un si vaste tableau ?*

L'admirable est au surplus sa constante justesse psychologique. Voyez l' « égoïsme du malheur », représenté par Polynice (Que font mes sœurs ? elles me pleurent ?), par Œdipe (Qui va s'occuper de moi ?). Voyez surtout l'étonnant conseil de guerre entre Étéocle et Créon. Celui-ci, en face d'un neveu qui est son roi, est déférent, mais secrètement en défiance envers un impulsif qui prend la guerre comme une affaire personnelle ; à chaque réplique il accule un garçon de plus en plus intimidé, si bien que le plan final est l'œuvre de l'oncle, le seul aussi qui en profitera, car, dans quelques heures, il sera roi lui-même, ayant prouvé son aptitude royale. C'est parce qu'il représente Thèbes qu'il bannit Œdipe dont la présence est un danger pour tous. Lui aussi est un des exposants de cette impartialité qui est l'âme même de la pièce. Comme Étéocle, et avec plus de titres que lui, il défend les exigences de l'État et la rigueur des lois. Polynice représente une équité plus souple et plus humaine, dont Antigone offre le visage sensible et passionné. Les sympathies, assurément, vont de leur côté. Mais les Polynice ne sont pas des victorieux. Les grands souverains seraient de la race d'Étéocle, si le bien de l'État, à défaut d'autres scrupules, empêchait leurs ambitions de les dominer. Sinon, ils auront travaillé pour Créon, dont le nom en effet signifie roi.

La présence des dieux est opprimante dans cette tragédie qui ne contient ni merveilleux, ni apparition divine, mais un grand nombre d'oracles, allant du temps où Apollon ordonnait à Laïos

*de renoncer à toute postérité jusqu'au moment critique où Tiré-
sias exige le dévouement de Ménécée, pour se prolonger enfin dans
la direction d'Athènes, puisque c'est là qu'Œdipe apaisé doit
recevoir un tombeau et devenir un génie protecteur de la ville. Ces
longues trajectoires, qui se croisent et se commandent, étendent
l'œuvre dans le temps et la durée et font peser sur elle l'arbitraire
des caprices divins. Un cri d'Antigone en dit long sur l'inquiétude qu'ils font naître. Œdipe sur le point de partir se rappelle
brusquement une parole ancienne et oubliée :*

— A présent s'accomplit, mon enfant, l'oracle de Loxias.
— Quel oracle ? Ah ! n'annonce pas de nouveaux malheurs !

*La pièce est des années 410-407, antérieure par conséquent à
Œdipe à Colone. Si le dénouement est authentique, la légende de
la mort à Colone était avant Sophocle connue en Attique. Mais la
fin de la pièce porte des traces de remaniements, d'une importance
difficile à préciser.*

LES PHÉNICIENNES

PERSONNAGES

JOCASTE
UN PÉDAGOGUE
ANTIGONE
ÉTÉOCLE
POLYNICE
CRÉON
Le devin TIRÉSIAS
MÉNÉCÉE, fils de Créon.
UN ÉCUYER d'Étéocle.
UN MESSAGER
ŒDIPE
Chœur de jeunes Phéniciennes.

Le palais royal, dont l'étage porte un toit en terrasse. La vieille reine Jocaste sort par la porte principale. Elle a des vêtements noirs et les cheveux rasés.

PROLOGUE

Jocaste

O toi qui, parmi les étoiles, traces ta route dans le ciel,
monté sur ton char d'or, Soleil,
en faisant tourner ton flambeau tout autour de la terre au
    galop des cavales,
quel rayon de malheur as-tu lancé sur Thèbes,
le jour où Cadmos vint ici, laissant derrière lui
les rivages de la Phénicie!
D'Harmonie fille de Cypris il engendra Polydore, père
    de Labdacos,
duquel naquit Laïos.
Pour moi, je suis fille de Ménécée,
et de la même mère que mon frère Créon.
On m'appelle Jocaste, du nom que me donna mon père.
Laïos me reçut pour épouse. Se voyant sans enfant,
et mon lit trop longtemps stérile à son foyer,
il partit consulter Phoibos et implorer de lui
des fils, bonheur commun pour nous et pour notre
    maison.
  Le dieu lui dit : « Toi qui règnes sur Thèbes aux beaux
    chevaux,
garde-toi bien d'ensemencer le sillon féminin. Les dieux
    te l'interdisent.
Si tu engendres un fils il te tuera,
et toute ta maison sera trempée de sang. »
Lui, cependant, un jour d'ivresse, succomba au plaisir
et me rendit féconde. Devant l'enfant issu de lui,
comprenant et sa faute et la parole de Phoibos,
il le remet à des bergers afin qu'ils aillent l'exposer
en haut du Cithéron, dans la prairie d'Héra,
les chevilles percées de tiges de fer,
et c'est pourquoi la Grèce l'a nommé Œdipe.
Des pâtres qui gardaient les chevaux de Polybe le
    découvrent,

l'amènent au palais, le remettent à la reine.
Elle porte à son sein le fruit de mes douleurs
et fait admettre à son époux qu'elle l'a mis au monde.

Et déjà les joues de mon fils se doraient de duvet viril
quand il comprit la vérité ou bien qu'on la lui révéla.
Voulant savoir qui étaient ses parents,
il se rendit au temple de Phoibos,
en même temps que Laïos mon époux
qui désirait apprendre si l'enfant exposé
vivait encore. C'est ainsi qu'ils se rencontrèrent,
à l'endroit où bifurque la route de Phocide.
Le cocher de Laïos ordonna :
« Étranger, c'est un roi, range-toi! »
Lui, sans rien dire, allait sa route fièrement.
Les sabots des chevaux lui mirent les pieds en sang.
Et c'est pourquoi, pour borner mon récit à la chaîne de
        nos malheurs,
le fils tua son père et s'empara du char,
dont il fit présent à Polybe, son père nourricier.

Or en ce temps, la Sphinx de ses ravages
désolait la cité et je me trouvais veuve.
Créon mon frère fit de mon lit offre publique :
qui comprendrait l'énigme de l'astucieuse vierge
me recevrait pour femme. Et c'est Œdipe,
c'est mon fils qui résout la question de la Sphinx,
ce qui fait de lui le roi de ce pays, le sceptre étant sa
        récompense.
Sans le savoir, l'infortuné prend pour femme sa mère,
et elle ignore aussi que son fils partage sa couche.

Je donnai à mon fils deux garçons,
Étéocle et le fort, l'illustre Polynice,
et deux filles aussi. L'une reçut de son père
le nom d'Ismène, l'aînée tient de moi celui d'Antigone.

Quand il sut qu'il avait sa mère dans son lit,
après tant de malheurs qu'il avait supportés,
Œdipe infligea à ses propres yeux une mort cruelle.
A coups d'agrafes d'or il fit jaillir le sang de ses prunelles.
Mes fils, quand leur menton à peine s'ombrageait
        de barbe,
ont enfermé leur père, pensant jeter l'oubli
sur ce destin trop difficile à faire admettre.
Il est vivant dans ce palais. Égaré par l'excès du malheur,
il a maudit ses fils d'imprécations sacrilèges :

à coups d'épée, ils devront se tailler chacun sa part de
    patrimoine.
Alors la peur les prit, s'ils continuaient d'habiter
    ensemble,
que les dieux n'accomplissent le vœu.
Ils tombèrent d'accord que Polynice, le cadet,
consentirait à s'exiler, tandis qu'Étéocle régnerait ici,
pour revenir, l'an écoulé, prendre sa place.
Mais une fois assis au gouvernail,
Étéocle n'a plus voulu renoncer au pouvoir,
et il bannit Polynice de Thèbes.
Polynice alors s'en fut à Argos épouser la fille d'Adraste,
réunir une grande armée et en prendre la tête.
Le voici revenu vers le Mur aux Sept Portes,
pour réclamer le sceptre et sa part de la terre.
Et moi, pour ramener l'entente, j'ai décidé mon fils cadet
à rencontrer l'aîné sur la foi d'une trêve, avant d'en venir
    à la lance.
Mon envoyé m'annonce que Polynice arrive.
    Toi qui as pour demeure les replis lumineux du ciel,
Zeus, sauve-nous, remets l'accord entre mes fils.
Sage ainsi que tu l'es, dois-tu laisser
le même homme toujours dans des maux sans répit ?

*Elle rentre dans le palais. On
voit monter sur la terrasse le
pédagogue d'abord, puis Antigone.*

LE PÉDAGOGUE

Rameau de la souche d'Œdipe, honneur de ta maison, ô
    Antigone,
ta mère t'a permis de quitter les chambres des jeunes filles,
pour venir ici tout en haut du palais
voir l'armée argienne, puisque tel est ton vœu.
Mais attends que d'abord j'inspecte le chemin.
Il ne faudrait pas que quelqu'un s'y promène.
Car on en ferait un vilain reproche, à moi comme esclave,
à toi comme princesse. Je te dirai ensuite, de science sûre,
ce que j'ai vu et entendu des Argiens,
en allant proposer à ton frère la trêve,
sur le chemin d'aller et de retour.

Tout va bien. Nul passant n'approche du palais.
Tu peux poser ton pied sur cette échelle de vieux cèdre.
Regarde dans la plaine, le long de l'Isménos,
près de la source de Dircé : que l'armée ennemie est
    nombreuse !

ANTIGONE

Vers ma jeune main tends ta vieille main,
aide-moi à monter, à franchir le dernier degré.

LE PÉDAGOGUE

Voilà. Tiens-toi bien, jeune fille, tu viens au bon moment.
L'armée argienne s'ébranle, et les hommes se groupent
    en bataillons distincts.

ANTIGONE

Puissante fille de Latone, Hécate,
le bronze étincelle par toute la plaine !

LE PÉDAGOGUE

Ce n'est pas en chétif appareil que revient Polynice,
mais dans le fracas des chevaux et le heurt d'armes innom-
    brables.

ANTIGONE

Les verrous sont-ils bien mis aux portes
et les barres de bronze fixées aux murs de pierre,
ouvrage d'Amphion ?

LE PÉDAGOGUE

Tu n'as rien à craindre. L'intérieur de la ville est en
    sécurité.
Mais désigne le premier chef dont tu veux t'informer.

ANTIGONE

Quel est celui qui marche à l'avant-garde,
l'aigrette blanche en tête,
portant comme une plume un bouclier d'airain massif ?

LE PÉDAGOGUE

C'est un capitaine, maîtresse.

ANTIGONE

Qui est-il, et de quel pays ? Dis comment on le nomme.

LE PÉDAGOGUE

On le prétend de souche mycénienne,
mais sa demeure est aux marais de Lerne, et c'est le roi
Hippomédon.

ANTIGONE

Ah, qu'il est menaçant et redoutable à voir,
pareil à un fils de la Terre, un géant comme ceux des
peintures,
les yeux étincelants, d'une autre race, dirait-on, que les
mortels !

LE PÉDAGOGUE

Et vois-tu celui-là qui franchit la Dircé ?

ANTIGONE

Que son armure est différente ! Qui est-il ?

LE PÉDAGOGUE

Le fils d'Œneus, Tydée. Il porte au cœur l'esprit guerrier
des Étoliens.

ANTIGONE

N'est-ce pas lui, vieux père, qui épousa une sœur,
tandis que Polynice épousait l'autre ?
Qu'il est étrangement armé ! On dirait un demi-Barbare.

LE PÉDAGOGUE

Ce grand bouclier est propre aux Étoliens, ma fille,
et au lancer du javelot jamais ils ne manquent le but.

Antigone

Tout cela, comment donc le sais-tu si bien ?

Le pédagogue

Lorsque j'allai porter la trêve à Polynice,
je vis sur leurs écus des emblèmes que je distingue,
et c'est à quoi je reconnais les corps.

Antigone

Qui est celui-là qui dépasse le tombeau de Zéthos,
de longs cheveux bouclés, un regard qui effraie,
un tout jeune homme, mais un chef,
à voir la foule d'hommes d'armes qui l'entoure ?

Le pédagogue

C'est Parthénopée, le fils d'Atalante.

Antigone

Celle qui, avec Artémis, bondit dans la montagne !
Que la déesse l'accable de ses flèches et le fasse périr,
lui qui vient ici détruire ma ville !

Le pédagogue

Ainsi soit-il, ma fille, mais la justice est avec eux,
et je crains que les dieux à bon droit ne leur en tiennent
    compte !

Antigone

Où est celui qui naquit de ma mère
pour un triste destin ?
Très cher, où est-il, dis-moi, Polynice ?

Le pédagogue

Là-bas, près du tombeau des sept filles de Niobé.
Il se tient à côté d'Adraste. Le vois-tu ?

Antigone

Oui, mais sans bien le distinguer.
Je vois une forme, une taille qui lui ressemblent.
Ah ! comme un nuage poussé par le vent,
à travers l'espace, m'élancer vers lui, vers mon frère,
entourer de mes bras son cou chéri,
après si longtemps que dure son triste exil !
Vois qu'il est beau dans son armure d'or,
aussi rayonnant que les feux du soleil !

Le pédagogue

Grâce à la trêve il va venir ici, pour te remplir le cœur
de joie.

Antigone

Mais qui est celui-là qui s'avance en menant ses chevaux
blancs?

Le pédagogue

C'est Amphiaraos, le devin, ô maîtresse,
il emporte avec lui les victimes,
ruisseau de sang que la terre aime recevoir[1].

Antigone

Fille de Létô à la brillante ceinture,
ô Séléné au disque d'or,
avec quel calme et quelle sûreté il mène ses chevaux,
de l'aiguillon leur touchant l'encolure !
Mais où est celui-là qui lance contre nous ses terribles
outrages,
Capanée ?

Le pédagogue

Le voilà qui toise des yeux les remparts à escalader,
et mesure de bas en haut l'élévation des murailles.

Antigone

Némésis, grondant éclair de Zeus, feu éblouissant de la
foudre,

toi qui fais taire la superbe jactance,
le voilà donc, celui qui prétend que sa lance
fera de nous, filles thébaines,
quand il nous aura prises au filet de la servitude,
des esclaves à vendre à Mycènes,
à Lerne, où le trident de Posidon
pour Amymone fit jaillir la source.

Épargne-moi, grande Artémis,
déesse aux boucles d'or, fille de Zeus,
de devoir supporter un pareil esclavage !

LE PÉDAGOGUE

Rentre, ma fille, dans la maison, et regagne l'abri de ta
    chambre,
maintenant que tu as satisfait ton désir et vu ce que tu
    voulais voir.
Car dans le tumulte qui gagne la ville,
des femmes en foule viennent vers la maison royale.
Toute femme aime à critiquer,
au plus léger prétexte elle en ajoute tant et plus.
Car elles se plaisent à gloser entre elles, sans jamais rien
    dire de bon.

> *Ils redescendent et dispa-*
> *raissent, tandis que les quinze*
> *choreutes entrent dans l'orchestre.*

PARODOS

STROPHE I

Le chœur

J'ai quitté la côte de Tyr, l'île phénicienne,
pour venir, offrande de guerre à Phoibos consacrée,
le servir en son temple,
aux sommets neigeux du Parnasse où il a sa demeure.
A travers la mer d'Ionie,
les rames nous ont emportées
sur la plaine stérile dont la Sicile est entourée.
Galopant au ciel le Zéphyre
faisait dans le vent résonner
son admirable chant.

ANTISTROPHE I

Choisie parmi toute la ville comme le plus beau don
qu'on puisse offrir à Loxias,
je vins au pays de Cadmos,
envoyée aux remparts élevés par Laïos
pour les illustres fils d'Agénor, mes parents.
Comme une statue d'or,
me voici destinée à servir Apollon.
Mais l'eau de Castalie m'attend encore ;
elle doit tremper mes beaux cheveux de vierge
pour les rites du dieu.

ÉPODE

O rocher rayonnant, éclat des deux sommets,
dominant la cime où Dionysos mène ses orgies,

cep merveilleux qui fait mûrir pour chaque jour
à peine sortie du bourgeon, une grappe lourde de fruits,
repaires divins du dragon,
rocs escarpés d'où les dieux nous observent,
accordez-moi, délivrée de la crainte présente,
de dérouler les chœurs pour Apollon,
près de la grotte au centre de la terre,
une fois quittées les eaux de Dircé.

STROPHE II

Mais je vois aujourd'hui s'approcher de ces murs
l'impétueux Arès,
menaçant la cité (que l'écarte le ciel !)
d'un brandon de sang et de mort.
On souffre avec ceux que l'on aime.
Si la ville aux sept portes subit quelque malheur,
la cité de Tyr en sera atteinte.
Un même sang unit tous ceux qui sont issus
d'Io, notre ancêtre cornue,
et de leurs peines j'ai ma part.

ANTISTROPHE II

Une ombre épaisse où luit le bouclier environne la ville,
image du combat sanglant
dont Arès doit bientôt décider,
en apportant aux fils d'Œdipe le châtiment des Érinyes.
Argos, ô cité des Pélasges,
j'ai peur de ton esprit guerrier,
et peur de ce qui vient des dieux.
Celui qui attaque a le droit pour lui,
c'est un fils qui s'élance en armes
pour réclamer son héritage.

Entre par la gauche Poly-
nice en armes,

PREMIER ÉPISODE

POLYNICE

Les portiers ont tiré les verrous
et m'ont laissé entrer dans les murs sans encombre,
ce qui me donne à craindre qu'un filet se resserre sur moi,
d'où je ne saurais échapper sans y laisser du sang.
Je fais donc bien de rester aux aguets,
de regarder à droite, à gauche, de peur d'un piège.
Mais ma main tient bien mon épée,
et me rassure en ma démarche téméraire.
   Holà! Qui vive? — En suis-je à trembler pour
      un bruit?
C'est que tout inquiète celui qui se risque
sur une terre hostile.
Je me fie à ma mère, et en même temps je me défie d'elle,
qui m'a fait accepter la trêve pour venir ici.
Voici pourtant un recours à portée; le foyer de l'autel
est là; et le palais est habité.
   Allons, rendons l'épée à l'ombre du fourreau,
et ces femmes debout près du palais, sachons qui
      elles sont.
   Dites-moi de quelle contrée, étrangères,
vous arrivez dans nos demeures grecques.

LE CORYPHÉE

La Phénicie est la patrie où je fus élevée,
et les descendants d'Agénor m'ont envoyée ici,
offrande d'action de grâces pour une guerre heureuse.
Déjà l'illustre fils d'Œdipe ordonnait mon départ
vers l'oracle divin et l'autel d'Apollon,
quand les Argiens assiégèrent la ville.
Mais à toi de répondre. Qui es-tu pour avoir franchi
le rempart aux Sept Bouches de la cité thébaine?

POLYNICE

Mon père est le fils de Laïos, Œdipe.

Ma mère est Jocaste, fille de Ménécée,
et le peuple thébain me nomme Polynice.

> *Le chœur se prosterne et salue*
> *en portant la main à la bouche.*

LE CHŒUR

O toi qui es du même sang que les fils d'Agénor,
les rois qui m'ont envoyée en ces lieux,
à genoux devant toi, seigneur, je me prosterne,
selon la coutume de mon pays.
Enfin te voici revenu au pays de tes pères !
                    (Criant vers le palais.)
Holà ! holà ! accours, grande reine, devant la maison,
et fais ouvrir les portes toutes grandes.
Mère, entends-tu ? ton fils est là !
Que tardes-tu à quitter la demeure
à venir le serrer dans tes bras ?

> Jocaste sort du palais.

JOCASTE

J'ai entendu, ô jeunes filles,
l'appel de la voix phénicienne,
et mes vieilles jambes ont accéléré leur marche tremblante.
Après tant de longs jours, mon fils, je revois enfin ton
              visage !
Serre dans tes bras le sein maternel, à ma joue appuie la
              tienne.
Laisse tomber les boucles de tes cheveux noirs,
qu'elles couvrent mon cou !
Bonheur inespéré, inattendu,
te voilà donc, et non sans peine, dans les bras de ta mère !
Comment te dire ma bienvenue ?
Qu'il faudrait de mots, de caresses,
pour dérouler autour de toi, de-ci, de-là, la danse de ma
              joie,
et pour retrouver le délice de mon bonheur d'autrefois !
Mon fils ! Tu laissas vide en la quittant, la maison pater-
              nelle,
quand ton frère outrageux te bannit,

pour le grand regret des tiens et de Thèbes.
Et c'est pourquoi, cédant aux larmes et au deuil,
j'ai fait couper mes cheveux gris, renoncé à mes robes
       blanches,
pour revêtir les loques que voici, sombres et tristes.

    Là dans la maison, le vieillard aveugle,
depuis que s'est rompu et détaché de la famille
le couple fraternel,
reste en proie aux regrets et aux larmes.
Pour se donner la mort il a couru vers son épée,
vers une corde à suspendre aux solives,
criant son deuil d'avoir maudit ses fils.
Sa clameur incessante trouble la nuit où il se cache.

    J'ai cependant appris, mon fils, que par les nœuds du
       mariage
tu as la joie d'avoir fondé une famille.
Mais c'est dans une maison étrangère !
Étrangère aussi l'alliance où tu es entré !
Offense pour moi, pour ta mère,
pour l'antique sang de Laïos[1] !
Car un conjoint pris au dehors porte malheur.
Ce n'est pas moi qui allumai la torche
du rite nuptial,
ainsi qu'il sied à une mère heureuse.
L'Isménos est entré dans l'alliance
sans avoir donné au bain de tes noces l'éclat de ses eaux.
Et la ville de Thèbes resta silencieuse
quand la fiancée sortit sur son char.

    Périsse celui qui a fait le mal,
que ce soit le fer[2], que ce soit la discorde, que ce soit ton
       père,
ou qu'un dieu se soit déchaîné dans la maison d'Œdipe.
Car c'est sur moi que pèsent ces souffrances.

LE CORYPHÉE

Combien compte, pour une femme l'enfantement dans la
    douleur !
En est-il une seule qui n'aime ceux à qui elle a donné le
    jour ?

POLYNICE

Mère, j'ai eu raison et j'ai eu tort

de venir vers des gens qui sont mes ennemis.
Mais trop fort est l'attrait de la terre natale.
Qui le nie joue avec des mots et dément sa pensée.
En arrivant, je redoutais si fort
un piège de mon frère pour me faire mourir,
que j'ai traversé la cité mon épée à la main
et les yeux aux aguets. Ma seule sauvegarde,
c'est la trêve par toi garantie, en foi de quoi je suis rentré
dans les murs de ma ville. J'ai bien pleuré en arrivant,
à revoir, après si longtemps la maison, les autels
       des dieux,
les gymnases où je fus exercé, et les eaux de Dircé,
moi qui, chassé d'ici par l'injustice,
habite une ville étrangère où je vis dans les larmes.
    Douleur après douleur, il me faut te revoir à présent[1]
la tête rasée et vêtue de noir!
Que mon sort est cruel!
Combien terribles, mère, les haines familiales!
et qu'elles font notre accord difficile!
    Dans la maison, que devient mon vieux père,
lui qui ne voit plus que la nuit? Et mes deux sœurs?
Sans doute, pauvres filles, elles déplorent mon exil?

JOCASTE

Un dieu malfaisant s'occupe à détruire la race d'Œdipe.
Sa première œuvre fut ma maternité interdite.
Coupable aussi le mariage de ton père et ta naissance.
Mais à quoi bon le rappeler? Il faut accepter ce qu'en-
    voient les dieux.
Je ne sais comment, sans blesser ton cœur — ce que je
    redoute —
te demander ce que je désire savoir. J'en ai cependant
    grande envie.

POLYNICE

Questionne-moi, et que rien ne t'arrête.
Tous tes désirs, ma mère, me sont chers.

JOCASTE

Voici d'abord ce qui me tient à cœur:
être privé de sa patrie, est-ce un grand mal?

POLYNICE

Le plus grand qui soit. Aucun mot n'en donne une idée.
Il faut en avoir fait l'épreuve.

JOCASTE

En quoi consiste-t-il ? qu'inflige-t-il à l'exilé ?

POLYNICE

Il enlève, et rien n'est plus grave, la liberté de la parole.

JOCASTE

Mais ne pas dire ce qu'on pense, c'est le fait de l'esclave!

POLYNICE

Oui, car il faut subir les brutalités des puissants.

JOCASTE

Qu'on doit souffrir aussi de délirer avec les fous!

POLYNICE

On sert en dépit de son cœur, quand on y trouve son
    profit.

JOCASTE

L'espérance, dit-on, nourrit les exilés.

POLYNICE

Elle nous regarde avec des yeux doux et puis nous laisse
    attendre.

JOCASTE

Le temps enfin a dû t'en montrer le mensonge.

POLYNICE

Elle a un certain charme dont le malheur est adouci.

JOCASTE

Mais de quoi vivais-tu avant que ton hymen te donnât
une table ?

POLYNICE

Un jour j'avais du pain, et j'en manquais le lendemain.

JOCASTE

Ton père avait des amis et des hôtes. Ils ne t'aidèrent pas ?

POLYNICE

Il faut tout d'abord être heureux. Le malheur n'a pas
un ami[1].

JOCASTE

Et ta haute naissance ne t'a pas distingué ?

POLYNICE

Non, mon rang ne m'a pas nourri : rien ne prévaut sur
la misère.

JOCASTE

La patrie, je le vois, est ce que l'homme a de plus précieux.

POLYNICE

A tel point qu'aucun mot ne saurait l'exprimer.

JOCASTE

Pourquoi allais-tu à Argos ? qu'y pouvais-tu attendre ?

POLYNICE

Je ne sais pas. Un dieu m'y appela vers mon destin.

JOCASTE

Un dieu sait ce qu'il fait! Comment as-tu conquis ta
fiancée ?

POLYNICE

Phoibos avait donné un oracle à Adraste.

JOCASTE

De quel oracle parles-tu ? Explique-toi.

POLYNICE

Il devait marier ses filles à un lion et à un sanglier.

JOCASTE

Quel rapport entre toi et ces fauves, mon fils ?

POLYNICE

J'arrivai une nuit à la porte d'Adraste.

JOCASTE

Cherchant un gîte, comme un proscrit qui va à
l'aventure ?

POLYNICE

C'est cela. Vint alors un autre exilé.

JOCASTE

Qui était-il ? Malheureux, lui aussi, sans doute ?

POLYNICE

C'était Tydée. Œnée est le nom de son père.

JOCASTE

Comment Adraste en vous reconnut-il des fauves.

POLYNICE

Il nous vit nous battre en nous disputant un lit où
dormir.

JOCASTE

Le fils de Talaos[1] alors interpréta l'oracle ?

POLYNICE

Et c'est ainsi qu'il nous accorda ses deux filles.

JOCASTE

Ce mariage, fut-il pour ton bonheur ?

POLYNICE

Je n'ai jusqu'à ce jour rien à lui reprocher.

JOCASTE

Comment as-tu décidé une armée à te suivre vers Thèbes ?

POLYNICE

Adraste à ses deux gendres avait fait le serment
de nous restaurer dans notre patrie, et moi le premier.
Beaucoup de chefs d'Argos et de Mycènes sont venus
avec moi, m'apportant un secours dont je souffre,
puisque j'attaque mon pays, mais que je ne puis refuser.
Et pourtant, j'en atteste les dieux,
contre mon parent le plus proche si j'ai levé ma lance,
c'est contre mon vouloir, et parce que lui l'a voulu.
    Mais c'est ton office, ma mère, de résoudre ce différend,
de réconcilier deux frères qui devraient s'aimer,
de faire cesser mon malheur, le tien, celui de la cité.
Tu connais la vieille chanson, je la répète tout de même.
Nul bien n'a plus de prix que la richesse.
Qui la détient possède le pouvoir.
C'est pour la conquérir qu'ici j'amène
des soldats si nombreux. Un seigneur besogneux est
        moins que rien.

LE CORYPHÉE

Voici Étéocle qui vient en vue de votre entente.

A toi, Jocaste, à toi, leur mère, de prononcer les mots
    qu'il faut
pour mettre tes enfants d'accord.

> *Entre par la droite Étéocle
> en armes. Il s'adresse à Jocaste
> et feint d'ignorer Polynice.*

ÉTÉOCLE

Ma mère, me voici. C'est pour répondre à ton désir
que je suis venu. Que veut-on de moi ? Ce n'est pas à moi
de parler le premier[1].
Je disposais des soldats aux remparts,
et des pièges pour détourner les chars[2].
J'ai tout laissé pour entendre de toi
une médiation qui vaille pour nous deux.
Car c'est pourquoi, à ta demande, j'ai accordé la trêve
qui t'a permis de recevoir cet homme dans nos murs.

JOCASTE

Que je t'arrête! Fougue et justice s'accordent mal
    ensemble,
mais un langage calme sert bien les fins de l'équité.
Tu n'as pas à lever les yeux vers la tête coupée
de Gorgone! C'est ton frère qui est devant toi.
Toi aussi, tourne donc ton visage vers ton frère,
Polynice. En le regardant face à face,
tu sauras mieux lui parler et l'entendre.
Car je veux vous donner un conseil de sagesse.
Quand deux amis irrités se retrouvent,
que chacun d'eux à l'autre accorde ses regards,
considérant le seul objet de leur rencontre,
et qu'il oublie les griefs du passé.
    À toi de parler le premier, Polynice, mon fils,
puisque c'est toi qui mènes ici l'armée des Argiens,
à la suite, dis-tu, d'une injustice. Entre vous deux,
qu'un dieu veuille juger et rétablir la paix.

POLYNICE

La vérité parle un langage simple.

Une cause juste se passe fort bien de subtils com-
        mentaires.
D'elle-même, elle va au but. L'injustice en revanche
remédie par l'art à sa faiblesse propre.
En ce qui me concerne, bien plutôt que mon patrimoine,
j'ai en vue mon bien et celui de cet homme.
C'est pour éluder les malédictions
lancées jadis contre nous par Œdipe,
que je me résolus à quitter le pays,
lui accordant, à lui, de gouverner toute une année,
à condition qu'ensuite je prendrais le pouvoir à mon tour,
évitant ainsi d'en venir contre lui à la haine et au meurtre,
de commettre le mal pour le subir ensuite, ainsi qu'il
        arrive toujours.
Il accepta et prêta serment par les dieux,
puis ne tint rien de ses promesses, mais conserva
le pouvoir en ses mains, ainsi que ma part d'héritage.
Encore à présent je suis prêt, si mon dû m'est restitué,
à renvoyer de Thèbes mon armée,
à gouverner ma maison à mon tour,
pour la lui céder derechef au moment convenu,
sans devoir ravager ma patrie,
faire monter aux tours l'assaut des échelles bien agencées,
ce que je tenterai, si je suis exclu de mon droit.
J'atteste les dieux que je ne fais là rien qui ne soit juste,
moi! dépouillé de ma patrie au mépris de toute équité!
    Les choses telles qu'elles sont, je les ai dites sans
        ambages,
ma mère, mais de façon que tous, doctes et simples,
reconnaîtront, je pense, où est le droit.

Le coryphée

Pour moi, bien qu'élevée loin de la terre grecque,
tu me sembles parler conformément à la sagesse.

Étéocle

Si une seule et même chose paraissait à tous sage et belle,
y aurait-il entre les hommes disputes et conflits ?
Mais les mortels parlent d'égalité de droits,
quand ce ne sont que de vains mots que les actes
        démentent.

Or, je veux te parler, ma mère, sans te rien déguiser.
J'irais au firmament jusqu'au point où les astres se lèvent,
j'irais jusqu'au fond de la terre, si j'en étais capable,
pour posséder la déesse suprême, la Royauté.
Et ce bien-là, ma mère, je refuse,
de le concéder à un autre quand je puis le garder
        pour moi.
Lâche est celui qui consent à perdre le plus
pour recevoir le moins. Sans compter que je rougirais
d'accorder sa requête à qui arrive en armes
pour ravager la ville. Thèbes aurait honte
si je craignais la lance mycénienne
au point de laisser mon sceptre à cet homme.
S'il voulait traiter avec moi, il devait venir désarmé,
car la parole écarte les obstacles, aussi bien que le
        fer menaçant.
S'il désire habiter librement ce pays
libre à lui. Mais de mon plein gré je n'abdiquerai pas,
et tandis que je puis gouverner je ne serai pas son esclave.
    Et maintenant, sus, épées et brûlots !
Attelez vos chevaux, lancez vos chars par toute la plaine,
mais qu'on n'attende pas que je lui cède le pouvoir.
Si une chose vaut qu'on viole le droit, c'est la royauté,
admirable iniquité ! Pour tout le reste, obéissons
        aux dieux.

LE CORYPHÉE

Un beau discours pour une cause qui ne l'est pas
est peu louable et blesse la justice.

JOCASTE

Tout n'est pas méprisable en la vieillesse,
Étéocle, mon fils. L'expérience a bien son mot à dire,
plus sage que celui des jeunes gens.
    Pourquoi, mon enfant, accorder ton cœur à la plus
        malfaisante démone,
l'Ambition ? Ne fais pas cela. Elle est tout injustice.
Elle visite des maisons et des villes heureuses
pour y laisser la ruine derrière elle.
C'est elle qui t'égare. Bien plus digne d'honneur
est l'Égalité qui lie à jamais les amis aux amis,
les cités aux cités, les alliés aux alliés.

L'Égalité pour l'homme est une haute loi[1];
mais contre Plus Moins toujours part en guerre
et donne le signal des jours de haine.
L'Égalité gouverne les mesures, les poids et les nombres,
qu'elle divise en leurs parties exactes.
La paupière obscure des nuits et la lumière du soleil
du cercle de l'année prennent chacune leur moitié,
et chacune de bonne grâce cède la place à l'autre.
Le soleil et la nuit se soumettent à la loi pour le grand
        bien des hommes[2],
et toi tu voudrais plus que ta part d'héritage,
en refusant de lui donner la sienne. Alors, que devient
        l'Équité ?
La Royauté, qui est injuste avec bonne conscience[3],
pourquoi tant l'honorer et la mettre si haut ?
Attirer les regards ? à quoi cela sert-il ? Vanité pure.
Qui possède beaucoup a beaucoup de soucis.
C'est cela que tu veux ? Avoir plus, qu'est-ce donc ? Rien
        qu'un mot.
Le sage se contente de ce qu'il faut pour vivre.
Et les hommes d'ailleurs n'ont pas de biens en propre.
Les dieux seuls les possèdent, nous les accordent à gérer,
pour les reprendre aussitôt qu'il leur plaît.
Quelle opulence est stable ? Toutes sont éphémères.
Allons, suppose que je te demande, en te donnant
        le choix :
« Veux-tu régner, ou veux-tu sauver Thèbes ? »
Tu diras que tu veux régner. Oui, mais si c'est lui qui
        l'emporte,
si la lance d'Argos vainc celle des Thébains,
tu verras domptée cette ville où nous sommes,
tu verras nos filles emmenées captives,
livrées aux mains brutales de l'ennemi.
Funeste alors sera pour Thèbes cet or que tu veux
        conserver,
funeste aussi toi, l'affamé d'honneurs.
        Voilà ce que j'avais à te dire. Toi, Polynice, écoute.
Ce fut folie d'accepter les faveurs qui te lient à Adraste,
folie aussi d'être venu pour saccager la ville.
A supposer que tu la prennes, ce que ne plaise
        au ciel,
au nom des dieux oseras-tu élever à Zeus un trophée ?
Quel sacrifice offriras-tu pour avoir vaincu ta patrie ?

Si tu dédies nos dépouilles aux bords de l'Inachos[1], y
    graveras-tu :
« Polynice, ayant brûlé Thèbes, offrit aux dieux ces
    boucliers ? »
Que la Grèce, mon fils, n'ait jamais ce reproche à te
    faire.
Mais si c'est lui qui l'emporte sur toi,
de quel front rentrer à Argos, en laissant ici tant
    de morts ?
Car on dira : « Quelle union fatale tu fais peser sur nous,
    Adraste!
Une fiancée a suffi à causer notre ruine! » Tu cours, mon
    fils, à un double danger,
perdre tes alliés et tomber sans atteindre Thèbes.
    Tous les deux revenez à la juste mesure. Quand
    deux erreurs
tendent au même point, il n'en sort que haine et malheur.

Le coryphée

Détournez, ô dieux, ces calamités,
et donnez aux enfants d'Œdipe le bienfait de l'entente.

Étéocle

Ma mère, il ne s'agit plus d'un combat verbal.
On perd son temps en vains propos quand la bataille est
    proche.
Ton zèle est inutile. Un accord n'est possible qu'aux
    termes que j'ai dits,
pourvu que je garde le sceptre et reste roi de ce pays.
Tiens-moi donc quitte de tes longues remontrances,
et toi, sors de nos murs, car sinon tu mourras.

Polynice

Qui me tuera ? qui est assez invulnérable
pour me frapper de son épée sans recevoir coup pour
    coup en échange ?

Étéocle

Celui qui est à ton côté. Vois-tu mon bras ?

POLYNICE

Oui, je le vois. Mais l'opulence est lâche, tenant trop à la vie.

ÉTÉOCLE

Et pour oser affronter ce lâche, il t'a fallu toute une armée!

POLYNICE

Un chef qui prend ses sûretés vaut mieux qu'un téméraire.

ÉTÉOCLE

Quelle arrogance! Tu te fies à la trêve qui garantit ta vie!

POLYNICE

Ainsi que la tienne! Je réclame à nouveau et le sceptre et ma part.

ÉTÉOCLE

On n'a rien à me réclamer. Je suis et resterai maître de la maison.

POLYNICE

Où tu gardes plus que ton lot.

ÉTÉOCLE

Je le reconnais. Quitte le pays!

POLYNICE

Autels des dieux de ma patrie...

ÉTÉOCLE

Tu reviens pour les saccager!

POLYNICE

Entendez-moi!

ÉTÉOCLE

Qui entendrait celui qui mène une armée contre sa patrie?

POLYNICE

Temple des Cavaliers aux blancs chevaux[1]...

ÉTÉOCLE

Ils ont horreur de toi!

POLYNICE

On me chasse de ma patrie.

ÉTÉOCLE

Tu étais venu m'en chasser!

POLYNICE

Contre toute justice, ô dieux!

ÉTÉOCLE

Va les prier à Mycènes, non ici!

POLYNICE

Tu es un impie!...

ÉTÉOCLE

Mais non, comme toi, un ennemi de mon pays...

POLYNICE

... qui me dépouille et me proscrit...

ÉTÉOCLE

et de plus te tuera!

POLYNICE

Père, entends-tu comme il me traite?

ÉTÉOCLE

Il sait aussi ce que tu fais.

POLYNICE

Et toi, ma mère ?

ÉTÉOCLE

Tu as perdu le droit de prononcer ce nom[1].

POLYNICE

O ma cité!

ÉTÉOCLE

Va dans Argos invoquer le fleuve de Lerne!

POLYNICE

Sois tranquille, j'y vais. A toi, mère, merci.

ÉTÉOCLE

Va-t'en d'ici.

POLYNICE

Je pars, mais laisse-moi revoir mon père.

ÉTÉOCLE

Tu ne le verras pas.

POLYNICE

Au moins mes jeunes sœurs!

ÉTÉOCLE

Tu ne les verras plus jamais.

POLYNICE

O mes sœurs!

ÉTÉOCLE

Pourquoi les appeler ainsi, toi leur pire ennemi ?

POLYNICE

Ma mère, adieu, et sois heureuse[1]!

JOCASTE *(amèrement)*

Ah certes, mon enfant, j'ai bien sujet de l'être!

POLYNICE

Ton fils n'est plus.

JOCASTE

Je suis née pour les larmes.

POLYNICE

La faute en est à lui qui m'accable d'outrages.

ÉTÉOCLE

Pour riposter aux tiens.

POLYNICE

Au rempart, où sera ton poste ?

ÉTÉOCLE

Et pourquoi veux-tu le savoir ?

POLYNICE

Je serai en face de toi et je te tuerai.

ÉTÉOCLE

Mon ardent désir est d'en faire autant.

JOCASTE

Malheur à moi! Qu'allez-vous accomplir, mes enfants?

ÉTÉOCLE

L'événement te l'apprendra.

JOCASTE

Mais il faut fuir les Érinyes de votre père!

ÉTÉOCLE

Toute notre maison s'en aille à la malheure!

POLYNICE

Sache-le : mon épée a fini de rester inactive. Elle va se
    couvrir de sang.
Me soient témoins les dieux et la terre qui m'a nourri :
dépouillé, maltraité, je suis chassé de mon pays,
comme un esclave et non comme le fils de notre père
    Œdipe.
Thèbes, si tu pâtis, accuse lui et non pas moi!
En me contraignant à l'exil, il m'a forcé de revenir!
Seigneur Apollon, protecteur des portes, et toi, ô mon
    foyer, adieu!
Adieu mes compagnons! Statues qui receviez mes
    sacrifices,
je ne sais pas si je pourrai vous saluer encore.
Mon espoir cependant ne s'est pas endormi : je compte
    sur les dieux
pour tuer Étéocle et reconquérir Thèbes.

ÉTÉOCLE

Sors de la ville. Mon père était averti par les dieux
lorsqu'il t'appela Polynice, du nom qui te convient
    vraiment,
puisqu'il inclut celui de la discorde[1].

> *Polynice s'éloigne par la*
> *gauche. Étéocle et Jocaste ren-*
> *trent dans le palais.*

PREMIER STASIMON

STROPHE

Le chœur

Cadmos vint de Tyr en ces lieux,
s'arrêta à l'endroit où tomba la génisse,
en fléchissant des quatre pattes[1].
Ainsi fut accompli l'oracle
qui donnait à Cadmos, pour sa ville future,
la plaine à blé de Béotie,
où les eaux vives de Dircé traversent de leurs belles vagues
les champs verts aux sillons profonds.
Là naquit Bromios d'une amante de Zeus.
Le lierre aussitôt en guirlande crût,
enroula autour de l'enfant ses flexibles rameaux,
et le vêtit de son ombrage,
ce Bacchos que chante le chœur
des filles et femmes de Thèbes
lançant leur évohé !

ANTISTROPHE

C'est là qu'un dragon fils d'Arès,
un gardien sanguinaire, les yeux toujours au guet,
surveillait sources et ruisseaux sous leurs feuillages verts.
Cadmos en quête d'eau lustrale
le tua d'une pierre blanche, lancée à toute volée.
Le sang coula de la tête du monstre.
Puis sur le conseil de Pallas, vierge divine née sans mère,
il jeta les dents sur le sol,
il les sema dans les sillons profonds.
La terre en fit surgir, issant des crêtes,
une vision de guerriers armés.
Le meurtre au cœur de fer les rendit à la terre amie,

en trempant de leur sang le sol qui les avait produits
au souffle ensoleillé du ciel.

ÉPODE

Et toi, fils d'Io notre ancêtre,
Épaphos, qu'elle conçut de Zeus,
me voici qui t'invoque,
avec les cris et les prières de mon pays natal.
Viens vers cette contrée que ceux de ta lignée ont cultivée,
apanage des deux déesses que l'on invoque ensemble,
Perséphone et Déméter, reine aimée qui gouverne le monde,
et de la Terre, qui le nourrit !
Envoie-nous, Épaphos, les Dames aux Flambeaux[1],
protège ce pays. Aux dieux tout est facile.

Étéocle sort du palais
avec un garde.

SECOND ÉPISODE

ÉTÉOCLE

Va, et ramène ici le fils de Ménécée,
Créon, le frère de ma mère Jocaste.
Dis-lui que je voudrais conférer avec lui
d'objets concernant la famille et l'intérêt commun.
Mais il t'épargnera la peine de la course,
car je le vois qui vient vers la maison.

Entre Créon par la droite.

CRÉON

Mon désir de te voir m'a fait longtemps marcher, sei-
         gneur
Étéocle. J'ai fait le tour des portes cadméennes
et parcouru les corps de garde à ta recherche.

ÉTÉOCLE

Et moi aussi, Créon, je souhaitais te voir.
Je n'ai trouvé que déception dans l'échange de vues
que je viens d'avoir avec Polynice au sujet d'un accord.

CRÉON

Sa superbe, dit-on, voit bien plus loin que Thèbes,
fort qu'il est de l'appui d'Adraste et de son armée.
Mais sur ce point il faut nous en remettre aux dieux.
Ce que je viens te dire concerne une question urgente.

ÉTÉOCLE

Qu'est-ce ? Je ne sais pas de quoi tu veux parler.

CRÉON

Nous avons capturé un soldat argien.

ÉTÉOCLE

Et que dit-il qui se passe chez eux ?

CRÉON

Que leur armée se prépare à nous investir.

ÉTÉOCLE

C'est donc l'heure pour nous de faire une sortie.

CRÉON *(ironique)*

De quel côté ? Ton regard aigu de jeune homme
    trouvera-t-il le point ?

ÉTÉOCLE

Au delà du fossé, pour brusquer la rencontre.

CRÉON

Nous avons peu de monde, et leur armée est grande.

ÉTÉOCLE

Je connais leur audace, qui se borne aux paroles.

CRÉON

Argos en Grèce a cependant quelque renom.

ÉTÉOCLE

Ne crains rien. J'aurai bientôt rempli la plaine de leurs
    morts.

CRÉON

Je le souhaite, mais ce ne sera pas sans peine.

ÉTÉOCLE

Je n'entends pas, et sache-le, tenir l'armée dans les rem-
    parts.

CRÉON

C'est dans un plan bien fait que tient toute victoire.

ÉTÉOCLE

Veux-tu dire que je devrais envisager d'autres projets
     encore ?

CRÉON

Tous les projets possibles, avant le risque décisif.

ÉTÉOCLE

De nuit nous embusquer, et puis fondre sur eux ?

CRÉON

A condition, si le coup manque, que tu rentres vivant.

ÉTÉOCLE

La nuit égalise les chances, et avantage l'assaillant.

CRÉON

Mais terrible serait une défaite dans l'obscurité.

ÉTÉOCLE

Faut-il les attaquer tandis qu'ils prennent leur repas ?

CRÉON

Nous obtiendrons une surprise, quand il nous faut une
     victoire.

ÉTÉOCLE

C'est que la Dircé est profonde, et leur gênerait la retraite.

CRÉON

Il faut d'abord prendre nos sûretés.

ÉTÉOCLE

Si nous lancions notre cavalerie sur l'armée argienne[1] ?

CRÉON

Leurs gens aussi sont à l'abri derrière un mur de chars.

ÉTÉOCLE

Que faire alors ? Livrer la ville aux ennemis ?

CRÉON

Nullement. Réfléchis, homme avisé que tu es!

ÉTÉOCLE

Existe-t-il un plan plus sage que ceux-là ?

CRÉON

J'ai entendu qu'ils ont choisi sept hommes, m'a-t-on dit.

ÉTÉOCLE

Force peu redoutable! Chargée de quelle mission ?

CRÉON

De commander sept corps, qui investiront les sept portes.

ÉTÉOCLE

Qu'allons-nous faire ? Je ne veux pas attendre qu'il soit
trop tard.

CRÉON

Choisis sept chefs aussi à leur opposer à chacun.

ÉTÉOCLE

A la tête de leur compagnie ou pour un combat singulier ?

CRÉON

Avec leur compagnie. Prends les plus courageux.

ÉTÉOCLE

J'entends. Il me faut empêcher l'escalade des murs.

CRÉON

Toi et les autres chefs. Un seul homme ne peut tout voir.

ÉTÉOCLE

D'après quoi les choisir ? L'audace ou la prudence ?

CRÉON

Il les faut toutes deux. Que peut l'une sans l'autre ?

ÉTÉOCLE

Ce sera fait. J'irai aux sept tours du rempart[1]
poster un chef à chaque porte ainsi que tu l'as dit,
opposant force égale à la force ennemie.
Te nommer chacun d'eux serait du temps gâché,
quand l'ennemi campe au pied des murailles.
    Je pars. C'est à mon bras, non à ma langue, à travailler.
Puissé-je me trouver en face de mon frère,
pour rencontrer, attaquer et tuer
celui qui est venu saccager ma patrie.
    L'hymen de ma sœur Antigone avec ton fils,
Hémon, si la fortune me trahit,
ce sera à toi d'y pourvoir. L'accord conclu naguère,
je le confirme au moment même où je vous quitte.
Quant à ma mère, elle est ta sœur, et les grands mots sont
        inutiles.
Donne-lui une vie qui soit digne de toi : fais-le aussi
        pour moi.
En se frappant lui-même, en se crevant les yeux,
mon père s'est révélé fou, et je n'ai pas à l'en louer.
Peut-être je devrai la mort à ses imprécations...

Mais voici qui me reste à faire.
Si Tirésias l'augure a quelque oracle à révéler,
nous devons le connaître.
Ton fils, ce Ménécée qui porte le nom de ton père, je vais
    te l'envoyer,
escortant Tirésias qui voudra volontiers conférer
    avec toi.
Moi, j'ai déjà, en sa présence, blâmé la science des devins.
Il me le reproche peut-être.
    A la cité et à toi-même, Créon, je recommande
    encore ceci :
Si nous sommes vainqueurs, j'interdis que jamais
le corps de Polynice repose dans le sol thébain.
Qu'on mette à mort qui voudrait l'enterrer, et fût-il de
    mes proches.
    C'est ce que j'avais à te dire. A mes serviteurs
    maintenant.
Apportez-moi mon bouclier et toute mon armure,
que vers ce combat qui m'est proposé je m'élance enfin,
conduit par la Justice qui donne la victoire.
A la Circonspection, à la plus secourable des déesses,
j'adresse mes prières : qu'elle sauve ma ville.

> *Il revêt ses armes et sort par
> la gauche.*

SECOND STASIMON

STROPHE

Le chœur

Pourquoi t'enivrer de sang et de mort, Arès, dieu des douleurs[1],
parmi des cris qu'on n'entend pas aux fêtes de Bacchos ?
Jamais l'on ne te voit parmi les chœurs et les guirlandes des jeunes filles
dénouer tes cheveux, ni chanter au son de la flûte.
Tu ne te plais que parmi les soldats,
soufflant au cœur des Argiens l'ardeur contre le sang de Thèbes.
Pas de flûtes pour mener ton cortège !
Le délire du Porte-Thyrse ne te mêle pas aux nébrides !
Ce n'est pas toi qu'on voit tourner, dans les chariots à quatre roues,
parmi les grelots des chevaux[2] !
Mais près de l'Isménos tu entraînes ta chevauchée,
soufflant au cœur des Spartes l'ardeur contre les Argiens.
Et le cortège armé, les boucliers levés, s'oppose à l'ennemi,
doublant d'airain le mur de pierre.
La Discorde, terrible déesse, a préparé cette calamité,
pour les rois du pays, les infortunés Labdacides.

ANTISTROPHE

Bois sacré, feuillage divin peuplé de bêtes fauves,
délices d'Artémis, ô Cithéron couvert de neige,
pourquoi as-tu nourri cet enfant de Jocaste proposé à la mort,
que des épingles d'or firent célèbre ?
Pourquoi la Sphinx, la monstrueuse vierge ailée,
vint-elle des montagnes apporter à Thèbes le deuil,

avec ses chants haïs des Muses,
quand de ses quatre serres, aux abords du rempart,
elle emportait au ciel inaccessible les enfants de Cadmos ?
Hadès de dessous terre la leur avait envoyée.
Puis vint l'autre fléau, la rivalité qui germa
dans la maison et la cité entre les fils d'Œdipe.
Non, ce qui n'est pas sain ne le devient jamais.
Que dire des enfants conçus contre la loi,
tachés du sang d'un parricide[1],
nés d'une mère épouse de son fils ?

ÉPODE

   Tu enfantas, ô Terre, tu enfantas jadis,
ainsi qu'on le raconte en mon pays natal,
la race issue des dents
de ce dragon sauvage à la crête sanglante,
pour Thèbes orgueil et honte.
En ce temps-là les immortels vinrent aux noces d'Har-
     monie.
La phorminx éleva les remparts de la ville,
la lyre d'Amphion dressa la citadelle
entre les deux fleuves jumeaux,
là où Dircé devant l'Isménos baigne la plaine verdoyante.
Ainsi d'Io, l'aïeule cornue, naquirent les rois cadméens.
Après tant de faveurs pour elle accumulées,
voici la ville au sommet du danger,
enfermée par Arès dans son cercle de fer.

                     Entre par la droite Tiré-
                     sias, une couronne d'or sur
                     la tête, conduit par sa fille
                     et par Ménécée.

TROISIÈME ÉPISODE

TIRÉSIAS

MA fille, avance et conduis-moi. Mon pas d'aveugle
a un œil, et c'est toi. Ainsi le marin suit l'étoile.
Mène-moi vers un sol uni et va devant, pour m'épargner
    de trébucher.
Ton père est sans force. Tiens-moi bien, dans ta main de
    vierge,
ces sorts que j'ai notés en observant les oiseaux,
du siège sacré où je prophétise.
    Fils de Créon, Ménécée, cher enfant, dis-moi donc
ce qu'il me reste à marcher dans la ville
pour atteindre ton père. Car mes genoux faiblissent.
J'ai beau presser le pas, j'avance à peine.

CRÉON

Rassure-toi, Tirésias, tes amis sont là près de toi,
pour t'accueillir à bon port. Soutiens-le, mon fils.
La marche du vieillard aime l'appui d'un bras[1].

TIRÉSIAS

Bien, je suis arrivé. Pourquoi, Créon, m'avoir mandé
    d'urgence ?

CRÉON

Comment l'oublierais-je ? Mais ressaisis-toi,
reprends haleine, remets-toi de l'effort d'avoir gravi
    la côte.

TIRÉSIAS

Il est vrai que je suis fatigué. Les fils d'Érechthée
m'ont fait hier ramener jusqu'ici[2].
Ils étaient là-bas en guerre avec Eumolpe,
et c'est grâce à moi qu'ils en ont triomphé.
Cette couronne d'or que tu vois sur ma tête,
je l'ai reçue comme prémice du butin.

CRÉON

Je le prends pour présage, ce bandeau de victoire,
car l'orage est sur nous, tu le sais, et la guerre
place Thèbes devant le suprême combat.
Le roi Étéocle vient de partir en armes
pour rencontrer la force mycénienne,
me chargeant d'apprendre de toi ce que nous devons
    faire pour sauver notre ville.

TIRÉSIAS

S'il s'agissait seulement d'Étéocle, je me tairais,
et je garderais les oracles secrets. Mais, puisque tu veux
    les connaître,
pour toi je parlerai. Voilà longtemps que Thèbes est
    malade, Créon :
depuis que Laïos, en dépit des dieux, devint père,
et engendra ce malheureux Œdipe qui devait épouser
    sa mère.
Quand il détruisit ses yeux dans le sang,
c'est que les dieux, dans leur sagesse, voulaient donner
    cet exemple à la Grèce.
Ses fils ont compté sur le temps pour tout faire oublier,
comme s'ils pouvaient l'emporter sur les dieux!
Coupable aveuglement! En refusant les honneurs à
    leur père
en l'empêchant de sortir du palais, ils ont rendu furieux
un homme infortuné, et lui les a maudits,
en termes effrayants dictés par la souffrance et les outrages.
Qu'ai-je fait, que n'ai-je pas dit,
sans rien obtenir d'eux, sinon leur haine ?
La mort, Créon, est proche, et frappera chacun par la
    main de l'autre.
Et les corps tombant sur les corps,
les armes confondues des Argiens, des Cadméens,
donneront d'amers chants de deuil à la terre thébaine.
Toi, ville infortunée, je te vois effondrée
si celui que je sais est sourd à ma parole!
Il fallait d'abord refuser à la lignée d'Œdipe
place dans la cité et sur le trône,
car le génie qui les possède les force à nous détruire.
Aujourd'hui que le mal est fait,

reste un seul moyen de salut,
mais il est pour moi dangereux à dire,
et atroce pour ceux auxquels il dicte le destin
de fournir à la ville la rançon du salut.
Je m'en vais donc. Adieu. Je ne serai qu'un parmi beau-
      coup d'autres
à porter, s'il le faut, ce qui doit arriver. Que faire d'autre ?

Il veut s'éloigner.

CRÉON

Ne pars pas ainsi, vénérable...

TIRÉSIAS

Ah, ne me retiens pas!

CRÉON

Reste! pourquoi me fuir ?

TIRÉSIAS

C'est ton destin qui s'éloigne avec moi...

CRÉON

Comment sauver les citoyens et la cité ? Tu dois parler.

TIRÉSIAS

Tu le veux à présent. Tu auras tôt cessé de le vouloir.

CRÉON

Comment pourrai-je refuser le salut pour la ville ?

TIRÉSIAS

Ainsi tu veux m'entendre, et tu y tiens vraiment ?

CRÉON

Est-il rien qui doive m'intéresser davantage ?

TIRÉSIAS

Eh bien soit, tu vas connaître mon oracle.
Mais tout d'abord je veux savoir
où est ce Ménécée qui m'a conduit ici.

CRÉON

Il est là, tout à côté de toi.

TIRÉSIAS

Qu'il s'éloigne. Il ne doit pas entendre l'arrêt.

CRÉON

Il est mon fils. Il taira ce qui doit être tu.

TIRÉSIAS

Tu veux donc que je parle en sa présence ?

CRÉON

Oui, puisqu'il sera heureux d'apprendre comment nous
sauver.

TIRÉSIAS

Sache donc quel moyen révèlent mes oracles.
Si tu veux sauver Thèbes, il te faut immoler Ménécée,
oui, ton fils. Aussi bien c'est toi-même qui provoques
le sort.

CRÉON

Quoi ? Vénérable, que viens-tu de dire ?

TIRÉSIAS

Ce qui est révélé, c'est à toi de l'exécuter.

CRÉON

Ah! que de lourds malheurs tu fais tenir en peu de mots!

TIRÉSIAS

Malheurs pour toi, mais le salut pour la patrie.

CRÉON

Je n'entends, ni n'ai rien entendu. La patrie, que m'importe ?

TIRÉSIAS

Ce n'est plus le même homme : il recule !

CRÉON

Adieu, va-t'en. Qu'ai-je besoin de tes oracles ?

TIRÉSIAS

La vérité n'est plus la vérité, depuis qu'elle te blesse.

CRÉON

Par tes genoux, ah! par ta barbe blanche!...

TIRÉSIAS

Que vas-tu demander ? Tu veux rendre nos maux irrémédiables ?

CRÉON

Ton silence, et que la ville ignore ton verdict.

TIRÉSIAS

C'est m'ordonner de la trahir. J'entends ne pas me taire.

CRÉON

Que veux-tu donc ? Tuer mon fils ?

TIRÉSIAS

D'autres s'en chargeront. Il suffira que j'aie parlé.

CRÉON

D'où vient que cet arrêt frappe mon fils et moi ?

TIRÉSIAS

Tu fais bien de m'interroger et de discuter la sentence.
Dans l'antre même où le Dragon fils de la Terre veillait
    sur les eaux de Dircé,
il faut offrir au sol le sang d'une victime,
pour apaiser le vieux ressentiment d'Arès contre Cadmos,
car le dieu veut venger le meurtre du Dragon.
Pour prix de votre obéissance il combattra pour vous.
Si elle reçoit fruit pour fruit, et pour le sang versé du
    sang humain,
la Terre vous sera propice, elle qui, autrefois,
fit jaillir la moisson des Spartes casqués d'or.
Et c'est pourquoi la race issue de la mâchoire du Dragon
    doit fournir la victime.
Or, le dernier des Spartes de pure descendance,
en ligne mâle et féminine, c'est toi, avec tes fils.
L'hymen d'Hémon ne permet pas de l'immoler : il n'est
    plus vierge.
Même s'il n'est pas entré dans son lit, il est uni à
    une épouse.
Mais l'enfant que voilà, consacré pour la ville,
peut par sa mort sauver le pays de ses pères.
Il vaudra un amer retour aux Argiens d'Adraste,
en versant sur leurs yeux les ombres du trépas,
et fera Thèbes glorieuse. Entre deux destins, c'est à toi de
    choisir.
Sauve ton fils ou sauve la cité.
Je n'ai rien de plus à t'apprendre. Ramène-moi, ma fille,
à la maison. Celui qui interprète les présages
y perd son temps. Si l'avis qu'il donne est sévère,
le consultant en prend offense.
Mais, ému de pitié, s'il prononce un mensonge, il pèche
    envers les dieux.
Phoibos devrait être le seul à donner aux humains des
    oracles,
car lui n'a rien à redouter.

Il part à droite avec sa fille.

Le coryphée

Qu'est-ce, Créon ? Tu gardes le silence et ta bouche est
    sans voix.
Autant que toi, je reste stupéfaite.

Créon

Et que pourrait-on dire ? Ma parole tient en un mot
    bien clair :
Jamais je n'en viendrai à cette extrémité
d'offrir à Thèbes mon fils égorgé.
Vivre, pour tous les hommes, c'est chérir ses enfants.
Lequel livrerait son fils à la mort ?
Loin de moi toute gloire acquise au prix d'un enfant
    sacrifié.
S'il s'agissait de moi, car je suis à l'âge où l'on peut
    mourir,
je suis prêt à le faire pour sauver ma patrie.
    Toi, mon fils, pars, avant que la cité entière soit
    informée.
Foin des oracles où les devins laissent parler leur
    insolence !
Pars sur-le-champ, exile-toi bien loin d'ici,
car l'autre va tout dire aux magistrats, aux généraux ;
il ira aux sept tours trouver les chefs des postes.
Si nous le prévenons, tu peux encore être sauvé,
mais que tu tardes, c'en est fait de nous, et tu mourras.

Ménécée

Mais où devrai-je aller ? dans quelle ville ? vers lequel de
    nos hôtes ?

Créon

Où tu seras le plus éloigné du pays.

Ménécée

Dicte-moi donc mon plan, je l'exécuterai.

Créon

Passe par Delphes.

MÉNÉCÉE

Pour aller où ensuite ?

CRÉON

En pays étolien.

MÉNÉCÉE

Et à partir de là ?

CRÉON

Jusqu'en terre thesprote.

MÉNÉCÉE

Aux assises sacrées de Dodone ?

CRÉON

C'est bien cela.

MÉNÉCÉE

Comment me protégeront-elles ?

CRÉON

Le dieu te guidera.

MÉNÉCÉE

Et quelles seront mes ressources ?

CRÉON

Je te donnerai de l'or.

MÉNÉCÉE

C'est bien, mon père.
Va le chercher, tandis que je me rendrai auprès de ta sœur,
cette Jocaste qui m'a donné son lait,
quand orphelin je restai privé de ma mère.
Je lui dirai adieu et m'en irai pour mon salut.
Mais pars donc, que de toi nul obstacle ne vienne.

(Créon sort par la droite.)

Femmes, vous le voyez : j'ai bien su enlever toute
    crainte à mon père,
et l'abuser pour atteindre mon but.
En me faisant partir, il retire à Thèbes sa chance
et me voue à la lâcheté. On peut le pardonner à un
    vieillard,
mais moi je n'aurais nulle excuse
pour trahir la patrie à qui je dois le jour.
Sachez-le donc, je vais la sauver au prix de ma vie.
Quoi ? Ceux que nul oracle ne lie, qui ne sont pas pris
    dans l'étau des dieux,
acceptent de mourir, le bouclier au flanc,
près du rempart, en combattant pour elle,
tandis que moi, trahissant mon père et mon frère
et ma cité, je partirais, faute de courage ?
Partout où j'irais me suivrait la honte !
    Non ! par Zeus là-haut dans les étoiles, par le sanglant
        Arès
qui établit seigneurs en ce pays
les Spartes jadis issus de la Terre,
je veux aller, debout au sommet des créneaux,
faire couler mon propre sang dans le trou noir
de l'antre du Dragon, lieu désigné par le devin,
et je libérerai ce sol. Telle est ma décision.
Je pars donc pour offrir à Thèbes l'honorable don de
    ma mort,
et délivrer ce pays de son mal.
Si chaque citoyen, pour le profit de tous,
mettait en jeu, jusqu'au dernier effort, ce qu'il a de
    meilleur,
les cités auraient moins à souffrir
et seraient désormais heureuses.

Il s'éloigne vers la gauche.

TROISIÈME STASIMON

STROPHE

LE CHŒUR

Fille ailée de la Terre, d'Échidna l'infernale,
tu vins, ô Sphinx, monstre fait de vierge et de bête,
pour te saisir des Cadméens,
pour semer la ruine et le deuil,
par tes ailes furieuses,
par tes griffes avides de vivante chair.
Jadis des bords de la Dircé tu enlevais les jeunes gens,
tu les emportais dans les airs au chant lugubre de l'énigme.
Funeste Érinys, tu comblas Thèbes de douleurs et de sang.
Sanglant aussi, le dieu qui t'envoyait.
Les maisons résonnaient
des cris de deuil des mères, des cris de deuil des filles !
Appels plaintifs, refrains plaintifs,
alternaient, reprenaient, sans arrêt, par la ville.
Le désespoir grondait comme un tonnerre lorsque la vierge
      ailée
ravissait un jeune Thébain.

ANTISTROPHE

Vint enfin, envoyé par le dieu de Pythô
vers la terre thébaine, le malheureux Œdipe,
pour la joie d'abord, puis pour la douleur,
puisque après avoir triomphé de l'énigme
il s'unit à sa mère en un hymen fatal.
Souillée par lui la ville passe d'un crime à l'autre,
car il a déchaîné un combat sacrilège
entre les fils qu'il a maudits, le malheureux !
Ah ! que j'admire le héros qui s'en va vers la mort
pour racheter le pays de ses pères.

Il ne laisse à Créon que des larmes,
mais sur le septuple verrou des tours de Thèbes
il va poser une belle couronne.
Fais de nous les mères heureuses de fils pareils à lui,
chère Pallas, qui d'une pierre bien lancée
déchaînant l'ardeur de Cadmos, fis couler le sang du Dra-
   gon.
C'est pourquoi le fléau envoyé par un dieu
dévasta ce pays.

      Entre par la gauche un
      écuyer d'Étéocle.

QUATRIÈME ÉPISODE

L'ÉCUYER

Holà! Quelqu'un à cette porte!
Ouvrez et priez Jocaste de venir ici.
Holà! encore un coup! Que vous tardez!

(La porte s'ouvre.)

Enfin!
Sors et viens m'écouter, illustre épouse d'Œdipe,
en faisant trêve aux plaintes et aux larmes.

Jocaste apparaît à la porte.

JOCASTE

Tu ne viens pas, j'espère, annoncer un malheur,
la mort d'Étéocle ? Son écuyer, tu es toujours à son côté
pour l'aider à parer les traits des ennemis.
Mon fils vit-il encore ? ah! parle donc!

L'ÉCUYER

Il vit, rassure-toi, je puis t'enlever cette crainte.

JOCASTE

Et qu'advient-il du rempart aux sept tours.

L'ÉCUYER

Il n'a pas une brèche et la ville est indemne.

JOCASTE

A-t-elle reçu le choc de la lance argienne ?

L'ÉCUYER

Oui, et fut à deux doigts de céder. Mais l'Arès cadméen
a triomphé de l'armée de Mycènes.

JOCASTE

Encore un mot, au nom des dieux. De Polynice,
sais-tu quelque chose ? Voit-il la lumière ? Je m'en
    inquiète aussi.

L'ÉCUYER

Tes deux fils, au moment présent, vivent toujours.

JOCASTE

Je te bénis. Mais comment avez-vous repoussé loin des
    portes l'armée qui les investissait ?
Parle, afin qu'au vieillard aveugle qui est dans la maison
j'aille porter la joie de savoir la ville sauvée.

L'ÉCUYER

Le fils de Créon venait de mourir pour elle.
Debout sur le sommet des tours, il s'était tranché la gorge
de son glaive noir, sauveur de cette terre.
Ton fils alors distribua sept bataillons avec leurs
    capitaines
aux sept portes, pour les garder contre l'armée argienne.
Il ajouta aux cavaliers des cavaliers de la réserve,
aux fantassins joignit d'autres porteurs de boucliers,
pour être sûr que si en quelque point l'enceinte faiblissait
on s'y porte aussitôt. De nos remparts à pic
nous voyons s'avancer sous ses boucliers blancs l'armée
    argienne
venant de Témésos. Arrivée en vue du fossé[1]
elle se met au pas de course pour se ranger sous la
    citadelle.
Le chant du péan et l'appel des trompettes
résonnèrent ensemble, de leur côté et dans nos murs.
    Et d'abord s'avança vers la porte Néiste,
un bataillon tout hérissé de boucliers serrés,
que conduisait Parthénopée, le fils de la chasseresse,
portant au milieu de l'écu le symbole de sa maison,
Atalante domptant à coups de flèches le sanglier étolien.
    Vers la porte Proitide, menant sur son char les victimes,
allait Amphiaraos le devin. Nul signe voyant ne le
    distinguait.

Ses armes modestes n'avaient nul emblème.

    Contre la porte d'Ogygie marchait le roi Hippomédon,
montrant sur son écu l'image
du vigilant Argus au corps tout semé d'yeux,
qui s'ouvrent au moment où les astres se lèvent
et se ferment quand ils se couchent[1],
ainsi qu'on put le voir quand il fut mort.

    A la porte Homoloïs s'était rangé Tydée,
revêtu de la peau hérissée d'un lion.
Sur son écu le Titan Prométhée
brandissait une torche comme pour brûler la cité.

    Ton fils Polynice à la porte Crénée
menait l'assaut. Sur son bouclier, comme emblème,
les chevaux de Potnies bondissaient affolés.
De dessous la poignée un pivot les faisait tourner
comme pour un galop furieux.

    Enflammé au combat autant que Mars lui-même,
Capanée conduisait ses hommes contre la porte Électre.
Son bouclier au dos de fer portait l'empreinte
d'un Géant chargeant sur son dos une cité entière,
arrachée au levier avec ses fondations,
image de ce que souffrirait notre ville.

    A la septième porte était Adraste.
Sur son écu, parmi cent vipères sculptées,
se détachait à son bras gauche l'hydre de Lerne, orgueil
        d'Argos,
dont les serpents allaient chercher, au milieu des
        remparts,
les enfants des Thébains pour les emporter dans
        leur gueule.

    Tels furent les spectacles qui s'offrirent à moi
tandis qu'à chaque commandant je portais le mot d'ordre.

    Le combat commença par la mêlée des flèches,
des javelots à courroie, des frondes à longue portée,
par le fracas des pierres. Comme nous avions le dessus,
Polynice et Tydée tout d'un coup s'écrièrent :
« Enfants de Danaos, cette grêle va nous réduire
        en miettes.
A l'instant, tous ensemble, donnez l'assaut aux portes,
troupes légères, cavaliers et conducteurs de chars. »

    A ce cri, tous s'ébranlent. La tête en sang, beaucoup
        s'affaissent,
et combien des nôtres tu aurais pu voir

tomber dru du haut du rempart et rouler sur le sol leur
    corps déjà sans vie,
trempant d'un flot de sang la terre desséchée.
    C'est un Arcadien, non un Argien, c'est le fils
    d'Atalante,
qui se lança comme un typhon contre la porte en appelant
au feu et aux pioches pour démolir la ville.
Mais pour contenir ce furieux, le fils du dieu marin,
Périclymène, lui lança sur la tête une pierre,
la charge d'un chariot, un des saillants du parapet
qui fracassa la tête blonde et rompit les os aux jointures,
couvrant de sang la joue à peine empourprée par la barbe.
La fille de Ménale, Atalante au bel arc,
ne verra pas lui revenir son fils vivant.
    Sûr désormais qu'à cette porte tout allait bien,
ton fils s'élance à la suivante, et je l'escorte.
Je vois Tydée et ses hoplites en bloc compact
cribler le faîte de nos murs de leurs javelots étoliens,
à faire tout fuir sur l'escarpement.
Mais comme un chasseur ton fils les rallie
et les ramène à leur poste au rempart.
Ce danger conjuré, nous courons vers une autre porte.
    Pour Capanée, comment te dire ses fureurs ?
Portant la haute échelle d'escalade, il s'avançait en
    se vantant
que rien, pas même la flamme divine lancée par Zeus,
ne l'empêcherait de prendre la ville du haut des remparts.
Voilà ce qu'il criait sous la grêle des pierres,
en gravissant, ramassé sous son bouclier,
l'un après l'autre, les échelons bien travaillés.
Déjà il enjambait le parapet
quand Zeus le frappa de sa foudre. La terre en retentit
et tous tremblèrent. Du sommet de l'échelle,
comme lancés par une fronde, les membres se détachent,
les cheveux se dressent au ciel, le sang ruisselle à terre;
comme ceux d'Ixion sur la roue, les bras et les jambes
tournoient, et le corps brûlé est gisant sur le sol.
    Lorsque Adraste vit Zeus hostile à son armée,
il ramena les Argiens au-delà du fossé.
Mais les nôtres alors, devant ce miracle divin,
s'élancent hors des murs, les conducteurs des chars[1],
les cavaliers et les hoplites. Tous engagent la lutte
au cœur des lignes ennemies, où le désastre est complet.

Ils mouraient, ils tombaient des chars,
les roues sautaient, un essieu après l'autre,
et les corps s'entassaient sur les corps.
  Des remparts de la ville nous avons donc, pour
      aujourd'hui,
écarté la ruine. Pouvons-nous espérer
autant de bonheur pour demain ? Aux dieux d'en décider.
Car c'est un dieu qui vient de la sauver.

LE CORYPHÉE

Il est glorieux d'être vainqueur. Mais même si les dieux
devaient changer d'avis, puissé-je du moins sauver mon
      bonheur!

JOCASTE

Les dieux et le destin nous ont comblés :
mes fils sont vivants et Thèbes est intacte.
C'est Créon, semble-t-il, qui supporte la peine
de mon hymen et des fautes d'Œdipe,
père infortuné privé de son fils pour le salut de la cité,
mais pour son désespoir. Reprends cependant ton récit,
dis-moi ce que mes fils se disposaient à faire ensuite.

L'ÉCUYER

Il ne faut pas t'en enquérir. Jusqu'ici tout va bien
      pour toi.

JOCASTE

Que sous-entend ce mot ? Je ne saurais m'en satisfaire.

L'ÉCUYER

Tes fils sont sauvés. Que veux-tu de plus ?

JOCASTE

Entendre la suite, savoir si elle aussi m'est favorable.

L'ÉCUYER

Laisse-moi partir. Étéocle a besoin de son écuyer.

JOCASTE

Tu me caches un malheur sous tous ces mots obscurs.

L'ÉCUYER

Après t'avoir donné la joie, épargne-moi de dire la
  triſteſſe.

JOCASTE

Tu parleras, ou pour me fuir il faudrait t'envoler.

L'ÉCUYER

Que ne m'as-tu, hélas, laiſſé partir sur la bonne nouvelle,
sans m'obliger à dire la mauvaiſe !
Tes deux fils se préparent pour un aĉte affreux, inouï.
Ils vont se battre en combat singulier,
tandis que leurs armées reſteront à l'écart.
Ils l'ont proclamé aux Argiens ainsi qu'aux Cadméens
réunis, et que n'ont-ils tu ces paroles !
   Du haut d'une des tours Étéocle parla le premier,
après que son héraut eut crié de faire silence :
« Vous, chefs des Danaens venus en ce pays,
et toi, peuple de Cadmos, ni pour Polynice
ni pour moi-même, vous n'allez plus gaspiller votre vie.
Je veux désormais courir seul tout le risque[1]
en combattant contre mon frère.
Si je le tue, je gouvernerai seul ma maison.
Mais si je suis vaincu je la lui remettrai.
Pour vous, Argiens, la guerre eſt finie.
Rentrez chez vous. Vous ne perdrez pas la vie en
   ces lieux. »
   Dès qu'il eut parlé, ton fils Polynice
s'élança hors des rangs pour dire son assentiment,
tandis que les Argiens approuvaient à grand bruit,
et les Thébains aussi, marquant que le projet leur
   semblait juſte.
Ces termes acceptés, l'on fit les libations.
Dans l'espace entre les deux fronts, les deux chefs par serment engagèrent leur foi.
Déjà se couvraient de leurs armes de bronze
les deux garçons, les fils du vieil Œdipe, aidés par
   leurs amis,

notre roi servi par l'élite des Spartes,
l'autre par les meilleurs des Danaens.
Ils se tenaient debout, brillants, sans changer de couleur,
dans leur furieux désir de s'affronter.
Leurs amis, de chaque côté, les encourageaient en pas-
    sant près d'eux :
« Il dépend de toi, Polynice, d'ériger la statue
au Zeus de la Déroute, et de donner grande gloire à
    Argos. »
D'autres disaient à Étéocle : « C'est pour la ville à présent
    que tu luttes.
Sois vainqueur aujourd'hui, et te voilà maître du
    sceptre! »
    Tandis qu'ainsi on les excitait au combat,
les devins immolaient les victimes, observant si les
    flammes montaient en crête,
ou se brisaient mollement en ruptures funestes,
et suivaient à la pointe des torches le départ de deux
    signes contraires,
celui de la victoire et celui des vaincus.
    Si tu as toutefois quelque moyen d'agir, soit des
    paroles de sagesse
soit des formules qui enchantent, viens détourner tes fils
de ce duel impie. Le danger est pressant
et l'enjeu est terrible. Bien des larmes t'attendent
si tu es en un jour privée de tes deux fils.

JOCASTE *(tournée vers le palais)*

Antigone, ma fille, il faut sortir, venir ici!
Ce n'est pas dans les danses, dans les travaux des
    jeunes filles,
que les dieux aujourd'hui te tracent ton chemin.
Deux hommes excellents, tes deux frères,
penchent vers la mort, et tu dois empêcher,
avec ta mère, qu'ils ne périssent l'un par l'autre.

                    Antigone sort du palais.

ANTIGONE

Mère chérie, quel nouveau coup annonce aux tiens
ton cri de douleur devant le palais ?

JOCASTE

C'en est fait, ma fille, de la vie de tes frères.

ANTIGONE

Que dis-tu là ?

JOCASTE

Ils vont se rencontrer en combat singulier.

ANTIGONE

Que dois-je entendre ?

JOCASTE

Un malheur, mais viens avec moi.

ANTIGONE

Quitter ma chambre ? Pour aller où ?

JOCASTE

Vers l'armée !

ANTIGONE

C'est que je redoute la foule !

JOCASTE

L'heure pour toi n'est plus à la pudeur.

ANTIGONE

Qu'attends-tu que je fasse ?

JOCASTE

Que tu réconcilies tes frères.

ANTIGONE

Mais, ma mère, comment ?

JOCASTE

En tombant avec moi à genoux devant eux.

(A l'écuyer.)

Conduis-moi entre les deux lignes. Il n'y a pas de temps
    à perdre.
Hâte-toi, ma fille, hâte-toi. Si j'atteins mes enfants
avant qu'ils ne se battent, ma vie a encore sa lumière.
S'ils meurent, je veux m'étendre morte à côté d'eux.

*Conduites par l'écuyer, elles
partent par la gauche.*

QUATRIÈME STASIMON

STROPHE

Le chœur

Hélas, hélas !
Ma pitié pour la pauvre mère me traverse la chair !
De ses deux fils — ô douleurs, ô Zeus, ô Terre ! —
lequel fera couler le sang de l'autre,
d'une gorge, d'une vie fraternelle,
par un coup meurtrier ?
Quel est celui des deux, pauvre de moi,
dont j'aurai à pleurer la mort ?

ANTISTROPHE

Hélas, hélas !
Comme deux fauves, deux âmes meurtrières,
touchées d'une lance ennemie
vont choir parmi le sang.
Infortunés qui sont venus à la pensée de ce duel !
Mon cri barbare chantera l'hymne qui plaît aux morts.
L'heure fatale, l'heure du meurtre approche.
L'épée va décider de l'avenir.
Destin maudit, coup fratricide,
œuvre des Érinyes.

Entre Créon conduisant
le corps de Ménécée.

EXODOS

Le coryphée

Mais je vois s'avancer Créon. Que son visage est
    sombre!
Je dois cesser de déplorer ce qui arrive ici.

Créon

Que faire, hélas ? Faut-il pleurer sur moi ou bien sur
    Thèbes,
qu'entoure un nuage aussi noir
que si c'était pour l'emporter jusque dans l'Achéron ?
Et voici mon fils mort pour la cité,
grand nom pour lui, douleur pour moi.
Je viens de le reprendre au gouffre du Dragon,
et dans mes bras, infortuné, j'ai rapporté
son corps immolé de sa propre main.
Toute la maison le pleure à grands cris.
Et moi, vieil homme, je viens vers Jocaste, ma
    vieille sœur,
afin qu'elle lave le corps et l'expose au lit funéraire.
Car c'est en rendant les honneurs aux morts
qu'on vénère comme on le doit le dieu qui habite
    sous terre.

Le coryphée

Ta sœur, Créon, est sortie du palais,
accompagnée de sa fille Antigone.

Créon

Où allait-elle ? Appelée par quel accident ? Dis-le moi.

Le coryphée

Elle a su que ses fils vont se battre en duel
décidant du pouvoir par la force des armes.

CRÉON

Que dis-tu là ? Les soins dont j'entourais le corps de mon
    enfant
m'ont empêché d'apprendre ces nouvelles.

LE CORYPHÉE

Mais voilà quelque temps que ta sœur est partie, et je
    pense, Créon,
que le combat à mort entre les fils d'Œdipe doit être
    terminé.

CRÉON

Hélas, oui, et j'en vois le signe au visage, à l'œil sombre
du messager qui vient et va nous dire tout ce qui
    s'est passé.

> *Entre un messager par la
> gauche.*

LE MESSAGER

Malheur à moi! Quel récit ai-je à faire ? quelle parole
    à dire ?

CRÉON

Nous sommes perdus! Qu'attendre de bon après un tel
    début ?

LE MESSAGER

Malheur à moi, je le répète! J'arrive porteur de grands
    maux!

CRÉON

Après tant d'autres déjà consommés! Que diras-tu
    encore ?

LE MESSAGER

Les fils de ta sœur ont cessé de vivre, Créon.

CRÉON

Hélas ! deuil pour moi et pour Thèbes !

Avez-vous entendu, murs du palais d'Œdipe ?
Ses deux fils ont péri d'un même coup du sort.

LE CORYPHÉE

La maison pleurerait, si elle pouvait te comprendre.

CRÉON

Accablantes épreuves ! Malheureux que je suis !

LE MESSAGER

Que dirais-tu si tu savais quel surcroît s'y ajoute!

CRÉON

Peut-on imaginer un sort plus déplorable ?

LE MESSAGER

Avec ses deux fils est morte ta sœur.

LE CORYPHÉE

Entonnez, ah ! entonnez, le chant funèbre,
et de vos mains blanches frappez-vous la tête.

CRÉON

Malheureuse Jocaste! C'est donc pour voir ainsi finir ta vie
et ton hymen, que tu fus exposée aux questions de la
     Sphinx!
Mais comment s'accomplit le meurtre des deux frères,
voués à ce duel par les malédictions d'Œdipe ?
     Dis-le moi.

LE MESSAGER

Tu as su les succès remportés devant les remparts.
L'enceinte des murs n'est pas si éloignée
que tu puisses ignorer ce qui s'y est passé.
     Ayant revêtu leurs armes de bronze, les jeunes fils du
vieil Œdipe

entre les armées s'avancèrent, eux, les deux chefs[1],
pour s'éprouver en combat singulier.
Les regards tournés vers Argos, Polynice pria :
« Auguste Héra, je t'appartiens puisque j'ai épousé
la fille d'Adraste et que j'habite ton pays,
accorde-moi de tuer mon frère, et qu'en le frappant
ma droite se trempe de sang pour ma victoire. »
C'était là implorer la plus honteuse des couronnes, celle
        du fratricide.
De bien des yeux, des larmes jaillissaient devant un tel
        destin,
et les regards, de l'un à l'autre, se cherchaient.
    Quant à Étéocle, tourné vers la maison
de Pallas au Bouclier d'Or, il la pria : « Fille de Zeus,
fais qu'au moment du corps à corps ce fer soit
        victorieux,
quand mon bras l'enverra dans la poitrine de mon frère,
tuer celui qui vient saccager ma patrie. »
    Dès que de la torche eut jailli la flamme,
semblable à l'appel de la trompette tyrrhénienne[2],
pour donner le signal du combat sans merci,
un élan furieux les jeta l'un sur l'autre,
comme des sangliers aiguisant leurs féroces défenses.
Se regardant de biais, des flammes dans les yeux,
la barbe écumante, ils bondissent,
et s'attaquent à la lance, mais en se ramassant sous leurs
        boucliers
pour que le fer y glisse et frappe en vain.
Si l'œil de l'un dépassait l'angle de l'écu,
l'autre levait sa lance pour prévenir le coup.
Grâce aux fentes du bouclier, ils épiaient
et paraient chaque coup, jusqu'à rendre la lance inutile.
La sueur ruisselait, bien plus qu'aux combattants, au
        front des spectateurs,
tant ils tremblaient pour leur parti.
    Or Étéocle ayant repoussé une pierre qui roulait
        sous ses pas,
sa jambe apparut découverte. Polynice bondit,
et pourfend le mollet de sa lance argienne.
Toute l'armée des Danaens jette un cri de triomphe.
Mais pour frapper le coup il s'était découvert l'épaule.
Ce que voyant, et tout blessé qu'il est,
Étéocle avec violence frappe son frère à la cuirasse[3]

pour le bonheur des Cadméens, mais le bout de l'arme
    se brise.
Privé de lance, il recule d'un pas,
prend un bloc de pierre et l'envoie
casser par le milieu le javelot de l'autre.
La lutte à présent est égale, chaque bras étant veuf de
    sa pique.
    C'est alors qu'ils dégaînent et s'attaquent de près,
bouclier contre bouclier, à grand fracas s'enveloppant
    l'un l'autre.
Soudain Étéocle s'avise d'un stratagème thessalien,
pays dont il connaissait les usages.
Il cesse de presser son adversaire, ramène le pied gauche
    en arrière
en se couvrant le creux du ventre, se fend, et lui enfonce
    son épée
dans le nombril, à toucher les vertèbres.
Plié en deux, le malheureux Polynice
tombe dans son sang qui ruisselle.
Étéocle se croit déjà vainqueur et la partie gagnée.
Il jette son épée, commence à dépouiller son frère,
sans bien le surveiller[1], et tout à sa besogne.
C'est ce qui le perdit. L'autre avait encore un souffle
    de vie;
il avait gardé son épée dans sa chute mortelle.
A grand effort, il réussit à l'enfoncer dans le foie
    d'Étéocle,
lui qui était pourtant tombé avant son frère.
    La poussière aux dents, et chacun meurtrier de l'autre,
ils gisent côte à côte, et le pouvoir entre eux n'est pas
    départagé.

LE CORYPHÉE

Hélas, Œdipe, combien je déplore tes vœux!
Un dieu semble avoir accompli tes malédictions.

LE MESSAGER

Mais il te faut apprendre encore le malheur qui
    suivit.
Au moment où ses fils gisant allaient quitter la vie,
la pauvre mère accourt avec sa fille,
les voit frappés de blessures mortelles,

et gémit : « Mes enfants ! j'arrive trop tard à votre aide ! »
en se jetant sur eux pour les embrasser tour à tour,
en les plaignant, en déplorant le lait qu'ils ont bu à
    ses seins.
Leur sœur, la soutenant, gémit aussi :
« Vous qui deviez nourrir sa vieillesse, et me donner en
    mariage,
vous nous abandonnez, ô mes frères chéris ! »
De la poitrine du roi Étéocle sort le râle de l'agonie,
mais il entend sa mère, et pose sur elle sa main
    défaillante,
sans pouvoir parler : seuls ses yeux en larmes
lui donnent pour adieu un signe d'amour.
Polynice, lui, respirait encore.
Regardant sa sœur et sa vieille mère, il leur dit :
« Mère, je meurs, pleurant sur toi,
sur ma sœur que voici et sur mon frère mort.
Même devenu ennemi, mon frère était resté mon frère.
Donnez-moi sépulture, ô ma mère, ô ma sœur,
dans la terre de mes aïeux. Si les citoyens me gardent
    rancune,
apaisez-les, que j'obtienne du moins, de ma terre natale,
ce peu d'espace, même si j'ai perdu mon patrimoine.
Ferme de ta main mes paupières,
ma mère » — lui-même sur ses yeux la posa —
« et adieu. La nuit est déjà là qui m'environne. »
    Tous deux en même temps ont exhalé leur déplorable
    vie.
Leur mère, alors, mesurant son malheur,
dans l'excès de son désespoir, saisit une épée entre les
    cadavres
et fait un acte affreux. Elle enfonce le fer,
et d'un bout à l'autre se tranche la gorge.
Sur ses deux bien-aimés elle est étendue morte, et les
    embrasse encore.
    Les soldats alors sautent sur leurs pieds et la dispute
    éclate.
Nous déclarons que notre roi l'a emporté.
Eux, que c'est Polynice. Les chefs ne sont pas plus
    d'accord.
Polynice a frappé le premier, disent les uns,
à quoi l'on répond que leur double mort exclut toute
    victoire.

Cependant Antigone s'était dérobée, à l'écart des
    soldats
qui reprirent la lutte. Heureusement, dans sa prudence,
le peuple de Cadmos avait campé en armes,
et notre brusque attaque surprit les Argiens non encore
    équipés.
Pas un ne résista. La plaine se remplit
de leurs fuyards, tandis que ruisselait le sang
et que les morts tombaient par milliers. Une fois la vic-
    toire acquise,
nos gens dressèrent l'effigie du Zeus de la Déroute.
Les uns dépouillaient de leurs boucliers les cadavres
    argiens,
et nous faisions porter le butin au donjon,
tandis que d'autres s'occupaient des morts. Avec
    Antigone
ils les apportent jusqu'ici : leurs parents pourront les
    pleurer.
Telle a été pour notre ville l'issue de ces combats :
les uns sont pour son grand bonheur; elle souffre des
    autres.

Il sort par la droite, tandis
qu'entre par la gauche Anti-
gone conduisant le train funèbre.

LE CORYPHÉE

Ce n'est plus seulement par ouï-dire
que m'atteint le sort de cette maison.
Voici devant mes yeux en face du palais les trois corps
    étendus.
Un trépas commun leur donne la nuit pour partage
    éternel.

ANTIGONE

Je ne voile plus mon tendre visage,
ombragé seulement par mes cheveux bouclés.
Ma pudeur de vierge ne s'inquiète plus
de cette pourpre sous mes paupières, de la rougeur de mon
    visage.
Non ! j'accours à présent en bacchante des morts,
rejetant le bandeau qui liait mes cheveux,
laissant flotter ma précieuse robe de safran,

pour conduire en pleurant le train funèbre.
O douleur ! ô douleur !
Polynice, tu as bien mérité ton nom
— malheur à toi, ô Thèbes —
qui te donne pour lot la querelle. Querelle ? non,
mais le meurtre enfanté par le meurtre
pour perdre la maison d'Œdipe,
dans un sang de douleur et de crime !

Quels accords invoquer ? quel chant dicté des Muses,
pour t'annoncer ce deuil après tant d'autres,
ô ma maison, ma maison,
où je ramène ces trois corps en qui coulait un même sang,
une mère et ses fils,
pour le plaisir de l'Érinye !
Elle avait condamné Œdipe et sa maison,
du jour qu'il pénétra l'impénétrable, la chanson de la
        Sphinx,
et tua la sauvage chanteuse.

Dis-moi, mon père, qui, dans la Grèce ou ailleurs,
lequel de tes nobles aïeux,
eut à subir, être d'un jour,
que fussent étalées de si grandes douleurs ?
Malheureuse, quel cri jettera ma souffrance ?
Quel oiseau perché dans la haute ramure d'un chêne ou
        d'un sapin,
mère privée de ses petits, chantera en accord avec moi[1] ?
Voici, parmi mes larmes, le cantique de mon regret,
sur ma vie désormais condamnée à l'éternelle solitude.

Sur qui d'abord jeter cette offrande de mes cheveux
        coupés ?
sur le sein maternel duquel j'ai bu le lait,
ou sur les plaies qui défigurent mes frères morts.

O désespoir !
Quitte ta retraite, amène ici tes yeux sans regard,
Œdipe, ô mon vieux père,
viens révéler ton existence misérable.
Tu as noyé tes propres yeux dans les ténèbres ;
sans jamais sortir du palais tu traînes ta longue existence.
M'entends-tu ?

Es-tu à errer dans la cour, de ton pas chancelant
ou sommeilles-tu sur ton lit, mon père infortuné ?

                              Œdipe sort du palais.

ŒDIPE

Pourquoi, ma fille, avec tes sanglots et tes plaintes,
me forcer à paraître au grand jour,
appuyé aux bâtons qui soutiennent le pas de l'aveugle ?
J'étais couché dans l'ombre de ma chambre,
fantôme chenu semblable à un souffle,
un revenant du pays des morts, un songe qui s'évanouit ?

ANTIGONE

Tu vas apprendre un grand malheur, mon père[1].
Tes deux fils ont cessé de vivre, et ton épouse aussi,
elle qui debout, près de ton bâton,
jamais ne se lassait de guider ton pas incertain.
O mon père, ô douleur !

ŒDIPE

Hélas, pour moi quelle souffrance à gémir, à crier !
Ces trois vies, par quel coup du sort se sont-elles éteintes ?
ma fille, dis-le moi.

ANTIGONE

Je ne voudrais ni t'accabler, ni triompher de toi,
mais ma douleur m'oblige à te le dire :
le démon acharné sur toi, et par toi réveillé,
c'est lui qui accabla tes fils,
sous le poids du fer et du feu et des luttes sanglantes,
ô mon père, ô douleur !

ŒDIPE

Hélas !

ANTIGONE

Mes paroles te font pleurer...

ŒDIPE

... sur mes enfants...

ANTIGONE

Combien tu souffrirais si tes yeux voyaient le Soleil sur
           son char,
et contemplaient ces corps inanimés[1] *!*

ŒDIPE

Je sais trop bien comment mes fils périrent.
Mais mon épouse ? à quel destin, dis-moi, a-t-elle suc-
           combé ?

ANTIGONE

Tous ont pu la voir, en pleurs et gémissante,
s'élancer vers ses fils,
pour les prier, les supplier, en leur montrant son sein.
C'est à la porte Électre qu'elle découvrit ses enfants,
dans la prairie aux lotus,
lances dressées en vue du double fratricide,
luttant comme deux lions au repaire.
La sanglante libation coulant de leurs blessures,
part de Pluton offerte par Arès,
commençait à se refroidir.
Elle prit une épée de bronze, tombée d'une mourante main,
et se la plongea dans la chair.
Sa douleur maternelle la fit tomber entre ses fils.
En ce seul jour, mon père, un dieu sur notre maison
accumula tous les malheurs,
pour mettre fin à notre histoire.

LE CORYPHÉE

Ce jour pour la maison prélude à de grands maux.
Puisse la vie se montrer plus clémente[2].

CRÉON

Faites trêve enfin à ces cris de deuil, car il est l'heure

de s'occuper des funérailles. Écoute, Œdipe, ce que j'ai
    à te dire.
L'autorité sur ce pays, je l'ai reçue
d'Étéocle ton fils, qui l'a donnée en dot
à Hémon, comme époux de ta fille Antigone.
Fort de ce droit, je ne te permets plus de demeurer ici.
Tirésias prononce clairement :
tant que tu y vivras, Thèbes ne sera pas heureuse.
Il faut partir. Ce que je dis n'est pas pour te faire un
    affront,
ni que je sois ton ennemi. Mais avec toi sont des démons
dont je crains qu'ils n'appellent le malheur sur la ville.

ŒDIPE

O destinée ! quel malheureux tu fis de moi dès le principe,
un misérable s'il en fût jamais !
Du ventre de ma mère je n'étais pas sorti au jour,
je n'étais pas même engendré qu'Apollon annonçait
    à Laïos
que je tuerais mon père. Malheur à moi !
Dès que je fus né, mon père aussitôt me condamne à mort,
voyant en moi son ennemi,
puisqu'il devait mourir de ma main. Il m'envoie,
pauvre enfant pleurant le sein, nourrir les bêtes fauves.
Je suis sauvé, quand mieux aurait valu
que le Cithéron s'abîmât aux gouffres du Tartare,
lui qui m'épargna, mais pour qu'un démon,
me donnât comme esclave à Polybe mon maître[1].
    Puis ma disgrâce veut que je fasse périr mon père,
que j'entre au lit de ma pauvre mère,
pour engendrer des fils qui sont mes frères, et que
    j'ai tués
en reportant sur eux les malédictions héritées de Laïos.
Aurais-je été si fou de commettre un tel attentat
contre mes yeux et contre la vie de mes fils
si quelque dieu ne m'y avait poussé ?
    Et maintenant, que dois-je faire, infortuné ?
Qui va guider, accompagner, mon pas d'aveugle ?
Celle qui gît là morte ? Certes, vivante, elle l'eût fait.
Mes deux fils, ce couple si beau ? Je ne l'ai plus.
Ai-je encore la force de pourvoir moi-même à ma
    subsistance ?

Comment le pourrais-je ? C'est donc ma mort qu'absolu-
    ment tu veux, Créon ?
Car c'est me tuer que me bannir de Thèbes.
    Et cependant tu ne me verras pas faire figure de lâche,
au point d'embrasser tes genoux. Je ne trahirai pas mon
    ancienne noblesse
quelle que soit la misère où je serai plongé.

CRÉON

Tu fais bien de ne pas m'implorer,
car moi je ne saurais te laisser vivre ici.
    Quant à ces deux morts, il est temps
de porter l'un dans la maison. L'autre,
celui qui vint avec des étrangers saccager sa patrie,
    Polynice,
qu'on aille le jeter au delà des frontières, sans l'enterrer.
Que le héraut l'annonce à tous les Cadméens :
l'homme que l'on prendrait à mettre sur lui des feuillages,
à le couvrir de terre, le paierait de sa vie.
    Toi, cesse de pleurer ensemble ces trois morts
et rentre donc dans le palais, Antigone,
pour y garder la réserve des vierges
jusqu'à ce jour prochain où t'attendra le lit d'Hémon.

ANTIGONE

Que de maux nous accablent, mon père !
Ah, je pleure sur toi bien plus que sur les morts !
Où est le malheur qui t'a épargné ? Tous ont pesé
    sur toi.
    Mais je t'interroge, toi le nouveau roi.
De quel droit outrager mon père en l'exilant
    de ce pays,
forger cet arrêt contre un pauvre mort ?

CRÉON

L'arrêt n'est pas de moi, mais d'Étéocle.

ANTIGONE

Arrêt insensé. Fou toi aussi de t'y soumettre.

CRÉON

Comment ? N'est-ce pas un devoir d'accomplir un ordre
   suprême ?

ANTIGONE

Non pas, s'il est haineux et malfaisant.

CRÉON

Ce corps, n'aurions-nous pas le droit de le jeter aux chiens ?

ANTIGONE

La loi vous interdit de le punir ainsi

CRÉON

Elle le permet. Appartenant à la cité, il en fut l'ennemi.

ANTIGONE

Sa mort n'a-t-elle pas payé sa dette ?

CRÉON

Que son cadavre abandonné en acquitte le reste!

ANTIGONE

Quel fut son crime ? Il réclamait sa part de royauté!

CRÉON

Sache-le bien : il restera sans sépulture.

ANTIGONE

C'est moi qui l'ensevelirai, même si la cité l'interdit.

CRÉON

Ce sera pour creuser ta tombe à côté de la sienne.

ANTIGONE

Sort glorieux pour deux êtres qui s'aiment, de reposer
ensemble.

CRÉON *(aux gardes)*

Saisissez-la, ramenez-la dans la maison.

ANTIGONE *(tenant toujours le corps de Polynice)*

Ce ne sera pas. Je ne lâcherai pas ce corps.

CRÉON

Le ciel, jeune fille, s'est prononcé contre toi.

ANTIGONE

Mais il a aussi prononcé qu'on ne peut outrager les morts.

CRÉON

Nul ne le vêtira de terre, ne versera sur lui les libations.

ANTIGONE

Créon, je t'en supplie, au nom de ma mère Jocaste
que voilà!

CRÉON

Peine perdue, tu n'obtiendras pas ce que tu demandes.

ANTIGONE

Permets-moi seulement de le laver selon le rite...

CRÉON

C'est un des actes interdits à tous les citoyens.

ANTIGONE

De bander ses cruelles blessures...

CRÉON

Il n'est aucun honneur que tu puisses lui rendre.

ANTIGONE

Frère chéri, je baiserai du moins ta bouche.

CRÉON

Que de lamentations! Crains d'apporter du malheur
à tes noces!

ANTIGONE

Et tu crois donc que si je vis j'épouserai ton fils?

CRÉON

Tu y es bien forcée. Où t'en irais-tu pour lui échapper?

ANTIGONE

Eh bien alors, cette nuit-là fera de moi une autre Danaïde.

CRÉON *(à Œdipe)*

L'entends-tu bien, la téméraire qui nous menace?

ANTIGONE *(touchant l'épée de Polynice)*

Que le fer de l'épée entende mon serment.

CRÉON

Mais pourquoi tant d'ardeur à rompre cette union?

ANTIGONE

Je veux m'exiler avec lui, avec mon pauvre père.

CRÉON

Ton cœur est généreux, mais ta raison s'égare.

ANTIGONE

Et mourir avec lui, si tu veux tout savoir.

CRÉON

Pars. Tu n'auras pas à tuer mon fils. Va-t'en bien loin d'ici.

Créon sort par la droite.

ŒDIPE

Je loue, ma fille, ton dévouement, et cependant...

ANTIGONE

Puis-je me marier, te laisser partir seul en exil ?

ŒDIPE

Reste pour ton bonheur. Je saurai supporter mon épreuve.

ANTIGONE

Et qui te soignera, toi, un aveugle ?

ŒDIPE

Où le sort me fera tomber, je resterai gisant.

ANTIGONE

Qu'est devenu Œdipe et sa fameuse énigme ?

ŒDIPE

Il n'est plus. Un même jour fit ma grandeur et ma perte.

ANTIGONE

Eh bien ? ne dois-je pas partager ta disgrâce ?

ŒDIPE

La vie errante, avec un père aveugle ? une fille y perdra
son honneur.

ANTIGONE

Si elle est vertueuse, elle y gagne la gloire.

ŒDIPE

Alors, conduis-moi vers ta mère, que je la touche.

ANTIGONE

Elle est ici. Ta vieille main touche un corps bien-aimé.

ŒDIPE

Ma mère, ô ma compagne infortunée !

ANTIGONE

Elle gît, pitoyable, après avoir souffert tout ce qu'on peut
souffrir.

ŒDIPE

Où est le corps d'Étéocle, celui de Polynice ?

ANTIGONE

Étendus là, l'un près de l'autre.

ŒDIPE

Porte ma main aveugle vers leurs pauvres visages.

ANTIGONE

Ils sont ici. Touche tes deux fils morts.

ŒDIPE

Restes chéris ! œuvre malheureuse d'un père malheureux !

ANTIGONE

O Polynice, nom si cher à mon cœur !

ŒDIPE

A présent s'accomplit, mon enfant, l'oracle de Loxias.

ANTIGONE

Quel oracle ? Ah, n'annonce pas de nouveaux malheurs !

ŒDIPE

Je dois errer, et puis mourir sur le sol athénien.

ANTIGONE

Où ? Quel asile en Attique voudra te recevoir ?

ŒDIPE

La terre sacrée de Colone, le séjour du dieu cavalier.
Allons, viens assister ton père aveugle,
puisque tu veux me suivre dans l'exil.

ANTIGONE

Pars pour ce triste voyage. Tends-moi ta chère main,
ô mon vieux père, pour que je te conduise,
comme la brise mène la barque.

ŒDIPE

J'obéis, et me mets en route, ma fille,
ma pauvre enfant, oui, guide-moi.

ANTIGONE

Pauvre, oui, je le suis, entre toutes les filles de Thèbes.

ŒDIPE

Où poser mon pied hésitant ? A toi de me servir d'appui.

ANTIGONE

Par ici. Voilà l'endroit
où mettre ton pied plus débile qu'un songe.

ŒDIPE

Exil, suprême affront du sort !
Chasser un vieil homme loin de sa patrie !
Indigne traitement !

ANTIGONE

Pourquoi t'en indigner ?
La Justice ferme les yeux sur les coupables,
et ne corrige pas les folies des humains.

ŒDIPE

Me voici, moi qui eus accès
au chant de la belle et céleste victoire,
en déchiffrant l'indéchiffrable énigme de la Vierge !

ANTIGONE

Pourquoi rappeler l'infamie
que la Sphinx fit tomber sur nous ?
Évite de parler de tes bonheurs passés,
devant les douleurs qui t'attendent,
proscrit destiné à mourir n'importe où.
Je laisse à mes amies regrets et larmes,
et je m'en vais au loin
mener la vie errante qui sied le moins aux jeunes filles.
Hélas ! en mettant tout mon cœur
au service de mon pauvre père,
j'en aurai certes quelque gloire,
moi qui ressens tous les outrages
subis par toi, par Polynice,
qu'on rejette de la maison, sans sépulture, infortuné !
Mais j'irai la nuit le couvrir de terre, dussé-je en mou-
           rir, ô mon père.

ŒDIPE

Va trouver tes jeunes compagnes.

ANTIGONE

Il n'est besoin d'autres pleurs que des miens.

ŒDIPE

Va prier aux autels des dieux.

ANTIGONE

Je les ai fatigués de mes plaintes.

ŒDIPE

Va du moins vers Bromios et l'enclos interdit
sur le mont des Ménades.

ANTIGONE

Lui pour qui, parmi les Cadméennes,
et vêtue de la peau de faon,
j'ai autrefois, sur les montagnes,
conduit en dansant le cortège sacré de Sémélé ?
Les dieux de mon service ne m'ont su aucun gré !

ŒDIPE

Citoyens de l'illustre Thèbes, regardez cet Œdipe
qui comprit la fameuse énigme, et qui fut le plus grand
   des hommes.
A moi seul j'ai mis fin au pouvoir de la Sphinx sanguinaire.
Me voici ravalé, misérable, exilé.
Mais à quoi bon me plaindre ? Je me lamente en vain.
Ce qu'imposent les dieux il faut le supporter quand on
   n'est qu'un mortel.

LE CORYPHÉE

Très auguste victoire
ne me quitte jamais,
et ne cesse pas de me couronner.

ORESTE

L'ODYSSÉE *raconte qu'Oreste après sept ans d'exil revint tuer Égisthe, et que ce même jour Ménélas, après une longue errance, aborda enfin au pays d'Argos. Le synchronisme a dû frapper les vieux poètes, car on le retrouve dans les* Chants Cypriens. *Euripide lui a donné sa pleine valeur.*

A vrai dire il l'a quelque peu dilaté. Quand Ménélas arrive, il y a cinq jours que Clytemnestre est morte. Oreste, dégrisé, a eu le temps de comprendre la gravité de son acte, et aussi le danger qu'il court. Les Argiens vont le juger. En attendant, ils l'ont déclaré impur, interdisant de lui adresser la parole, lui enlevant ainsi toute possibilité de se purifier rituellement. La perspective d'être lapidé le remplit de terreur, et davantage encore l'idée qu'Apollon aurait pu le tromper. Les Argiens sont moins redoutables que les Érinyes nées du sang maternel. Électre, qui s'empresse tendrement autour de son frère, sait fort bien que les terribles déesses à la chevelure de serpents sont des phantasmes. De n'être pas réelles, sont-elles moins terribles ? Peut-être davantage. Apollon a donné à Oreste, pour les chasser, son arc infaillible. Des flèches divines pourraient blesser les déesses. Que peuvent-elles contre des remords ?

*Dans l'*Odyssée *(quoique cela ne soit pas dit) l'arrivée de Ménélas au moment du meurtre souligne la conséquence dynastique de celui-ci : la branche aînée, celle des fils d'Atrée, l'emporte définitivement sur Égisthe fils de Thyeste. Oreste a mis fin à une usurpation, restauré un pouvoir légitime. Cet aspect politique de son acte, très net encore dans l'*Orestie *d'Eschyle, dans l'*Électre *de Sophocle et dans celle d'Euripide, disparaît de la présente tragédie où Oreste est uniquement matricide, où le nom d'Égisthe est à peine prononcé, sinon pour dire que ses amis dominent l'assemblée. La rencontre de Ménélas et du fils de son frère en prend une valeur toute nouvelle.*

Oreste depuis cinq jours s'agite sur son lit, partagé entre des accès de démence et de lourdes torpeurs. Il n'a plus mangé, il ne s'est plus lavé depuis le moment où il a tué sa mère. En face de ce possédé, voici Hélène et Ménélas, des gens du monde. A Électre qui lui lance des épigrammes, Hélène répond en accusant le coup, avec un sourire contraint, mais sans riposter. Elle regrette sa sœur et tient à lui présenter les offrandes convenables. Les assassinats sont un regrettable usage de la famille : encore faut-il qu'ensuite tout se passe correctement. Ménélas a été averti par un dieu marin de la mort d'Agamemnon. N'empêche qu'en débarquant à Nauplie il comptait accourir pour serrer dans ses bras Clytemnestre et Oreste, espérant bien les trouver tous les deux en excellente santé (360-375). Évidemment, Clytemnestre a tué son mari, mais il y a des années de cela. Est-ce une raison pour qu'un beau-frère à son retour ne salue pas celle qui est doublement sa belle-sœur ? Ce neveu qui prend tout au sérieux le gêne énormément. Le premier mot qu'il lui dit est pour critiquer son apparence : est-ce qu'un homme bien élevé, est-ce qu'un prince se néglige de la sorte ?

Or, le garçon aux yeux égarés compte que son oncle le fera gracier par l'assemblée argienne. Ménélas sait qu'il n'y parviendra point par la persuasion, et que les équipages épuisés avec lesquels il a débarqué à Nauplie ne lui permettent pas d'agir par la force. Il le dit à Oreste, qui n'y voit qu'une dérobade, alors que c'est l'évidence même. Il est vrai que Ménélas manque de conviction*, découragé d'avance par la vigoureuse intervention de Tyndare, père d'Hélène et de Clytemnestre, qui menace Ménélas de l'exclure de Sparte s'il n'obtient pas de l'assemblée qu'Oreste et sa sœur soient lapidés. Or, Ménélas ne règne à Sparte que comme époux d'Hélène en vertu du bon vouloir de Tyndare.

Euripide a toujours aimé élargir la dimension temporelle de ses tragédies en y introduisant un aïeul (Héraclides, Andromaque, Phéniciennes, Bacchantes). Il parvient souvent à faire de ces survivants autre chose et mieux que des figurants légendaires : Pélée, Alcmène, Jocaste ont une réalité psychologique. On ne saurait en dire autant de Tyndare. <u>*Quand Oreste le*</u>

---

* Il a un curieux lapsus : *Comment*, dit-il, *vaincre de grands obstacles par de faibles efforts ?* Un scholiaste ancien et les éditeurs modernes font remarquer qu'il faudrait dire : *avec des ressources insuffisantes ;* et ils corrigent ce vers où Ménélas trahit sa reluctance à dépenser de vains efforts au profit d'une cause perdue d'avance. L'intention d'Euripide est soulignée par le rejet de πόνοισι au début du vers 695.

voit approcher, il est saisi d'émotion à la vue du grand-père qui l'a tenu enfant dans ses bras et trébuche dans les premiers mots qu'il lui adresse, tant il est troublé (545). Or, Tyndare reste en face de lui parfaitement insensible ; et cependant, malgré un mot de pitié pour la condamnée découvrant en vain sa mamelle au fils qui va l'égorger (530), il ne donne pas l'impression d'avoir pour Clytemnestre autre chose que de la sévérité et du mépris. En face de la morale chevaleresque où chaque individu a le devoir de venger les siens, il représente uniquement la législation politique qui remet le verdict et l'exécution de la peine à l'ensemble de la cité représentée par la majorité des citoyens. Qu'Euripide ait choisi un roi mythique comme interprète du juridisme démocratique, qu'il ait mis les principes de Dracon dans la bouche d'un Spartiate, cela nous surprend assurément, nous qui avons tendance à voir dans la glorification du talion l'influence d'une éthique dorienne, étrangère en tout cas aux conceptions de l'épopée. On s'étonne aussi qu'Oreste dans sa réplique se tienne strictement dans la ligne tracée par son grand-père et ne se jette pas dans une défense latérale en alléguant l'usurpation d'Égisthe. Les deux plaidoyers traitent sèchement le cas du fils justicier, sans qu'un instant on puisse sentir que les deux adversaires se sont aimés jadis. Quand Tyndare s'en va furieux, en annonçant qu'il va requérir contre son petit-fils, en menaçant Ménélas si celui-ci ne le seconde pas, cette hostilité excessive manque à persuader le lecteur (le spectateur était-il plus docile ?). Mais elle est la clef de toute la seconde partie.

Attaqué par son grand-père, abandonné par Ménélas, Oreste n'est plus soutenu que par ses deux complices, Électre qui sera condamnée avec lui, Pylade que son père a chassé de Phocide comme meurtrier et impur. Par une réaction très naturelle, le sentiment aigu à la fois de la solitude et de l'injustice dont il est victime, raidit Oreste dans une attitude agressive où ses remords sont subitement inhibés. Il n'en dira plus rien, laissant au chœur le soin de développer l'antithèse

devoir accompli, crime affreux.

En parlant de sa mère, il n'aura plus un seul de ces moments d'émotion où dans les scènes du début, il s'apitoyait à la fois sur lui et sur elle. Il ne songe plus qu'à lui-même et à la vengeance qu'il va tirer de Ménélas en tuant Hélène, en menaçant de tuer l'innocente Hermione. Il n'est plus aux prises ni avec les Érinyes d'Eschyle, ni avec les phantasmes nés de sa conscience troublée, mais avec la folie — une folie qui le pousse sans cesse à de nouveaux meurtres, et de plus en plus absurdes. Les Érinyes ont cessé de lui apparaître — il n'est plus question d'elles après le premier quart de la pièce — car elles ont cessé de lui être extérieures. Elles sont en lui, bien plus terribles que les démones des vieux drames. A partir du moment où il décide de tuer, et puis d'incendier sa propre maison, ce n'est plus un halluciné, c'est un dément qui agit, et avec tous les calculs dont la démence n'empêche pas la lucidité. Les criminalistes connaissent bien le cas de l'homme qui tue et détruit parce qu'il a tué. Euripide l'a traité plusieurs fois avec de curieuses variantes, dans Médée, dans la Folie d'Héraclès, jamais aussi sûrement que dans Oreste (malheureusement, il n'a pas souligné l'intention, qui ne se révèle pas si aisément ; il y faut une lecture attentive). Comme Médée, comme Hécube, comme Phèdre aussi, un Oreste accablé, défaillant, gémissant, reprend vigueur dès qu'une hostilité suffisante réveille en lui une combativité endormie. Il se traînait au bras de Pylade en se rendant à l'assemblée ; quand il en revient il a dépassé les états où l'on pleure et arrête brutalement les larmes d'Électre, sa servante docile et d'autant plus mal traitée. Après quoi il se jette au meurtre avec la joyeuse alacrité de celui que plus rien ne retient.

Mais le crime d'un fou est un acte creux, dont on ne peut tirer les mêmes conclusions que d'une action réfléchie et motivée. Est-ce pour l'avoir senti qu'Euripide fait raconter la disparition d'Hélène par un esclave phrygien qui surgissait dans le costume de son pays et, sur un rythme oriental, chantait un récit à la fois vantard et larmoyant. Après quoi il a avec Oreste un bref entretien qui fait penser à celui de la vieille portière avec Ménélas dans Hélène, à la scène du Pauvre dans Don Juan, Euripide vieux réussit à merveille ces dialogues incisifs, à faire vivre un être par quelques répliques vivement tracées. Cette curieuse bouffonnerie ne rend que plus grinçante la scène atroce où Oreste et Pylade sont sur le point de tuer Hermione et de mettre le feu au palais devant Ménélas moins ému par la première menace que par la seconde. L'apparition d'Apollon interrompt le mélodrame au moment où la froide démence d'Oreste entraînait les événements un peu trop loin des conclusions attendues par le public. Le dieu annonce qu'Hélène est dans les cieux, transformée en divinité protectrice des marins ; il marie Électre avec Pylade, Hermione avec Oreste, promet à Oreste qu'il sera purifié et absous. Sur quoi nous sommes invités à admettre que la paix rentre dans cette âme déchirée et que tout est pour le mieux.

Apollon prend aussi la peine de dire que si les dieux ont

*voulu la guerre de Troie, c'est qu'il fallait diminuer le nombre
des humains et alléger ainsi le fardeau de la Terre-Mère. Voilà
pourquoi ils avaient fait Hélène si belle et si convoitée. Une fois
arrivés à leur fin, ils enlèvent de la terre la femme qui fut leur
instrument. L'explication rejoint curieusement celle des polé-
mologues contemporains, pour qui une guerre éclate quand la
tension démographique devient trop forte. En tant que mythe,
elle figurait dans la vieille épopée des* Chants Cypriens. *On imagine assez bien l'amère délectation d'Euripide à la méditer.*

*Beaucoup de disparates rendent l'œuvre confuse. Euripide
n'a rien fait pour atténuer cette confusion par l'alternance rigou-
reuse des épisodes et du commentaire lyrique. Tout au contraire,
dans* Oreste *comme dans* Hélène, *il a préféré accroître le rôle
dramatique du chœur. Il n'y a que deux véritables stasima, très
courts l'un et l'autre (sur les Euménides, 316-347 ; sur les
malheurs des Atrides, 807-843). La parodos et le troisième
stasimon, remplacés par des dialogues chantés entre Électre
et le chœur, se fondent dans l'action au lieu d'en distinguer les
parties et d'en marquer les progrès.*

*On ignore comment fut accueillie la pièce lorsqu'elle fut jouée
pour la première fois en 408. Son renom ne cessa de grandir au
cours de l'antiquité. Elle figure avec* Hécube *et les* Phéniciennes
*dans le choix restreint qu'on lisait à Byzance. Cet honneur lui
vient-il de ses qualités ou de ses défauts ? de sa profonde vérité
psychologique ou, tout au contraire, du pathétique assez faux qui
la traduit ?*

*Nous devons à ce succès des manuscrits nombreux et des scho-
lies importantes. Le texte est moins malaisé à établir que celui
de beaucoup d'autres pièces. L'introduction de N. Wedd à son
édition projette le débat central sur l'ensemble du droit grec.*

ORESTE

PERSONNAGES

ÉLECTRE
HÉLÈNE
ORESTE
MÉNÉLAS
TYNDARE, père de Clytemnestre.
PYLADE
UN PAYSAN
HERMIONE, fille de Ménélas.
UN ESCLAVE PHRYGIEN
APOLLON
Chœur de femmes d'Argos.

A Argos, devant le palais d'Agamemnon. Oreste est endormi sur un lit près de l'entrée. Sa sœur Électre le veille.

PROLOGUE

ÉLECTRE

Il n'existe aucun mal redoutable à nommer,
nulle souffrance, nulle épreuve infligée par les dieux,
dont le fardeau soit épargné à l'humaine nature.
Ainsi le bienheureux Tantale (je le dis sans vouloir
    ravaler son malheur),
le fils de Zeus, dit-on, est suspendu en l'air,
tremblant de voir crouler le roc qui le surplombe.
Et l'on ajoute que c'est là son châtiment
(simple mortel accueilli en égal à la table des dieux)
d'avoir parlé sans retenue, très honteuse faiblesse.
Il engendra Pélops, duquel naquit Atrée.
Quand la Déesse, ayant cardé son écheveau,
fila le sort d'Atrée, elle y mit la discorde,
c'est pourquoi la guerre régna entre lui et son frère.
    À quoi bon revenir sur ce que l'on doit taire ?
Atrée tua les enfants de Thyeste et les lui servit à manger.
D'Atrée, pour laisser de côté le reste de l'histoire,
naquit l'illustre Agamemnon —faut-il cependant parler
    de sa gloire ?—
et de la même mère, une Crétoise, Aéropé,
Ménélas, qui s'unit à la femme exécrée des dieux,
Hélène. Le roi Agamemnon épousa Clytemnestre,
mariage fameux dans toute la Grèce,
Elle lui donna trois filles,
Chrysothémis, Iphigénie et moi, Électre,
et puis un fils, Oreste. Nous sommes nés de cette femme
    impie
qui prit son mari dans des rets dont il ne put se dégager
et le tua. Le mobile du crime, une vierge fait mieux
    de le taire.
Je le laisse dans l'ombre. Que d'autres en soient juges.
    Or faut-il, d'autre part, accuser Apollon d'injustice,
lui qui poussa Oreste à tuer la mère qui le mit au monde,

acte que peu de gens estiment glorieux?
Obéissant au dieu, Oreste a tué cependant.
Et moi, autant qu'une femme le peut, j'ai pris part à ce
        meurtre,
avec Pylade, qui nous aida en toutes choses.
    De là vient le mal dévorant qui ronge
le misérable Oreste. Tombé sur son lit, il y gît prostré.
Le sang maternel le poursuit et le met en délire.
J'hésite à donner leur vrai nom aux déesses,
les Bienveillantes[1], dont les terreurs le mettent hors de lui.
Voici la sixième journée depuis que le bûcher purifia
        le corps de sa mère égorgée,
et qu'il n'a pris aucune nourriture, qu'il ne s'est plus
        baigné.
Il reste enveloppé dans son manteau. Dès que son mal
        s'allège,
et qu'il retrouve sa raison, il pleure. Mais d'autres fois
il s'élance hors du lit, comme un poulain libre du joug.
Les gens d'Argos ont interdit à tous
de nous recevoir sous un toit, près d'un foyer, de nous
        adresser la parole,
nous qui sommes des matricides. Ce jour est pour nous
        décisif,
car les citoyens vont apporter leurs suffrages,
pour savoir si nous serons lapidés,
ou si d'un fer aigu nous devrons nous trancher la gorge.
Quelque espoir nous reste pourtant d'échapper à la mort.
Ménélas en effet arrive ici, venant de Troie.
Le havre de Nauplie est plein de ses bateaux.
Il est à l'ancre sur la côte, après avoir si longtemps erré
        sur les flots
depuis son départ de Troie. Quant à la cause de tant de
        travaux,
Hélène, il attendit la nuit, craignant qu'à la voir
aller en plein jour par la ville, quelqu'un de ceux
dont les enfants sont morts sous Troie ne lui jetât des
        pierres;
il lui fit alors prendre les devants et l'envoya chez nous.
        Elle est dans la demeure
à pleurer sur sa sœur et le malheur de la maison.
Mais, pour la consoler un peu dans sa douleur,
elle a sa fille. Devant la laisser seule tandis qu'il
        s'embarquait,

Ménélas amena Hermione de Sparte, et chargea ma mère
de l'élever.
Hélène a d'elle une joie qui la distrait de son chagrin.

   J'interroge sans cesse la route. Verrai-je enfin
Ménélas arriver ? Nos autres chances sont bien faibles,
si de lui ne nous vient un moyen de salut.
Quelle détresse, celle d'une maison accablée par le sort !

Hélène sort de la maison.

HÉLÈNE

Fille de Clytemnestre et d'Agamemnon,
Électre, toi qui depuis si longtemps restes fille,
comment malheureuse, toi-même, comment ton frère,
le misérable Oreste, en est-il venu à tuer sa mère[1] ?
Ah ! Je ne pense pas que ton contact me souille,
Phoibos à mon regard étant le seul coupable.
Je n'en pleure pas moins la mort de Clytemnestre,
ma sœur. Depuis que vers Ilion je m'embarquai,
ainsi que je l'ai fait, égarée par un dieu,
je ne l'ai plus revue, et, privée d'elle, je pleure sur
    son sort.

ÉLECTRE

Que pourrais-je te dire, Hélène, quand tu vois sous
    tes yeux
le malheur accabler ceux qui sont nés d'Agamemnon ?
Pour moi, renonçant au sommeil, j'assiste un pauvre
    mort
— car c'est un mort, si ce n'est qu'il respire encore
    faiblement —
toujours à son côté, soit dit sans reproche à l'infortuné,
tandis que toi, l'heureuse Hélène et ton heureux époux,
vous venez à nous dans notre misère.

HÉLÈNE

Depuis combien de temps gît-il là sur son lit ?

ÉLECTRE

Depuis qu'il a versé le sang dont il est né.

HÉLÈNE

Malheureux fils et malheureuse mère! Mourir ainsi!

ÉLECTRE

Il s'abandonne tout entier au désespoir.

Un temps.

HÉLÈNE

M'écouteras-tu, jeune fille, si je te demande une grâce?

ÉLECTRE

Oui, mais je suis tenue par le service de mon frère.

HÉLÈNE

Veux-tu aller pour moi au tombeau de ma sœur?

ÉLECTRE

Tu m'envoies au tombeau de ma mère? Et pourquoi?

HÉLÈNE

Pour y porter mes cheveux en offrande, y faire pour moi
des libations.

ÉLECTRE

Mais qui t'empêche, toi, d'aller au sépulcre des tiens?

HÉLÈNE

C'est que j'ai honte à me montrer aux Argiens.

ÉLECTRE

Tardive sagesse. La honte autrefois ne t'a pas retenue de
quitter ton foyer!

HÉLÈNE

Parole véritable, mais chargée pour moi de peu d'amitié!

ÉLECTRE

Quel scrupule te tient devant les gens d'ici ?

HÉLÈNE

Je redoute les pères de ceux qui moururent à Troie.

ÉLECTRE

Et tu as raison de les craindre : Argos contre toi n'a
   qu'un cri[1] !

HÉLÈNE

Rends-moi donc ce service, pour que je n'aie pas à
   trembler.

ÉLECTRE

Je ne pourrais pas soutenir la vue du tombeau de
   ma mère.

HÉLÈNE

C'est qu'il ne serait pas décent de s'en remettre à des
   esclaves.

ÉLECTRE

Que n'envoies-tu Hermione ta fille ?

HÉLÈNE

Il convient mal aux jeunes filles de se mêler au peuple.

ÉLECTRE

Elle s'acquitterait ainsi envers la morte, qui se chargea de
   l'élever.

HÉLÈNE

Tu as raison. Je suivrai ton avis, jeune fille.

*(Frappant sur la porte du
palais.)*

Sors, Hermione, mon enfant, viens ici,

(Hermione apparaît.)

prends ces libations et ces mèches de mes cheveux,
va au tombeau de Clytemnestre,
verses-y le lait et le miel et le vin écumeux,
monte au sommet du tertre et prononce ces mots :
« Hélène ta sœur t'envoie ces offrandes;
si elle n'ose pas approcher de ta tombe, c'est qu'elle craint
le peuple d'Argos. » Demande-lui sa bienveillance
pour moi, pour toi, pour mon époux,
pour ces deux malheureux que le dieu a perdus.
Et tout ce qu'il convient qu'une sœur reçoive de moi,
tous les cadeaux qu'on donne aux morts, promets-les en
    mon nom.
Va ma fille, hâte-toi, et les offrandes une fois déposées
prends sans tarder le chemin du retour.

Hermione sort à droite,
Hélène rentre dans la maison.

ÉLECTRE

O naturel, combien néfaste est ton empire,
sauveur aussi pour ceux qui savent s'en servir!
Vous l'avez vue : elle n'a retranché que le bout des
    cheveux,
pour laisser sa beauté intacte. Elle reste la femme qu'elle a
    toujours été!
que la haine des dieux tombe sur toi qui m'as perdue
avec mon frère et la Hellade entière! Ah, misère de moi!

(Elle aperçoit le chœur.)

Mais voici mes amies qui reviennent
pour unir leur voix à ma plainte. Elles risquent de
    réveiller
mon frère qui repose, et de faire couler mes larmes
si je dois le voir en proie au délire.
    Très chères amies, marchez doucement,
avancez sans faire aucun bruit, sans rien heurter.
Votre amitié m'est bienfaisante, mais sachez
que réveiller mon frère me rendrait malheureuse.

Entrent par la droite quinze
femmes d'Argos.

PARODOS

STROPHE I

LE CHŒUR

Silence, silence, pose légère la trace de ta chaussure.
Ne heurte rien !

ÉLECTRE

N'avancez pas si près, restez loin de son lit !

LE CHŒUR

Tu vois, je t'obéis.
ÉLECTRE

Comme le vent fait murmurer les tiges des légers roseaux,
ainsi parle-moi, mon amie.

LE CHŒUR

Entends : ma voix arrive affaiblie sous ton toit.

ÉLECTRE

C'est bien ainsi. Assourdis ta parole encore !
avançant doucement, doucement, dites-moi pourquoi vous
venez.
Il est enfin tombé sur son lit et s'y est endormi.

ANTISTROPHE I

LE CHŒUR

Comment se trouve-t-il ? Dis-le moi, chère amie.

ÉLECTRE

Que pourrais-je t'en dire,
sinon qu'il respire toujours et gémit faiblement.

LE CHŒUR

C'est à ce point ? L'infortuné !

ÉLECTRE

Tu lui donnes la mort si tu fais battre ses paupières
quand il jouit du bienfait du sommeil.

LE CHŒUR

Victime d'un acte de haine ordonné par les dieux, que
je le plains !

ÉLECTRE

Quelles douleurs !
Un dieu injuste a proféré un ordre injuste,
quand sur le trépied de Thémis
Loxias décida le plus affreux des meurtres,
celui de notre mère !

STROPHE II

LE CHŒUR

As-tu vu ? Il s'agite sous ses couvertures.

ÉLECTRE

C'est toi, audacieuse, qui par tes cris l'as réveillé.

LE CHŒUR

Je l'ai cru endormi.

ÉLECTRE

Va-t'en loin de nous, de cette maison,
porte ailleurs tes pas, sans faire de bruit.

LE CHŒUR

Il sommeille.

ÉLECTRE

Tu as raison.

LE CHŒUR

O nuit, divine nuit,
qui fais aux hommes dans la peine le bienfait du repos,
que ton vol muet t'amène de l'Érèbe
vers la maison d'Agamemnon !
Sous le poids des douleurs et des calamités,
nous succombons, nous succombons.

ÉLECTRE

Vous revoilà à faire du bruit. Silence, silence !
Prenez donc garde, amies, de parler haut trop près du
        lit.
Laissez-le jouir en paix du sommeil.

ANTISTROPHE II

LE CHŒUR

Quelle issue, dis-moi, y a-t-il à ses maux ?

ÉLECTRE

La mort. Que peut-on dire d'autre ?
Il ne veut même plus se nourrir.

LE CHŒUR

Son sort est donc inévitable.

ÉLECTRE

Phoibos fit de nous ses victimes, nous donnant, horreur,
       à tuer
cette mère qui avait tué notre père.

LE CHŒUR

Juste peine !

ÉLECTRE

Acte impie !

ÉLECTRE

Tu donnas la mort, tu reçus la mort,
ô mère qui me mis au monde!
Tu as perdu le père, et tu perds les enfants nés de toi!
C'en est fait de nous, pareils à des ombres, c'en est fait de
       nous.
Mon frère déjà est parmi les morts.
Et le meilleur de ma vie s'est perdu
dans les soupirs et les sanglots et les larmes nocturnes,
puisque sans époux, sans enfants, tu le vois,
je traîne ce sort à jamais misérable!

PREMIER ÉPISODE

Le coryphée

Approche-toi, Électre, de ton frère, et prends garde
qu'il n'ait expiré sans que tu t'en avises.
Je n'aime pas cette trop profonde torpeur.

Oreste se réveille.

Oreste

O charme béni du sommeil, baume de la souffrance,
que tu vins à propos m'accorder ta douceur!
Céleste oubli des maux, en toi quelle sagesse,
divinité que les mortels implorent!
    Mais d'où suis-je venu ici? comment y arrivai-je?
Je ne m'en souviens pas, et ne puis rassembler mes
        anciennes pensées.

Électre

Quelle fut ma joie, ô très cher, en te voyant tomber dans
        le sommeil.
Me permets-tu de te toucher pour t'aider à te redresser?

Oreste

Soutiens-moi, oui, soutiens-moi, essuie
de ma pauvre bouche, de mes yeux, l'écume qui s'y fige.

Électre

Voilà. Qu'il m'est doux de servir, que ma main frater-
        nelle est heureuse
d'apporter ses soins au corps de mon frère!

Oreste

Que mon côté s'appuie au tien. Mes cheveux emmêlés,
écarte-les de mon visage. J'y vois à peine.

ÉLECTRE

Pauvre tête aux boucles souillées,
quel sauvage aspect, depuis tant de jours que l'eau n'y
  coule plus!

ORESTE

Étends-moi de nouveau sur le lit. Quand le mal cesse
de m'affoler, mes membres sont brisés et sans force.

ÉLECTRE

J'obéis. Le malade aime son lit.
Il y souffre, mais ne peut s'en passer.

ORESTE

Redresse-moi encore, change-moi de côté.
Un malade jamais n'est content, et ne sait ce qu'il veut.

ÉLECTRE

Désires-tu poser les pieds à terre?
Tu ne l'as fait de quelque temps. Tout changement est
  agréable.

ORESTE

Assurément. Il procure un semblant de santé,
qui a bien son prix, à défaut de réalité.

ÉLECTRE

Écoute à présent, chère tête,
tant que les Érinyes te laissent ta raison.

ORESTE

Tu veux me dire une nouvelle. Je t'en sais gré si elle est
  bonne.
Mais si c'est un nouveau malheur, j'en ai assez des miens.

ÉLECTRE

Ménélas arrive, le frère de ton père.
Ses navires sont au port de Nauplie.

ORESTE

Que dis-tu là ? Rayon d'espoir dans ma détresse et dans la
    tienne,
il vient vraiment, l'homme de notre sang, qui doit tant à
    mon père ?

ÉLECTRE

Il vient, et pour preuve de mes paroles,
sache que, des remparts de Troie, il ramène Hélène
    avec lui.

ORESTE

S'il eût échappé seul, il serait plus digne d'envie.
Mais, ramenant sa femme, il rentre avec sa mauvaise
    fortune.

ÉLECTRE

Le signe du scandale a marqué dans la Grèce
les filles décriées que Tyndare engendra.

ORESTE

Il ne tient qu'à toi de te distinguer de ces mauvaises
    femmes,
non pas seulement en paroles, mais par les sentiments.

ÉLECTRE

Hélas, mon frère, tes yeux se troublent,
déjà la fureur te reprend quand tu étais si raisonnable !

ORESTE

Mère, je t'en supplie, ne déchaîne pas contre moi
ces filles aux yeux sanglants, à l'aspect de serpents !

ÉLECTRE

Pauvre frère, reste tranquille sur ton lit.
Il n'y a rien devant tes yeux de ce que tu crois voir.

ORESTE

Phoibos, elles vont me tuer, faces de chiennes,
yeux fascinants, ces prêtresses d'enfer, les Déesses
    terribles!

ÉLECTRE

Je ne te lâche pas, mon bras passé autour de toi,
pour t'empêcher de t'élancer et de te faire mal.

ORESTE

Ah, lâche-moi! Tu n'es qu'une Érinye toi-même,
et tu m'étreins pour me jeter dans le Tartare.

ÉLECTRE

Malheur à moi! Quel secours espérer
lorsque les dieux sont contre nous?

ORESTE

Donne-moi l'arc de corne, dont Loxias me fit présent
en me disant de m'en servir pour chasser les Déesses,
si elles m'agitaient de terreurs et de frénésies.
Une déité recevra un coup d'une main mortelle,
si celle-là ne veut pas disparaître! Holà, holà!
M'entendez-vous? Vous ne voyez donc pas cet arc qui
    frappe au loin
et les traits ailés qu'il décoche?
Eh bien, qu'attendez-vous? Envolez-vous au fond
    du ciel!
C'est le verdict de Phoibos qu'il vous faut accuser.
                (Un temps.)
    Mais quoi? Qu'est-ce qui me fait m'agiter? haleter?
Où voulais-je courir en sortant de mon lit?
La tempête est passée, je vois le calme revenir...
Pourquoi pleurer, ma sœur, en te voilant la tête?
Ah, je rougis de te mêler à mes souffrances,
et de donner à une jeune fille l'ennui de me soigner.
Il ne faut pas te consumer pour un mal qui m'est propre,
car tu as bien approuvé l'acte, mais je fus seul à
    consommer

le matricide. C'est Loxias que j'accuse,
qui m'a poussé au plus affreux des sacrilèges,
en m'encourageant de vaines promesses.
Mon père, j'en suis sûr, si les yeux dans les yeux,
je l'avais questionné : « Faut-il tuer ma mère ? »
il m'aurait adjuré, tendant la main vers mon menton,
de ne jamais porter l'épée sur celle qui me mit au monde,
puisque lui ne pouvait revoir la lumière du jour,
et que moi, misérable, j'aurais tant à souffrir.
    Et maintenant, découvre-toi, visage fraternel.
Il ne faut plus pleurer, si désolant que soit notre destin.
Quand tu me vois abattu, apaise les terreurs dont ma
       raison est égarée,
et encourage-moi. Quand c'est toi qui es désolée,
je serai là pour t'exhorter avec tendresse.
Cette aide réciproque honore ceux qui s'aiment.
    Pauvre amie, entre à présent dans la maison,
étends-toi, livre au sommeil tes yeux battus par
       l'insomnie,
prends quelque nourriture et baigne-toi.
Car si tu m'abandonnes, ou qu'à force de me soigner
tu tombes malade, nous sommes perdus. Je n'ai que toi
pour m'assister. Les autres, tu le vois, m'ont laissé seul.

ÉLECTRE

Je ne puis te quitter. Avec toi j'ai choisi de mourir
et de vivre. Tout est égal entre nous. Si tu mourais,
moi, une femme, que deviendrais-je ? Comment seule me
       protéger,
sans frère, père, ni ami ? Mais tu le veux
et je dois t'obéir. Étends-toi cependant sur ton lit,
sans trop t'abandonner aux terreurs qui t'agitent.
Reste couché. Ne fût-on pas malade, il suffit de croire
       que on l'est,
ce seul tourment déjà réduit à l'impuissance.

                    Oreste se recouche, elle entre
                    dans la maison.

PREMIER STASIMON

STROPHE

LE CHŒUR

Douleur !
Emportées par vos ailes rapides, déesses furieuses,
votre office est de célébrer, parmi les pleurs et les sanglots,
des orgies dont Bacchos ne veut pas !
Noires Euménides, qui fendez l'éther,
pour venger le sang, punir le coupable,
je vous en prie, laissez le fils d'Agamemnon
oublier les transports, les fureurs qui l'égarent.
Je vois quelle souffrance, infortuné,
tu courus chercher pour ta perte,
une fois reçu du trépied prophétique
le mot prononcé par Phoibos dans son domaine
où se trouve, dit-on,
l'emplacement secret de l'ombilic du monde.

ANTISTROPHE

O Zeus !
Quel est ce destin pitoyable, ce combat sanglant qui s'engage
et te harcèle, infortuné ?
Un génie acharné contre toi,
avec des pleurs toujours nouveaux, dans ta maison apporte
le sang de ta mère pour te rendre fou.
Jamais ne dure la félicité des hommes
(ah ! que j'ai pitié d'eux !)
un dieu arrive qui l'ébranle,
ainsi que l'ouragan fustige la barque rapide
et la fait sombrer dans les flots avides de l'adversité.
Témoin la maison de Tantale, issue d'un lit divin[1] :
en est-il aucune autre
qui mérite de moi plus de respect ?

Ménélas apparaît à gauche.

SECOND ÉPISODE

LE CORYPHÉE

Voici le roi qui vient, le seigneur Ménélas,
dans un éclat qui prouve qu'il est issu du sang des
      Tantalides.
   O toi qui menas ton armée sur ses mille vaisseaux
vers la terre d'Asie, je te salue.
Le succès t'accompagne, puisque les dieux t'ont accordé
ce que tu souhaitais.

MÉNÉLAS

O demeure! Celui qui revient de Troie te retrouve
avec joie! et pourtant je gémis en t'apercevant.
Jamais encore je ne vis calamité plus déplorable
assiéger ailleurs un autre foyer.
J'appris d'abord le sort d'Agamemnon,
et qu'il mourut de la main de sa femme,
tandis que je mettais le cap sur la pointe Malée.
Vint me l'annoncer, émergeant des flots,
le conseiller des matelots,
Glaucos, dieu véridique et l'interprète de Nérée.
Il me dit, devant moi, et en pleine lumière :
« Ton frère, Ménélas, est étendu sans vie,
tué par sa femme au piège d'un bain, sa toilette suprême.»
J'en ai pleuré, avec mes matelots,
longtemps. Comme je touchais le sol de Nauplie,
mon épouse déjà s'apprêtant à se rendre ici,
je pensais à Oreste, au fils d'Agamemnon,
que j'allais serrer dans mes bras amis, avec sa mère,
les croyant heureux, lorsque j'appris d'un pêcheur
le meurtre impie de la fille de Tyndare.
    Et maintenant, dites-moi, jeunes filles, où est
le fils d'Agamemnon, qui osa ce crime effrayant.
C'était encore un nourrisson aux bras de Clytemnestre
lorsque je quittai mon foyer pour m'en aller à Troie,
si bien qu'en le voyant je ne saurais le reconnaître.

Oreste se dresse sur son lit et
l'aborde.

ORESTE

Voici devant toi, Ménélas, l'Oreste que tu cherches,
et je veux bien être mon propre accusateur.
Mais qu'avant tout je touche tes genoux
en suppliant, ma prière comme un rameau tendue
vers toi.
Ah! sauve-moi! Tu surviens au moment où j'allais succomber.

MÉNÉLAS

O dieux, que vois-je ? Ai-je un mort devant moi ?

ORESTE

Tu l'as dit : souffrir ainsi, ce n'est plus vivre, même si je
vois la lumière.

MÉNÉLAS

Quel air sauvage avec tes cheveux hérissés, malheureux!

ORESTE

L'apparence n'est rien. C'est ce que j'endure qui fait mon
tourment.

MÉNÉLAS

Ton regard m'effraie, et tes yeux desséchés.

ORESTE

Mon corps n'existe plus, mais il me reste un nom[1].

MÉNÉLAS

Que je m'attendais peu à te trouver ainsi défiguré!

ORESTE

Oui, c'est bien moi, moi qui tuai ma mère infortunée.

MÉNÉLAS

J'ai entendu. Épargne-toi d'autres paroles sur ce sujet
cruel.

ORESTE

J'en serai économe. C'est mon destin qui me prodigue les
infortunes.

MÉNÉLAS

Que t'est-il arrivé ? D'où vient le mal qui te dévore ?

ORESTE

De mon esprit. De savoir que je fus criminel.

MÉNÉLAS

Que veux-tu dire ? La raison doit s'exprimer clairement.

ORESTE

C'est la douleur, surtout, qui me détruit...

MÉNÉLAS

Redoutable déesse, mais qu'on peut apaiser.

ORESTE

... ce sont des accès de démence, vengeurs du matricide.

MÉNÉLAS

Quand te prit cette rage ? quel jour était-ce ?

ORESTE

Celui où j'élevai le tertre en l'honneur de ma mère
infortunée.

MÉNÉLAS

Chez toi, ou occupé près du bûcher ?

ORESTE

La nuit. J'attendais qu'il fût l'heure de réunir ses
    ossements.

MÉNÉLAS

Avais-tu près de toi quelqu'un qui pût te secourir ?

ORESTE

Pylade, qui avait pris part au matricide.

MÉNÉLAS

Et quels sont les fantômes qui te tourmentent ainsi ?

ORESTE

J'ai cru voir trois filles semblables à la Nuit.

MÉNÉLAS

Je sais qui tu veux dire, mais je tairai leur nom.

ORESTE

Trop bien élevé pour le prononcer! Ce sont les Déesses
    Augustes.

MÉNÉLAS

Pour venger le sang maternel, elles te prennent dans leur
    ronde ?

ORESTE

Leur affreuse poursuite traque le malheureux.

MÉNÉLAS

Rien d'étonnant. Grand crime exige grande peine.

ORESTE

Mais je sais comment me décharger de la mienne...

MÉNÉLAS

Ne viens point parler de mourir, remède d'insensé!

ORESTE

... sur Phoibos, car c'est lui qui m'ordonna le meurtre.

MÉNÉLAS

Méconnaissant ainsi décence et justice à la fois.

ORESTE

Quoi que puisse être un dieu, nous sommes ses esclaves.

MÉNÉLAS

Et bien que l'ordre vînt de lui, Loxias ne te secourt pas ?

ORESTE

Il attend. Les dieux toujours sont lents à agir.

MÉNÉLAS

Depuis quand ta mère a-t-elle expiré ?

ORESTE

C'est le sixième jour. Le bûcher sur sa tombe est encore
    chaud.

MÉNÉLAS

Les déesses furent rapides à exiger de toi le prix du sang.
. . . .
Le fait d'avoir vengé ton père ne t'est-il pas compté[1] ?

ORESTE

Pas encore, et pour moi le retard équivaut au refus.

MÉNÉLAS

Et que dit de toi la cité, après un acte tel ?

ORESTE

Elle m'exècre, jusqu'à défendre qu'on me parle.

MÉNÉLAS

Tu n'as pas purifié tes mains selon le rite ?

ORESTE

Non, car où que j'aille toute porte se ferme.

MÉNÉLAS

Qui sont les citoyens les plus ardents à te bannir ?

ORESTE

Œax, qui impute à mon père la vilenie commise à Troie.

MÉNÉLAS

Je vois. Il veut venger sur toi la mort de Palamède.

ORESTE

Où je n'eus point de part. C'est le coup qui m'achève[1].

MÉNÉLAS

Qui te poursuit encore ? sans doute les amis d'Égisthe ?

ORESTE

Ils me couvrent d'outrages. On leur obéit à présent.

MÉNÉLAS

Les Argiens voudront-ils te laisser le sceptre de ton père ?

ORESTE

Eux ? qui refusent même de me laisser en vie!

MÉNÉLAS

Par quel acte précis que tu puisses me dire ?

ORESTE

C'est aujourd'hui qu'ils doivent voter contre moi.

MÉNÉLAS

L'exil, la mort peut-être ?

ORESTE

Si je devrai mourir lapidé par les citoyens.

MÉNÉLAS

Mais alors, qu'attends-tu pour fuir ? pour passer la frontière ?

ORESTE

Des gardes bien armés nous encerclent de toutes parts.

MÉNÉLAS

Des ennemis à toi, ou c'est Argos qui les aposte ?

ORESTE

C'est toute la cité qui veut ma mort. Ce mot suffit.

MÉNÉLAS

Infortuné! tu ne saurais aller plus loin dans le malheur.

ORESTE

En toi est mon unique espoir de trouver un refuge.

Venant dans ta prospérité vers ma détresse,
accorde aux tiens un peu de ta bonne fortune,
sans garder pour toi tout le bien, ni refuser ta part de
    notre mal,
payant ainsi à qui de droit ta dette envers mon père.
La parenté n'est plus qu'un mot sans contenu,
si elle cesse d'exister au moment du malheur.

LE CORYPHÉE

Voici venir, en pressant son pas de vieillard, Tyndare de
    Sparte
tout vêtu de noir, et les cheveux rasés pour le deuil
    de sa fille.

ORESTE

Je suis perdu, Ménélas. Oui, c'est Tyndare qui vient vers
    nous,
l'homme dont j'ose le moins affronter la vue après ce que
    j'ai fait.
Car il m'éleva quand j'étais petit, me comblant de
    tendresse,
promenant dans ses bras le fils d'Agamemnon.
Léda faisait de même. Ils s'occupaient de moi comme des
    Dioscures.
O douleur pour mon cœur et mon âme : que leur ai-je
    donné en retour ?
Rien de beau. Dans quelle ombre cacher ma face ? Quel
    nuage
mettre devant moi pour me dérober à ces yeux de
    vieillard ?

Entre par la droite Tyndare
avec quelques serviteurs.

TYNDARE

Où est-il ? Où puis-je voir le mari de ma fille,
Ménélas ? J'étais près du tombeau de Clytemnestre
à répandre mes libations quand on m'a dit qu'il est à
    Nauplie
avec sa femme, revenu sain et sauf après tant d'années.
Conduisez-moi. Je veux aller vers sa main droite
pour embrasser l'ami que je revois enfin.

MÉNÉLAS

Salut, vénérable, toi dont l'épouse fut choisie par Zeus.

TYNDARE

A toi aussi, salut, mon gendre Ménélas.
(Il aperçoit Oreste.)
Mais quoi ? Qu'il est fâcheux d'ignorer ce qui nous
    attend!
Voici le matricide sorti de la maison, le serpent
au regard de feu, mauvais œil qui me foudroie d'horreur.
Tu veux bien, Ménélas, parler à cette tête impie ?

MÉNÉLAS

Certainement, n'est-il pas le fils d'un frère que j'aimais ?

TYNDARE

De ton frère vraiment a pu naître un tel fils ?

MÉNÉLAS

Vraiment. Et s'il est malheureux, il a droit au respect.

TYNDARE

Trop longtemps tu fus parmi les Barbares. Te voilà
    devenu l'un d'eux.

MÉNÉLAS

N'est-ce pas une règle grecque que d'honorer les liens
    du sang ?

TYNDARE

Mais aussi de ne pas vouloir se soumettre les lois.

MÉNÉLAS

Aux yeux du sage, l'acte imposé par la nécessité ne se juge
    pas comme un acte libre[1].

TYNDARE

Adopte cette règle, ce ne sera jamais la mienne.

MÉNÉLAS

Tant de passion à ton âge ! Ce n'est pas là de la sagesse.

TYNDARE

Le cas de cet homme, convient-il qu'un sage en discute ?
Si le bien et le mal sont clairs pour tout le monde,
qui fut jamais plus fou que lui ?
S'est-il demandé où était la justice ?
S'est-il rangé à la commune loi des Grecs ?
Quand Agamemnon eut rendu son âme, frappé par ma
     fille à la tête,
acte honteux que je n'approuverai jamais,
il devait exiger le juste châtiment du meurtre,
accuser sa mère, la chasser de chez lui.
Son malheur lui aurait valu un renom de prudence[1] :
il respectait la loi sans violer la piété;
tandis qu'il a choisi le destin même de sa mère.
Alors qu'il la tenait coupable cependant, avec raison,
en la tuant il s'est rendu plus criminel qu'elle ne fut.
     Voici, Ménélas, la seule question que je te ferai :
la femme qu'il épousera, qu'elle le tue,
que son fils à son tour assassine sa mère,
et qu'alors le fils de ce fils exige sang
pour sang, où s'arrêtera la suite des crimes ?
Nos pères autrefois en ont sagement décidé.
L'homme souillé de sang, on lui interdisait
de paraître aux regards, de rencontrer les autres hommes.
On le purifiait par l'exil, sans exiger meurtre pour
     meurtre,
ce qui chaque fois aurait exposé un homme à la mort,
celui de qui la main se serait souillée la dernière.
     Quant à moi, je hais les femmes sans loi,
et ma fille d'abord, pour avoir tué son mari.
Hélène, ton épouse, jamais je ne l'approuverai :
je ne veux même plus lui parler. Et ne crois pas que je
          te loue
d'être parti pour Troie en quête de cette infidèle.

Non! de tout mon pouvoir, je me fais le champion
        de la loi,
afin qu'on cesse de s'entre-tuer, ainsi que font les fauves,
pour la perte toujours des pays et des villes.

(A Oreste.)

  Car enfin, misérable, quelle âme avais-tu donc,
quand découvrant son sein elle te supplia,
ta mère! Sans même avoir vu ce spectacle d'horreur,
pauvre de moi, mes yeux de vieillard ont fondu en larmes!
Un fait au surplus confirme mes paroles :
c'est la haine des dieux qui te font payer le sang maternel
par des fureurs, des terreurs harassantes. Ai-je besoin que
        d'autres
viennent témoigner de ce qu'ils ont vu ? Il suffit de te
        regarder.

  Sache-le donc bien, Ménélas : tu agirais contre les dieux
en voulant secourir Oreste. N'en fais rien.
Laisse les gens d'Argos le lapider, ou bien ne remets plus
        les pieds à Sparte.
Ma fille en mourant n'a subi que sa juste peine,
mais ce n'était pas à son fils à la lui infliger.
En tout je fus un homme heureux, sauf en mes filles.
Ce qui relève d'elles m'a fait beaucoup souffrir.

LE CORYPHÉE

Est bien digne d'envie qui est heureux en ses enfants,
sans s'attirer par eux d'éclatantes disgrâces.

ORESTE

J'hésite, vénérable, à te répondre
sur un point où je dois faire souffrir ton cœur.
Certes, je suis impie, ayant tué ma mère,
mais le titre opposé, celui de fils pieux
me revient bien aussi, car j'ai vengé mon père.
Que je puisse en parlant oublier ton grand âge
qui m'étrangle la voix! J'irai sans m'écarter du but
quand à présent tes cheveux blancs me font trembler!

  Que devais-je faire ? Contre ta double charge accepte
        deux excuses[1] :
Mon père m'a engendré; ta fille m'a mis au monde,
sillon qui reçoit d'ailleurs la semence.

Sans un père jamais n'existerait d'enfant.
J'ai donc conclu que l'auteur de ma vie
avait plus de droit à mon aide que celle qui m'a donné
 nourriture.
Ta fille d'autre part (car je rougis de prononcer le nom
 de mère)
décida de son chef de braver la vertu en entrant dans un
 autre lit.
Je me salis moi-même en l'accusant, et toutefois je
 parlerai.
Égisthe était dans la maison son époux en secret.
Je l'ai tué, et puis j'ai immolé ma mère :
un acte impie, mais qui vengeait mon père.
Sur quoi tu me menaces, et dis qu'on doit me lapider,
pour le service, écoute-moi, que j'ai rendu à tous les
 Grecs.
Que les femmes en viennent à ce degré d'audace
de tuer leurs époux, sûres de trouver un refuge
auprès de leurs fils, quêtant la pitié en montrant leur
 sein nu,
hésiteraient-elles à le faire, en se couvrant du moindre des
 griefs ? Par un acte
terrible, ainsi que tu le fais sonner, j'ai coupé court à
 cet usage.
Juste était mon ressentiment quand je tuai ma mère.
Son époux avait quitté la maison, armé
pour la défense de la Grèce, qu'il menait à la guerre.
Elle le trahit, elle qui devait garder son lit intact.
Quand elle se sentit coupable, au lieu de se punir
elle-même, pour échapper à la justice de l'époux,
ce fut lui qu'elle châtia, et mon père mourut.
Au nom des dieux — mais convient-il de les nommer
lorsqu'on se justifie d'un meurtre ? — si j'avais, en gardant
 le silence
acquiescé à l'acte de ma mère, que m'aurait fait le mort ?
Dans sa colère, il aurait contre moi lancé le chœur des
 Érinyes;
ou bien ne viennent-elles, les Déesses, qu'à la rescousse de
 ma mère,
absentes pour mon père, qui reçut offense plus grave ?
 C'est toi, seigneur, en engendrant une fille perverse
qui fis ma perte. Son impudence est cause
que, privé de mon père, je devins matricide.

Vois Télémaque. Il n'a point tué la femme d'Ulysse :
c'est qu'elle n'avait pas pris un second mari,
et que dans sa maison son lit était resté intact.
Tu sais ce qu'est Phoibos. Installé sur son siège au milieu
        de la terre,
il dispense aux mortels ses arrêts véridiques,
et tous nous les suivons, quoi qu'ils ordonnent.
Eh bien, c'est pour lui obéir que j'ai tué ma mère.
Taxez-le donc d'impiété et mettez-le à mort.
Le coupable, c'est lui. Ce n'est pas moi ! Que devais-je
        donc faire ?
Le dieu auquel j'impute la souillure serait-il incapable
de l'effacer ? Où ira-t-on chercher refuge
si celui qui me donna l'ordre ne peut me sauver de la
        mort?
Non! ne viens pas incriminer mon acte!
Dis que je l'accomplis pour mon malheur.
Un hymen résultant d'un bon choix fait l'existence bien-
        heureuse.
Mais pour qui fait un mauvais coup de dé, que d'infor-
        tune, à son foyer et au dehors!

LE CORYPHÉE

La femme est toujours là pour gêner le destin de l'homme
et le rendre plus difficile à accomplir[1].

TYNDARE

Ainsi donc tu me braves, et bien loin de baisser le ton
tu me réponds pour me blesser au cœur.
C'est m'exciter encore à poursuivre ta perte,
parachevant ainsi la peine que j'ai prise
d'aller orner le tombeau de ma fille.
Je me rends donc à l'assemblée des Argiens,
et la soulèverai, qu'elle le veuille ou non[2],
contre toi et contre ta sœur, pour que l'on vous condamne
        à être lapidés.
Plus encore que toi, Électre a mérité la mort,
elle qui t'anima contre ta mère, en faisant parvenir sans
        cesse à tes oreilles
des propos faits pour te remplir de haine
touchant les songes qu'envoyait Agamemnon

ou bien l'adultère d'Égisthe — qu'il soit aussi détesté aux
    Enfers
qu'il le fut sur la terre — tant qu'elle embrasa la maison
d'un feu plus dangereux que celui d'Héphaïstos.
    Voici donc, Ménélas, ce que je te déclare et ce que
    je ferai :
Si je compte à tes yeux, soit comme ennemi, soit comme
    allié,
ne va pas le sauver de la mort, car les dieux s'y opposent.
Laisse les citoyens le lapider, ou renonce à jamais revenir
    à Sparte.
Tu as entendu. Réfléchis. Parmi ta parenté
ne choisis pas la cause des impies, en négligeant ceux qui
    observent la piété.
Emmenez-moi loin de cette maison, serviteurs.

Il sort par la gauche.

ORESTE

Oui, pars, que librement je dise à Ménélas
ce que j'ai à lui dire, sans devoir ménager ton grand âge.
Où s'en va, Ménélas, ta pensée, tandis que tu marches de
    long en large,
suivant deux soucis divergents ?

MÉNÉLAS

Laisse-moi. J'ai beau réfléchir, je ne sais quel parti je
    dois prendre.

ORESTE

Ne résous rien, entends ce que j'ai à te dire et te décide
    ensuite.

MÉNÉLAS

Parle, tu as raison. Car s'il est des cas où se taire
vaut mieux que parler, c'est parfois aussi le contraire.

ORESTE

Je parlerai donc et sans rien abréger;
cela vaut mieux : on se fait mieux comprendre.

De ce qui t'appartient, Ménélas, je ne te demande rien.
Mais ce que tu reçus, rends-le moi : le donateur était mon
      père.
Je ne pense pas aux richesses : tu m'en auras gardé
la plus précieuse, si tu sauves ma vie.
   Ma cause est injuste, injuste aussi l'aide que je requiers
      de toi
et qui n'est qu'un échange, puisque mon père
      Agamemnon
violait la justice en emmenant tous les Grecs contre
      Troie,
sans être lui-même coupable, mais afin d'effacer
la faute de ta femme et l'acte injuste commis par elle.
Service pour service, c'est ce que tu me dois.
Mon père a payé de son corps, ainsi qu'on le fait pour
      les siens,
réellement, et sous les armes, peinant dur,
pour te permettre à toi de recouvrer ta femme.
A moi revient le prix de ce que là-bas tu reçus.
Champion de mon salut, efforce-toi donc un seul jour,
car cette lutte-là ne te prendra pas dix années.
Aulis a reçu le sacrifice de ma sœur. Je t'en tiens quitte.
Tu n'as pas, de ta main, à tuer Hermione.
Au point où me voici réduit,
je dois te laisser la plus belle part, et sans me plaindre.
Mais à mon pauvre père accorde ma vie sauve,
et celle de ma sœur, depuis si longtemps sans époux,
car, si je meurs, la maison paternelle restera orpheline.
Tu diras : impossible. Précisément. C'est dans la détresse
que les amis doivent venir à la rescousse.
A quoi nous servent-ils quand le ciel est pour nous ?
Un dieu suffit, s'il veut bien nous aider.
   Aux yeux de tous les Grecs, tu passes pour aimer ta
      femme.
Ce que je dis n'est pas pour te flatter, pour te circonvenir.
C'est en son nom que je t'implore. Ah! Misère de moi!
Où dois-je en arriver ? Mais quoi ? Il faut bien que je me
      résigne,
car je te prie au nom de la maison entière.
   O frère de mon père, ô mon oncle, pense qu'il nous
      entend,
le mort dessous la terre, et que son âme est là qui plane
autour de toi, en te répétant mes paroles.

J'ai dit de quels malheurs viennent mes sanglots et mes
          plaintes
et je réclame la vie sauve,
ce bien auquel tout être aspire comme moi.

LE CORYPHÉE

Et moi aussi, qui ne suis qu'une femme, je t'implore :
secours-les dans leur infortune. Tu le peux.

MÉNÉLAS

Oreste, crois-le bien, je respecte ta tête,
et mon désir est de t'aider dans ta détresse.
C'est d'ailleurs un devoir de partager les peines
avec ceux de son sang, quand le ciel en donne la force,
jusqu'à mourir et à tuer pour eux.
Tel est bien le pouvoir que je demande aux dieux, car il
          me manque.
J'arrive avec ma seule lance, sans aucun allié,
après tant de travaux qui m'ont tenu errant,
aidé du seul secours de mes compagnons survivants.
Mes armes ne sauraient nous donner la victoire
sur l'Argos des Pélasges. Mais que mon langage apaisant
parvienne à fléchir la cité, voilà l'espoir où je suis ramené.
Comment vaincre de grands obstacles par de faibles
efforts ? Le seul projet serait une folie.
Lorsqu'un peuple est au plus ardent de sa fureur,
autant vouloir éteindre un brasier violent.
Mais qui sait rester calme, se replier devant l'attaque,
prendre son temps pour saisir le moment propice,
verra peut-être tomber sa colère. Et, le vent apaisé,
vous obtiendrez fort aisément tout ce que vous voulez.
La foule est capable de pitié comme de violence,
mobilité précieuse pour qui sait attendre.
     Je vais trouver Tyndare, tenter en ta faveur
de le convaincre ainsi que la cité de modérer leur colère
          excessive.
Si l'on tend la voile trop fort, le bateau penche,
mais se redresse aussitôt qu'on donne du fil.
Un zèle trop pressant déplaît aux dieux,
déplaît aussi aux citoyens. J'en suis réduit, je dois l'ad-
          mettre,

à te sauver par la prudence, sans me heurter à de plus
    forts que moi.
C'est peut-être une lutte ouverte que tu attendais de ma
    part.
Ton salut n'en sortirait pas. Comment pourrait une lance
    unique
triompher des dangers qui te guettent?
Jamais autrement je n'aborderais le peuple d'Argos
avec de tels ménagements. La nécessité m'y oblige au-
    jourd'hui.
L'homme sensé se plie aux circonstances.

Il sort par la droite.

ORESTE

Partir en guerre pour l'amour d'une femme,
tu n'es bon à rien d'autre, toi le dernier des lâches!
Quand il s'agirait de venger les tiens,
tu me laisses, tu fuis, et les bienfaits d'Agamemnon
    sont oubliés.

(Un temps.)

  Mon père, tu le vois, tu es donc seul au jour de l'in-
    fortune.
Hélas, je suis trahi. Nul espoir ne me reste
d'échapper à la mort que les Argiens me préparent.
En Ménélas était ma seule chance de salut.
Mais je vois venir mon plus cher ami!
Pylade accourt de la Phocide!
Joie pour mes yeux! L'ami que le malheur trouve fidèle
paraît plus doux que l'embellie pour le navigateur.

Pylade entre par la gauche.

PYLADE

J'ai traversé la ville plus vite qu'il n'est convenable.
Une assemblée, m'avait-on dit — et j'ai pu la voir de mes
    yeux —
s'est réunie à propos de toi, de ta sœur, pour vous mettre
    à mort sur-le-champ.
Qu'arrive-t-il? Comment vas-tu? Que deviens-tu, toi le
    plus cher de mes compagnons,

de mes amis, de mes parents ? Car tout cela, tu l'es pour
　　moi.

ORESTE

Je suis perdu, pour te dire en un mot ma détresse.

PYLADE

Ta ruine alors sera la mienne, car entre amis tout est
　　commun.

ORESTE

Ménélas s'est montré infâme envers moi et ma sœur.

PYLADE

Rien de plus naturel. Une méchante femme rend son mari
　　méchant.

ORESTE

Il m'en apporte tout autant que s'il n'était pas revenu.

PYLADE

Il est donc véritablement arrivé en ces lieux ?

ORESTE

Oui, après si longtemps. Il fut plus prompt à se révéler
　　traître envers les siens.

PYLADE

Et son infâme épouse, l'avait-il avec lui sur son navire ?

ORESTE

Ce n'est pas lui qui la ramène, mais elle, lui.

PYLADE

Où donc est cette femme, qui seule a fait périr tant
　　d'Achéens ?

ORESTE

Dans ma maison, si je puis la nommer mienne encore.

PYLADE

Qu'as-tu pu demander au frère de ton père ?

ORESTE

De ne pas nous laisser tuer, ma sœur et moi, par les
Argiens.

PYLADE

Par les dieux, qu'a-t-il répondu ? Je voudrais le savoir.

ORESTE

Il s'est prudemment dérobé, comme font les amis qui
trahissent.

PYLADE

Il s'est couvert de quel prétexte ? Dis-le moi, et je saurai
tout.

ORESTE

Était venu dans l'intervalle celui qui engendra deux
excellentes filles.

PYLADE

Tu veux dire Tyndare ? Furieux contre toi, je gage, à
cause de sa fille.

ORESTE

Tu as compris. Entre les deux liens, Ménélas à mon père a
préféré Tyndare.

PYLADE

Il n'a pas eu le cœur, en te voyant, de prendre sa part
de ta peine ?

ORESTE

Il n'est pas fait pour le combat, n'étant brave qu'en face
des femmes.

PYLADE

Te voilà donc en grand danger, acculé à la mort ?

ORESTE

C'est aux citoyens à juger le meurtre, à décider de
notre sort.

PYLADE

Sur quoi doit porter leur arrêt ? Parle, car l'angoisse me
prend.

ORESTE

Sur notre vie ou notre mort. Il tient beaucoup en ces
deux mots[1].

PYLADE

Quitte donc la maison. Exile-toi avec ta sœur.

ORESTE

N'as-tu pas vu ? De tous côtés des gardes nous entourent.

PYLADE

J'ai vu les rues barrées d'hommes en armes.

ORESTE

Ainsi qu'une ville assiégée, nous sommes investis.

Un temps.

PYLADE

A ton tour de me demander comment je vais, **car moi**
aussi je suis perdu.

ORESTE

Par qui ? ce serait un malheur à ajouter aux miens.

PYLADE

Strophios mon père, furieux contre moi, m'a banni de
chez lui.

ORESTE

T'accusant de son chef, ou bien au nom de la cité entière ?

PYLADE

Il me déclare impur, pour avoir pris part au meurtre de
ta mère.

ORESTE

Mon pauvre ami, je vois que mes malheurs vont retomber
sur toi.

PYLADE

Je ne vais pas imiter Ménélas. Je saurai supporter
mon sort.

ORESTE

Ne crains-tu pas qu'Argos veuille ta mort avec la mienne ?

PYLADE

Le droit de me punir ne leur appartient pas, mais aux
Phocidiens seuls.

ORESTE

Redoutable eſt la multitude, quand ses chefs sont
mauvais.

PYLADE

Mais quand ceux-ci sont bons, les décisions le sont aussi.

ORESTE

C'eſt vrai. Il faut délibérer.

PYLADE

Quel eſt le point le plus urgent ?

ORESTE

Si j'allais dire aux citoyens...

PYLADE

Que tu as agi justement ?

ORESTE

Oui, en vengeant mon père.

PYLADE

Crains qu'ils ne soient heureux de s'emparer de toi.

ORESTE

Dois-je donc me terrer et mourir sans rien dire ?

PYLADE

Ce serait une lâcheté.

ORESTE

Que faire alors ?

PYLADE

En restant ici, as-tu quelque espoir ?

ORESTE

Aucun.

PYLADE

Et en allant à l'assemblée ?

ORESTE

Oui, si la chance me seconde.

PYLADE

Alors, c'est le meilleur parti.

ORESTE

J'irai donc.

PYLADE

Ce serait en tous cas une mort bien plus belle.

ORESTE

Tu as raison. J'évite ainsi qu'on me dise un lâche

PYLADE

Ce qu'on fera si tu demeures.

ORESTE

Et d'ailleurs, mon acte était juste.

PYLADE

Espère seulement qu'il le paraisse.

ORESTE

Certains me prendront en pitié...

PYLADE

... pour la grandeur de ta naissance...

ORESTE

... qui déplorent la mort de mon père.

PYLADE

Elle est présente à leur esprit.

ORESTE

Partons. Mourir sans gloire est indigne d'un homme.

PYLADE

C'est bien parler.

ORESTE

Allons-nous avertir ma sœur?

PYLADE

Non, par les dieux!

ORESTE

Il y aurait des larmes en effet...

PYLADE

... qui seraient un grave présage.

ORESTE

Ce qui m'offusque encore...

PYLADE

Que vas-tu dire?

ORESTE

Que les déesses viennent m'époinçonner?

PYLADE

Je te soignerai.

ORESTE

Le contact d'un malade est pénible.

PYLADE

Non pour moi s'il s'agit de toi.

ORESTE

Et si ma folie te gagnait?

PYLADE

Advienne que pourra.

ORESTE

Ainsi rien ne t'arrête ?

PYLADE

Un ami vrai ne se laisse pas arrêter.

ORESTE

Va donc et fais-toi mon pilote.

PYLADE

Très cher m'est celui que je guide.

ORESTE

Et mène-moi d'abord au tombeau de mon père.

PYLADE

Qu'y veux-tu faire ?

ORESTE

Le supplier de me sauver.

PYLADE

Oui, ce ne serait que justice.

ORESTE

Mais celui de ma mère, je ne veux pas même le voir.

PYLADE

Non, elle était ton ennemie. Mais hâte-toi,
que le vote des Argiens ne te condamne avant ton arrivée.
Appuie à mon côté ton corps affaibli par la maladie.

A travers la cité, sans souci de la foule,
je vais te convoyer. Où mieux prouver mon amitié
qu'en venant t'assister dans ta grande détresse ?

ORESTE

Qu'on a raison de dire : « Faites-vous des amis, sans vous
        en tenir à votre famille. »
Un homme qui vous est uni de cœur, fût-il un étranger,
est un ami bien plus précieux que beaucoup de parents.

Ils sortent par la droite.

SECOND STASIMON

STROPHE

LE CHŒUR

Grand fut le bonheur des Atrides, la gloire de leurs
    armes.
Leur orgueil remplissait la Grèce et le pays du Simoïs.
Mais il se renversa quand il fut à son faîte,
sous les coups du fléau qui frappe leur maison
depuis les temps très anciens où, pour le bélier d'or,
la rivalité divisa les enfants de Tantale :
festins abominables, massacres de princes enfants.
Et sans cesse depuis, le meurtre alterne avec le meurtre
dans la maison des deux Atrides.

ANTISTROPHE

Devoir accompli, crime affreux :
percer ce corps de mère avec le fer enfant du feu !
Mais montrer au soleil l'épée noire de sang,
c'est ajouter au crime l'impiété d'un forcené.
Car, dans sa terreur de mourir,
la fille de Tyndare s'écria :
« Qu'oses-tu là, mon fils ? Tuer ta mère ?
Ne va pas encourir, pour honorer ton père,
éternel renom d'infamie ! »

ÉPODE

Quelle plus grande erreur,
source de plus de pleurs et de misères,
que de porter la main sur le sang maternel !

C'est pour un acte tel que la folie le trouble,
que les Érinyes le poursuivent,
qu'il roule des yeux sanglants, égarés,
le fils d'Agamemnon ! Le malheureux !
quand le sein de sa mère, sortant des voiles d'or,
apparut à ses yeux,
pour compenser ce que son père avait souffert,
il la tua pourtant.

> Électre sort du palais,
> étonnée de ne plus trouver
> Oreste.

TROISIÈME ÉPISODE

ÉLECTRE

Quoi, mes amies, se serait-il jeté hors du palais,
le malheureux Oreste en proie à la fureur sacrée ?

LE CORYPHÉE

Non pas. Il s'est rendu à l'assemblée des Argiens
pour livrer le combat où sa tête est en jeu
et qui décidera si vous devez vivre ou mourir.

ÉLECTRE

Hélas ! Qu'a-t-il fait là ? Qui lui a donné ce conseil ?

LE CORYPHÉE

Pylade. Ce messager qui vient ne sera pas long à te dire
ce qui s'est passé là au sujet de ton frère.

*Entre par la droite un vieux
paysan.*

LE PAYSAN

O malheureuse fille du roi Agamemnon,
écoute, noble Électre, ce que j'ai de pénible à t'apprendre.

ÉLECTRE

Nous sommes donc perdus ; ton langage est trop clair,
et tu n'as rien, je vois, que des malheurs à m'annoncer.

LE PAYSAN

Le vote des Pélasges vous condamne à mourir,
ton frère et toi, infortunée, aujourd'hui même.

ÉLECTRE

C'est bien, hélas, ce que je prévoyais, ce que je redoutais
depuis longtemps, menace qui me minait dans les pleurs !
Mais dis-moi quel fut le débat, quels discours ont décidé
les Argiens
à nous condamner, à nous mettre à mort.
Parle, vieil homme. Est-ce sous les pierres
que je dois rendre l'âme, ou par l'épée,
en partageant ce sort avec mon frère ?

LE PAYSAN

Je me trouvais venir des champs, et j'entrais dans la
ville
pour m'enquérir de ce qui te concerne ainsi qu'Oreste.
Car je fus toujours fidèle à ton père : c'est ta maison qui
m'a nourri,
un homme pauvre, mais plein de cœur quand il s'agit de
ceux qu'il aime.
Je vois arriver une foule qui s'installe sur la colline
où Danaos, dit-on, fut le premier à réunir le peuple
en assemblée, quand Égyptos le mit en accusation[1].
En voyant tout ce monde, j'interrogeai quelqu'un.
« Quoi de neuf dans Argos ? Est-ce une entreprise
ennemie
dont l'annonce met la ville en rumeur ? »
Il répondit : « Non, c'est Oreste. Ne le vois-tu pas
qui vient soutenir le combat dont sa vie est l'enjeu ? »
Spectacle inattendu, et que j'eusse voulu ne jamais voir !
Pylade et ton frère ensemble s'avancent,
l'un abattu, épuisé par la maladie,
l'autre, un vrai frère, souffrant autant que son ami,
attentif à son mal et le guidant comme un enfant.
Quand l'assemblée des Argiens fut au complet,
le héraut se leva et dit : « Qui veut parler ?
sur le point de savoir s'il faut ou non punir de mort
Oreste
qui a tué sa mère ? » Et là-dessus se lève
Talthybios, qui accompagnait ton père au siège de Troie.
Ce qu'il dit, lui toujours dévoué au plus fort,
avait deux faces. Il exalte ton père sans pouvoir toutefois
approuver Oreste,

enveloppant des dires meurtriers dans de nobles motifs,
disant que les parents ont lieu de craindre la coutume
établie par ton frère.
Il ne cessait en ce disant de caresser des yeux les partisans
d'Égisthe.
Telle est la race des hérauts, toujours à bondir en croupe
à la chance.
Est leur ami l'homme au pouvoir, celui qui occupe les
charges.
    Après lui parla le roi Diomède.
Il repoussa la mort pour ton frère et pour toi,
proposant l'exil pour satisfaire aux dieux.
Un grand cri proclama qu'il avait bien parlé,
mais d'autres le désapprouvaient.
Ensuite se leva un homme à la langue effrénée, d'une
assurance redoutable,
Argien sans l'être, quelqu'un qui s'est poussé chez nous[1],
régnant par le tapage, vulgaire, osant tout dire,
de qui l'on peut attendre qu'il fourvoie la cité.
    Lorsqu'une parole agréable, mais qui sert de mauvais
desseins,
persuade la masse, c'est un grand danger pour la ville.
Mais ceux qui lui donnent toujours de bons avis lui sont
utiles tôt ou tard.
C'est d'après ce principe qu'il faut juger les chefs du
peuple,
car il en va de même pour l'orateur et pour le magistrat[2].
Cet homme donc a soutenu qu'Oreste et toi vous deviez
être lapidés,
paroles soufflées par Tyndare à tous ceux qui exigeaient
votre mort.
    Mais voici qu'un autre se lève et soutient l'avis opposé.
Il ne paie pas de mine, mais c'est un homme courageux,
qui vient rarement à la ville et à l'assemblée,
— un de ces laboureurs en qui tient le salut du pays —
mais qui s'entend, quand il lui plaît, à mener un débat,
intègre et sans reproche en la conduite de sa vie.
Il dit : « Oreste fils d'Agamemnon
doit recevoir une couronne pour sa décision de venger
son père
en tuant une femme infidèle et impie,
qui aurait détourné les hommes de s'armer et de partir en
guerre au loin,

sachant qu'ils laissaient derrière eux, pour les gardiennes
    du foyer,
des corrupteurs tout prêts à profaner le lit qu'ils ont
    quitté. »
Les gens de bien du moins furent de son avis.

  Personne après lui ne demanda la parole. Survint alors
    ton frère
qui dit : « Vous qui possédez le pays d'Inachos,
que l'on nomma Pélasges, puis fils de Danaos,
c'est vous que je vengeais aussi bien que mon père
quand j'ai tué ma mère. Si le droit était reconnu aux
    femmes
de tuer les mâles, dépêchez-vous donc de mourir
ou d'accepter le joug de vos épouses,
et vous ferez tout l'opposé de ce qu'il vous faut faire.
Celle qui trahit le lit de mon père est morte;
mais si vraiment vous me tuez ensuite,
l'exemple restera sans force et plus d'un périra bientôt,
car ces attentats-là vont se multiplier. »

  On l'approuva, mais il ne put convaincre l'assemblée.
La victoire est restée au méchant démagogue
qui demandait la mort de ton frère et la tienne.
À grand'peine obtint-il, le malheureux Oreste,
qu'on renonce à vous lapider, et qu'il vous soit permis de
    vous détruire.
Il a promis qu'aujourd'hui même il quitterait la vie
avec toi. Pylade en pleurant l'emmena hors de
    l'assemblée,
entouré des amis qui déploraient son sort. Il vient vers toi,
triste spectacle, vision douloureuse!

  Allons, prépare un couteau, ou bien la corde pour
    ton cou,
car il te faut quitter la lumière. Ta haute naissance n'a pu
    te sauver
ni le dieu de Pytho siégeant sur son trépied. Tout au
    contraire il t'a perdue.

Il sort.

LE CORYPHÉE

Fille infortunée, l'air sombre et les yeux baissés,
    tu restes muette, comme pour préparer tes appels
    douloureux.

TROISIÈME STASIMON

STROPHE

Électre

J'entonne ma plainte, terre des Pélasges,
mes ongles raient mes joues d'un stigmate sanglant
et je frappe ma tête, hommage destiné
à la Belle-Enfant sous la terre, à la Reine des
        Morts[1].
Terre des Cyclopes, saisis le couteau, rase-toi la tête !
et clame le malheur de ma maison !
C'est l'heure d'entonner le chant funèbre
sur ceux qui vont mourir,
alors qu'ils étaient nés pour commander en Grèce.

ANTISTROPHE

La voilà passée, la voilà finie,
la race de Pélops, et la gloire enviée
qui couronnait la maison bienheureuse[2].
Les dieux jaloux l'ont voulu perdre
par le haineux arrêt de mort des citoyens.
Race douloureuse et promise aux larmes,
hommes d'un jour voyez s'avancer l'imprévu.
A chacun son malheur,
tout au long des années où nul repos n'est sûr.

Entre ciel et terre un roc est pendu
par les liens d'or de chaînes flottantes,
jouet des rafales venues de l'Olympe.
J'y voudrais atteindre et lancer ma plainte,
vers l'ancêtre Tantale, auteur des chefs de ma maison,
qui virent nos désastres.

Ils ont commencé le jour où Pélops
guidant sur la mer l'élan aérien des quatre chevaux
précipita Myrtilos dans les vagues[1]
et conduisit son char aux côtes de Géreste
toutes blanches d'écume.

Ma maison en reçut et larmes et malheurs,
lorsque naquit dans nos troupeaux
le bélier à la toison d'or,
prodige destructeur envoyé par Hermès,
pour la ruine d'Atrée, l'éleveur de chevaux.
De là le conflit qui changea le cours du char ailé du Soleil
et accorda la zone où jadis il disparaissait,
à l'Aurore au coursier unique.

La septuple Pléiade aussi vit renverser sa route,
de meurtres nouveaux le meurtre fut puni :
le festin qui porte le nom de Thyeste,
et le lit adultère d'Aéropé la perfide Crétoise.
Le crime enfin nous atteignit, mon père et moi,
avec cette fatalité cruelle,
attachée à notre maison.

QUATRIÈME ÉPISODE

LE CORYPHÉE

Voici ton frère qui s'avance,
sous le coup du verdict qui le condamne à mort,
et son très fidèle Pylade, comme ferait un frère,
redresse son pas hésitant en le soutenant de ses soins.

> *Oreste et Pylade entrent à droite.*

ÉLECTRE

Malheur à moi, qui dois te voir devant ta tombe,
ô mon frère, et si près de ton bûcher funèbre!
Malheur encore! de penser que mes yeux
te voient pour la dernière fois, je sens ma raison
      me quitter!

ORESTE

Silence! C'en est assez de ces plaintes de femmes.
Résigne-toi donc à l'inévitable. Si douloureux qu'il soit
il nous faut supporter notre sort.

ÉLECTRE

Mais comment me taire quand la clarté du jour
va se refuser à nos yeux, malheureux que nous sommes!

ORESTE

Ne m'assassine pas! Il suffit que la main argienne
m'ait désigné, malheureux, pour la mort. Assez parlé du
      mal qui nous arrive.

ÉLECTRE

Je pleure, mon Oreste, sur ta jeunesse et ton destin,
et sur ta fin prématurée. Tu meurs au moment où tu
      devais vivre.

ORESTE

Par les dieux, ne viens pas m'inspirer de faiblesse
et m'amener aux larmes en me récitant mes malheurs.

ÉLECTRE

La mort est là pour nous. Comment n'en pas gémir ?
Tous les mortels pleurent la vie qui leur est chère.

ORESTE

Voici pour nous le jour fatal. Il nous faudra
ou suspendre la corde, ou bien aiguiser le couteau.

ÉLECTRE

Que ce soit toi, mon frère, qui me tue, de peur qu'un
    Argien
n'outrage en moi l'enfant d'Agamemnon.

ORESTE

C'est assez sur moi du sang de ma mère : je ne te
    tuerai pas.
Meurs de ta propre main et de la mort que tu voudras.

ÉLECTRE

Ainsi ferai-je. Le couteau qui te frappera ne me man-
    quera pas.
Mais laisse-moi encore entourer ton cou de mes bras.

ORESTE

Accorde-toi ce vain plaisir, si c'en est un
de s'embrasser quand on s'approche de la mort.

ÉLECTRE

Mon frère bien-aimé, nom chéri entre tous,
prunelle de mes yeux, seule âme de ta sœur[1].

ORESTE

Je ne résiste plus. Que mes caresses
répondent donc aux tiennes. Pourquoi, infortuné, en
    rougir plus longtemps ?
Sein de ma sœur, que je t'embrasse avec amour!
Au lieu d'enfants et de lit nuptial,
il reste à ces deux malheureux ces mots du moins à
    échanger.

ÉLECTRE

Ah! qu'une même épée puisse nous frapper tous les deux,
et le même tombeau, un seul cercueil de cèdre, nous
    recevoir!

ORESTE

Oui, ce me serait doux. Mais les amis, tu le vois bien, nous
    manquent
qui pourraient nous donner sépulture commune.

ÉLECTRE

Il n'a donc point parlé pour toi, il n'a rien fait pour
    t'épargner la mort,
l'infâme Ménélas, qui trahit notre père ?

ORESTE

Il ne s'est pas montré. Il espère le sceptre
et s'est bien gardé de rien faire pour le salut des siens.
Allons, il nous faut maintenant mourir avec courage,
en agissant comme il convient aux deux enfants
    d'Agamemnon.
Pour moi, la ville verra quelle est ma naissance
quand mon épée me percera le cœur.
À toi, de ton côté, d'imiter ma fermeté d'âme.
Sois l'arbitre, Pylade, de cette mise à mort.
Quand nous ne serons plus, ensevelis nos corps comme il
    convient,
conduis-nous au tombeau de mon père pour y être
    enterrés ensemble.
Adieu, maintenant. Tu le vois, je suis prêt à faire ce
    qu'il faut.

PYLADE

Arrête. J'ai tout d'abord un reproche à te faire,
c'est d'avoir cru que je désirais te survivre.

ORESTE

Quelle raison as-tu de mourir avec moi ?

PYLADE

Tu le demandes ? Mais sans ton amitié, que me serait
        la vie ?

ORESTE

Mais tu n'as pas tué ta mère, ainsi que je l'ai fait pour
        mon malheur.

PYLADE

Je t'ai donné mon aide, et ton châtiment doit être le mien.

ORESTE

Garde-toi pour ton père; ne meurs pas avec moi.
Tu as une patrie, et moi je n'en ai plus,
une maison, et l'abri sûr d'un riche patrimoine.
Ma pauvre sœur, tu n'as pu l'épouser,
quand je te l'avais accordée pour consacrer notre amitié.
Ce lien-là entre nous ne peut plus exister.
Choisis une autre femme qui te donnera des enfants.
Toi qui mérites le plus beau des noms, Fidélité,
pars à présent, et sois heureux. Nous ne pouvons plus
        l'être et tu le peux encore,
car nous sommes des morts pour qui la joie n'existe plus.

PYLADE

Que tu es loin d'avoir compris mon intention!
Que la terre fertile refuse d'accueillir mon sang
et aussi le brillant éther[1], si jamais je dois te trahir,
et me libérer en t'abandonnant.
J'ai tué avec toi, je le dirai bien haut,
et pris avec toi le parti dont tu portes la peine à présent.

J'ai donc, moi aussi, à mourir, avec toi, avec elle,
que je tiens mon épouse, puisque j'ai accepté sa main.
Qu'aurais-je à dire d'honorable
en rentrant à Delphes, l'acropole de la Phocide,
si moi, votre ami des bons jours,
j'avais cessé de l'être au moment du malheur ?
Je m'y refuse. Ce qui vous concerne me concerne aussi.
Et puisque nous allons mourir, concertons-nous
pour que Ménélas périsse avec nous.

ORESTE

Très cher ami ! Si je puis voir cela, je consens à mourir.

PYLADE

Eh bien, écoute-moi. Pour te frapper, attends donc le
dernier moment.

ORESTE

Oui, j'attendrai, s'il m'est donné de me venger.

PYLADE *(montrant le chœur)*

Silence, alors ! Car, sache-le, je me fie peu aux femmes.

ORESTE

Tu n'as rien à craindre de celles qui sont là. Elles nous
sont favorables.

PYLADE

Tuons Hélène. Ce sera durement atteindre Ménélas.

ORESTE

Mais comment faire ? J'y suis prêt, s'il y a seulement une
chance[1].

PYLADE

Nous allons l'égorger. Elle se tient cachée dans ta
maison.

ORESTE

Oui. Elle pose partout des scellés.

PYLADE

Elle s'interrompra quand Hadès sera son époux.

ORESTE

Mais sera-ce possible, avec tous les Barbares qu'elle a
pour serviteurs ?

PYLADE

Qui sont-ils ? Nul Phrygien ne me fait peur.

ORESTE

Ce que peuvent être des gens occupés de miroirs,
de parfums...

PYLADE

Elle a donc apporté ici tout le luxe de Troie ?

ORESTE

Et la Grèce est pour elle un bien pauvre séjour !

PYLADE

L'esclave ne vaut rien devant un homme libre.

ORESTE

Ah! réussir! et je veux bien mourir deux fois ensuite!

PYLADE

Et moi de même, pourvu que je te venge.

ORESTE

Explique-moi de bout en bout comment tu conçois ton
projet.

PYLADE

Nous entrerons dans le palais comme des gens qui vont
    mourir.

ORESTE

Cela, je l'imagine, mais non ce qui doit suivre.

PYLADE

Nous gémirons en sa présence sur le malheur de
    notre sort.

ORESTE

A lui tirer des larmes, tandis qu'au fond elle s'en réjouira.

PYLADE

Notre conduite à nous sera exactement la même.

ORESTE

Et puis, comment s'engagera la lutte ?

PYLADE

Nous aurons nos épées cachées sous nos manteaux.

ORESTE

Mais comment la tuer parmi ses serviteurs ?

PYLADE

Nous les disperserons dans le palais pour les y enfermer.

ORESTE

Et qui ne voudra pas se taire, nous devrons le tuer !

PYLADE

Puis restera à faire ce que nous avons décidé.

ORESTE

Tuer Hélène! C'est donc là le mot d'ordre.

PYLADE

Tu as compris! Sache combien mon plan est sage.
Lever l'épée contre une femme plus honnête serait un
    meurtre infâme.
Mais Hélène étant ce qu'elle est, nous vengerons la Grèce
    entière,
tous ceux dont elle fit mourir les pères et les fils,
les femmes par sa faute orphelines de leurs époux.
Un cri de joie va retentir! Vont flamber les bêtes offertes
    aux dieux!
On nous souhaitera mille prospérités
pour avoir fait payer une dette de sang à la femme
    coupable.
Quand tu l'auras tuée, on ne te dira plus le Matricide,
car ce nom sera oublié pour un autre meilleur,
l'Exécuteur d'Hélène, la pourvoyeuse de la mort.
A aucun prix il ne faut plus que Ménélas ait du bonheur
tandis que la mort prend et ton père, et toi, et ta sœur,
ta mère aussi, mais ici je me tais, car son nom n'est pas
    bon à dire.
Après qu'Agamemnon lutta pour lui rendre sa femme
il posséderait ton palais! que je meure
si je ne tire ma noire épée contre elle!
A supposer qu'Hélène nous échappe,
nous mettrons le feu au palais et nous y attendrons
    la mort.
De deux honneurs, l'un du moins nous sera acquis,
ou mourir avec gloire, ou avec gloire nous sauver.

LE CORYPHÉE

La fille de Tyndare a mérité la haine
de toutes les femmes; elle a déshonoré son sexe.

ORESTE

Que je t'admire! Un ami véritable, est-il rien qui le vaille,
ou richesse, ou pouvoir? Mauvais marché

que d'acquérir la faveur populaire au prix d'un noble ami.
C'est toi qui inventas le piège où j'ai tué Égisthe;
tu restas près de moi quand j'étais en péril,
et tu me procures aujourd'hui ma vengeance
au lieu de te mettre à l'abri. Mais j'arrête là ton éloge,
car on trouve importun d'être loué avec excès.
Pour moi, puisqu'en tous cas je dois mourir,
j'entends d'abord faire souffrir mes ennemis,
perdre à mon tour tous ceux qui m'ont perdu,
faire gémir ceux qui ont causé ma misère.
Je suis né fils d'Agamemnon, qui commanda la Grèce
pour avoir été choisi d'elle, et non comme un despote,
quoique sa force fût celle d'un dieu : que je n'aille pas le
      déshonorer
par une mort bonne pour un esclave. Non! comme un
      homme libre
je ne rendrai mon âme qu'après m'être vengé de Ménélas.
Ce serait trop de chance si nous réussissions,
par l'heureux coup de dés d'une fortune inespérée,
à donner la mort sans la subir, mais je puis bien le souhaiter.
Car l'espoir d'un pareil succès, paroles envolées des lèvres,
réjouit le cœur à bien peu de frais.

ÉLECTRE

Eh bien, moi, mon cher frère, je pense pouvoir le réaliser,
pour ton salut, le sien, et le mien en troisième lieu.

ORESTE

Il faut qu'un dieu soit avec nous. Quel est ton plan ?
Je sais que la prudence réside dans ton âme.

ÉLECTRE

Écoute donc, et toi, Pylade, sois attentif aussi.

ORESTE

Parle donc. Un bien, ne fût-il qu'entrevu, réconforte déjà.

ÉLECTRE

Tu connais la fille d'Hélène, faut-il le demander ?

ORESTE

Oui, je connais Hermione, que ma mère éleva.

ÉLECTRE

Elle est partie vers le tombeau de Clytemnestre.

ORESTE

Qu'avait-elle à y faire ? Quel espoir nous suggères-tu ?

ÉLECTRE

Apporter des libations pour notre mère.

ORESTE

Que vois-tu là, qui nous conduirait au salut ?

ÉLECTRE

Quand elle reviendra, prenez-la comme otage.

ORESTE

Et quel bien en retireront les trois amis ?

ÉLECTRE

Hélène morte, si Ménélas contre toi se retourne,
contre Pylade ou contre moi, car nous ne faisons plus
    qu'un seul,
dis-lui que tu vas tuer Hermione. Tu devras
tirer l'épée et la lui tenir sur la gorge.
S'il t'accorde alors la vie sauve, pour que tu épargnes
    sa fille
— car il verra Hélène étendue dans son sang —
rends-lui son enfant. Mais s'il ne peut dominer sa fureur
et s'il veut te tuer, égorge aussitôt Hermione,
mais je gage qu'après avoir jeté son feu
il saura bientôt s'apaiser. Car il a peu d'audace et de
    courage.

Protégés de la sorte, nous pourrons, je crois, nous
    sauver. Voilà ce que j'avais à dire.

ORESTE

O toi dont le cœur est viril,
même si ton corps est tel qu'il sied aux faibles femmes,
combien tu méritais de vivre et non pas de mourir !
Pylade, voilà donc l'épouse que tu devais perdre,
— ou qui, si tu survis, fera le bonheur de ton lit.

PYLADE

Ainsi soit-il, et qu'elle vienne en la cité des Phocéens,
où les beaux chants des noces retentiront en son honneur.

ORESTE

A quel moment reviendra Hermione ?
Le reste de ton plan est à merveille, si nous avons
    la chance
de tenir dans nos mains la fille de ce misérable.

ÉLECTRE

Elle n'est plus bien loin d'ici, je gage,
à en juger par la durée de son absence.

ORESTE

Bien. Toi, ma sœur Électre, tu vas rester ici, et la recevoir
    à son arrivée.
Prends bien garde qu'avant le meurtre consommé,
personne, un de leurs défenseurs, ou le frère de
    notre père,
ne nous surprenne en pénétrant dans la maison. Donne
    l'alerte
à l'intérieur ; heurte la porte, avertis-nous.
Quant à nous, entrons à présent pour le combat suprême,
le bras armé de notre épée, Pylade,
car te voilà encore mêlé à mes travaux.

    Mon père, toi dont la demeure est la mort ténébreuse,
Oreste ton fils t'appelle au secours dans notre besoin.

C'est pour toi que je souffre sans l'avoir mérité.
Ton frère m'a trahi quand j'avais fait justice.
Je veux m'emparer de sa femme et la faire mourir.
Sois notre auxiliaire en cette entreprise.

ÉLECTRE

O père, viens, si tu entends dans le fond de la terre
l'appel de tes enfants, condamnés à mourir pour ta cause !

PYLADE

Toi qui es du sang de mon père, Agamemnon,
entends aussi ma prière : viens sauver tes enfants.

ORESTE

J'ai tué ma mère.

PYLADE

Ma main a tenu le couteau.

ÉLECTRE

Moi je les ai encouragés. J'ai dissipé leurs doutes...

ORESTE

Pour ta cause, mon père...

ÉLECTRE

... que je n'ai pas trahie non plus.

PYLADE

Entends ces remontrances et sauve tes enfants.

ORESTE

Pour libations, je n'ai que mes larmes.

ÉLECTRE

Et moi que mes plaintes.

PYLADE

Il faut en finir et nous hâter vers notre œuvre.
Si vraiment la flèche de la prière pénètre sous la terre,
il vous entend. Toi Zeus notre aïeul et toi, Justice vénérée,
donnez-nous le succès, à Oreste, à moi, à Électre,
trois êtres unis en un seul combat pour un seul verdict,
car il s'agit pour nous de vivre ou de mourir ensemble.

*Oreste et Pylade entrent dans
le palais.*

QUATRIÈME STASIMON

STROPHE

ÉLECTRE

Mycéniennes, mes amies,
vous qui tenez le premier rang dans l'Argos des Pélasges.

LE CHŒUR

Pourquoi nous appeler, princesse,
car ce nom est toujours le tien dans la cité de Danaos.

ÉLECTRE

Prenez vos places : vous sur la route charretière,
vous là-bas au sentier, pour surveiller l'accès de la maison.

LE CHŒUR

Pourquoi me donner cet office ? Dis-le moi, chère
Électre.

ÉLECTRE

Je crains que des gens apostés près d'ici
pour s'assurer de notre mort,
ne découvrent ce meurtre après les autres[1].

LE CORYPHÉE

Alors ne tardons pas. J'inspecte cette route, qui va vers le
levant.

UN AUTRE

Moi celle-ci, qui va vers le couchant.

ÉLECTRE

Regardez bien de tous côtés.

LE CHŒUR

Par là et par ici, par ici et par là,
nous faisons bien ce que tu dis.

ANTISTROPHE

ÉLECTRE

Que vos regards fassent leur ronde,
sous vos cheveux dénoués pour le deuil.

LE CHŒUR

Y a-t-il quelqu'un sur la route ? Ah ! prenez garde !
que fait ce paysan à rôder là autour de la maison ?

ÉLECTRE

Il va nous perdre, mes amies. L'embûche
des lions porte-épées, il va la révéler aux ennemis.

LE CHŒUR

Sois sans crainte. Il n'y a sur la route rien de ce que tu
crois

ÉLECTRE

Et de ton côté, tout reste-t-il sûr ?
Donne-moi une bonne nouvelle
en me disant déserts les accès du palais.

UN CORYPHÉE

Par ici tout va bien. Surveille les routes qui mènent
vers toi.
Je ne vois approcher personne qui vienne d'Argos.

UN AUTRE

C'est comme pour nous. Rien ici ne bouge.

ÉLECTRE

Que j'aille coller mon oreille à la porte !
Qu'attendez-vous, là-bas dans la maison, quand rien ne
vous gêne,
pour accomplir le sanglant sacrifice ?

Ils ne m'entendent pas, misère!
Le fer s'est-il faussé au moment de frapper la beauté ?

Bientôt quelque Argien va surgir tout armé
à son secours, entrer dans le palais!
Regardez mieux! Ce n'est pas le moment de nous reposer.

LE CHŒUR

Surveillez, vous par ci, vous par là !
Mes yeux de tous côtés parcourent le chemin.

HÉLÈNE *(criant à l'intérieur)*

Argos des Pélasges! Je péris misérablement.

UN CORYPHÉE

Entendez-vous ? Les meurtriers sont à l'ouvrage!

UN AUTRE

La plainte vient d'Hélène, je suppose ?

ÉLECTRE

Zeus souverain, Zeus éternel,
de ceux que j'aime accomplis le salut.

HÉLÈNE

Je meurs, Ménélas, et tu n'es pas là pour m'aider!

ÉLECTRE

Égorgez, massacrez, tuez-la
au double tranchant des deux glaives,
de tout l'élan de votre bras,
celle qui a quitté son père et son mari,
celle pour qui tant de Grecs sont tombés,
frappés par la lance aux bords du Scamandre
où le fer de la lance fit couler tant de larmes,
près des gouffres du fleuve.

EXODOS

Le coryphée

Silence, faites silence! J'ai entendu du bruit. Quelqu'un[1]
marche sur le chemin qui conduit au palais.

Électre

Oui, très chères amies, au milieu du carnage,
voici Hermione. Il faut maintenant parler bas.
Elle vient tout droit tomber dans nos filets.
Beau gibier, si elle se laisse prendre.
Reprenez votre place, et composez votre visage,
qu'on n'y distingue rien de ce qui vient de se passer.
Moi je me fais un regard sombre,
comme si j'ignorais ce qui s'est accompli.

*(Hermione entre par la
droite.)*

Tu viens donc, jeune fille, d'avoir orné la tombe de Clytemnestre,
et d'y avoir versé les libations aux morts?

Hermione

J'en reviens. Je me les suis rendus propices. Toutefois,
une frayeur m'a prise. Qu'est-ce que ces appels
venus de la maison, que j'entendis quand j'étais loin
encore?

Électre

Et puis? Le sort qui nous échoit vaut bien qu'on en
gémisse!

Hermione

Pas de mot de mauvais augure! Quel nouveau malheur
m'annonces-tu là?

Électre

Les citoyens ont condamné à mort Oreste et moi.

HERMIONE

Vous, mes parents ? aux dieux ne plaisent !

ÉLECTRE

L'arrêt est pris. Nous sommes sous le joug de la nécessité.

HERMIONE

Et c'est donc pour cela qu'on a crié dans le palais ?

ÉLECTRE

Oui, aux genoux d'Hélène il implore, il appelle...

HERMIONE

Mais de qui parles-tu ? Je n'en sais pas plus long, si tu
  ne t'expliques pas.

ÉLECTRE

Le malheureux Oreste. Il tâche de sauver sa vie avec
  la mienne.

HERMIONE

C'est donc avec raison que la maison crie vers les dieux.

ÉLECTRE

Quel motif plus pressant justifierait des cris ?
Ah, cours ! va joindre tes prières à celles des tiens !
Tombe à genoux devant ta mère, la très heureuse,
afin que Ménélas nous épargne la mort.
Toi que ma mère éleva dans ses bras,
aie pitié de nous, et allège notre malheur.
Oui, va là-bas. La lutte est engagée, je m'en vais
      te conduire,
car tout notre salut, c'est de toi qu'il dépend...

HERMIONE

C'est fait, car j'entre sur-le-champ,
et vous serez sauvés autant qu'il tient à moi.

Elle entre dans le palais.

ÉLECTRE

Holà dans la maison, amis, l'épée à la main, saisissez la
    proie!

HERMIONE *(de l'intérieur)*

O ciel! qui sont ces hommes devant moi?

ORESTE *(de l'intérieur)*

Silence. C'est pour notre salut, non pour le tien, que tu
    arrives.

ÉLECTRE

Tenez-la, tenez-la, mettez-lui le couteau à la gorge,
mais sans bruit, que Ménélas apprenne
qu'il est aux prises avec des hommes, et non de lâches
    Phrygiens.
Ils lui infligeront la mort qui convient à des lâches.

(Au chœur.)

Faites du bruit, amies, criez bien fort,
devant le palais, pour que le gémissant appel
ne mette pas l'alarme au cœur des Argiens,
ne les amène ici pour secourir leurs rois,
avant que j'aie vu de mes yeux, le cadavre d'Hélène
étendu dans son sang là où il est tombé,
ou qu'un serviteur nous en fasse un récit,
car je ne sais qu'une partie des faits, et le reste est confus.

LE CHŒUR

La vengeance des dieux a fait justice
d'Hélène qui remplit de pleurs la Grèce entière,
à cause du funeste Pâris, du berger de l'Ida,
qui amena devant Troie l'armée grecque.

LE CORYPHÉE

Mais j'entends résonner les verrous du palais.

Taisez-vous. Voici un Phrygien qui sort.
Nous apprendrons de lui ce qui se passe là.

*Sort un esclave en costume
troyen.*

LE PHRYGIEN

J'ai esquivé le glaive argien, autant dire ma mort,
et sur mes babouches barbares,
j'ai sauté les poutres de cèdre au portique du gynécée.
j'ai passé à travers les triglyphes doriques.
Plus loin, toujours plus loin. O Terre, ô Terre !
Ah ! qu'un Barbare sait bien se sauver !

(Il voit le chœur).

Où fuir plus loin, mes dames ?
vers l'éther gris ou vers la mer
qu'Océan au front de taureau
serre dans ses bras en étreignant la terre ?

LE CORYPHÉE

Qu'y a-t-il, l'homme de l'Ida, le serviteur d'Hélène ?

LE PHRYGIEN

Ilion, Ilion, pauvre de moi !
citadelle de la Phrygie, terre fertile, sainte montagne,
il faut que je pleure sa ruine sur un air lamentable[1],
avec le cri de mon pays !
Un bel œil t'a perdu, celui de la fille du Cygne,
et de la belle Léda.
Hélène si douce, si blanche, pernicieuse Hélène,
Furie acharnée sur les murs qu'Apollon assembla !
Totoï, je veux gémir, gémir, pauvre Phrygie,
parc des chevaux de ce Ganymède
que Zeus prit pour son lit.

LE CORYPHÉE

Dis clairement, d'un bout à l'autre, ce qui s'est passé au
palais.
Je ne le sais pas bien, mais le devine.

LE PHRYGIEN

Funérailles, funérailles[1], ainsi disent les Barbares,
en entonnant le chant de mort dans notre langage d'Asie,
quand le sang royal répandu
trempe le sol sous les couteaux d'Hadès !

   Dans le palais sont donc entrés, puisqu'il faut tout te dire,
deux lions, deux Grecs, deux jumeaux.
L'un est le fils du fameux général.
L'autre est le fils de Strophios, un méchant, un perfide,
tout comme Ulysse et tout aussi silencieux,
ami fidèle, il faut le dire, et qui sait bien se battre,
connaissant le métier, au surplus, un serpent sanglant.
Maudit soit-il pour sa froideur et sa prudence, le misérable !

   Ils se sont avancés vers le trône
de celle dont l'archer Pâris fut le mari.
Des larmes leur coulaient des yeux.
Fort humblement ils s'accroupirent,
à droite l'un et l'autre à gauche,
en l'embrassant étroitement[2]
et d'allonger, et d'allonger ensemble
vers les genoux d'Hélène, leurs mains de suppliants.

   Accourent alors les serviteurs, les Phrygiens,
qui se demandent l'un à l'autre, car la peur les a pris,
s'il n'y a pas ruse sous roche.
Les uns le nient, mais d'autres voient déjà
le dragon matricide qui lance le filet
pour prendre dans son piège la fille de Tyndare.

LE CORYPHÉE

Et toi, où étais-tu ? Chassé déjà par la panique ?

LE PHRYGIEN

   Comme c'est l'usage en Phrygie,
j'étais à rafraîchir la coiffure d'Hélène
avec un éventail de plumes bien assemblées en cercle
que je lui balançais devant la joue,
ainsi qu'on fait chez nous.
Elle, du bout des doigts,
roulait le lin de sa quenouille,
et le fil tombait jusqu'à terre.

Elle en voulait coudre des tissus de pourpre,
pris au butin des Phrygiens,
pour les offrir à Clytemnestre.

    Oreste s'adressa à la fille de Sparte :
« Ah ! lève-toi, enfant de Zeus, quitte ton siège,
viens par ici dans la salle où se trouve
l'antique foyer de Pélops mon aïeul[1],
c'est là que j'ai à te parler. »

    Il l'emmène et l'emmène ; elle se laisse faire,
sans rien deviner de ce qui l'attend,
tandis que le complice, le maudit Phocidien,
s'acquittait d'une autre besogne.

« Vous, hors d'ici ! Toujours aussi fripons, les Phrygiens ! »
Il les enferme dans les chambres, un ici, l'autre là.
Il y en a dans l'écurie, dans les salles qui bordent les cours,
à droite, à gauche, tous dispersés,
et tous bien loin de la maîtresse.

Le coryphée

Et qu'est-il arrivé ensuite ?

Le phrygien

    Mère de l'Ida, puissante Mère, hélas, hélas !
Meurtres, calamités, affreux forfaits,
qu'ai-je dû voir dans le palais royal ?
De leurs manteaux de pourpre ils ont tiré des épées bien
        cachées,
ont regardé de tout côté pour éviter d'être surpris.
Puis, comme des sangliers des montagnes,
ils foncent sur la femme et disent :
« Tu vas mourir, tu vas mourir !
C'est ton lâche mari qui te tue !
Il a livré aux Argiens
le fils de son frère pour être mis à mort ! »
Elle a crié : « Malheur, malheur à moi ! »
Son bras blanc a frappé sa poitrine,
frappé sa pauvre tête à coups retentissants.
Elle a fui. Dans les sandales d'or, ses pieds couraient,
        couraient !
Mais dans ses bottes mycéniennes Oreste allait plus vite !
A pleines mains lui saisit les cheveux,

sur son épaule gauche lui renverse le cou[1]
et allait, dans la gorge, lui enfoncer son épée nue...

Le coryphée

Pour la défendre, où étiez-vous, les Phrygiens ?

Le phrygien

A grands coups de barres, lorsqu'elle a crié,
nous avons fait sauter les portes, les montants
des chambres où nous étions enfermés.
Nous courons à son aide, l'un vient d'ici, l'autre de là ;
l'un a des pierres, l'autre a des javelots ;
quelqu'un tient à deux mains une épée nue.
Mais c'est pour nous trouver en face de Pylade
plus acharné qu'Hector le Phrygien ou qu'Ajax au triple
*   cimier,*
tel que j'ai pu le voir aux portes de Priam.
Nos épées se sont rencontrées.
Mais on vit bien alors combien, dans les luttes d'Arès,
un Grec vaut mieux qu'un Phrygien.
On fuit ; l'un est tué ; l'autre blessé ;
un autre implore qu'on lui laisse la vie sauve.
Nous courons nous cacher.
Il y a des morts, des mourants, des gisants.

Survient alors Hermione l'infortunée,
pour trouver morte, étendue sur le sol,
la mère qui l'a mise au monde.
Comme des Bacchantes sans thyrse
saisissant un faon des montagnes,
ils s'élancent sur elle,
et puis reviennent s'acharner sur la fille de Zeus,
mais elle a disparu soudain de la chambre et de la
*   maison :*
grâce à des drogues ou par effet magique ?
ou les dieux l'ont-ils enlevée ?
Je ne sais pas le reste ; j'ai fui loin du palais.
Que d'épreuves en vain Ménélas a souffertes
pour ramener de Troie Hélène son épouse !

Oreste sort du palais.

Le coryphée

Les événements imprévus se succèdent.
L'épée à la main, Oreste apparaît devant le palais et
accourt, hors de lui.

Oreste

Où est-il celui qui s'est échappé, qui a esquivé mon épée ?

Le phrygien *(à genoux)*

Je t'adore, seigneur, prosterné à tes pieds, ainsi qu'on fait
chez nous.

Oreste

Ce n'est pas Ilion ici, mais la terre d'Argos.

Le phrygien

L'homme sensé trouve en tous lieux moins doux de
mourir que de vivre.

Oreste

Pourquoi as-tu crié ? Pour que Ménélas vienne à ton
secours [1] ?

Le phrygien

Pour te servir toi-même, veux-tu dire : tu le mérites beaucoup mieux.

Oreste

C'est donc justement que la Tyndaride a reçu la mort ?

Le phrygien

Très justement. Que n'eut-elle trois gorges pour recevoir
trois coups [2] !

Oreste

Ta lâcheté te rend flatteur. En toi-même, tu penses
autrement.

LE PHRYGIEN

Du tout! Elle qui a perdu les Grecs et les Troyens
　　ensemble!

ORESTE

Jure, ou je te tue, que tu ne parles pas ainsi pour me
　　complaire.

LE PHRYGIEN

J'en jure sur ma vie, sûr garant que je te dis vrai.

ORESTE

Les Phrygiens à Troie craignaient-ils tous autant le fer ?

LE PHRYGIEN

Éloigne ton épée. Quand tu la rapproches, elle me renvoie
　　des lueurs de meurtre.

ORESTE

Et tu crains de devenir pierre, comme si c'était la
　　Gorgone.

LE PHRYGIEN

Plutôt de devenir cadavre. La tête de Gorgone, je ne sais
　　ce que c'est.

ORESTE

Tu es esclave et crains la mort, qui te délivrerait de tous
　　tes maux.

LE PHRYGIEN

Un homme, même esclave, est heureux rien qu'à voir la
　　lumière.

ORESTE

Bien dit. Tu n'es pas bête et c'est ce qui te sauve. Allons,
　　rentre.

LE PHRYGIEN

Tu ne vas donc pas me tuer ?

ORESTE

Je te fais grâce.

LE PHRYGIEN

Bonne parole!

ORESTE

Mais je pourrais me raviser!

LE PHRYGIEN

Moins bonne, cette parole-là.

Il rentre dans la maison.

ORESTE

Fou si tu crois que je voudrais faire couler le sang de ta
    gorge!
sans être né femme, tu ne saurais compter parmi les
    hommes.
C'est pour t'empêcher de hurler que je suis sorti.
Argos est prompt à s'éveiller quand il entend un cri
    d'alarme.
Tenir Ménélas à portée de l'épée ne me fait pas peur.
Qu'il vienne donc, tout fier des cheveux blonds épars sur
    ses épaules,
et qu'il amène en plus un renfort d'Argiens
pour venger Hélène, en me refusant la vie sauve,
à moi, à ma sœur, à l'ami qui m'a donné son aide :
il verra deux cadavres, son épouse et sa fille.

*Il rentre dans la maison
avec Électre.*

LE CHŒUR

*Quel destin ! Un nouveau combat, tout aussi terrible
incombe aux Atrides, là dans la maison.*

Que faire ? avertir la cité ? Nous taire est le meilleur parti,
    amies.

*Vois devant le palais monter une fumée,
elle vole au ciel porter son message !*

Ils allument des torches : c'est qu'ils vont embraser
la maison de Tantale et préparer un nouveau meurtre.

> Les dieux ont un but où ils poussent les hommes
> en les dirigeant à leur gré. Grande est leur puissance.
> Un démon vengeur assaille la demeure et la remplit
> de sang,
> parce que Pélops a lancé Myrtile du haut de son char.

Mais je vois Ménélas qui arrive en courant.
Il a dû apprendre ce qui s'est passé.
Atrides là-bas dans l'enceinte, hâtez-vous de barrer les
portes!
Un homme que sert la bonne fortune est à redouter
quand on est aussi malheureux, Oreste, que tu l'es à
présent.

> *Ménélas entre à droite, avec*
> *des gardes.*

MÉNÉLAS

J'accours, car on vient de me dire les terribles forfaits
des deux lions : je ne saurais les appeler des hommes.
On me raconte aussi que mon épouse n'est pas morte,
mais qu'elle a disparu, vain bruit qu'est venu rapporter
un homme fou de peur. Le matricide
aura inventé ce mensonge pour se moquer de moi.

> *(Il frappe sur la porte.)*

Qu'on m'ouvre! Serviteurs, écoutez mon ordre!
Qu'on enfonce les portes, et que du moins
j'arrache ma fille à leurs mains souillées,
et que je leur reprenne le pauvre corps de mon épouse.
D'autres avec elle mourront de ma main, ceux qui
l'ont tuée!

> *Oreste et Pylade tenant Her-*
> *mione apparaissent sur une ter-*
> *rasse.*

ORESTE

Holà! toi! Ne touche pas à ces verrous!
C'est à toi, Ménélas, que je parle, au foudre de courage,
sinon d'un bloc de l'entablement, je te romps le crâne,

et j'arrache des tuiles à l'antique corniche, travail des
    ouvriers.
Les barres tiennent bien les portes! Tu devras modérer
l'ardeur de ta rescousse. Tu ne saurais entrer.

MÉNÉLAS

O ciel! que vois-je? des flambeaux allumés,
sur le toit du palais ces hommes retranchés,
leur épée en arrêt sur le cou de ma fille?

ORESTE

Préfères-tu m'interroger ou que je parle le premier?

MÉNÉLAS

Ni l'un ni l'autre, mais je suis bien forcé de t'entendre.

ORESTE

Je vais tuer ta fille, si tu veux le savoir.

MÉNÉLAS

Avoir tué Hélène ne te suffit donc pas?

ORESTE

Que ne l'ai-je achevée avant que les dieux me l'enlèvent!

MÉNÉLAS

Tu nies l'avoir tuée? Est-ce pour me braver?

ORESTE

Je le nie : il m'en coûte assez! Ah, si j'avais pu!...

MÉNÉLAS

Faire quoi? Tu me fais peur.

ORESTE

Envoyer dans l'Hadès le fléau de la Grèce.

MÉNÉLAS

Rends-moi le corps d'Hélène, que je lui élève un tombeau.

ORESTE

Réclame-le aux dieux. Moi je m'en vais tuer ta fille.

MÉNÉLAS

Le Matricide! Il ne peut plus s'arrêter de tuer!

ORESTE

Le Vengeur de son père, qui par toi fut livré.

MÉNÉLAS

La tache du sang maternel est encore sur toi. N'est-ce
pas assez?

ORESTE

Jamais je ne me lasserai de tuer des femmes coupables.

MÉNÉLAS

Et toi aussi, Pylade, tu prends part à ce crime?

ORESTE

Il te répond par son silence. Que ma parole te suffise.

MÉNÉLAS

Tu te repentiras, si tu n'as pas d'ailes pour fuir.

ORESTE

Pensons-nous à fuir? Nous allons brûler la maison.

MÉNÉLAS

Le palais de tes pères, tu penses le détruire ?

ORESTE

Pour éviter qu'il soit à toi. J'égorgerai ta fille en plein
brasier.

MÉNÉLAS

Tue-la, et je me vengerai ensuite.

ORESTE

Je vais le faire.

MÉNÉLAS

Horreur, n'achève pas!

ORESTE

Tais-toi donc et supporte un malheur mérité.

MÉNÉLAS

Et toi, mérites-tu de vivre ?

ORESTE

Oui, certes, et de régner.

MÉNÉLAS

Sur quel pays ?

ORESTE

Sur l'Argos des Pélasges.

MÉNÉLAS

Tu oserais toucher à l'eau lustrale ?

ORESTE

Et pourquoi non ?

MÉNÉLAS

Et sacrifier avant le combat ?

ORESTE

Et toi, l'oserais-tu ?

MÉNÉLAS

Mes mains sont pures.

ORESTE

Mais non ton cœur.

MÉNÉLAS

Qui t'adressera la parole ?

ORESTE

Celui qui révère son père.

MÉNÉLAS

Et celui qui honore sa mère ?

ORESTE

Celui-là, je l'envie.

MÉNÉLAS

Tu n'as pas agi comme lui.

ORESTE

Je n'aime pas les femmes infidèles.

MÉNÉLAS

Loin de ma fille ce couteau.

ORESTE

C'est en quoi tu t'abuses.

MÉNÉLAS

Tu veux donc la tuer ?

ORESTE

Tu ne t'abuses plus.

MÉNÉLAS

Malheur à moi! que dois-je faire ?

ORESTE

Persuader les Argiens.

MÉNÉLAS

De quoi ?

ORESTE

Que la cité révoque son arrêt de mort

MÉNÉLAS

Sinon, vous égorgez ma fille ?

ORESTE

Parfaitement.

MÉNÉLAS

O malheureuse Hélène!

ORESTE

Et moi, ne suis-je pas bien malheureux ?

MÉNÉLAS

C'est donc pour ton couteau que je la ramenais de Troie!

ORESTE

Que n'est-ce vrai ?

MÉNÉLAS

Après tant de travaux !

ORESTE

Aucun à mon profit.

MÉNÉLAS

Quel sort m'échoit !

ORESTE

Il fallait me servir à temps.

MÉNÉLAS

Tu me tiens !

ORESTE

Tu n'es la proie que de ta fourberie.
Allons, allume l'incendie, Électre, par ici;
et toi, le plus sûr des amis, Pylade, mets le feu aux
     corniches !

MÉNÉLAS

Pays de Danaos ! Et vous, fondateurs de l'hippique
     Argos,
armez-vous, accourez à mon aide.
Par sa seule existence, souillé qu'il est du sang de sa mère[1],
cet homme fait violence à l'État !

> *Apollon apparaît au-dessus
> du théâtre.*

APOLLON

Calme, Ménélas, ton cœur irrité.
C'est Phoibos, le fils de Létô, qui est près de toi et
     t'appelle,
Et toi aussi qui, l'épée nue, menaces cette jeune fille,
entends, Oreste, mon message.
Hélène que tu brûlais de tuer,

dans ta colère contre Ménélas, elle t'a échappé.
Elle est l'astre que vous voyez dans les profondeurs
      de l'éther,
sauvée contre ton espérance.
C'est moi qui l'ai soustraite à ton épée,
et enlevée sur l'ordre de Zeus notre père.
Car la fille de Zeus doit être immortelle.
Avec Castor, avec Pollux, elle aura une place
au plus haut du ciel, pour le salut des matelots.
Choisis-toi donc une autre épouse et conduis-la dans
      ta maison.
Car les dieux n'ont voulu qu'Hélène fût si belle
que pour mettre en conflit les Grecs et les Troyens,
et par leur carnage alléger la terre
des mortels trop nombreux qui la gênaient. Son rôle
      est donc fini.
    Toi, Oreste, il te faut t'exiler d'Argos,
et passer une année dans le pays de Parrhasie,
auquel s'attachera, en souvenir de ton séjour,
le nom d'Oresteion parmi les Azaniens et toute l'Arcadie.
Pars de là pour Athènes, où tu rendras raison du meurtre
      de ta mère
aux trois Érinyes. Ton procès aura les dieux pour arbitres.
Ils viendront sur le mont d'Arès apporter leur très
      saint verdict,
qui te donnera la victoire.
Celle que tu tiens là, le cou sous ton épée,
Hermione, le sort te la réserve en mariage,
à toi, Oreste, non à Néoptolème qui pensait l'épouser.
Le destin veut qu'il meure à Delphes d'un coup d'épée,
venu me demander raison de la mort de son père Achille.
Accorde ta sœur à Pylade, à qui déjà tu l'as promise.
Votre vie désormais s'écoulera dans le bonheur.
    Consens, Ménélas, qu'Oreste règne sur Argos,
tandis que tu gouverneras à Sparte.
C'est la dot que te laisse ta femme,
qui n'a cessé jusqu'à ce jour de t'apporter mille travaux.
Je rétablirai la cause d'Oreste devant les Argiens,
puisque c'est moi qui commandai le matricide.

ORESTE

Prophète Loxias, je vois que tes oracles

que j'ai crus menteurs étaient véridiques.
Et pourtant je tremblais qu'un génie malfaisant
n'eût pris ta voix quand je croyais t'entendre.
Mais tout finit bien et je t'obéirai.
Vois, Hermione est libre. Bien loin de la tuer,
je l'épouserai volontiers quand son père me l'accordera.

MÉNÉLAS

Hélène, adieu, fille de Zeus. Je te loue
d'aller habiter la belle demeure des dieux.
A toi, Oreste, j'accorde ma fille, puisque Phoibos le veut.
Vous êtes tous les deux de noble race.
Puissé-je la donner pour ton bonheur et pour le mien.

APOLLON

Que chacun de vous se rende où j'ai dit,
et mettez fin à vos querelles.

MÉNÉLAS

Nous devons obéir.

ORESTE

Je pense de même. Je me réconcilie, Ménélas,
avec nos destinées, et aussi Loxias, avec tes oracles.

APOLLON

Allez votre chemin, tout en vénérant la Concorde,
c'est la plus belle des déesses.
Moi je m'en vais conduire Hélène
à la demeure de Zeus, dans le ciel étoilé.
Près d'Héra et d'Hébé, l'épouse d'Héraclès,
elle sera une déesse toujours en honneur chez les hommes.
Ils lui porteront leurs offrandes.
Avec les Tyndarides fils de Zeus,
elle veillera sur la mer pour le bien des navigateurs.

LE CORYPHÉE

Très auguste Victoire, ne me quitte jamais
et ne cesse pas de me couronner.

LES BACCHANTES

Les légendes grecques représentent Dionysos comme un dieu venu de l'étranger, qui fut d'abord mal accueilli sur le sol hellénique et qui brisa cruellement les résistances. Eschyle avait traité un de ces épisodes, celui dont la victime fut le Thrace Lycurgue, roi des Édones, Euripide en choisit un autre, plus frappant encore : celui où le dieu, après s'être fait adorer en Lydie, revient à Thèbes, sa ville natale, pour y rencontrer l'hostilité de sa propre famille. Les Athéniens ne virent la pièce, en même temps qu'Iphigénie, qu'après la mort du poète. Il l'a peut-être écrite au cours de son séjour en Macédoine, qu'il loue comme une des terres d'élection du dieu. Les orgies dionysiaques y avaient, semble-t-il, une sauvagerie que l'Attique n'a jamais connue. Au surplus le poète en donne une image purement légendaire, faite pour suggérer, plutôt qu'une réalité, un passé édénique, traversé de terribles colères.

Dionysos a quitté la Lydie avec une troupe de Ménades dont, vêtu en prêtre, il est censé n'être que le conducteur. Le voici dans le royaume de Cadmos son grand-père, à Thèbes, près du tombeau de sa mère Sémélé, la foudroyée de Zeus. Autour du tertre, où brûle une flamme immortelle, il a fait pousser une vigne miraculeuse. La ville est muette. Ino, Autonoé et Agavé, les filles de Cadmos, ont refusé de croire à la maternité divine de leur sœur Sémélé. Un mystérieux égarement s'est emparé d'elles et les a chassées vers le Cithéron, toutes les femmes de Thèbes à leur suite. Sur quoi deux vieillards décident d'aller les rejoindre : Cadmos lui-même et le devin Tirésias. Cadmos n'est nullement convaincu de la divinité de son petit-fils, mais il estime qu'en accordant le culte demandé il sert l'honneur et l'intérêt de sa famille. Comme Tirésias, il pense aussi que le plus sûr est toujours de suivre les usages. Le principe semble s'appliquer mal au cas présent, puisqu'il s'agit d'admettre un dieu nouveau. Mais, dans l'esprit des deux vieillards, la tradition qu'ils allèguent n'est

*pas autre chose que l'attitude respectueuse des cités antiques envers
toutes les manifestations du divin ; elles étaient généreusement
ouvertes à tous les cultes. Celui de Dionysos, à vrai dire, avait
de quoi mettre en défiance, car il était étranger à la religion de la
famille et destiné à rester en marge des États. Cette considéra-
tion n'arrête pas Tirésias, prêtre diplomate qui excelle à tout
concilier, à utiliser l'allégorie pour mettre d'accord la foi et la
raison et, grâce à quelques à peu-près, rendre les miracles accep-
tables. Honorer Dionysos, est-ce autre chose qu'honorer Déméter,
celui qui nous donne le vin comme celle qui nous donne l'épi ?
Quel esprit sensé s'y refuserait ? Mais Dionysos refuse d'être
patronné de la sorte.*

*En face de cette sénilité prudente se dresse Penthée, fils
d'Agavé, cousin de Dionysos, un rationaliste honnête et borné.
Son refus est catégorique. Lui vivant, les orgies ne souilleront pas
cette cité dont son grand-père lui a commis le gouvernement. La
sévérité envers les femmes a toujours été un indice de haute mora-
lité. Celle de Penthée, le type même du conservateur, est extrême :
où va une communauté qui les autorise à sortir librement, à
s'ébattre dans la montagne, à boire du vin ? Toutes les bacchantes
thébaines que ses gardes parviennent à saisir, il les fait enfermer.
Quant à celui qui les excite à la débauche, ce prêtre lydien qui
ressemble à ses dévotes, avec sa robe traînante et ses longues
boucles, qu'on s'empare de lui ! Un homme qui ne rougit pas
d'avoir l'air d'une femme ne peut être que méprisable.*

*Bien loin de résister, Dionysos en souriant tend les poignets
pour qu'on l'enchaîne. Tant de facilité inquiète les gardes qui bal-
butient des excuses. Mais les bacchantes thébaines se sont mys-
térieusement échappées de leur cachot et d'étranges miracles se
produisent coup sur coup. Le plus étonnant est le progressif
envoûtement du rationaliste par celui qui représente la revanche
des forces primitives sur la civilisation. Le puritanisme de
Penthée a une faille. Le jeune roi sûr de lui prête volontiers des
motifs bas à ceux qui lui résistent, et voit partout des désordres de
conduite. Persuadé que ce sont les plaisirs interdits qui attirent les
bacchantes vers les solitudes de la montagne, il brûle d'en être
témoin. Dionysos lui offre de l'y conduire : que le roi consente
seulement à revêtir la tenue du bacchant. Penthée refuse, hésite,
accepte. Or, il est à peine habillé de la robe flottante que déjà,
sans qu'il s'en doute encore, le déguisement s'est emparé de lui.
Sous prétexte de rectifier sa coiffure, son costume, Dionysos le
touche au front, à la taille, aux pieds, assurant son pouvoir par
ces contacts magiques. Le dieu des instincts déchaînés tient à sa*

merci celui qui s'est cru supérieur à eux, alors qu'il est habité par une lubricité secrète et hypocrite.

Penthée court au Cithéron où sa mère Agavé, aveuglée par le dieu, le déchire de ses mains, croyant tuer un jeune lion. Elle revient, fière de sa prouesse, portant bien haut la tête sanglante de son fils, et elle exhibe triomphalement l'affreux trophée aux Ménades lydiennes. Pendant leur dialogue hagard, Cadmos rentre, désespéré, ramenant des gorges de la montagne le cadavre lacéré de son petit-fils. Comme Amphitryon réveillait Héraclès, le vieil homme ramène sa fille à la conscience et à la réalité. Voilà refait en sens inverse le chemin qui avait conduit Penthée vers la folie. L'incantation et le retour à la raison ont la même implacable sûreté. Il reste à la mère à pleurer son fils mort. Nos manuscrits ont malheureusement perdu la plus grande partie de sa plainte, dont les anciens admiraient tant le pathétique qu'un auteur chrétien en a mis des fragments dans la bouche d'une Mater Dolorosa. Le vieux Cadmos s'attendrit sur lui-même, regrettant les soins respectueux dont l'entourait ce petit-fils, qu'on a vu traiter son grand-père, au premier épisode, avec le mépris le plus désinvolte. Peu de mythes sont plus nécessaires au grand âge que celui des bons sentiments. Au milieu de cette désolation reparaît le dieu terrible, qui accomplit sa victoire en exilant ses victimes et en expédiant le vieux roi vers d'étranges aventures guerrières dont la portée nous échappe d'autant plus que le texte à cet endroit est mutilé. Dionysos a brisé, et les uns par les autres, ceux qui niaient sa divinité et ceux qui ne l'acceptaient que par intérêt et prudence.

Parce que le poète représente Dionysos triomphant, mais triomphant de la façon la plus cruelle, on a voulu qu'il y eût un problème des Bacchantes. La ferveur dionysiaque qui sous-tend la pièce implique-t-elle une sorte de conversion du poète ? Ainsi pensa Nietzsche : « Ce même Euripide qui, pendant le cours de sa longue vie, résista héroïquement à Dionysos, il en vint à terminer sa carrière par la glorification de son ennemi, par une sorte de suicide, comme un homme affolé qui se précipite du haut d'une tour pour échapper à un vertige qu'il ne peut plus supporter. Cette tragédie est une protestation contre sa propre tendance » (Naissance de la Tragédie, § 23.) Mais comment voir un « ennemi de Dionysos » dans le poète qui a saisi aux sources même des instincts le tragique de la destinée humaine ? D'autres, partant du reste d'une erreur toute semblable à celle

de Nietzsche, veulent que, dans les Bacchantes, *Euripide ait
requis contre le dieu pour montrer le mal que peut faire la religion. Il faut le dire, le dénouement est grinçant, où le dieu lui-
même reparaît* ex machina *pour triompher sans grandeur et
proclamer une fois de plus, comme s'il avait besoin de se rassurer,
qu'il est bien le fils de Zeus. Et l'on comprend qu'Agavé relève sa
tête accablée pour lui dire :* Ta vengeance est trop impitoyable. Les dieux dans leurs rancunes doivent-ils imiter
les hommes ? *Mais Euripide juge de la même façon Aphrodite,
Héra, brisant Phèdre, Hippolyte, Héraclès ; Apollon abusant de
Créuse et conseillant un crime à Oreste, Artémis exigeant le
sang d'Iphigénie, Zeus enfin lançant les Grecs contre Troie à la
poursuite d'un fantôme. Les dieux poussent les hommes à l'abîme ;
mais c'est de notre propre abîme, de notre chaos primordial
qu'eux-mêmes sont sortis.*

Un beau dithyrambe de Pindare montre la nature entière révérant Dionysos :

Autour du sceptre de Zeus,
vous savez pour Bromios quelle fête
les habitants du ciel préparent en leur demeure.
Près de la Grande Mère retentissent les tambourins,
résonnent les cymbales,
et sous les blonds sapins monte le feu des torches...
... Le délire lance son cri, les nuques se renversent...
En courant s'avance Artémis, la solitaire.
Pour l'orgie de Bacchos elle a mis sous le joug
la horde sauvage des lions.
Car Bromios aussi se plaît à voir danser les fauves.

*Une exultation analogue emplit les chœurs de la tragédie, où le
dieu est invoqué sous tous ses noms, et nul n'en avait davantage. Il
est appelé* Dithyrambe, *comme le chant qui lui est consacré,*
Bromios, *le Bruissant, le Frémissant, comme est le grondement des possédés dans la transe,* Évios ou Évias, *le dieu de
l'évohé, du iou-iou rituel,* Iacchos, Iobacchos, *du cri par
lequel les fidèles l'évoquaient aux mystères. Une étrange magie
rayonne de ces images d'un monde libéré, restitué à la nature
vierge et sauvage. Ce paradis est décrit dans les chants des
Ménades lydiennes et, d'autre part, dans les récits de ceux qui ont
observé, sur le Cithéron, les orgies des bacchantes thébaines. Le
lecteur en arrive à oublier que celles-ci ne sont pas de vraies
converties, mais des rebelles égarées par le dieu en punition de leur
incrédulité et pour être les instruments de sa vengeance. Et
cependant, la dualité devient gênante dès qu'on y réfléchit un peu.*

On se demande alors quelle signification le poète a entendu donner aux déchaînements d'Agavé et de ses compagnes, d'abord innocents jusqu'à en être un peu ridicules, puis inquiétants, et enfin meurtriers. Si bien qu'après avoir mis en doute qu'il y ait un problème des Bacchantes on se sent repris par lui, et incapable de le résoudre. Ce n'est pas Dionysos qui nous y aidera. Il n'a, osons le dire, aucune épaisseur religieuse : il exige un culte et n'en demande pas davantage. Il est vrai qu'une action divine, pour être perceptible à l'esprit, gagne à renoncer au truchement des yeux. Le chœur n'est pas formé, comme c'est généralement le cas, de personnes dégagées du conflit et capables de l'arbitrer équitablement. De même que les Mères dans les Suppliantes, les Ménades sont ici partie au procès ; et le poète s'est privé de ce moyen d'exprimer, en marge des passions qui s'affrontent, le sentiment de l'homme raisonnable, voire le sien propre.

La tragédie était née du culte de Dionysos ; elle fut toujours célébrée en son honneur, à l'occasion de ses fêtes, en présence de son prêtre. Or, le dieu est à peu près absent de la littérature tragique telle que nous la lisons. La seule pièce dont il est le héros est la dernière du recueil, la plus éloignée des origines. Elle n'apporte qu'une image transposée de ce que pouvait être la religion dionysiaque au milieu du VIe siècle, lorsque Thespis préparait la tragédie primitive. Les vases de cette époque représentent un Dionysos barbu et puissamment viril, sur qui la robe traînante a valeur de symbole, marquant l'union des deux puissances mâle et femelle. Rien n'indique que les orgies aient jamais été réservées aux femmes, et Tirésias dit même le contraire lorsqu'il déclare que le dieu exige la présence du peuple tout entier. A vrai dire, le vagabondage dans la campagne représentait pour des femmes claustrées une libération particulièrement bienfaisante, et les témoignages historiques concernant d'authentiques bacchanales font surtout mention d'elles, de même que la Thèbes tragique semble presque uniquement peuplée de femmes. Dans quelque mesure qu'Euripide ait stylisé des expériences contemporaines et, surtout, l'idée qu'il se faisait de traditions légendaires, l'imagerie dionysiaque à partir du IVe siècle semble faite pour illustrer sa pièce. Céramistes et poètes ne connaissent plus que le dieu au visage lisse, aux longs cheveux, à la grâce équivoque, qui préside avec nonchalance aux jeux de ses dévotes dans une nature innocente et amie. Sans lui, l'évolution aurait-elle été différente ? Les poètes reçoivent toujours moins qu'ils ne donnent. Nietzsche

décrira le génie dionysiaque, croyant y appréhender la *Volonté* de
Schopenhauer, l'inspiration même de Wagner. Or, ce génie
auquel il veut qu'*Euripide se soit refusé jusqu'à la veille de sa
mort*, c'est essentiellement dans les Bacchantes *qu'il en a reçu,
comme nous tous, la révélation.*

LES BACCHANTES

PERSONNAGES

DIONYSOS
TIRÉSIAS le devin.
CADMOS, roi de Thèbes.
PENTHÉE, son petit-fils.
UN GARDE de Penthée.
UN BOUVIER
UN AUTRE GARDE
AGAVÉ, mère de Penthée.
Chœur de Ménades lydiennes.

*A Thèbes, devant le palais royal,
près du tombeau de Sémélé.*

PROLOGUE

DIONYSOS

ME voici donc en ce pays thébain, moi fils de Zeus,
Dionysos que Sémélé, la fille de Cadmos,
fit naître de son sein ouvert par le feu porte-foudre.
Laissant mes traits divins, j'ai pris ceux d'un mortel
pour revenir vers la fontaine de Dircé et l'eau de
     l'Isménos.
Je vois le tombeau de ma mère, la foudroyée,
tout à côté de sa maison dont les ruines
sont encore fumantes, car la flamme de Zeus y vit tou-
     jours,
témoignage éternel du mal qu'Héra fit à ma mère.
Je sais gré à Cadmos d'avoir consacré cet endroit
et fermé au profane le sanctuaire de sa fille. De la vigne
     qui tout autour le cache,
c'est moi qui fis pousser le feuillage et les grappes.
   Partant des terres de Lydie, pays de l'or,
j'ai traversé les plaines de Phrygie, de la Perse brûlée du
     soleil,
les villes de la Bactriane et la terre aux rudes hivers
des Mèdes, l'heureuse Arabie,
enfin toute l'Asie allongée au bord de la mer
dans les cités aux beaux remparts où se pressent en foule
Grecs et Barbares confondus.
Mais tandis qu'à l'Asie j'ai enseigné mes chœurs
et mes mystères, afin de me déclarer dieu aux regards des
     humains,
cette ville est en Grèce la première où j'arrive.
   Oui, Thèbes est le lieu que j'ai d'abord rempli de mes
     appels,
où j'ai sur les corps jeté ma nébride,

mis dans les mains le thyrse, lance entourée de lierre!
Car c'est ici que les sœurs de ma mère — qui moins
　　qu'elles en avaient le droit ? —
nièrent que Dionysos fût né de Zeus.
S'étant unie à un mortel, Sémélé conseillée par Cadmos
à Zeus imputa, disent-elles, la tache de son lit,
et si Zeus la tua, ce fut pour la punir de son mensonge.
　　C'est pourquoi je les ai piquées d'un aiguillon de
　　　　frénésie,
obligées de fuir leurs demeures. Elles vivent dans la mon-
　　　　tagne, délirantes,
forcées par moi de revêtir la livrée de mes fêtes.
Et les autres femmes de Thèbes, tant qu'elles sont,
je les ai chassées de chez elles, en proie à la même
　　　　démence.
Mêlées aux filles de Cadmos,
elles ont pour abri les sapins verts et les rochers.
Il faut que cette ville apprenne, qu'elle le veuille ou non,
ce qu'il en coûte de prétendre ignorer mes mystères.
C'est pour l'honneur aussi de Sémélé ma mère
que je dois révéler aux hommes le dieu qu'elle a conçu de
　　　　Zeus.
　　Or, Cadmos a cédé son titre et son pouvoir à Penthée, le
　　　　fils de sa fille,
qui combat ma divinité, m'exclut des libations,
et ne mentionne pas mon nom dans les prières.
Aussi j'entends prouver ma naissance divine
à lui et à tous les Thébains, et ne passer dans une autre
　　　　contrée
qu'après avoir ici rétabli l'ordre et m'être fait connaître.
Si Thèbes irritée prend les armes, et veut de ses mon-
　　　　tagnes chasser les Bacchantes,
j'engagerai la lutte et j'y conduirai les Ménades.
Voilà pourquoi j'ai pris la forme d'un mortel,
en échangeant mes traits divins contre l'aspect d'un
　　　　homme.

　　　　　　　　(*Apparaissent les Ménades
　　　　　　　　lydiennes qui vont se ranger dans
　　　　　　　　l'orchestre.*)

　　Vous qui avez quitté le Tmolos, rempart de la Lydie,
femmes de mon cortège, que j'ai emmenées des pays
　　　　barbares
pour être mes compagnes de voyage,

élevez vos tambours, ouvrages de la Phrygie,
inventés par moi et par Rhéa la Grande Mère,
et tout autour de ce palais, celui du roi Penthée,
faites-les résonner! Que les Cadméens les entendent!
    Quant à moi, j'irai retrouver les Bacchantes,
et, dans les gorges du Cithéron qu'elles hantent, me mêler
      à leurs danses.

> *Il sort par la gauche. Le chœur chante en s'accompagnant de tambourins.*

PARODOS

STROPHE I

LE CHŒUR

Loin de l'Asie, loin du Tmolos sacré,
à l'appel de Bromios me voici accourue
vers le doux servage, la joyeuse peine,
pour chanter l'évohé en l'honneur de Bacchos !

ANTISTROPHE I

Y a-t-il quelqu'un, quelqu'un dans la rue ?
Éloignez-vous, rentrez dans vos maisons,
tandis que je vais, dans un pieux silence,
chanter Dionysos selon le rite antique.

STROPHE II

Louange à l'homme heureux qui connaît les divins
        mystères,
donne sa vie à leur consécration,
et sanctifie son âme purifiée
aux bacchanales de la montagne ;
qui fête en ses orgies Cybèle la Grande Mère,
secouant haut le thyrse couronné de lierre
pour honorer Dionysos !
Allons, Bacchantes, ramenons Bromios,
dieu fils de dieu, Dionysos,
des monts de la Phrygie vers les places de Grèce
où dansent les chœurs.

ANTISTROPHE II

Sa mère le portait encore quand la foudre de Zeus
vola pour arracher l'enfant du sein.
Elle périt, frappée par le tonnerre.
Mais le Cronide sur-le-champ reçut l'enfant,
le cacha au giron maternel de sa cuisse,
fermée par des agrafes d'or pour qu'Héra n'en sût rien.
Puis, au temps fixé par la destinée,
il mit au jour un dieu aux cornes de taureau,
et de serpents le couronna.
C'est depuis lors que les Ménades mêlent à leurs cheveux
les serpents qu'elles prennent.

STROPHE III

Thèbes, patrie de Sémélé, couronne-toi de lierre,
fleuris-toi du smilax toujours vert aux beaux fruits,
pour te livrer aux transports de Bacchos,
sous les branches du chêne et du sapin.
De toisons blanches et bouclées
orne ton vêtement, la peau mouchetée du faon !
Porte pieusement le thyrse des ivresses,
car bientôt dans le chœur entre tout le pays !
— qui entraîne la danse devient un Bromios ! —
là-haut, là-haut, où attendent les femmes
chassées des métiers, des fuseaux
par le dard de Dionysos !

ANTISTROPHE III

Retraites des Courètes dans la Crète sacrée,
berceau de Zeus enfant, grottes des Corybantes,
où les guerriers au casque triple tendaient pour moi
sur le cercle de bois la peau sonore,
au souffle doux des flûtes de Phrygie
mêlant le son du tambourin !
Rhéa la Grande Mère le reçut d'eux.

C'était pour soutenir l'évohé de la bacchanale,
car les satyres enivrés
surent l'obtenir de Rhéa
et le firent sonner dans les danses des fêtes
qui enchantent Dionysos[1].

ÉPODE

Quelle joie sur la montagne,
après la course du thiase,
de se laisser tomber par terre !
Sous la sainte livrée de la nébride,
poursuivre le bouc, le faire saigner, manger sa chair crue !
S'élancer sur les monts de Phrygie, de Lydie,
quand c'est Bromios qui sonne l'évohé !
De lait, de vin, du nectar des abeilles,
le sol est ruisselant, et l'on y croit sentir
le parfum de l'encens de Syrie.
Le bacchant tient la rousse flamme du pin,
en courant l'évente, la fait jaillir du thyrse,
et parmi les chœurs vagabonds qu'il excite[2],
le dresse au milieu des cris
en secouant sa libre chevelure.
Avec les chants éclate cet appel :
« Allons, bacchantes ! bacchantes, allons !
orgueil du Tmolos qui roule de l'or !
Au son profond des tambourins
chantez Dionysos le dieu de l'évohé,
par vos clameurs, par vos chants phrygiens,
tandis que l'harmonieuse flûte ait résonner ses saints
    accents,
rythmant l'élan qui vous emporte
vers la montagne.
Comme un poulain qui paît à côté de sa mère,
la joyeuse bacchante bondit d'un pied léger.

Tirésias entre par la droite.
Il est en costume de bac-
chant, conduit par un enfant
qui s'éloigne aussitôt. Il
s'approche de la porte du
palais.

PREMIER ÉPISODE

TIRÉSIAS

Holà! Quelqu'un à cette porte! Qu'on appelle le fils
    d'Agénor
Cadmos, qui vint de Sidon élever ici les remparts de
    Thèbes!
Annoncez-lui que Tirésias l'attend.
Il sait d'ailleurs pourquoi je viens,
et que nous sommes convenus, moi vieux et lui plus vieux
    encore,
de prendre le thyrse et la peau de faon,
et de nous couronner de lierre.

Cadmos, habillé de même,
sort du palais.

CADMOS

Sois le bienvenu. Du fond de la maison j'ai entendu ta
    voix, la voix de la sagesse,
et j'arrive tout prêt, portant les insignes du dieu.
Un fils né de ma fille, Dionysos,
qui devant les humains se manifeste comme un dieu,
de tout mon pouvoir je dois le grandir en le glorifiant!
Où nous faut-il aller danser ? où nous tenir
et secouer nos têtes blanches ? Au vieillard que je suis,
explique, vieux Tirésias, ces choses où tu es savant.
Je ne me lasserai ni de jour ni de nuit
de frapper la terre du thyrse. Quelle joie d'oublier
    mon âge!

TIRÉSIAS

Tu te sens, comme moi, transformé.
Moi aussi, je redeviens jeune et je veux me risquer
    à la danse.

CADMOS

Nous allons donc nous rendre en char à la montagne.

TIRÉSIAS

Le service du dieu exige davantage.

CADMOS

Ma vieillesse guidera la tienne, comme si tu étais un
    enfant.

TIRÉSIAS

Nous ne sentirons aucune fatigue : le dieu nous mènera.

CADMOS

Serons-nous seuls dans Thèbes à danser pour Bacchos ?

TIRÉSIAS

Oui, car nous sommes seuls à être gens sensés. Tous les
    autres sont fous.

CADMOS

C'est tarder trop longtemps. Donne-moi ton bras.

TIRÉSIAS

Voilà. Passe-le sous le tien et puis marchons de front.

CADMOS

Je ne suis pas de ces mortels qui méprisent les dieux.

TIRÉSIAS

Devant la leur, qu'est donc notre sagesse ?
Les traditions héritées de nos pères, vieilles comme le
    monde,
aucun raisonnement ne les renversera,
quelque découverte que fassent les plus profonds esprits.
En me voyant danser, la tête couronnée de lierre,
on dira que je manque de respect pour mon âge.
Mais le dieu a-t-il distingué les vieux d'avec les jeunes
quand il prescrivit de former des chœurs ?

Non! Il veut être honoré de tous ensemble,
grandi par un hommage où rien ne manque[1].

CADMOS

Puisque tes yeux, Tirésias, ne voient point la lumière,
c'est donc à moi de t'annoncer ce qui se passe.
Vers ce palais s'avance en hâte Penthée fils d'Échion,
auquel j'ai remis l'autorité sur cette terre.
Qu'il est troublé! Que va-t-il nous apprendre?

> *Entre par la gauche Penthée
> avec des gardes auxquels il
> s'adresse sans voir d'abord les
> deux vieillards.*

PENTHÉE

Je rentre de voyage pour apprendre
le mal inattendu qui frappe notre ville.
Nos femmes, me dit-on, ont quitté leurs foyers
pour de prétendues bacchanales. Sous les ombres de la
          montagne,
elles courent à l'aventure, dansant pour honorer
le nouveau dieu, Dionysos — qu'on l'appelle comme on
          voudra.
Des cratères remplis sont au milieu des camps,
et chacune de son côté va chercher à l'écart
l'abri où se blottir et se prêter aux hommes,
se prétendant en proie aux transports sacrés des Ménades,
quoique Cypris pour elles compte plus que Bacchos!
Toutes celles que j'ai surprises sont enchaînées,
tenues par les gardiens dans les prisons publiques.
D'autres m'ont échappé, mais je les chasserai de la
          montagne.
Lorsque je les aurai chargées de liens de fer
j'aurai tôt fait de mettre fin à ce délire criminel.
   On parle aussi d'un étranger nouveau venu,
un charlatan, un enchanteur arrivé de Lydie,
aux cheveux blonds, aux boucles parfumées,
au visage de pourpre, les grâces d'Aphrodite dans
          les yeux!
Mêlé jour et nuit à ces jeunes femmes,

il prétend leur montrer les mystères bachiques.
Que je le surprenne dans cette maison,
il aura fini de frapper du thyrse et de secouer
ses cheveux! Je lui ferai trancher la tête!
A l'entendre parler, Dionysos est dieu,
car Zeus jadis aurait cousu dedans sa cuisse
celui qui fut brûlé du feu du ciel avec sa mère,
cette menteuse prétendant l'avoir conçu de Zeus!
Tant d'insolence mérite la corde, quel que soit
        l'étranger.
    Mais quel autre prodige! Sous la nébride bigarrée
voilà le devin Tirésias, voilà le père de ma mère, ô
        spectacle grotesque!
partant le thyrse en main mener la bacchanale!
Père, je vois avec chagrin que les années ne vous ont pas
donné plus de bon sens. Jette donc loin de toi ce lierre,
libère ta main de ce thyrse, mon grand-père!
Tirésias! C'est toi qui l'as entraîné! Et ce que tu cherches
en introduisant ce nouveau dieu parmi les hommes,
c'est un autre moyen de te faire payer
pour observer les oiseaux et les foyers sacrés.
Si ton âge et tes cheveux blancs n'étaient ta sauvegarde,
tu serais enchaîné au milieu des Bacchantes
pour avoir propagé ces infâmes mystères. Quand dans
        un banquet
le jus de la vigne est versé aux femmes,
c'est, je le déclare, que tout dans le rite est malsain[1].

LE CORYPHÉE

Impiété! Ne crains-tu pas les dieux,
ni Cadmos qui sema l'épi issu du sillon?
Fils d'Échion, veux-tu le déshonneur de ta famille?

TIRÉSIAS

Lorsqu'un homme sensé part d'une bonne cause,
il n'a pas à faire d'effort pour bien parler.
Ta langue est si agile que la raison paraît de ton côté,
alors qu'il y en a très peu dans tes paroles.
Or un homme intrépide, qui s'entend à parler,
mais qui manque de jugement, est dangereux dans un
        État.

Ce nouveau dieu dont tu te ris,
je ne saurais exprimer la grandeur
qui lui est destinée dans la Grèce. Sache en effet, jeune
          homme,
que deux divinités pour les mortels sont primordiales.
L'une est Déméter
— elle est aussi la Terre, on peut lui donner les deux
          noms —
qui nourrit les humains des aliments solides.
Vint ensuite le fils de Sémélé en apporter le complément
découvert par lui, la liqueur tirée de la grappe,
la boisson qui met fin aux souffrances des malheureux
(dès qu'ils se sont remplis de ce jus de la vigne)
et leur donne, avec le sommeil, l'oubli des peines
          quotidiennes.
Leurs maux n'ont pas d'autre remède.
Lui, dieu, il s'offre aussi aux autres dieux dans les
          libations :
c'est donc par lui que nous vient toute grâce.
   Et tu trouves plaisant qu'il ait été cousu
dans la cuisse de Zeus : de quoi je vais t'enseigner le
          vrai sens.
Quand Zeus eut arraché le nouveau-né du brasier de la
          foudre
et l'eut emporté dans l'Olympe,
Héra voulut chasser du ciel le jeune dieu.
Mais Zeus lui opposa un artifice comme un dieu seul
          saurait le faire.
De l'éther qui entoure le monde détachant un fragment,
il en fit un Dionysos qu'il livra aux colères d'Héra[1].
Mais plus tard, par un jeu de mots, on dit que l'enfant
          donné en otage
à la déesse par le dieu, Zeus l'avait nourri dans sa cuisse.
Ainsi fut inventée l'histoire.
   Sache aussi que Bacchos est devin. La fureur qu'il
          inspire
a comme la démence un pouvoir prophétique.
Quand il pénètre en nous de toute sa puissance,
il nous pousse, en nous affolant, à dire l'avenir.
Il prend parfois aussi le rôle d'Arès.
Des soldats sous les armes et rangés en bataille
sont égarés par la panique sans que la lance les ait
          touchés;

c'est de Dionysos que leur vient ce délire.

Tu le verras enfin jusqu'aux rochers de Delphes
bondir avec ses torches sur la hauteur aux deux sommets,
lançant et secouant la branche qui est son insigne.
Il sera grand dans toute la Grèce. Crois-moi donc, Pen-
    thée,
ne t'imagine pas que dans le monde la force ait tout pou-
    voir.
Tu as peut-être cette idée, ne t'y fie pas : c'est une erreur[1].
Il est un dieu. Accueille-le dans ton pays,
fais-lui des libations, mène la bacchanale, couronne-toi.
Assurément, Dionysos ne saurait obliger une femme
à résister à Cypris : seule la nature donne une chasteté
    constante.
Mais sois certain que dans l'orgie bachique
nulle femme de bien ne sera corrompue.

Tu sais enfin combien tu es heureux quand à tes portes
attend toute une foule, et que la cité glorifie le nom de
    Penthée.
Bacchos aussi aime les honneurs, j'en suis sûr,
et c'est pourquoi, avec Cadmos dont tu te moques,
couronnés de lierre tous deux, nous partons pour les
    chœurs,
attelage grison! mais nous danserons tout de même,
et tu ne saurais m'amener à lutter contre un dieu.
Ta démence est la pire de toutes. Nul philtre ne peut te
    guérir,
mais j'en vois un aux sources de ton mal[2].

LE CORYPHÉE

Tes paroles, vieillard, sont dignes d'Apollon ton maître.
Tu montres ta sagesse en honorant Dionysos, ce dieu
    puissant.

CADMOS

Tirésias, mon fils, t'a bien admonesté.
Reste avec nous, ne te tiens pas à l'écart de nos lois.
En ce moment, ton esprit flotte et ta raison n'est que folie.
Dionysos, comme tu le prétends, ne serait pas un dieu,
bien, garde-le pour toi, et par un pieux mensonge,
affirme qu'il l'est, donnant à Sémélé l'éclat d'une mater-
    nité divine,

et qu'honneur en revienne à notre maison tout entière!
Tu sais quel fut le sort funeste d'Actéon :
les chiens carnassiers qu'il avait nourris,
dans les bois le mirent en pièces pour s'être vanté
de surpasser Artémis à la chasse.
Pour que rien de tel ne t'arrive, viens là que je te mette
la couronne de lierre, et rends avec nous les honneurs
  au dieu.

PENTHÉE

Retire ta main, va faire le bacchant
sans m'infecter de ta folie!
Mais celui qui te l'a enseignée connaîtra ma vengeance.

(A un garde.)

 Qu'on aille sur-le-champ vers le siège augural d'où il
  observe les oiseaux.
Qu'on démolisse au pic, qu'on remue à la fourche,
que l'on détruise tout de fond en comble,
qu'on jette ses bandeaux sacrés aux vents et aux tempêtes,
car c'est ainsi qu'au vif je le mordrai.

(A d'autres gardes.)

 Vous, allez par la ville, à la trace
de l'étranger à l'aspect de fille, qui apporte à nos femmes
une maladie inconnue et qui souille nos lits.
Si vous le prenez, liez-le et l'amenez
ici, afin que pour son châtiment il meure lapidé,
ayant trouvé à Thèbes funeste bacchanale!

Il entre dans le palais.

TIRÉSIAS

Malheureux qui ne sais jusqu'où vont tes paroles!
après avoir déraisonné, te voilà frénétique!
Pour nous, Cadmos, partons. Prions pour lui, pour ce
  sauvage,
et pour la ville, que le dieu nous épargne un désastre!
Prends le bâton enguirlandé de lierre, viens avec moi.
J'essaie de te soutenir; toi, soutiens-moi aussi.
Deux vieux hommes qui tombent, pénible spectacle!
Advienne que pourra!

Il faut servir Bacchos le fils de Zeus!
Ah! pourvu que Penthée n'apporte point le deuil
à ta maison, Cadmos[1]! Ce n'est point ici le devin qui
     parle,
ce sont les faits. Tout ce qu'il dit est d'un dément.

Ils sortent par la gauche.

PREMIER STASIMON

STROPHE I

Le chœur

Sainteté vénérée des dieux,
Sainteté, qui parcours la terre sur tes ailes d'or,
entends-tu ce que dit Penthée ?
L'entends-tu, sacrilège, blasphémer Bromios ?
le fils de Sémélé, qui dans les festins aux belles couronnes
vient avant tous les immortels !
A lui de conduire le train,
de folâtrer parmi les chœurs au son des flûtes !
Il met un terme à tout souci,
quand dans les banquets en l'honneur des dieux
coulent les perles de la grappe,
et que dans les festins ornés de lierre
le sommeil monte des cratères,
enveloppant les hommes.

ANTISTROPHE I

Une langue sans frein,
la frénésie qui méconnaît les lois,
conduisent au désastre.
Mais une vie sage et tranquille
demeure à l'abri des tempêtes
et garantit la durée des maisons.
Ils sont loin dans l'éther, les habitants du ciel,
mais ils voient tout ce que nous faisons.
Il est une sagesse qui est pure folie.
Les pensers qui dépassent l'humain accourcissent la vie,
car qui vise trop haut perd le fruit de l'instant.
C'est, je pense, ou délire ou erreur
que d'agir de la sorte.

STROPHE II

    Chypre, accueille-moi, île d'Aphrodite,
demeure des Amours qui charment les mortels,
Paphos, où en guise de pluie
les cent bouches du Bocaros font la terre fertile[1]!
Et vers la belle Piérie, séjour des Muses,
vers le flanc sacré de l'Olympe
conduis-moi, Bromios,
toi l'éclaireur du train bachique !
Là sont les Grâces, là le désir,
et toute liberté est donnée aux bacchantes
d'y célébrer leurs fêtes.

ANTISTROPHE II

    Le dieu fils de Zeus se plaît aux festins,
il aime la Paix mère d'opulence,
qui laisse grandir les jeunes garçons.
Au riche et au pauvre il fait part égale
en dispensant la joie du vin, remède à toute peine.
Mais il hait ceux qui se refusent
à couler dans la joie les jours, les chères nuits.
Tiens à l'écart des pensers ambitieux
ton cœur prudent et ton esprit.
Ce que croit et pratique la foule des modestes
je l'accepte pour moi.

        Des gardes amènent Dionysos enchaîné. Penthée sort du palais.

SECOND ÉPISODE

Le garde

Nous voici, Penthée, maîtres de la proie
à la trace de qui tu nous as envoyés. Notre chasse fut
      bonne.
Ce gibier-là est des plus doux. Loin de rien tenter pour
      s'enfuir,
il a tendu les mains sans résister,
et sa joue d'incarnat n'a pas même pâli.
Il riait en me disant de l'enchaîner,
et resta immobile, se prêtant de lui-même à me faciliter
      la tâche.
Et moi j'avais scrupule et lui disais : « Ce n'est pas de mon
      propre chef
que je t'emmène. Mais Penthée qui m'envoie le veut
      ainsi. »
Quant aux bacchantes que tu as fait saisir, lier,
et enfermer ensemble dans la prison publique,
elles sont loin, libérées des liens, et vers leurs orgies
elles ont bondi en invoquant le dieu Bacchos !
Les chaînes d'elles-mêmes se sont détachées de leurs
      pieds ;
les clefs ont ouvert les portes sans qu'y touchât une main
      mortelle.
Que de miracles cet homme fait entrer à Thèbes !

                    (Un temps.)
La suite à présent te regarde.

Penthée *(avec fureur)*

Vous êtes fous ! A ma merci dans mes filets[1]
il n'est pas si agile qu'il puisse m'échapper.

                    *(Un temps. Il regarde Dio-
                    nysos.)*
   Ah vraiment, étranger, tu es assez bien fait,
du moins pour plaire aux femmes, elles qu'ici tu viens
      chercher !

Tes longs cheveux ignorent tout de la palestre;
leurs boucles tombent sur tes joues pour inspirer le désir
de l'amour;
et tu as su garder blanche ta peau
en la tenant dans l'ombre, à l'abri des rayons du soleil :
la beauté d'un chasseur qui poursuit Aphrodite!

                (Sèchement.)

Pour commencer, dis-moi donc quelle est ta famille.

DIONYSOS

Je ferai sans ambage une réponse aisée :
Tu as certes entendu parler du Tmolos fleuri.

PENTHÉE

Je sais : le mont dont la cité de Sardes est entourée.

DIONYSOS

C'est de là que je viens, et la Lydie est ma patrie.

PENTHÉE

Pourquoi veux-tu faire entrer chez nous ces mystères ?

DIONYSOS

Dionysos le fils de Zeus a décidé notre départ.

PENTHÉE *(ironique)*

Vous avez là un autre Zeus, père de nouveaux dieux!

DIONYSOS

Non. C'est ici qu'il s'est uni à Sémélé.

PENTHÉE

Est-ce en rêve, ou les yeux ouverts que tu reçus son
ordre ?

DIONYSOS

Je l'ai vu face à face. Il m'a transmis les rites.

PENTHÉE

Sous quelle forme les connais-tu ?

DIONYSOS

On ne peut rien en dire à qui n'est pas initié.

PENTHÉE

Que gagne-t-on à célébrer ce culte ?

DIONYSOS

Tu n'as pas le droit de l'entendre. Précieux savoir,
cependant.

PENTHÉE

Tu me paies de vaines paroles, afin d'aiguiser ma
curiosité.

DIONYSOS

Les mystères du dieu ont horreur de l'impie.

PENTHÉE

Tu dis avoir bien vu le dieu. Quel aspect avait-il ?

DIONYSOS

Il est ce qu'il lui plaît. Je n'avais rien à lui prescrire.

PENTHÉE

Nouveau détour pour éviter de me répondre.

DIONYSOS

L'insensé croit vide de sens l'avis très sage qu'on
lui donne.

PENTHÉE

Et Thèbes est le premier endroit où tu aies amené
ton dieu ?

DIONYSOS

Tout le monde barbare célèbre déjà ses orgies.

PENTHÉE

C'est qu'ils sont beaucoup moins éclairés que les Grecs.

DIONYSOS

Ils le sont sur ce point davantage. Autre pays, autres coutumes.

PENTHÉE

Accomplis-tu les rites la nuit, ou bien le jour levé?

DIONYSOS

Le plus souvent la nuit. L'obscurité est solennelle.

PENTHÉE

Elle incite traîtreusement à dévoyer les femmes.

DIONYSOS

Mais qui le jour empêche-t-il de trouver le chemin du mal?

PENTHÉE

Tu devras expier ces mensongères arguties.

DIONYSOS

Toi, ta folie et tes blasphèmes.

PENTHÉE

Que ce bacchant a donc d'audace! qu'il a bien appris à parler!

DIONYSOS

Dis-moi ce qui va m'arriver. Quels tourments me prépares-tu?

PENTHÉE

D'abord je vais couper ces boucles molles.

DIONYSOS

Ma chevelure est consacrée. Je la laisse grandir pour
le dieu.

PENTHÉE

Livre-moi ensuite le thyrse que tu tiens.

DIONYSOS

Il te faudra me l'enlever. C'est celui de Dionysos.

PENTHÉE

Je te mettrai aux chaînes et t'emprisonnerai.

DIONYSOS

Le dieu lui-même me libérera quand je voudrai.

PENTHÉE

Oui! au milieu de tes bacchantes, quand tu l'invoqueras!

DIONYSOS

Même en ce moment il est près d'ici et voit ce que je
souffre.

PENTHÉE

Où se tient-il? Mes yeux ne l'aperçoivent pas.

DIONYSOS

De mon côté! Tu le verrais, si tu n'étais pas un impie.

PENTHÉE *(furieux)*

Saisissez-le! Il insulte et Thèbes et moi-même!

DIONYSOS

Moi le prudent, je vous défends, à vous les fous, de
me lier!

PENTHÉE

J'ordonne qu'on le lie! Mon ordre prévaut sur le sien.

DIONYSOS

Tu ne sais plus ce que tu dis, ce que tu fais, même
ce que tu es[1].

PENTHÉE

Penthée, fils d'Agavé et d'Échion.

DIONYSOS

Nom qui prédispose au malheur.

PENTHÉE

Que je ne le voie plus! Attachez-le dans l'écurie,
près des râteliers, et qu'il n'y voie que les ténèbres!
Tu y seras bien pour danser! Quant aux femmes de ton
cortège,
les complices de tes méfaits, ou bien je les vendrai,
ou je leur ferai cesser leur tapage, et leur main oubliera le
tambour
pour travailler en servitude au métier à tisser!

Il rentre dans le palais.

DIONYSOS *(aux gardes)*

Je vous suis. Arrive seulement ce qui doit arriver.
Dionysos te fera payer tes injures,
Dionysos dont tu nies l'existence.
En me liant c'est lui que tu mets dans les fers.

*Les gardes l'emmènent vers
les dépendances du palais.*

SECOND STASIMON

STROPHE

LE CHŒUR

Fille de l'Achélous,
Dircé auguste, noble vierge[1],
tu reçus dans tes bras le nouveau-né divin,
quand Zeus son géniteur l'arracha de la flamme céleste
et le mit dans sa cuisse en criant:
« Viens, Dithyrambe, entre en ma virile matrice !
Je veux te révéler à Thèbes,
pour qu'elle te salue de ce nom, Bacchos ! »
Et c'est toi, Dircé bienheureuse, qui me repousse à présent,
quand j'amène vers toi mes cortèges aux belles couronnes ?
Pourquoi me renier, me fuir ?
Par la joie du vin que Dionysos tire de la grappe,
tu connaîtras un jour, je te le jure,
ce qu'est Dionysos !

ANTISTROPHE

Descendant du dragon,
fils d'Échion issu du sol,
tu fais bien voir, Penthée, ton origine,
monstre sauvage et qui n'as rien d'humain !
Tel un géant cruel, adversaire des dieux,
il voudrait m'enchaîner, moi la suivante de Bromios,
alors qu'au fond d'un noir cachot
il tient déjà lié le chef de mon cortège !
Dionysos, ô fils de Zeus,
vois ton prophète aux prises avec la violence !
Ton thyrse aux fleurs d'or haut levé,
viens, seigneur, de l'Olympe[2], mettre fin aux outrages
de cet homme cruel.

ÉPODE

Est-ce à Nysa, nourricière des fauves,
que tu conduis, Dionysos, tes cortèges sacrés ?
vers les cimes de Corycie ?
ou peut-être aux vallons forestiers de l'Olympe,
où jadis la cithare d'Orphée
attirait par son chant les arbres et les bêtes ?
Heureuse Piérie, aimée du dieu de l'évohé,
pour t'amener les chœurs des bacchanales,
il passera, suivi des rondes des Ménades,
le rapide Axios, le Lydias bienfaiteur des mortels,
et l'Apidan père des fleuves,
qui nourrit, dit-on, de ses eaux limpides,
un sol où paissent les plus beaux chevaux.

TROISIÈME ÉPISODE

DIONYSOS (à l'intérieur)

Ohé ! Entendez ma voix, bacchantes, bacchantes !

LE CHŒUR

Qui parle ? Qui ? De qui vient ce signal ?
Est-ce la voix d'Évios ?

DIONYSOS

Ohé ! Entendez mon second appel !
C'est moi le fils de Sémélé, le fils de Zeus !

LE CHŒUR

Ohé ! Maître, mon maître,
viens vers notre cortège, Bromios, ô Bromios !
Ha ! Ha ! Séisme divin, fais trembler la terre.

DIONYSOS

A l'instant le palais de Penthée s'ébranle et va tomber !
Dionysos est là. Adorez-le !

LE CHŒUR

Nous l'adorons !
Ha ! Voyez se disjoindre ces frises de marbre !
Bromios sous ce toit va pousser son cri triomphant !

DIONYSOS

Du feu divin allume la torche,
Fais bruler la maison de Penthée !

LE CHŒUR

Ha ! ha ! regarde, regarde !

autour du saint tombeau de Sémélé,
la flamme qu'y laissa le fulgurant éclair !
Tremblez et tombez à terre, Ménades !
Oui, tombez, notre seigneur renverse ce palais !
Il est le fils de Zeus !

> Dionysos sort du palais,
> sans liens.

DIONYSOS

Votre terreur fut donc telle, étrangères,
qu'elle vous jeta sur le sol ? Vous avez, je pense, reconnu
    l'œuvre de Bacchos
quand s'ébranla le palais de Penthée ? Allons, redressez-
    vous[1],
ne craignez rien et cessez de trembler.

LE CORYPHÉE

Soleil des fêtes où nous célébrons Évios,
ah! quel bonheur de te revoir après m'être sentie seule et
    privée de toi!

DIONYSOS

Vous aviez donc perdu courage quand je fus emmené,
pensant que je tombais dans le noir cachot de Penthée ?

LE CORYPHÉE

Hé oui. S'il t'arrivait malheur, qui m'aurait protégée ?
Mais comment t'es-tu délivré, tombé aux mains de cet
    impie ?

DIONYSOS

Je me suis libéré moi-même sans effort et sans peine.

LE CORYPHÉE

Il n'avait donc pas enchaîné tes bras ?

DIONYSOS

C'est ainsi justement que je l'ai bafoué, car il crut me lier,

trompé par une illusion, puisqu'il ne m'avait ni touché ni
    saisi.
Où il me conduisait pour m'enfermer, il vit un taureau à la
    crèche,
lui passa la corde, aux jarrets, aux sabots,
haletant de colère, ruisselant de sueur,
et se mâchant les lèvres. Assis près de lui,
j'attendais tranquille à le regarder. A ce moment
Bacchos survint, ébranla le palais, et de la tombe de
    sa mère
fit jaillir la flamme. Penthée alors crut sa maison
    en feu,
courut de tous côtés, envoyant des esclaves
chercher de l'eau. Tous s'empressaient, vainement, à
    l'ouvrage,
quand soudain il renonce, pensant me voir m'enfuir,
saisit sa noire épée et s'élance dans le palais.
Mais Bromios suscite dans la cour — je le suppose, que
    puis-je dire d'autre ? —
un phantasme contre lequel Penthée bondit,
mais ne pourfend, croyant m'atteindre, que l'éther
    miroitant.
Or, Bacchos lui gardait encore d'autres désastres.
Il fait crouler tout le palais en ruines sur le sol,
et Penthée voit ce que lui coûtent les chaînes qu'il me
    destinait.
Sa main découragée laisse tomber l'épée.
N'étant qu'un homme il a osé combattre un dieu!
Je suis sorti paisiblement pour vous rejoindre, sans
    m'occuper de lui.

(Un temps.)

Mais je crois bien entendre à l'intérieur le bruit de ses
    lourdes chaussures.
Il va venir à ce portique. Que dira-t-il de ces événements ?
Je garderai mon calme, même s'il arrive en fureur.
Le sage est toujours prêt à ne montrer qu'un front
    paisible.

Penthée sort du palais.

PENTHÉE

Ce qui m'arrive est étonnant. L'étranger vient de m'échap-
    per,

quand à l'instant encore il était tenu dans les chaînes.
Mais quoi ? mais quoi ? Le voilà en personne ! comment
    oses-tu te montrer
à l'entrée de ma propre maison après en avoir fui ?
Halte, toi, sur-le-champ !

DIONYSOS

Toi aussi, va plus doucement[1].

PENTHÉE

Comment as-tu brisé tes chaînes ? comment es-tu ici ?

DIONYSOS

Ne t'avais-je pas dit — ou ne l'as-tu pas entendu — que
    j'aurais un libérateur ?

PENTHÉE

Qui donc ? Tout ce que tu annonces est bien étrange.

DIONYSOS

Celui qui, pour les hommes, charge les ceps de lourdes
    grappes.

PENTHÉE

. . . . [2]

DIONYSOS

Te voilà qui méprises un beau titre du dieu !

PENTHÉE

J'ordonne que l'on ferme toutes les portes de l'enceinte.

DIONYSOS

A quoi bon ? Les dieux sont-ils arrêtés par des murs ?

PENTHÉE

Toujours à raisonner, sauf quand il le faudrait!

On voit venir de gauche le
bouvier.

DIONYSOS

Ma raison voit le mieux ce qui compte le plus.
Mais écoute d'abord ce que cet homme veut te dire.
Il vient de la montagne avec un message à te faire.
Je reste près de toi. Ne crains pas que je veuille m'enfuir.

LE BOUVIER

Penthée, roi du pays thébain, je viens du Cithéron
où la neige blanche ne cesse jamais de briller.

PENTHÉE

Et quelle est la nouvelle qui motive ta hâte?

LE BOUVIER

Ayant vu les bacchantes qu'un aiguillon époinçonna,
chassa pieds nus loin de cette cité,
je voudrais dire à toi, seigneur, et à la ville,
ce qu'elles font et qui dépasse le prodige.
Que je sache d'abord si j'ai de toi licence
de décrire ce que j'ai vu ou si je dois contrôler mes
        discours.
Car je redoute la promptitude de tes élans,
ton cœur impulsif, ton caractère trop royal.

PENTHÉE

Parle. Tu n'auras rien à redouter de moi.
On ne doit jamais s'irriter contre les braves gens.
Mais plus grave sera ton rapport concernant les
        bacchantes,
plus grave aussi sera le châtiment qui frappera
cet homme, qui les a égarées par ses machinations.

LE BOUVIER

Le troupeau de bœufs que je menais paître atteignait les
      sommets
à l'heure où le soleil envoie ses rayons réchauffer la terre,
quand je surpris une assemblée de femmes partagée en
      trois chœurs.
Autonoé était en tête du premier,
du second, Agavé ta mère, et Ino du dernier.
Toutes dormaient, le corps détendu,
les unes adossées aux branches d'un sapin,
d'autres au feuillage d'un chêne, la tête sur le sol,
couchées au hasard et pudiquement. On ne les voyait
      point,
comme tu le prétends, enivrées au cratère, ni au son
      de la flûte
poursuivant en forêt de secrètes amours.
Entendant mugir mes bêtes à cornes,
ta mère se dressa au milieu des bacchantes
et jeta le cri rituel pour les faire lever,
chassant de leurs paupières le sommeil fortifiant.
Elles furent bientôt debout, merveilles de décence,
les jeunes et les vieilles, et celles que l'hymen n'a pas
      encore soumises,
faisant flotter leurs cheveux sur leurs épaules,
rattachant les nébrides dont les liens s'étaient dénoués,
fixant à leur ceinture le pelage moucheté
par des serpents qui leur léchaient les joues.
D'autres ont pris un chevreuil, un louveteau sauvage
et leur présentent leur lait blanc :
ce sont les jeunes mères au sein gonflé encore
qui viennent de quitter leur nourrisson.
D'autres se couronnent de lierre, de chêne, de smilax
      en fleur.
L'une alors prend son thyrse; elle en frappe un rocher :
il en jaillit un flot d'eau pure.
Une autre dans le sol plante sa hampe,
et le dieu en fait sourdre une source de vin.
Celles qui désiraient le blanc breuvage,
du bout des doigts n'avaient qu'à déchirer la terre
pour voir affleurer un lait abondant.
Du lierre des thyrses ruisselait le miel.
Ah! que n'étais-tu là, témoin de ces prodiges!

Le dieu que tu accuses, tu l'aurais poursuivi de tes
     prières!
  Tous, pâtres et bouviers, nous étions rassemblés
pour échanger nos vues et débattre à l'envi
ces faits prodigieux, ces vrais miracles.
  Or, l'un de nous, qui souvent flâne en ville et
     sait parler,
vint nous dire : « Vous qui fréquentez les sacrés sommets
des montagnes, que diriez-vous de prendre en chasse
Agavé mère de Penthée et de l'éloigner de l'orgie ?
Cela ferait plaisir au roi. » L'avis nous paraît bon.
Nous nous embusquons dans des buissons feuillus
où nous nous trouvons bien cachés. L'heure venue
pour la bacchanale, elles agitent leur thyrse,
appelant d'un seul cri Iacchos, Bromios, fils de Zeus!
Et la montagne entière s'unit à leur délire
avec ses bêtes fauves. Une même course emportait
     toute chose.
Agavé bondissante passe à côté de moi,
et pour la saisir je m'élance du taillis où j'étais caché.
Elle s'écrie : « Mes chiennes rapides,
voilà des hommes qui nous traquent! Suivez-moi,
suivez-moi, notre arme, le thyrse, à la main! »
  Nous avons pu fuir, évitant ainsi d'être mis en pièces.
Mais nos troupeaux paissaient dans l'herbe.
Elles s'y déchaînent, les mains nues, et tu pouvais voir
     l'une d'elles
déchirant en deux de la sorte une vache aux pis lourds,
     mugissante,
tandis que ses compagnes dépècent des génisses.
Des côtes, des sabots fourchus, lancés çà et là, restent
     suspendus,
ruisselants de sang, aux branches des sapins.
Des taureaux agressifs au regard menaçant sous leurs
     cornes
sont terrassés, puis emportés par mille bras de jeunes
     femmes.
Plus vite que ne clignent tes royales paupières,
les chairs dépouillées sont mises en morceaux.
Comme un vol d'oiseaux, les bacchantes passent, em-
     portées par leur course,
vers la plaine étendue au bord de l'Asopos
où de riches moissons poussent pour les Thébains.

Sur Hysiæ, sur Érythræ bâties au pied du Cithéron,
elles fondent comme une armée, et pour tout saccager.
Dans les maisons, elles s'emparent des enfants.
Ce qu'elles chargent sur leurs épaules, sans aucun lien
y reste suspendu et ne vient pas tomber sur le sol noir
.... ni bronze, ni fer[1].......
....

Sur leurs cheveux elles portent du feu sans en être
        brûlées.
    Or, les gens furieux d'être ainsi dépouillés courent aux
        armes.
On voit alors, seigneur, un prodigieux spectacle :
leurs traits sont impuissants à blesser les bacchantes.
Mais il suffit qu'elles lèvent leur thyrse
pour atteindre et mettre en déroute
des hommes, elles, des femmes ! Non certes sans l'aide
        d'un dieu !
    Enfin elles reviennent au lieu d'où elles sont parties,
aux mêmes sources que le dieu leur a ouvertes.
Elles lavent le sang ; les filets qui coulent sur leurs joues,
c'est la langue des serpents qui les effacent sur leur peau.
    Ce dieu-là, quel qu'il soit, mon seigneur,
ouvre-lui l'accès de la ville, car il est grand en toutes
        choses,
en ceci notamment, m'a-t-on dit, que c'est lui
qui nous donna la vigne, le remède au chagrin.
Or, sans vin, plus d'amour, ni plus rien qui charme les
hommes.

                    Le bouvier s'en va.

                    LE CORYPHÉE

Je crains de m'exprimer trop librement
devant le roi, et cependant je parlerai :
est-il un dieu à qui Dionysos le cède ?

                    PENTHÉE

Comme le feu d'un incendie, déjà gagne vers nous[2]
la folie de la bacchanale, grande honte pour la Grèce.
Il s'agit de ne plus tarder.

                    (A un garde.)

    Va vers la porte Électre

convoquer de ma part tous ceux qui portent boucliers,
les cavaliers aux montures rapides,
ceux qui sont armés de targes d'osier,
ceux qui font vibrer la corde de l'arc,
que nous partions contre les bacchantes. En voilà assez!
Ce serait passer la mesure que de laisser des femmes nous
     traiter de la sorte!

DIONYSOS

Ce que tu entendras de moi ne saurait te convaincre,
     Penthée,
et cependant, malgré le mal que tu m'as fait,
je t'avertis : ne lève pas tes armes contre un dieu!
Tiens-toi tranquille! Bromios ne souffrira pas
que l'on chasse ses bacchantes des montagnes
     qu'il a élues.

PENTHÉE

Cesse de me faire la leçon! Tu as réussi à sortir de mes
     chaînes,
n'en demande pas plus. Ou bien je te prépare un autre
     châtiment.

DIONYSOS

Si c'était moi, je lui sacrifierais. Sans me mettre en colère
ni regimber sous l'aiguillon, je ferais ce que doit un mortel à un dieu.

PENTHÉE

Hé oui, je lui sacrifierai : une hécatombe de femmes —
     elles l'ont mérité —
quand j'aurai saccagé les retraites du Cithéron.

DIONYSOS

Vous fuirez tous, et quelle honte pour vous
de voir vos boucliers de bronze se détourner devant le
     thyrse des bacchantes!

PENTHÉE

Comment s'entendre avec cet insupportable étranger
qui libre ou lié ne se tait jamais ?

DIONYSOS

Mon bon, on peut encore arranger cette affaire.

PENTHÉE

Et comment ? En servant mes servantes ?

DIONYSOS

Je me fais fort, sans recourir aux armes, d'amener ici les
      bacchantes.

PENTHÉE

Misère! Le voici déjà qui me tend un piège!

DIONYSOS

Du tout. Mon art ne veut servir qu'à te sauver.

PENTHÉE

Vous avez conspiré pour que je vous permette de tou-
      jours célébrer Bacchos!

DIONYSOS

J'ai conspiré, tu as raison, et c'est avec le dieu.

PENTHÉE

Apportez-moi mes armes! Et toi, silence!

Il va vers le palais.

DIONYSOS

Reviens! Les assemblées de la montagne, aimerais-tu y
      assister?

PENTHÉE

Ah oui! De quel tas d'or je le paierais!

DIONYSOS

Et qu'est-ce qui te jette en un désir si violent ?

PENTHÉE

Je voudrais m'indigner du spectacle de leur ivresse.

DIONYSOS

Tu verrais donc avec plaisir ce qui doit te blesser ?

PENTHÉE

Avec plaisir, mais je me tiendrai còi sous les sapins.

DIONYSOS

Si furtivement que tu viennes, elles sauront te dépister.

PENTHÉE

Tu as raison, et j'irai au grand jour.

DIONYSOS

Dois-je donc te conduire ? entreprendras-tu ce voyage ?

PENTHÉE

Mène-moi sur-le-champ. Pourquoi me faire attendre ?

DIONYSOS

Alors revêts-toi de robes de lin.

PENTHÉE

Et pourquoi ? Du rang d'homme passer à celui de femme ?

DIONYSOS

De peur qu'elles te tuent, en voyant là-bas arriver un mâle.

PENTHÉE

Bien raisonné. Ta sagesse n'est pas née d'hier.

DIONYSOS

C'est Dionysos qui me l'a enseignée.

PENTHÉE

Tes bons conseils, comment donc les exécuter ?

DIONYSOS

Entrons dans la maison, où je t'équiperai.

PENTHÉE

De quel vêtement ? Une robe de femme ? Ah! j'en rougis!

DIONYSOS

Tu renonces donc à voir les Ménades ?

Un temps.

PENTHÉE

Quel vêtement dis-tu que je dois mettre ?

DIONYSOS

Je laisserai d'abord flotter tes longs cheveux.

PENTHÉE

Que faudra-t-il encore pour me parer ?

DIONYSOS

Une longue tunique, sur la tête un bandeau.

PENTHÉE

Qu'as-tu encore en réserve pour moi ?

DIONYSOS

Un thyrse pour ta main, et la peau mouchetée d'un faon.

Un temps.

PENTHÉE

Je ne puis me résoudre à m'équiper comme une femme.

DIONYSOS

Alors ce sera la lutte avec les Bacchantes, et le sang
    coulera.

PENTHÉE

C'est vrai. Je dois d'abord aller les observer.

DIONYSOS

C'est plus sage à coup sûr que d'user de la force pour en
    pâtir ensuite.

PENTHÉE

Mais comment traverser la ville sans être vu des
    Cadméens ?

DIONYSOS

Nous prendrons par des rues désertes. Je saurai te
    conduire.

PENTHÉE

Tout vaut mieux que de me laisser tourner en dérision
    par les Bacchantes.
J'entre dans le palais pour réfléchir encore sur le parti à
    prendre[1].

DIONYSOS

Très bien. De mon côté je suis tout prêt.

PENTHÉE

Allons. Ou bien j'emmènerai des hommes d'armes,
ou bien je suivrai ton conseil.

Il rentre dans le palais.

DIONYSOS

Femmes, Penthée tombe dans mes filets !
Il arrivera au milieu des Bacchantes et il y paiera sa faute
  de sa vie !
A toi d'agir, Dionysos, car tu n'es pas bien loin !
Punissons-le ! Dérange d'abord sa raison !
mets-y le délire qui fait vaciller,
car dans son bon sens il ne voudra pas s'habiller en
  femme.
Pour y consentir, il faut qu'il sorte de lui-même.
Je veux que les Thébains à ses dépens s'amusent,
quand par la ville, déguisé, je le promènerai,
après ses menaces passées, qui devaient nous faire
  trembler.
Je vais le revêtir des ornements sous lesquels il ira dans
  l'Hadès,
massacré par les mains de sa mère Agavé. Et il aura appris
que Dionysos fils de Zeus finit toujours par se montrer
  aux hommes
le plus redoutable des dieux et le plus doux aussi.

Il entre dans le palais.

TROISIÈME STASIMON

STROPHE

LE CHŒUR

*Je pourrai donc enfin, dans les danses nocturnes,
poser mes pieds nus pour la bacchanale,
offrant ma nuque renversée à la fraîcheur de l'air !
Ainsi le faon trouve sa joie dans la verte prairie,
après une fuite éperdue
par-dessus les filets bien tendus des traqueurs.
Le chasseur à grands cris précipite ses chiens.
A grand effort, à grand élan, jusqu'au bord du ruisseau,
le faon poursuivi bondit vers la plaine,
heureux d'être à l'abri des hommes,
sous le feuillage ombreux de la forêt.*

  *Y a-t-il une autre sagesse,
  et les dieux aux mortels ont-ils rien accordé de plus
      beau
  que de pouvoir écraser de la main
  la tête de son ennemi ?
  Et ce qui est beau nous est précieux.*

ANTISTROPHE

  *La puissance divine s'ébranle lentement,
mais on peut se fier en elle.
Elle corrige l'arrogant dénué de scrupules,
celui qui, dans sa folle illusion, se croit dispensé d'honorer
      les dieux.
Elle s'embusque habilement, tandis que le temps va sa
      marche lente,
pour saisir l'impie à la fin.
Que jamais nos pensées n'imaginent
rien qui soit supérieur aux lois !*

Que coûte-t-il de reconnaître
que le divin a la force en partage ?
Ce qui de tout temps fut reconnu vrai
tient sa force de la nature.

Y a-t-il une autre sagesse,
et les dieux aux mortels ont-ils rien accordé de plus
                beau
que de pouvoir écraser de la main
la tête de son ennemi ?
Et ce qui est beau nous est précieux.

ÉPODE

Heureux qui peut échapper aux tempêtes
et atteindre le port !
Heureux aussi qui domine l'épreuve !
Les hommes rivalisent de splendeur, de puissance.
Chacun de ces milliers d'humains
nourrit des milliers d'espérances.
Les unes conduiront à la fortune et les autres échouent.
Fortuné, je pense, qui arrive au soir sans avoir souffert.

Dionysos sort du palais
suivi de Penthée habillé en
bacchante.

QUATRIÈME ÉPISODE

DIONYSOS

Toi qui brûles de voir ce qui n'est pas permis,
et de tenter ce qu'on ne doit pas faire,
c'est à toi, Penthée, que je parle. Sors du palais et fais-toi
        voir!
dans tes habits de femme et de Ménade, prêt à partir
pour aller épier ta mère et ses compagnes.

(Il l'examine.)

Oui, ton aspect est bien celui d'une des filles de Cadmos.

PENTHÉE

Et moi je crois voir deux soleils,
deux fois Thèbes et le mur aux sept portes.
Toi, je te vois comme un taureau qui me précède,
et deux cornes, à ce qu'il me semble, te sortent de la tête.
Tu étais donc une bête sauvage? En ce moment tu es
        bien un taureau.

DIONYSOS

Le dieu nous accompagne. Il nous fut hostile d'abord,
mais la trève est conclue. Tu vois bien ce que tu dois voir.

PENTHÉE

A qui ressemblé-je, dis-moi ? Je dois avoir l'attitude d'Ino,
ou d'Agavé, puisqu'elle est ma mère.

DIONYSOS

Je crois les voir en te voyant.
Mais voilà une de tes boucles qui n'est plus à sa place,
telle que je l'avais mise sous ton bandeau.

PENTHÉE

C'est dans la chambre que j'ai dû la déranger,
quand le transport bachique me fit secouer mes cheveux.

DIONYSOS

Mais moi qui suis ici pour te servir,
je vais te la remettre en ordre. Tiens la tête droite.

PENTHÉE

Voilà. A toi de me parer. C'est dans tes mains que je me
     suis remis.

DIONYSOS

Ta ceinture est trop lâche. Ta robe en plis égaux n'atteint
     pas tes chevilles.

PENTHÉE

C'est ce qui me paraît, du moins pour ce pied-ci.
Du côté gauche, elle tombe bien droit sur le talon.

DIONYSOS

Tu ne sauras mettre assez haut mon amitié
quand tu verras, et contre ton attente, combien les bac-
     chantes sont chastes!

PENTHÉE

Dans quelle main dois-je prendre le thyrse
pour mieux ressembler à une bacchante?

DIONYSOS

Dans la main droite, et le lever en même temps que le
     pied droit.
Que je te félicite de ton revirement!

PENTHÉE

Pourrai-je emporter sur mon dos le Cithéron
et ses retraites, et les bacchantes aussi?

DIONYSOS

Tu le pourras si tu le veux.
Ton esprit était bien malade. Il est raffermi à présent.

PENTHÉE

Prendrons-nous des leviers, ou rien qu'à l'embrasser
pourrai-je l'arracher de la base au sommet et le charger
    sur mes épaules ?

DIONYSOS

Épargne toutefois les retraites des Nymphes,
et les endroits où Pan s'assied pour jouer de la flûte.

PENTHÉE

Tu as raison. Il ne faut pas se servir de la force
pour triompher des femmes. Je me cacherai parmi les
    sapins.

DIONYSOS

Tu trouveras l'exacte cachette où doit rester blotti
celui qui vient, son piège prêt, épier les Ménades.

PENTHÉE

Je crois déjà, sous le taillis, les voir ainsi que des couples
    d'oiseaux,
tomber dans les doux réseaux de l'amour.

DIONYSOS

C'est donc pour assister à ce spectacle que tu t'ériges en
    surveillant ?
Oui, tu les surprendras peut-être, si tu n'es pris
    auparavant.

PENTHÉE

Escorte-moi pour traverser les rues de Thèbes,
puisque je suis le seul ici qui ose courir ce danger.

DIONYSOS

Et seul pour cette ville tu t'exposes, oui, seul.
Le combat t'attend, que tu dois livrer.
Viens. Conduit par moi, tu arriveras à bon port.
Mais tu seras ramené par une autre personne.

PENTHÉE

Ma mère, assurément.

DIONYSOS

Offert par elle à tous les yeux !

PENTHÉE

C'est ce que je désire.

DIONYSOS

Tu reviendras porté...

PENTHÉE

C'est me dire bien exigeant !

DIONYSOS

... dans les bras de ta mère.

PENTHÉE

Quelles délices tu m'imposes !

DIONYSOS

Celles que tu mérites !

PENTHÉE

J'aborde une entreprise à ma hauteur.

DIONYSOS

Tu es grand, et grande est l'épreuve que tu vas affronter.
Ta gloire ira jusqu'à heurter le ciel.
Tendez les mains, toi Agavé, vous, ses sœurs,
les filles de Cadmos ! Je vous conduis ce jeune prince
pour une grande lutte où je serai vainqueur
avec Bromios. L'événement dira le reste.

Ils sortent vers la gauche.

QUATRIÈME STASIMON

STROPHE

LE CHŒUR

Rage, prête-nous tes chiennes rapides,
fais-les courir vers la montagne où dansent les filles de
      Cadmos,
excite-les contre cet homme en habit féminin,
ce furieux qui vient épier les Ménades !
Sa mère sera la première à le voir,
guettant du haut d'un rocher ou d'un arbre.
Elle criera aux autres Ménades :
« Qui est ce Cadméen qui court vers nos montagnes,
pour épier nos mystères, bacchantes ?
De qui peut-il bien être né ?
Non certes du sang d'une femme,
mais d'une Gorgone libyenne ! »

      Ah ! que la justice vienne avec éclat, vienne avec son
           glaive,
      frapper à la gorge, et d'un coup mortel, l'ennemi des
           dieux,
      le fils d'Échion issu de la terre,
      qui méprise les lois et l'équité.

ANTISTROPHE

Son cœur injuste et sa folle révolte,
contre tes mystères, Bacchos, contre ceux de ta Mère[1],
ont dressé cet esprit délirant, ce vouloir égaré.
Il croit dominer par la force celui qu'on ne peut vaincre !
Garder la modestie qui sied à un mortel,
faire sans faux-fuyant la part des dieux,
c'est s'assurer des jours paisibles.

Je ne veux pas d'une sagesse qui porte ombrage,
mais un bonheur plus égal et durable :
donner mes jours, mes nuits à la piété,
rejeter ce qui est contraire à la justice,
et rendre aux dieux tous leurs honneurs.

> *Ah ! que la justice vienne avec éclat, vienne avec son*
> *   glaive,*
> *frapper à la gorge, et d'un coup mortel, l'ennemi des*
> *   dieux,*
> *le fils d'Échion issu de la terre,*
> *qui méprise les lois et l'équité.*

ÉPODE

Apparais-leur, taureau !
Montre, dragon, tes mille têtes !
Révèle-toi, flamboyant lion !
Sus, sus ! jeune bacchant, jette en riant le lacet de la mort,
sur le chasseur tombé parmi la troupe des Ménades.

> Entre par la gauche un
> garde de Penthée.

EXODOS

LE GARDE

O MAISON jadis réputée heureuse dans toute la Grèce,
maison du vieillard venu de Sidon, celui qui fit germer
la moisson issue des dents du serpent,
que je pleure sur toi! Je ne suis qu'un esclave, qu'importe!
Les bons serviteurs prennent part aux revers de leurs
    maîtres[1].

LE CORYPHÉE

Qu'y a-t-il? apportes-tu quelque nouvelle de la retraite
    des bacchantes?

LE GARDE

Penthée, le fils d'Échion, est mort.

LE CHŒUR

O seigneur Bromios, tu te révèles dieu, vrai dieu!

LE GARDE

Qu'oses-tu dire? tu te réjouis du malheur de mes maîtres?

LE CHŒUR

Étrangère, j'entonne un évohé de mon pays,
la crainte du cachot ne pèse plus sur moi.

LE GARDE

Crois-tu donc que Thèbes soit si privée d'hommes
que tu puisses la mépriser[2]?

LE CHŒUR

Thèbes n'a sur moi nulle autorité!
Dionysos, Dionysos est mon seul maître!

LE GARDE

Je dois te pardonner, mais il est deshonnête de se réjouir
après un malheur.

LE CHŒUR

Comment est-il mort, cet homme sans loi,
parti dans un dessein injuste ?

LE GARDE

Nous avions dépassé les bourgs de la campagne
et, l'Asopos franchi, nous entrions aux contreforts du
     Cithéron,
Penthée et moi, car je suivais mon maître,
et l'étranger qui conduisait notre pèlerinage.
D'abord nous fîmes halte en un vallon herbu,
étouffant le bruit de nos pas, de nos voix,
pour ne pas troubler le silence, et voir sans être vus.
Non loin est un vallon abrupt, traversé d'un ruisseau
et ombragé de pins; c'est là que les Ménades
se reposaient, en s'occupant les mains à d'aimables
     travaux.
Celle dont le thyrse avait perdu sa chevelure
lui rendait une couronne de lierre.
D'autres, aussi gaies que des poulains détachés du joug
     bien ouvré,
chantaient en alternant des airs en l'honneur de Bacchos.
    Le malheureux Penthée, ne voyant pas la troupe
     féminine,
dit : « Étranger, de l'endroit où nous sommes,
mes yeux ne peuvent découvrir les crimes de ces
     frénétiques[1].
Mais en montant sur un sommet ou sur un grand sapin,
je distinguerai leurs jeux indécents. »
    C'est alors que je vis l'étranger accomplir un prodige.
Prenant par le bout d'une branche un sapin qui touchait
     au ciel,
il abaisse l'arbre et l'amène, et l'amène au niveau
     du sol,
le courbant comme un arc, comme ferait un compas
     dessinant une roue[2].

Ainsi lui, se servant seulement de ses mains, sut ployer
  jusqu'à terre
un arbre des montagnes, ouvrage que nul mortel n'eût
  réussi.
Il place Penthée au milieu des branches,
les guidant de la main, les laissant remonter
lentement, prenant garde qu'elles ne le précipitent.
L'arbre se redresse tout droit vers le ciel,
portant le maître assis à son faîte,
où il était vu des bacchantes mieux qu'il ne les voyait.

  Or, à peine Penthée apparaissait-il, exposé sur ce siège
   élevé,
que l'étranger devint aussitôt invisible,
tandis que du ciel une voix, celle de Dionysos peut-être,
lançait ce cri : « O jeunes femmes,
j'amène celui qui bafoue et vous et moi et mes orgies.
Sus! Vengez-vous. » Comme il parlait,
un feu divin, entre ciel et terre, s'élève et resplendit.
L'air reste silencieux, la clairière tient son feuillage
  immobile,
et l'on n'entendait plus le cri des fauves.
L'appel aux oreilles des femmes n'avait pas clairement
  sonné.
Elles se dressent et regardent de tous côtés.
Le dieu alors répète son ordre. Dès que les filles de Cadmos
distinguent bien le signal de Bacchos,
elles s'élancent, plus rapides qu'un vol de colombes
courant de front vers un seul but,
Agavé, ses sœurs et toutes les autres,
par delà le torrent du vallon, les précipices,
bondissant affolées par le souffle d'un dieu.

  Quand elles voient le maître au sommet du sapin,
elles montent sur un roc, d'où comme d'une tour,
elles lui portent de grands coups de pierres,
dardant sur lui, pour javelots, des branches d'arbre.
D'autres lancent leur thyrse vers Penthée, ô cible
  infortunée,
mais sans pouvoir l'atteindre. Sur la hauteur inaccessible
  à leurs efforts,
le malheureux restait immobile, ne sachant quel parti
  prendre.
Enfin, toutes ensemble, comme ferait la foudre, elles
  fendent des branches de chêne,

et s'attaquent avec ces leviers aux racines de l'arbre.
Voyant vains leurs efforts, Agavé s'écrie :
« Allons, Ménades, entourez le tronc, empoignez-le!
Il nous faut saisir la bête sauvage qui s'y réfugie.
et l'empêcher de révéler les secrets de nos chœurs. »
Cent bras se portent au sapin et l'arrachent du sol.
Précipité du faîte sur la terre,
Penthée tombe sans retenir ses cris plaintifs, car il
        mesurait son imminent péril.
    Sa mère la première, prêtresse préludant au sacrifice,
bondit sur lui. Il arrache de ses cheveux
le bandeau, pour qu'elle l'épargne en le reconnaissant,
la malheureuse Agavé. Et il lui dit, en lui touchant
        la joue :
« Mère, c'est moi, je suis ton fils,
Penthée, que tu mis au monde au foyer d'Échion.
Mère, aie pitié de moi. Oui, j'ai péché,
ne tue pas cependant ton enfant! »
Mais elle, la bouche écumante et roulant des yeux égarés,
n'est plus maîtresse de sa raison.
Toute possédée de Bacchos, elle ne l'entend pas.
Elle lui saisit à deux mains le bras gauche,
pèse du pied sur le flanc de l'infortuné,
et arrache le membre à l'épaule. Sa force n'y aurait pu
        suffire,
mais un dieu à ses mains accordait tout pouvoir.
De l'autre côté, Ino en fait autant
et déchire les chairs. Autonoé avec toutes les autres
s'acharne sur lui. Ce n'étaient que clameurs!
Il a gémi jusqu'à son dernier souffle,
elles jetaient leur cri triomphal! L'une s'empare d'un bras,
une autre d'une jambe portant encore sa chaussure.
Les côtes lacérées sont mises à nu. Toutes, les mains en
        sang,
se lancent l'une à l'autre les débris de Penthée.
Les lambeaux épars de son corps gisent parmi les durs
        rochers
ou dans l'épais taillis de la forêt : comment l'y retrouver ?
Quant à la tête infortunée, Agavé à deux mains l'a saisie,
l'a fichée au sommet de son thyrse,
et l'apporte comme celle d'un lion tué dans la montagne.
Elle a laissé ses sœurs dans le chœur des Ménades,
et s'avance, fière de sa prise funeste,

vers les remparts, en invoquant Bacchos,
son compagnon de chasse, son allié dans la poursuite,
et dans une victoire qui aura des larmes pour seule
      couronne[1].
Pour moi, je me dérobe à cet affreux spectacle,
et je pars avant le retour d'Agavé.
   Être modeste et honorer les dieux,
c'est, je pense, le meilleur parti et le plus raisonnable
pour le mortel qui le met en pratique.

Il s'éloigne.

LE CHŒUR

Formons nos chœurs en l'honneur de Bacchos,
proclamons la défaite
de Penthée, le descendant du Dragon.
Il prit la robe féminine et la belle hampe du thyrse,
et c'était se livrer à la mort[2].
Vers son malheur le guidait le Taureau !
Voyez, bacchantes Cadméennes,
le glorieux triomphe que s'acquit Agavé,
pour en pleurer, pour en gémir !
Belle prouesse : d'une main trempée de son sang,
saisir la tête de son fils !

LE CORYPHÉE

Mais je vois accourir, les yeux égarés, la mère de Penthée,
Saluez l'entrée du dieu Évios !

> *Entre par la gauche Agavé*
> *haletante, tenant au bout de son*
> *thyrse la tête de Penthée.*

AGAVÉ

Bacchantes d'Asie...

LE CHŒUR

Qu'as-tu à m'appeler ?

AGAVÉ

Je viens de la montagne. J'y ai coupé cette guirlande.

Je la rapporte pour la maison,
glorieux trophée de ma chasse !

LE CHŒUR

Je vois. Tu peux entrer dans notre chœur.

AGAVÉ

Il ne m'a pas fallu de filet pour le prendre,
ce jeune lion : tu peux le constater !

LE CHŒUR

En quel endroit sauvage ?...

AGAVÉ

Le Cithéron...

LE CHŒUR

Achève...

AGAVÉ

...l'a tué.

LE CHŒUR

Qui l'a frappé la première ?

AGAVÉ

J'en ai l'honneur.
« L'heureuse Agavé » me nomment mes compagnes.

LE CHŒUR

Qui fit le reste ?

AGAVÉ

Les filles de Cadmos...

LE CHŒUR

Achève...

AGAVÉ

Mes sœurs avec moi ont forcé ce fauve.

LE CHŒUR

Heureuse chasse, oui vraiment !

AGAVÉ

Viens prendre ta part du festin.

LE CHŒUR

Moi, de ce festin ? horreur !

AGAVÉ (caressant la tête)

*La bête est jeune. Sous la douce toison du crâne
un long duvet récent lui fleurit le menton.*

LE CHŒUR

On dirait la crinière d'une bête des bois.

AGAVÉ

*Bacchos le bon chasseur a bien conduit
ses Ménades vers ce gibier.*

LE CHŒUR

Oui, notre roi est un veneur !

AGAVÉ

Tu me loues donc ?

LE CHŒUR

Oui, certes, je te loue.

AGAVÉ

Bientôt me loueront les Thébains.

LE CHŒUR

Et ton fils Penthée...

AGAVÉ

louera sa mère
d'avoir saisi cette proie léonine.

LE CHŒUR

Prodigieuse capture...

AGAVÉ

et faite par prodige !

LE CHŒUR

Et tu es dans la joie ?

AGAVÉ

dans la joie de l'action d'éclat
qui termine ma chasse.

LE CORYPHÉE

Infortunée, montre donc à tout le pays
la glorieuse prise que tu viens apporter.

AGAVÉ

Vous qui habitez Thèbes, la citadelle au beau rempart,
venez voir ce gibier dont nous, les filles de Cadmos,
avons fait notre proie, sans javelots thessaliens, sans
        filets,
mais du bout de nos doigts aux poignets délicats.
Vantez-vous maintenant ! Faites-vous forger des armes
        inutiles,
quand nos mains nues nous ont suffi
à saisir le fauve, à le mettre en pièces !

Où est mon vieux père ? Qu'il vienne donc !
Mon fils Penthée, où reste-t-il ?
Qu'il dresse contre la maison les échelles bien ajustées,
et qu'il cloue à la frise le chef de ce lion que je ramène
de la chasse.

*Entre par la gauche Cadmos
suivi de serviteurs portant sur
une civière le corps de Penthée.*

CADMOS

Chargés de ce déplorable fardeau, suivez-moi,
serviteurs, suivez-moi, vers la demeure de Penthée,
dont au prix de mille recherches
je rapporte le corps, trouvé dans les replis du Cithéron
en lambeaux dispersés çà et là sur le sol,
ou bien dans le taillis si difficile à explorer.
    J'ai entendu parler des crimes de mes filles
comme je rentrais dans nos murs, avec Tirésias, après
avoir vu les bacchantes.
J'ai sur-le-champ repris la route de la montagne
et j'en ramène mon petit-fils tué par elles.
J'ai vu Ino, Autonoé qu'Aristée d'Actéon rendit mère.
Les malheureuses sont toujours à délirer dans les forêts.
Mais on m'a dit que la course bachique avait ici amené
Agavé,
et c'était vrai, car je la vois, spectacle de douleur.

AGAVÉ

Tu peux, mon père, hautement te vanter
d'avoir pour filles les femmes les plus vaillantes du monde,
et de beaucoup !
Toutes nous sommes telles, mais je suis la plus excellente,
qui laissai ma navette à côté du métier,
pour une œuvre plus grande, chasser les fauves de
mes mains !
Je porte dans mes bras, tu le vois, mon trophée,
pour qu'à ton palais il soit appendu.
Reçois-le, mon père, et sois fier du succès de ma chasse.
Invite des amis à un festin. Car tu es un homme
heureux,
heureux par nous et nos exploits.

CADMOS

O douleur sans mesure, spectacle insupportable
du sang versé par ces mains criminelles!
Beau sacrifice, celui que tu offres aux dieux,
puis tu me convies avec les Thébains au festin qui doit
    suivre[1]!
Malheureux que nous sommes! toi d'abord, moi ensuite!
Méritée, mais par trop atroce, la vengeance du dieu!
Le seigneur Bromios nous anéantit, alors qu'il est de
    notre sang!

AGAVÉ

Combien la vieillesse est chagrine et que son visage est
    morose!
Je voudrais que mon fils fût un chasseur aussi heureux
que sa mère, quand il s'en va rabattre avec les jeunes gens
    de Thèbes[2]!
Mais il ne s'entend qu'à braver les dieux!
Il faudra, père, l'avertir, toi aussi bien que moi,
pour qu'il cesse de se complaire à la fausse sagesse.
Où reste-t-il? Qu'en ma présence on le fasse venir,
afin qu'il assiste au bonheur de sa mère.

CADMOS

Hélas, hélas, quelle sera votre souffrance
quand vous aurez compris ce que vous avez fait!
L'état où vous voilà, s'il dure jusqu'au bout,
sans vous rendre votre bonheur, vous ôtera du moins
    toute conscience de vos maux.

AGAVÉ

Mais qu'y a-t-il ici qui ne soit beau, ou qui soit
    douloureux?

CADMOS

Lève tout d'abord tes yeux vers le ciel.

AGAVÉ

Je t'obéis. Mais pourquoi veux-tu que je le regarde?

CADMOS

Est-il toujours le même ou le vois-tu changé ?

AGAVÉ

Il me paraît plus clair, plus pur qu'auparavant.

CADMOS

Le même trouble agite-t-il encore ton âme ?

AGAVÉ

Je ne comprends pas ce que tu veux dire, mais je crois
      rentrer
en moi-même, me détacher des sentiments passés.

CADMOS

Veux-tu m'écouter et me répondre sagement[1] ?

AGAVÉ

Oui, car j'ai oublié ce que j'ai pu te dire.

CADMOS

Dans quelle famille entras-tu par ton mariage ?

AGAVÉ

Tu m'as unie à Échion, issu, dit-on, des dents du Dragon.

CADMOS

Quel enfant lui as-tu donné dans sa maison ?

AGAVÉ

Penthée, le fruit de notre lit commun.

CADMOS

Qu'est-ce que cette tête que tu tiens dans tes bras ?

AGAVÉ

Celle d'un lion, m'ont dit les chasseresses.

CADMOS

Vois-la donc de plus près. Un regard suffira.

AGAVÉ

Horreur! Que vois-je ? Mes mains, que tiennent-elles ?

CADMOS

Regarde encore. Assure-toi d'avoir bien vu.

AGAVÉ

Je vois la plus atroce des souffrances, ô malheureuse que
je suis!

CADMOS

Te semble-t-il encore que ce soit un lion ?

AGAVÉ

C'est Penthée dont je tiens la tête, infortunée!

CADMOS

J'avais pleuré sur lui avant que tu l'aies reconnu.

AGAVÉ

Qui l'a tué ? Comment se trouve-t-il entre mes mains ?

CADMOS

Cruelle vérité, tu arrives trop tard!

AGAVÉ

Parle! Mon cœur frémit de ce qu'il doit encore entendre!

CADMOS

C'est toi qui l'as tué, avec tes sœurs!

AGAVÉ

Où est-il mort ? dans la maison ? ailleurs ?

CADMOS

Où les chiens autrefois tuèrent Actéon.

AGAVÉ

Au Cithéron ? Pourquoi l'infortuné s'y rendait-il ?

CADMOS

Il allait se moquer du dieu de vos mystères.

AGAVÉ

Et nous-mêmes, comment y étions-nous allées ?

CADMOS

Vous déliriez. La ville entière partageait les transports
  des bacchantes.

AGAVÉ

Dionysos nous a détruits. Je le comprends enfin.

CADMOS

Vous l'aviez outragé, lui refusant la qualité divine.

AGAVÉ

Où se trouve le corps bien-aimé de mon fils ?

CADMOS

Je le ramène, l'ayant découvert à grand'peine.

AGAVÉ

Tels que ces membres réunis le rendent tout entier [1] ?...
....
Pourquoi Penthée dut-il expier ma démence ?

CADMOS

Il vous a imitées, refusant d'adorer le dieu,
qui vous enveloppa dans une même ruine,
vous et Penthée, détruisant du coup et notre maison
et moi-même, privé désormais de descendance mâle,
puisque, ma pauvre enfant, ce rameau sorti de ton
      ventre,
je le vois enlevé par une mort honteuse et misérable.
    Vers toi notre maison avait les yeux levés, ô fils né de
      ma fille,
car tu nous la gardais solide, tenant les Thébains en
      respect.
Sous ton regard, nul n'aurait osé outrager ma vieillesse,
sûr de recevoir un juste châtiment.
Et maintenant, honteusement, je vais être banni,
le grand Cadmos qui fit germer de terre la race des
      Thébains,
et récolta la plus belle moisson!
Mon bien-aimé, quoique tu ne sois plus,
tu compteras toujours parmi ceux qui me sont les
     plus chers.
Tu ne toucheras plus ma joue, tu ne me diras plus en
     m'embrassant :
« On ne t'a pas fait tort, grand-père, on ne t'a pas manqué
     d'égards ?
Nul ne t'a inquiété ? ne t'a fait de la peine ?
Dis-le moi, que je punisse le coupable! »
A présent, nous voici tous à plaindre, et moi, et toi,
ta pauvre mère, ses malheureuses sœurs.
S'il est un mortel qui ose braver les dieux,
qu'il considère cette mort et croie en leur puissance.

LE CORYPHÉE

Je te plains, Cadmos, mais le châtiment de ton petit-fils
était mérité, quelque souffrance qu'il te cause.

AGAVÉ

Ah, mon père, tu vois renversée toute ma destinée...
....

DIONYSOS

... Tu seras transformé en serpent, ainsi que ton épouse,
Harmonie fille d'Arès, que le dieu t'accorda, tout mortel
    que tu fusses.
Sur un char traîné par des bœufs, ainsi que le veut un
    oracle de Zeus,
tu t'en iras avec ta femme commander à des peuples
    barbares.
Avec une armée innombrable, tu détruiras beaucoup
    de villes.
Pour avoir saccagé l'oracle d'Apollon
tes soldats connaîtront un pénible retour.
Mais avec Harmonie Arès te sauvera
et te transportera dans le pays des bienheureux.
Voilà ce que je vous annonce, moi né de Zeus, non
    d'un mortel.
Si vous aviez appris la modestie qui sied à l'homme,
    au lieu de vous y refuser,
vous vivriez dans le bonheur, protégés par le fils de Zeus.

AGAVÉ

Dionysos, nous t'implorons, nous qui avons été
    coupables!

DIONYSOS

Instruits trop tard de ma divinité, trop longtemps
    méconnue!

AGAVÉ

Nous l'avouons, mais ta vengeance est trop impitoyable.

DIONYSOS

C'est que moi qui suis dieu, vous m'avez outragé !

AGAVÉ

Les dieux dans leurs rancunes, doivent-ils imiter les
    hommes ?

DIONYSOS

L'arrêt qui vous atteint, depuis longtemps Zeus l'avait
    pris.

AGAVÉ

Hélas, mon père, c'en est donc fait, et notre exil est décidé.

DIONYSOS

Soumettez-vous sans plus d'ambages à la nécessité.

Dionysos disparaît.

CADMOS

Dans quel affreux malheur nous voici tombés, mon
    enfant,
toi, infortunée, et tes sœurs, et moi qui vais partir vers des
    pays barbares,
un vieil homme, et qui arrivera en émigré !...
Et le décret divin m'oblige à mener vers la Grèce
une armée mêlée d'étrangers,
avec Harmonie, fille d'Arès et mon épouse,
transformés tous les deux en farouches serpents.
Contre des autels, des sépultures grecques,
je dois faire avancer des armes ennemies. Mes malheurs
    n'auront pas de terme,
et même passé l'Achéron, j'ignorerai la paix encore.

AGAVÉ

Mon père, dans mon exil, je serai donc privée de toi ?

CADMOS

Pourquoi, ma pauvre fille, m'entourer de tes bras,
comme le cygne au blanc plumage entoure un oiseau
débile ?

AGAVÉ

Où dois-je aller, chassée de ma patrie ?

CADMOS

Je ne sais, mon enfant. Bien faible, le secours que t'apporte ton père.

AGAVÉ

Adieu, maison, adieu, ville natale,
que je quitte dans mon malheur,
exilée de mon propre foyer !

CADMOS

Va, ma fille, auprès d'Aristée...

. . . .

AGAVÉ

Je pleure sur toi, mon père.

CADMOS

Moi sur toi, sur tes sœurs...

AGAVÉ

Dionysos impitoyablement
a frappé ta maison.

CADMOS

C'est que vous l'aviez offensé
en laissant son nom sans honneurs dans Thèbes.

AGAVÉ

A toi, père, mon salut d'adieu.

CADMOS

Le mien à toi, ma fille,
mais est-il encore de salut pour toi ?

Il s'éloigne.

AGAVÉ (aux bacchantes)

Soyez mes guides et menez-moi
où je retrouverai mes malheureuses sœurs,
pour qu'elles accompagnent mon exil.
Allons où l'exécrable Cithéron ne me voie plus,
où mes yeux ne puissent le voir,
où me quittera le souvenir du thyrse.
Que d'autres bacchantes en prennent souci !

Elle s'éloigne.

LE CORYPHÉE *(tout en la suivant)*

Les choses divines ont bien des aspects.
Souvent les dieux accomplissent ce qu'on n'attendait pas.
Ce qu'on attendait demeure inachevé.
A l'inattendu les dieux livrent passage.
Ainsi se clôt cette aventure.

IPHIGÉNIE A AULIS

Les Chants Cypriens *racontaient qu'Iphigénie fut attirée à
Aulis sous le prétexte d'un mariage avec Achille. Ulysse,
dit Euripide dans* Iphigénie en Tauride, *vint la prendre à
Argos, où Clytemnestre chantait l'hyménée tandis que le père
égorgeait sa fille.*

*Quelques années plus tard, le poète reprit l'épisode en le
modifiant sur deux points : Clytemnestre elle-même amène sa
fille à Aulis ; Iphigénie après une longue hésitation va volontairement au sacrifice. L'intérêt psychologique de la pièce résulte
de ces deux innovations.*

*Eschyle considérait comme un crime l'acte d'Agamemnon,
quelque avantage que la Grèce ait pu en retirer. Les vieillards
mycéniens évoquent avec horreur l'enfant livrée au couteau :*

Ses prières, ses appels à son père, sa jeunesse,
rien ne compte au regard des chefs épris de guerre,
Il invoque les dieux et fait signe aux servants
de la saisir, de l'enlever, comme une chèvre,
au-dessus de l'autel, enroulée dans ses vêtements,
de toutes ses forces accrochée à la terre,
son beau visage bâillonné
pour l'empêcher de maudire les siens.

*Euripide décharge le roi de la faute majeure, puisque Iphigénie
donne librement sa vie. Mais c'est lui qui traîtreusement l'a
amenée à Aulis et qui l'a acculée à la mort, prisonnier lui-même
de son ambition, prisonnier aussi de son frère Ménélas qui le
gouverne comme les cadets gouvernent les aînés : parce qu'ils
connaissent leurs faiblesses. Quand il sait que, malgré le contre-
ordre du roi, Clytemnestre est dans le camp, avec Iphigénie et le
petit Oreste, saluée par toute l'armée, Ménélas accepte de renoncer à l'expédition, de licencier l'armée, sachant qu'il est trop*

tard, que Calchas et Ulysse tiennent leur proie et ne la lâche-
ront plus.

    Les deux frères se valent. Ménélas affecte la générosité quand
il eſt sûr qu'elle ne l'engage plus à rien, les jeux étant faits. Aga-
memnon n'a révoqué son ordre que trop tard, quand il fut secrè-
tement, inconsciemment, convaincu que le second message n'em-
pêcherait pas l'arrivée de sa fille. Tous deux sont des ambitieux
faibles. Agamemnon garde les formes extérieures de l'autorité ;
Ménélas, qui entre en scène en se colletant avec un esclave, eſt
un cadet trop heureux de trouver son aîné en défaut et de prendre
des revanches. Tous deux sont sans scrupules, tranquillement
cyniques.

    — Je ne puis plus renvoyer ma fille. Calchas à tous révé-
       lera l'oracle.
    — A moins qu'il ne meure d'abord. C'eſt à notre portée.
    — L'engeance des devins eſt une peſte ambitieuse.

    Mais il sera encore plus simple de sacrifier Iphigénie.
    Les Atrides représentent le visage secret de la guerre et son
impitoyable réalité. Achille en incarne la brillante apparence.
Lorsque le chœur entre en scène, c'eſt pour décrire avec une curio-
sité émerveillée la ſplendeur de la flotte arrêtée au rivage et les
jeux auxquels s'amusent les chefs. Lorsque commence cette
longue description (elle tient près d'un douzième de la pièce),
l'auditeur sait déjà dans quel piège eſt tombé Agamemnon ;
quand elle se termine, il s'eſt refermé sur Iphigénie. Cependant
qu'il s'apprête à broyer les victimes, d'innocentes jeunes femmes
admirent les délassements d'une armée désœuvrée, qui s'impa-
tiente de trouver un obſtacle entre elle et sa perte. Tant de puéri-
lité, et du côté des visiteuses éblouies, et du côté des guerriers en
chômage, donne à l'immolation du dénouement sa dimension véri-
table. Achille auparavant, qui bat à la course le quadrige d'Eu-
mélos, verra se mutiner contre lui ses propres Myrmidons et devra
avouer sa défaite à Clytemneſtre dont il a prétendu être le
champion.
    En face des intrigues des rois, de la vanité d'Achille, Cly-
temneſtre voit les choses telles qu'elles sont. Elle a jugé depuis
longtemps un mari qu'elle n'aime pas et qui ne l'aime pas. Il eſt
lâche et craint trop l'armée, dit-elle froidement à Achille
qui lui conseille d'user de la pitié. Son plus ferme appui, ce
n'eſt certes pas le fils de la Néréide, quelque confiance qu'elle
tente de se donner en rappelant sans cesse cette illuſtre ascen-
dance ; c'eſt un esclave venu avec elle de Sparte et passé au service

d'Agamemnon, mais resté attaché à sa maîtresse. Les deux serviteurs de la pièce sont tous deux de sa maison, comme si le poète
avait voulu mettre de son côté l'éternelle et impuissante sagesse
populaire. Il représente Clytemnestre au carrefour de sa vie,
ayant accepté sans joie sa destinée d'épouse encore irréprochable,
mais incapable de répondre un seul mot à l'adieu d'Agamemnon,
le cœur déjà possédé par la vengeance.

L'Iphigénie de la vieille légende se débat pour échapper au
couteau, et Eschyle se demande comment Artémis, qui hait le
festin des aigles, a pu se réjouir à voir couler ce jeune sang.
C'est l'excuser que de substituer une biche à l'enfant immolée.
Euripide veut ici qu'Iphigénie s'offre volontairement, ce qui
donne à la cruauté des dieux le repoussoir du courage humain.
Le contraste colore le dénouement d'une amère ironie. Libre à
Calchas de déclarer qu'une Iphigénie heureuse a été enlevée au
ciel, ce que répète aussitôt Agamemnon, trop content de se dire
qu'il a fait en somme le bonheur de sa fille. Cet optimisme ne
persuade pas Clytemnestre :

Comment ne pas m'imaginer
que ce discours m'abuse par un vain réconfort
pour obtenir que je renonce à te pleurer amèrement ?

Iphigénie vient au terme de l'œuvre d'Euripide après plusieurs
victimes volontaires : Alceste, Macarie, Polyxène, Évadné.
Comme Macarie, elle se sacrifie pour assurer une victoire, et la
plus prestigieuse de toutes. A partir du moment où elle accepte
son sort, on voit croître en elle l'exaltation qui lui rend la mort
tolérable, puis désirable :

Escortez-moi, la conquérante d'Ilion et des Phrygiens.
Ainsi qu'il est prescrit, de mon sang répandu
je viens pour effacer l'oracle...

La griserie où je te vois, *lui dit Achille*, je ne veux pas
que tu en meures, *comme s'il n'était pas emporté vers sa mort
par une griserie identique. Les femmes d'Euripide vont au sacrifice, poussées par l'orgueil et par le désespoir :*

Plus que dix mille femmes, un homme a des raisons de vivre.

Elles le savent, et aussi qu'elles n'ont pas d'autre moyen de se
dérober au mépris qui entoure leur sexe que de donner leur vie si on
la leur demande. Comment s'y refuseraient-elles ? Les heureuses,
comme Alceste et Iphigénie, y ont plus de mérite que les victimes

du sort, Polyxène et Macarie. C'est la seule différence qui, au surplus, devait compter pour le poète, car il leur a rendu pour finir l'existence à quoi elles avaient renoncé.

Hélène *est la tragédie des erreurs, erreurs voulues par les dieux. Celles qui composent l'action d'*Iphigénie *dérivent toutes du premier mensonge d'Agamemnon. Pour un Grec, toute ruse est licite et ne constitue jamais un grief en soi. Achille est très mécontent qu'on ait abusé de son nom ; mais c'est seulement pour une raison de prestige : il aurait consenti bien volontiers à servir d'appeau si seulement on le lui avait demandé. Clytemnestre est seule à s'indigner :*

— C'est malgré lui, *dit Iphigénie,* qu'il m'a sacrifiée, et
    pour la Grèce.
— En fourbe, bassement, et non en fils d'Atrée.

Un jour viendra pour elle aussi où elle recourra à la ruse et s'en excusera sur la nécessité. Mais les ruses d'Agamemnon échouent, ce qui donne un rôle un peu ridicule à lui-même et à ceux qui l'entourent, successivement trompés et détrompés. Iphigénie seule y échappe parce que l'erreur, pour elle, comporte la mort.

La pièce fut jouée (avec les Bacchantes *et* Alcméon *à Corinthe) à Athènes, après la mort d'Euripide, et obtint le premier prix. Elle a peut-être été retouchée par Euripide le jeune, interpolée par des acteurs. Le texte est en mauvais état, surtout la fin (1572-1629) copiée par une main récente et sur un manuscrit très altéré.*

IPHIGÉNIE A AULIS

PERSONNAGES

AGAMEMNON
UN VIEUX SERVITEUR d'Agamemnon.
MÉNÉLAS
CLYTEMNESTRE
IPHIGÉNIE
ACHILLE
UN VIEUX SERVITEUR de Clytemnestre.
Chœur de jeunes femmes de Chalcis.

A Aulis, sur la côte de Béotie en face de l'Eubée, la baraque d'Agamemnon. Il fait encore nuit.

PROLOGUE

AGAMEMNON

Allons, vieil homme, avance. Viens devant mon
logis.

LE VIEILLARD

Je viens, mais quel est ton nouveau dessein, seigneur
Agamemnon ?

AGAMEMNON

Tu vas l'entendre[1].

LE VIEILLARD

Je me hâte. Mon âge ignore le sommeil,
et me laisse attentif à tes ordres.

AGAMEMNON

Quelle est cette étoile là-haut dans le ciel ?

LE VIEILLARD

C'est Sirius près des sept Pléiades, encore au milieu de
sa course.

AGAMEMNON

On n'entend rien, ni les oiseaux, ni le bruit de la mer.
Les vents se taisent là-bas sur l'Euripe.

LE VIEILLARD

Mais alors pourquoi cette hâte
qui te jette hors de ta tente, seigneur Agamemnon ?
Tout dans Aulis repose encore,
la garde aux remparts attend la relève. Rentrons.

Agamemnon

Tu es heureux, vieil homme!
Heureux qui traverse sans gloire une vie sans danger.
Celui-là je l'envie, et non celui qui est dans les honneurs.

Le vieillard

Là cependant est l'éclat de la vie.

Agamemnon

C'est justement cet éclat qui nous perd.
Toute préséance est flatteuse, mais révèle un poison dès
      qu'on y a goûté.
Une faute est commise au service des dieux,
et voilà une vie ruinée.
Ou bien ce sont les hommes.
Sans cesse ils changent d'opinion;
rien jamais ne les satisfait, et ils nous broient.

Le vieillard

Je n'aime pas entendre un chef parler ainsi.
Atrée ne t'a pas engendré pour un bonheur parfait, Aga-
      memnon!
Tu dois accepter et joie et souffrance,
car tu n'es qu'un mortel. Que tu le veuilles ou non,
les décisions des dieux seront ce qu'elles sont.
    Mais, tu as allumé ta lampe,
tracé la lettre que tu tiens encore,
puis effacé ce qui était écrit.
Tu mets le cachet et puis tu le romps,
tu jettes la tablette à terre, tu fonds en larmes :
tous les signes d'incertitude
que peut donner celui qui délire.
De quoi souffres-tu? quel malheur t'arrive, seigneur?
Allons, confie-moi donc ta peine,
tu parleras à un brave homme et qui t'est dévoué.
Car Tyndare autrefois m'a joint à la dot de ta femme
et s'est fié à moi pour diriger l'escorte de la jeune
      épouse.

AGAMEMNON

Oui, Léda fille de Thestios mit au monde trois filles,
Phœbé, Clytemnestre ma femme,
Hélène enfin, de qui les premiers princes de la **Grèce**
     vinrent briguer la main.
Ils en vinrent entre eux aux pires menaces de mort
si la jeune fille leur était refusée.
Grand était l'embarras de Tyndare son père, hésitant fort
     à l'accorder,
et ne sachant quel parti serait le meilleur. L'idée lui
     vint alors
d'unir par des serments et par la foi de la main droite
les prétendants ensemble. Devant les victimes brûlées,
ils jureront, en se maudissant s'ils y manquent eux-
     mêmes,
que tous s'allieront pour défendre
celui qui aura reçu pour épouse la fille de Tyndare;
que si quelqu'un la lui ravit et le dépouille de son lit,
tous partiront en guerre contre le ravisseur et détruiront
     sa ville,
grecque ou barbare, les armes à la main.
Leur parole ainsi engagée, et quand le vieux Tyndare,
par sa prudence, les eut fort bien amenés à ses fins,
il permit à sa fille d'élire pour époux
l'homme dont l'élan amoureux emporterait son cœur.
Elle choisit celui que jamais elle n'aurait dû prendre,
     Ménélas[1].
    Vint alors de Phrygie à Sparte cet homme qui prétend
être l'arbitre des déesses, ainsi que les gens le ra-
     content,
tout fleuri d'habits somptueux, éclatant d'or et de luxe
     barbare.
Épris d'Hélène autant qu'elle de lui, il l'enleva
vers les étables de l'Ida, profitant d'une absence
de Ménélas. Dans la fureur de son désir, celui-ci court
     la Grèce
et rappelle à tous l'antique serment juré à Tyndare
de venir au secours de l'époux outragé.
Les Grecs aussitôt s'ébranlent pour la guerre,
revêtent leur armure et font leur ralliement
dans ce détroit d'Aulis, navires et soldats
innombrables, chevaux et chars, toutes leurs forces,

et, pour les commander, afin de plaire à Ménélas[1],
m'élisent, moi son frère. Cet honneur,
que n'a-t-il pu échoir à un autre qu'à moi!
L'armée est rassemblée, elle est prête à partir,
mais le vent se refuse à nos voiles
et nous tient près d'Aulis dans l'attente.
A notre désarroi, Calchas répond par un oracle.
Iphigénie, fille de ma semence,
doit être offerte à l'Artémis qui habite en ces lieux.
La traversée nous est acquise et la défaite des Troyens,
si nous l'immolons, et sinon refusée.
En entendant un tel arrêt, j'allais charger Talthybios
de proclamer bien haut le licenciement de l'armée,
car jamais je n'aurais le cœur de sacrifier ma fille,
lorsque mon frère vient alléguer mille raisons
pour me faire accepter cet acte abominable.
J'écrivis une lettre pour enjoindre à ma femme
d'envoyer ma fille au plus tôt, car elle allait épouser
      Achille,
duquel j'exaltais les mérites,
ajoutant qu'il ne partirait avec les Grecs
que s'il recevait de nos mains une épouse à conduire en
      Phthie.
Quel autre moyen de convaincre ma femme,
que d'alléguer pour notre fille un mariage fallacieux[2]?
Seuls avec moi parmi les Grecs savent la vérité. Calchas,
      Ulysse et Ménélas.
  Mais l'horreur de ma décision
m'est alors apparue, et je l'ai révoquée, c'est le meilleur
      parti,
par ces tablettes que, dans l'ombre de la nuit,
tu me vis délier, puis lier de nouveau.
Pars, maintenant, et porte à Argos la missive.
Ce qu'elle tient enfermé dans ses plis,
je m'en vais te le dire, car tu nous es fidèle,
à ma maison aussi bien qu'à ma femme.
« Contrairement à mon premier message,
je te fais savoir, fille de Léda... »

LE VIEILLARD

Poursuis, explique-toi, pour que ma bouche
lui fasse entendre le même son que ton écrit.

AGAMEMNON

... « que tu n'as pas à envoyer ta fille
vers le golfe creusé sous l'aile de l'Eubée,
vers Aulis protégé des courants.
Nous devons en effet remettre à d'autres temps la fête de
　　ses noces. »

LE VIEILLARD

Crois-tu qu'Achille se laissera enlever son épouse
sans ressentiment et grande colère contre ta femme et
　　contre toi ?
Voilà aussi ce qu'il faut craindre. Dis-moi, qu'en
　　penses-tu ?

AGAMEMNON

Achille m'a prêté son nom et rien de plus,
sans rien savoir lui-même de ce mariage,
de notre plan, de ma promesse prétendue
d'accorder ma fille à son lit pour une étreinte conjugale.

LE VIEILLARD

Périlleuse entreprise, Agamemnon, mon roi,
de promettre ta fille au fils de la déesse
quand tu l'attirais vers les Grecs pour être sacrifiée!

AGAMEMNON

Hélas, j'avais perdu l'esprit
et je suis tombé dans l'abîme.
Mais pars donc, hâte-toi, n'accorde rien à la vieillesse.

LE VIEILLARD

Je me presse, seigneur.

AGAMEMNON

Donc, pas de halte dans le bois, à côté de la source,
pas d'abandon aux douceurs du sommeil!

LE VIEILLARD

Qu'as-tu besoin de me le dire ?

AGAMEMNON

Ne passe pas aux carrefours sans regarder de tous côtés,
de peur de te laisser dépasser sans la voir
par la voiture aux roues rapides
qui amène ici mon enfant vers les vaisseaux des Grecs.

LE VIEILLARD

Ce sera fait.

AGAMEMNON

Si tu la rencontres avec son escorte,
déjà sortie de ses chambres fermées,
fais-la retourner en arrière, secoue la bride des chevaux,
et renvoie-la vers les foyers bâtis par les Cyclopes.

LE VIEILLARD

Mais quel garant alléguerai-je pour parler de la sorte
à ton épouse et à ta fille ? Dis-le moi.

AGAMEMNON

Conserve bien le sceau empreint sur les tablettes
que tu emportes. Pars, car le ciel blanchit déjà
de la lumière de l'aurore et des feux du céleste quadrige.
Prends ta part de ma peine.

(Le vieillard s'éloigne à gauche.)

Nul mortel n'est toute sa vie comblé de biens et de
    bonheur.
On ne vient pas au monde sans donner prise à la souf-
    france.

*Il rentre dans la baraque
tandis que le chœur se range.*

PARODOS

STROPHE I

LE CHŒUR

Pour m'amener à la plage d'Aulis,
où la mer bat le sable, ma barque a dû franchir
les courants du détroit où s'étrangle l'Euripe.
Car je viens de Chalcis ma cité,
que l'illustre Aréthuse nourrit près de la mer,
afin de voir l'armée des Achéens,
de voir aussi, prête à fendre la mer, la flotte
des dix mille vaisseaux que ces demi-dieux,
le blond Ménélas, le noble Agamemnon,
(nos maris nous l'ont raconté) envoient à la quête
        d'Hélène,
celle que le berger Pâris
des bords de l'Eurotas nourricier de roseaux
enleva. Cypris la lui avait donnée,
le jour où près d'une fraîche fontaine,
avec Héra, avec Pallas, elle avait disputé
le prix de la beauté.

ANTISTROPHE I

Le bosquet d'Artémis, ce lieu des sacrifices,
je l'ai traversé en courant,
mes joues rougies par ma pudeur de jeune femme,
curieuse de voir le rempart dont les Grecs
protègent soldats et baraques, et la foule de leurs che-
        vaux.
J'ai découvert, compagnons d'armes, les deux Ajax,
le fils d'Œlée, celui de Télamon, gloire de Salamine.
Protésilas était assis
avec le petit-fils de Posidon, Palamède,

à s'amuser des dessins compliqués des pions.
Le jeu du disque enchantait Diomède.
Près d'eux se tenait Mérion, le rejeton d'Arès,
admiré des mortels,
et le fils de Laërte, venu des rochers de son île,
en compagnie de Nirée, le plus beau
de tous les guerriers grecs.

ÉPODE

Achille à la course légère,
aussi vite que celle du vent,
que Thétis mit au monde et que Chiron forma,
je l'ai vu, parmi les galets de la plage,
courir tout armé, luttant de vitesse avec un quadrige,
multipliant les tours pour la victoire.
Comme il criait, le conducteur du char,
Eumélos, petit-fils de Phérès,
en piquant les chevaux !
Jamais je n'en vis de plus beaux, les freins rehaussés
      d'or.
Ceux du timon sont pommelés,
ceux de volée sont bais et marqués de balzanes.
tandis que le fils de Pélée,
malgré le poids des armes,
tient sa longue foulée au niveau du moyeu
et du rebord du char.

STROPHE II

J'ai voulu aussi compter les navires,
de leur spectacle merveilleux rassasier mes yeux de femme,
avides de tels agréments[1].
A l'aile droite de la flotte,
était l'armée des Myrmidons de Phthie,
cinquante navires rapides
dominés à la poupe par les images d'or
des filles de Nérée, ces déesses servant d'insigne
à l'escadre d'Achille.

ANTISTROPHE II

En nombre égal, tout à côté,
j'ai vu les navires d'Argos que commandait
le fils de Mécistée, élève de Talaos son aïeul,
et Sthénélos le fils de Capanée.
Ensuite étaient à l'ancre les soixante vaisseaux
par le fils de Thésée amenés de l'Attique.
Leur emblème est Pallas sur son char
qu'emportent des chevaux ailés,
image propice aux marins.

STROPHE III

Puis j'ai pu voir l'escadre béotienne,
cinquante vaisseaux avec leurs insignes,
qui exhibaient à l'armure de proue
Cadmos tenant le dragon d'or.
Léitos, un de ceux que la Terre engendra,
les commandait, tandis qu'en nombre égal
les bateaux locriens avaient pour commandant
venu de Thronion, cité illustre,
le fils d'Œlée.

ANTISTROPHE III

De Mycènes bâtie par les Cyclopes
le fils d'Atrée amena cent navires
avec leurs équipages.
Adraste avec lui les commande, ami près d'un ami,
pour revendiquer au nom de la Grèce
celle qui a déserté son foyer,
éprise d'amour pour un lit barbare.
Sur les proues venues de Pylos avec le Gérénien Nestor,
j'ai vu l'image d'un taureau, figurant le voisin de la ville,
le fleuve Alphée.

STROPHE IV

Les Énianes avaient douze vaisseaux
commandés par leur roi Gouneus,
puis venaient les dynastes d'Élide,
que le peuple appelle Épéens.
Eurytos est leur chef.
La flotte de Taphos avec ses rames blanches
a pour amiral le fils de Phylée,
Mégès, venu des îles Échinades,
aux marins redoutables.

ANTISTROPHE IV

Avec douze vaisseaux rompus à la manœuvre,
escadre ancrée tout au bout de la grève,
Ajax nourri dans Salamine
joignait son aile droite à la gauche de ses voisins.
Telle j'ai vu et entendu louer la flotte.
Qui l'affronterait, sur des nefs barbares, renonce au
        retour,
tant est puissant l'appareil que j'ai vu,
après que chez moi l'on m'en eut parlé.
Ce grand rassemblement guerrier est pour toujours inscrit dans ma mémoire.

                    Entrent par la gauche
                    Ménélas tenant les tablettes
                    que le vieillard essaie de lui
                    enlever.

PREMIER ÉPISODE

Le vieillard

Ah, Ménélas, qu'oses-tu faire? As-tu le droit d'agir ainsi?

Ménélas

Arrière! Tu es vraiment trop fidèle à ton maître.

Le vieillard

C'est un reproche qui m'honore.

Ménélas

Malheur à toi, si je te prends en faute!

Le vieillard

Tu ne devais pas ouvrir le message dont j'étais chargé.

Ménélas

Tu ne devais pas porter un message funeste à la Grèce.

Le vieillard

C'est avec d'autres qu'il faut en discuter. Mais rends-moi
les tablettes.

Ménélas

Je n'entends pas les rendre.

Le vieillard

Ni moi te les laisser.

Ménélas

Tu vois mon sceptre. Il te mettra la tête en sang.

Le vieillard

Il est glorieux de mourir pour ses maîtres.

Ménélas

Assez. C'est trop parler pour un esclave.

Le vieillard *(criant)*

Mon maître, on me fait violence. Ton message,
il me l'a de force arraché des mains,
Agamemnon, et ne veut pas admettre qu'il est dans son
  tort.

> *Agamemnon apparaît sur le
> seuil.*

Agamemnon

Eh bien, que signifient ces cris, ce désordre à ma porte ?

Ménélas

Qui a le droit de parler ici ? C'est moi, et non pas lui.

Agamemnon

Mais pourquoi, Ménélas, le quereller et le traiter
  brutalement ?

Ménélas

Regarde-moi en face. Je répondrai ensuite.

Agamemnon

Je devrais donc trembler et baisser les yeux devant toi,
  moi, fils d'Atrée[1] ?

Ménélas

Vois-tu bien cette lettre, instrument d'un coupable message ?

AGAMEMNON

Oui, je la vois. Mais que d'abord je la retire de tes mains.

MÉNÉLAS

Pas avant que j'aie révélé aux Grecs ce qui s'y trouve
    écrit.

AGAMEMNON

Quoi ? tu as rompu le cachet, tu as lu ? Mais ce n'était pas
    à toi destiné ?

MÉNÉLAS

J'ai appris, et tant pis pour toi, les méfaits que tu trames
    dans l'ombre.

AGAMEMNON

Où t'en es-tu saisi ? O dieux, quelle effronterie !

MÉNÉLAS

J'étais au guet : partie d'Argos, ta fille allait-elle arriver
    au camp ?

AGAMEMNON

De quel droit épier mes affaires ? Tu as agi en impudent.

MÉNÉLAS

L'envie m'en chatouillait. Je ne suis pas ton domestique.

AGAMEMNON

Ah, quelle audace ! Je ne serai donc plus maître dans ma
    maison ?

· MÉNÉLAS

C'est que tu ne sais pas ce que tu veux : aujourd'hui, hier,
    demain, toujours autre chose.

AGAMEMNON

Beaux discours, vilaines actions : les malices de la parole,
    quoi de plus haïssable ?

MÉNÉLAS

C'est vrai, mais un esprit irrésolu fait bien du mal aussi.
    Même un ami ne peut pas s'y fier.
Je tiens à te confondre. Aussi ne permets pas à la colère
de t'emporter contre la vérité, et dispense-moi de te
    torturer[1].
Tu te souviens du temps où tu brûlais de mener les Grecs
    contre Troie ?
A t'écouter, tu n'y aspirais pas. Mais tout ton vouloir y
    était tendu.
Comme tu étais humble alors, toujours à toucher la main
    à chacun,
tenant ta porte ouverte à quiconque voulait y entrer,
offrant à tous — même à qui n'en avait nulle envie —
    l'occasion de t'aborder :
un manège en vue d'acheter le titre convoité.
Mais à peine était-il acquis qu'on te vit changer de
    manières.
Tu n'étais plus pour tes amis celui que tu avais été,
devenu difficile d'accès, toujours derrière tes verrous !
Un honnête homme ne doit pas, arrivant au pouvoir,
    prendre une autre attitude,
mais se montrer, plus que jamais, le ferme appui des siens
quand sa haute fortune peut le mieux les aider.
Tel est mon premier grief, le premier point où je te trouve
    en faute.
    Arrivé ensuite à Aulis avec l'armée des Grecs,
tu te trouvas impuissant, accablé du destin envoyé par
    les dieux,
quand le vent refusa de nous souffler en poupe. Las de
    s'épuiser en vain à Aulis,
les Grecs te pressaient de renvoyer la flotte,
Tes yeux disaient alors ton désespoir de n'avoir plus
mille nefs à conduire pour remplir de nos armes le pays
    de Priam[2],
et tu me demandais : « Que dois-je faire ? quel parti
    prendre ? »

car tu ne voulais pas, dépouillé de ton titre, perdre ta
　belle gloire.
Calchas alors, devant l'autel, dit qu'il faut immoler
　ta fille
à Artémis, et que les Grecs poursuivront leur voyage. Te
　voilà le cœur allégé.
Tu la promets, bien volontiers, au sacrifice, et de ton plein
　gré tu fais dire
(nul ne t'y forçait, ne m'en démens pas) à ta femme d'en-
　voyer ici ton enfant
sous prétexte qu'elle doit épouser Achille.
Et puis tu te ravises! On te prend à écrire un contre-
　ordre,
tu ne veux plus assassiner ta fille. Voilà où nous en
　sommes.
Ce ciel n'a pas changé, qui a vu tes revirements.
Bien des gens en ont fait autant. A peine leurs efforts
les ont élevés au pouvoir qu'ils tombent misérablement,
soit par la sottise du peuple, soit qu'ils aient mérité
　leur sort
faute d'aptitude à défendre l'État.
　　Pour moi, c'est la Grèce surtout dont je plains le
　malheur.
Au lieu d'acquérir de la gloire, elle va permettre aux Bar-
　bares, ces gens de rien,
de la tourner en dérision, à cause de toi et de ta fille.
Ce n'est pas le rang qui doit désigner le roi d'un pays[1]
ni le chef d'une armée. Que faut-il à un général?
　L'intelligence.
N'importe qui peut conduire un État, pourvu qu'il y
　voie clair.

LE CORYPHÉE

Si la querelle naît entre deux frères,
la lutte entre eux est bien plus âpre qu'entre des
　étrangers.

AGAMEMNON

A mon tour de me plaindre de toi. Je le ferai en peu de
　mots, sans m'emporter,
sans lever vers toi un regard impudent, avec plus de
　mesure que toi,
en frère. L'homme de bien respecte la pudeur.

Dis-moi : quelle fureur t'enflamme, te met le sang aux
    yeux ?
Qui t'a fait tort ? Que te faut-il ? Tu veux avoir une
    épouse parfaite :
m'est-il donné de te l'offrir ? Celle que tu avais, tu
    l'as mal
gouvernée. Ai-je à expier tes ennuis, moi qui n'ai point
    failli ?
Ce qui te mord n'est pas mon ambition, mais le désir de
    tenir dans tes bras
ta belle épouse, au mépris de toute raison,
de tout honneur : plaisirs honteux, signe d'un homme
    méprisable.
Est-ce moi qui suis fou, ou toi qui as perdu une femme
    coupable
et qui veux la reprendre alors que le ciel te rend un si
    bon service !
Dans leur aveuglement, ils ont juré le serment de Tyndare,
ces prétendants affolés pour un lit. L'espoir est un dieu,
    je le sais,
et c'est lui qui obtint ce serment, bien plus que toi et ton
    prestige.
Emmène-les combattre : ils sont assez fous pour te suivre.
Mais les dieux ne sont pas aveugles, et savent reconnaître
des serments entachés de vice et obtenus par force.
Je ne tuerai pas mes enfants pour te permettre,
contre toute justice, de te venger d'une femme infidèle,
tandis que mes nuits et mes jours se consumeraient dans
    les larmes,
pour avoir violé les lois et l'équité envers mon
    propre sang.
    J'ai tout dit en ce peu de mots, nets, aisés à comprendre.
Si tu ne veux te rendre à la raison, je conduirai fort bien
    moi-même mes affaires.

LE CORYPHÉE

Voici enfin un tout autre langage,
et qui sonne plus juste : un père doit épargner ses enfants.

MÉNÉLAS

Hélas ! Je n'avais donc pas un ami !

AGAMEMNON

Tu en as, mais ne viens pas exiger leur ruine.

MÉNÉLAS

Par quoi me feras-tu connaître qu'un même père nous
engendra ?

AGAMEMNON

En partageant ce que tu fais de sage, et non point ta
démence.

MÉNÉLAS

On doit accepter de souffrir avec les siens.

AGAMEMNON

Pour m'y encourager, fais-moi du bien et non du mal.

MÉNÉLAS

Tu refuses donc de prendre ta part des travaux de la
Grèce ?

AGAMEMNON

La Grèce est avec toi aveuglée par un dieu.

MÉNÉLAS

Glorifie-toi donc de ton sceptre, après avoir abandonné
ton frère.
Je vais chercher d'autres moyens, d'autres amis.

> *Entre en courant, par la
> gauche, un serviteur de Clytem-
> nestre.*

LE SERVITEUR

Roi des Grecs fédérés, Agamemnon, je t'amène ta fille,
celle-là que dans ton palais tu appelais Iphigénie.

Sa mère l'accompagne, Clytemnestre en personne, avec
    l'enfant Oreste,
et que leur vue te réjouisse après une si longue absence.
Elles viennent de loin. Au bord d'une claire fontaine,
elles reposent leurs pieds délicats, fatigués du voyage.
Nous avons lâché les cavales, pour les laisser paître dans
    l'herbe des prairies.
Moi j'ai pris les devants, afin de te donner le temps de
    préparer l'accueil.
L'armée en effet sait déjà — la nouvelle en éclair
s'en est répandue — qu'Iphigénie est arrivée,
et le peuple en foule accourt pour la voir.
C'est que chacun aime à louer, à regarder les grands.
On se demande : « Sont-ce des noces, ou que pré-
    parent-ils ? »
Le roi Agamemnon avait-il un si vif désir de revoir son
    enfant
qu'il l'a mandée ici ? » D'autres m'ont dit :
« Ils vont mener la fiancée à l'autel d'Artémis,
reine d'Aulis. Qui sera son époux[1] ?
Allons! Il faut pour tout cela consacrer les corbeilles
et couronner vos têtes. C'est à toi, seigneur Ménélas,
de tout disposer pour le mariage. Que dans la demeure
résonne la flûte, que la danse frappe le sol.
Car voici pour la jeune fille une aube de félicité.

AGAMEMNON

Je te remercie. Entre là maintenant. Pour le surplus,
laissons venir le sort. Tout ira bien.

>   *(Le serviteur entre dans la
>   baraque.)*

Hélas, que dire, infortuné, et par où commencer ?
Quelle fatalité sur moi jette son joug ? Plus rusé que
    toutes mes ruses
mon destin s'est joué de moi.
Une naissance obscure a bien des avantages.
Elle permet qu'on s'abandonne aux larmes et aux plaintes
tout ce qu'un homme de sang noble doit tenir secret[2].
Le souverain de notre vie, c'est le prestige, qui nous asser-
    vit à la multitude.
C'est ainsi que j'ai honte de pleurer,
honte aussi de me refuser aux larmes,

au moment où m'accable un malheur si affreux.
  Et que dire à ma femme ? comment la recevoir ? ren-
      contrer son regard ?
Pour achever ma perte, fallait-il qu'elle vînt
sans avoir été appelée! Il est bien naturel, cependant,
      qu'elle suive
son enfant fiancée, prête à faire don de son bien le
      plus cher.
Et ce sera pour me trouver coupable!
Et ma fille, l'infortunée — fille ? que dis-je ?
Hadès bientôt, ce semble, la prendra pour épouse —
quelle pitié je sens pour elle! Je crois déjà l'entendre
      supplier[1] :
« Mon père, tu vas me tuer ? Que des noces semblables
te soient promises, à toi et à ceux que tu aimes! »
Oreste à côté d'elle va crier,
et je le comprendrai sans que lui-même se comprenne : il
      est encore si petit.
Hélas, hélas, c'est pour ma perte que Pâris le Priamide
s'est uni à Hélène. En l'enlevant il m'a tué[2].

LE CORYPHÉE

Moi aussi je te plains. Une étrangère
peut bien compatir au malheur des rois.

MÉNÉLAS

Mon frère, donne-moi ta main que je la touche.

AGAMEMNON

La voici. Tu l'emportes. Le malheur est pour moi.

MÉNÉLAS

Par Pélops notre aïeul, par Atrée qui nous engendra, je
      te le jure,
je te dirai du fond du cœur, franchement, sans apprêt,
      ce que je pense.
Quand j'ai vu des pleurs couler de tes yeux,
j'ai eu pitié de toi, et j'ai à mon tour pleuré sur ta peine.
Ce que je disais tout à l'heure, je le rétracte.
J'étais trop dur pour toi. Je me mets à présent à ta place.

Il ne faut pas tuer ta fille, c'est moi qui te le dis,
ni préférer mon intérêt au tien. Est-il juste en effet
que tu sois dans les larmes et moi dans le bonheur,
que meurent tes enfants tandis que les miens voient
    le jour ?
Qu'est-ce que je demande ? Une épouse ?
J'en trouverai une excellente ailleurs, pour peu que le
    désir m'en prenne.
Mais perdre un frère, celui qu'il me faut le mieux préserver
pour recouvrer Hélène ? racheter ce mal au prix de
    ce bien ?
Ce fut de ma part ignorance et sottise. Mais, en voyant les
    choses de près,
j'ai compris ce que c'est que tuer un enfant.
Et puis, la pitié m'a saisi pour cette fille infortunée.
J'ai songé qu'elle est de mon sang,
et, par la faute de ma femme, on irait l'immoler ?
Qu'y a-t-il de commun entre Hélène et ta fille ?
    Que l'armée soit donc licenciée et qu'elle quitte Aulis!
Cesse, mon frère de verser des larmes, et cesse aussi de
    m'en tirer.
As-tu un intérêt à voir s'accomplir l'oracle concernant
    ta fille ?
Moi je ne veux plus en avoir aucun. Je me désiste pour
    ma part.
    J'ai changé d'avis, dira-t-on, après des mots si
    redoutables.
Mais c'est bien naturel. Mon amour pour mon frère
a causé ce revirement. Un homme sans malice
sait toujours se plier aux meilleures raisons.

Le coryphée

Noble langage, digne d'un fils de Tantale et de Zeus.
Tu ne démens pas tes ancêtres.

Agamemnon

Je te rends grâces, Ménélas, de n'avoir pas dit ce que je
    craignais
mais des paroles de raison et plus dignes de toi.
Lorsque la discorde surgit entre des frères, la faute en est
    à l'amour

ou à l'ambition. Maudits les liens de parenté,
s'ils ne servaient qu'à nous détruire l'un par l'autre!
Mais moi je ne puis plus éviter mon destin,
et je dois accomplir le sacrifice de ma fille.

MÉNÉLAS

Comment ? qui peut donc t'y forcer ? elle est à toi.

AGAMEMNON

L'armée des Achéens contre moi unanime.

MÉNÉLAS

Elle ne pourra rien, si tu renvoies ton enfant à Argos.

AGAMEMNON

Si je puis leur cacher son départ, ils sauront tout le reste

MÉNÉLAS

Et puis ? La multitude est-elle si terrible ?

AGAMEMNON

Calchas à tous révélera l'oracle.

MÉNÉLAS

A moins qu'il ne meure d'abord. C'est à notre portée.

AGAMEMNON

L'engeance des devins est une peste ambitieuse.

MÉNÉLAS

Rien ne se fait sans eux, qui ne font rien de bon[1].

AGAMEMNON

Ne partages-tu pas la crainte qui me vient ?

MÉNÉLAS

Mais parle donc. Je ne puis deviner.

AGAMEMNON

Le bâtard de Sisyphe est au courant de tout[1].

MÉNÉLAS

Si nous sommes unis, Ulysse ne saurait nous nuire.

AGAMEMNON

Il a toujours une fourberie prête; il sait parler au peuple.

MÉNÉLAS

Et la soif des honneurs le possède, mauvaise conseillère.

AGAMEMNON

Imagine donc Ulysse debout au milieu des Grecs,
leur révélant l'oracle expliqué par Calchas,
ma promesse, — et puis comment j'y ai failli —
quant au sacrifice qu'attend Artémis. Il entraîne l'armée[2],
il incite les Grecs à me tuer ainsi que toi,
puis à immoler mon enfant. Et si je fuis jusqu'à Argos,
ils m'en arracheront en détruisant la ville,
et même ses remparts bâtis par les Cyclopes.
     Voilà jusqu'où va mon malheur, infortuné que je suis!
A quelle détresse les dieux m'ont réduit!
Rentre au camp, Ménélas, et veille seulement que
     Clytemnestre ignore tout,
avant que ma fille soit entre mes mains pour être livrée à
     Hadès,
et qu'ainsi un excès de larmes soit épargné à ma misère.
Quant à vous, étrangères, taisez-vous sur ceci.

> *Ménélas part à droite. Aga-*
> *memnon rentre dans la baraque.*

PREMIER STASIMON

STROPHE

LE CHŒUR

Heureux ceux à qui la déesse accorde mesure et pudeur,
ceux que, sur le lit d'Aphrodite,
ses dards furieux laissent en repos,
à l'heure où l'arc du blond Éros
lance à la fois les deux traits du plaisir.
L'un donne la félicité.
Où frappe le second toute vie est détruite.
Belle Cypris, écarte-le de notre lit.
Accorde-moi de plaire avec pudeur,
de n'inspirer que des désirs permis,
et de connaître ta douceur
à l'abri de ta violence.

ANTISTROPHE

Diverses sont les natures des hommes, diverses leurs
*   manières.*
Le vrai bien se révèle toujours,
et qui le cultive avec soin
en cueillera de beaux fruits de vertu.
L'honneur, c'est déjà la sagesse.
Il a ce don qui le distingue[1]
de reconnaître le devoir grâce à l'intelligence,
et toute la vie en reçoit
une renommée sans déclin.
Il faut donc rechercher la vertu,
la femme en évitant les amours clandestines,
l'homme en poursuivant sous tous ses aspects,
l'ordre, grandeur de la cité.

ÉPODE

Tu es venu, Pâris, des lieux où tu grandis,
quand sur l'Ida tu menais paître tes génisses blanches,
en sifflant des airs du pays, en modulant sur tes pipeaux,
des chants qu'Olympos inventait sur sa flûte phrygienne,
cependant que broutaient les vaches aux lourdes mamelles.
Survint le conflit des déesses
qui t'égara, qui t'envoya en Grèce,
vers le palais orné d'ivoire où habitait Hélène.
Là, debout et les yeux dans les yeux,
tu la blessas d'amour et d'amour fus blessé.
Puis pour ta querelle la Grèce entre en lutte,
fait partir ses armées, fait partir ses navires
vers les remparts de Troie.

Apparaît à gauche le char
à quatre roues qui trans-
porte Clytemnestre, Iphigénie et Oreste.

SECOND ÉPISODE

LE CORYPHÉE

Que la félicité des grands a de grandeur !
Regardez la princesse, Iphigénie, fille du roi[1],
et de la Tyndaride Clytemnestre.
Sortie de la plus noble souche, elle va au sort le plus haut.
Les puissants et les fortunés
sont des dieux pour les pauvres mortels.
   Arrêtons-nous, filles de Chalcis, recevons la reine au
       sortir du char,
évitons qu'elle glisse en atteignant le sol[2].
N'allons pas effrayer l'illustre fille d'Agamemnon
par un excès de bruit qui troublerait les Argiennes,
comme nous étrangères en ces lieux.

CLYTEMNESTRE *(du haut du char)*

Je prends comme un heureux présage
votre accueil bienveillant, votre salut de bon augure.
Oui, je l'espère, c'est vers un hymen excellent
que j'amène la fiancée.
                              (Aux serviteurs.)
Vous, descendez du char,
et portez là-dedans la dot destinée à ma fille. Prenez-en
       soin.
   Toi, mon enfant, quitte cette voiture,
et pose sur le sol ton pied délicat et tremblant.
Jeunes femmes, prenez-la dans vos bras et faites-la des-
       cendre.
Qu'une de vous m'accorde l'appui de sa main
que je quitte ce siège comme il faut.
Vous autres, tenez-vous au-devant des chevaux,
qui s'effarouchent aisément si l'on manque à les rassurer.
Cet enfant, le fils d'Agamemnon,
emportez-le. C'est Oreste. Il ne parle pas encore.
Tu dors, mon petit ? Le mouvement du char t'a assoupi ?
Réveille-toi pour l'hymen de ta sœur. C'est un beau jour.
En plus de ta propre noblesse, tu vas t'allier à un héros,

le fils semblable aux dieux de la fille de Nérée.

(On emmène le char.)

Marche à côté de moi, Iphigénie,
et que ces étrangères, en nous voyant ensemble,
sachent que je suis une mère heureuse.

*(Agamemnon apparaît sur
le seuil.)*

Mais voilà ton cher père, va donc le saluer.

IPHIGÉNIE

Ma mère, que je coure avant toi ! Ah, ne m'en veuille pas
si je vais la première serrer mon père sur mon cœur.

CLYTEMNESTRE

Toi que j'honore entre tous, seigneur Agamemnon,
nous voici, dociles à tes ordres.

*Agamemnon immobile reste
silencieux.*

IPHIGÉNIE

Mon père, je veux t'embrasser après une si longue
absence.

(Il se détourne.)

Laisse-moi jouir de ta vue. Ne sois pas fâché contre moi.

CLYTEMNESTRE

Tu fais ce que tu dois, ma fille. De tous les enfants que
j'ai mis au monde
nul plus que toi n'a d'amour pour son père[1].

IPHIGÉNIE

Mon père, quelle joie de te revoir enfin !

AGAMEMNON *(se ressaisissant)*

Ton père aussi en est heureux. Tu parles pour nous deux.

IPHIGÉNIE

Salut à toi! Tu as bien fait de m'appeler auprès de toi,
mon père.

AGAMEMNON

Faut-il répondre oui ou non ? je ne sais, mon enfant.

IPHIGÉNIE

Mais quoi ? Tu es heureux de me revoir ? que tes yeux
sont inquiets!

AGAMEMNON

C'est qu'un roi qui conduit une armée a beaucoup à
penser.

IPHIGÉNIE

Sois à moi un instant. Laisse là tes soucis.

AGAMEMNON

C'est à toi, à toi seule, qu'en ce moment je pense.

IPHIGÉNIE

Alors détends ton front, donne-moi un regard d'amitié.

AGAMEMNON

Es-tu contente ? La joie que j'ai en te voyant est celle que
je puis avoir.

IPHIGÉNIE

Et voilà cependant que tu pleures[1].

AGAMEMNON

Longue sera l'absence qui va nous séparer.

IPHIGÉNIE

Où dit-on, mon père, qu'habitent les Phrygiens ?

AGAMEMNON

Où jamais Pâris, le fils de Priam, n'aurait dû se trouver.

IPHIGÉNIE

Tu vas donc me quitter, et t'en aller au loin ?

AGAMEMNON

Plus tes paroles ont de sens, plus elles m'attendrissent.

IPHIGÉNIE

Eh bien, j'en dirai d'insensées, si je puis ainsi t'égayer.

AGAMEMNON

Ah! Je n'ai plus la force de me taire. Mais je te remercie.

IPHIGÉNIE

Reviens chez nous, mon père, parmi tes enfants.

AGAMEMNON

Je le veux et ne puis le vouloir. Et c'est de quoi je souffre.

IPHIGÉNIE

Périssent les combats et tous les maux causés par Ménélas.

AGAMEMNON

Ils en tueront d'abord bien d'autres, et moi j'en meurs.

IPHIGÉNIE

Qu'il y a longtemps que tu es loin de nous dans ce golfe
d'Aulis!

AGAMEMNON

Un obstacle y retient l'armée, et m'y enchaîne aussi.

IPHIGÉNIE

Hélas! que n'est-il convenable que je passe avec toi la mer!

AGAMEMNON

Une traversée t'attend, toi aussi, où tu penseras à ton père.

IPHIGÉNIE

La ferai-je seule, ou avec ma mère?

AGAMEMNON

Sans tes parents, et toute seule.

IPHIGÉNIE

Veux-tu donc m'établir dans une autre maison?

AGAMEMNON

Laissons cela, que les jeunes filles doivent ignorer.

IPHIGÉNIE

Reviens-nous vite de Phrygie, après pleine victoire.

AGAMEMNON

J'ai tout d'abord ici un sacrifice à accomplir.

IPHIGÉNIE

Nous voulons, à côté de toi, voir ce qui est autorisé[1].

AGAMEMNON

Tu le verras. Ta place sera près des vases saints.

IPHIGÉNIE

Formerons-nous des chœurs, mon père, tout autour de l'autel?

AGAMEMNON

Ah combien, de tout ignorer, tu es plus heureuse
    que moi!
Entre dans mon logis. Une fille se fait du tort
en se laissant voir. Mais donne-moi d'abord un baiser et
    ta main,
toi qui dois habiter si longtemps loin de la maison de
    ton père.
   O sein, ô joues, ô cheveux blonds,
combien me coûte Troie, me coûte Hélène!
Mais je m'arrête, car mes larmes coulent malgré moi dès
    que je te touche.
Va donc, entre.

> *(Iphigénie entre dans la
> baraque. A Clytemnestre.)*

Je te prie de me pardonner,
fille de Léda, si je m'attendris trop
au moment d'accorder mon enfant à Achille.
C'est pour son bonheur qu'elle va partir, et cependant
un père se tourmente quand il envoie vers une autre
    maison
l'enfant qui lui a coûté tant de soins.

CLYTEMNESTRE

Je ne suis pas si insensible, et j'éprouverai, j'imagine,
tout ce que tu éprouves — bien loin de te reprocher ta
    faiblesse —
quand parmi les chants d'hyménée je la conduirai à qui
    l'emmènera.
Mais c'est la loi commune, et le temps réduira nos regrets.
Je ne sais que le nom de l'homme à qui tu l'as promise,
et je voudrais connaître sa race et son pays.

AGAMEMNON

Égine eut pour père Asopos.

CLYTEMNESTRE

Qui l'épousa? Un mortel ou un dieu?

AGAMEMNON

Zeus, qui eut d'elle Éaque roi d'Œnone[1].

CLYTEMNESTRE

A quel fils Éaque laissa-t-il son domaine ?

AGAMEMNON

A ce Pélée qui épousa la fille de Nérée.

CLYTEMNESTRE

Il la reçut du dieu, ou bien il l'enleva ?

AGAMEMNON

Zeus la promit. Son père la donna.

CLYTEMNESTRE

Où cela ? au milieu des flots ?

AGAMEMNON

Au séjour de Chiron, dans les abris sacrés du Pélion.

CLYTEMNESTRE

C'est là, dit-on, que vit la race des Centaures.

AGAMEMNON

Oui. Les dieux y fêtèrent les noces de Thétis.

CLYTEMNESTRE

Est-ce Thétis ou bien Pélée qui éleva Achille ?

AGAMEMNON

Ce fut Chiron, pour qu'il fût à l'abri des vices des mortels.

CLYTEMNESTRE

Cela est bien. Sage maître, et plus sage encore celui qui le
    choisit!

AGAMEMNON

Et voilà l'homme qui sera le mari de ta fille.

CLYTEMNESTRE

Point méprisable, certes! Quelle ville sera sa résidence?

AGAMEMNON

Il vit près du fleuve Apidane, aux confins de la Thrace.

CLYTEMNESTRE

C'est donc là qu'il emmènera ma fille?

AGAMEMNON

Elle suivra celui qui l'aura pour épouse.

CLYTEMNESTRE

Qu'ils soient heureux tous deux! Mais quel jour l'épou-
    sera-t-il?

AGAMEMNON

Quand le disque plein de la lune ramènera le jour
    propice.

CLYTEMNESTRE

As-tu déjà, pour notre enfant, offert à la déesse le sacrifice
    préalable[1]?

AGAMEMNON

Je le ferai. C'est cela justement qui m'occupe.

CLYTEMNESTRE

Ensuite tu célébreras le festin nuptial?

AGAMEMNON

J'ai d'abord des victimes à immoler aux dieux.

CLYTEMNESTRE

Où devrai-je dresser la table pour les femmes ?

AGAMEMNON

Ici, près des vaisseaux argiens aux belles poupes.

CLYTEMNESTRE

Soit, s'il le faut ainsi... Que tout pourtant se passe bien.

AGAMEMNON *(se ravisant brusquement)*

Non. Voici ce que je veux de toi. Ma femme, tu m'obéiras.

CLYTEMNESTRE

Que vas-tu m'ordonner ? N'ai-je pas l'habitude de t'obéir ?

AGAMEMNON

A côté de l'époux, il suffira que moi...

CLYTEMNESTRE

Veux-tu accomplir sans la mère ce qui est son office ?

AGAMEMNON

... en présence des Grecs, je lui donne ma fille.

CLYTEMNESTRE

Et moi pendant ce temps, où dois-je me trouver ?

AGAMEMNON

De retour à Argos, tu y veilleras sur tes filles.

CLYTEMNESTRE

Je quitterais Iphigénie ? Qui portera la torche ?

AGAMEMNON

Je la tiendrai, ainsi qu'on fait pour les nouveaux époux.

CLYTEMNESTRE

Mais tel n'est pas l'usage! Tu n'en tiens donc nul
  compte ?

AGAMEMNON

Il ne te convient pas d'être loin de chez toi, au milieu de
  l'armée.

CLYTEMNESTRE

Mais il convient que je sois là pour marier ma fille.

AGAMEMNON

Plutôt que tu ne laisses pas tes enfants toutes seules.

CLYTEMNESTRE

Elles sont bien gardées! leur logis a des portes solides!

AGAMEMNON

Obéis.

CLYTEMNESTRE

Non, ma foi, par Héra, déesse d'Argos! Toi, va commander au dehors,
mais c'est à moi de régler au logis le mariage de mes
  filles[1].

Elle entre dans la baraque.

AGAMEMNON

Vains efforts, hélas, espoir déçu de l'éloigner de ce qu'elle
  va voir!

Pour tromper ce que j'ai de plus cher,
je m'ingénie en ruses et chaque fois j'échoue.
Cependant je vais consulter le devin Calchas
pour savoir comment satisfaire au vœu de la déesse
qui fait tout mon malheur et pèse sur les Grecs.
    Le sage ne doit mettre en son logis
qu'une femme bonne et docile, ou bien n'en point avoir.

Il s'éloigne à droite.

SECOND STASIMON

STROPHE

LE CHŒUR

Elle va partir vers le Simoïs aux remous d'argent,
la flotte grecque avec ses vaisseaux et ses armes,
vers Ilion et la plaine troyenne
que protège Apollon.
C'est là que Cassandre, dit-on,
défait ses cheveux blonds, les couronne de laurier vert,
quand le souffle du dieu la possède,
lui dicte des oracles.

ANTISTROPHE

Sur les murs de Troie, autour des remparts, seront les
       Phrygiens,
quand Arès revêtu de bronze,
amené à force de rames sur les vaisseaux rapides
débarquera au bord du Simoïs.
Il vient reprendre Hélène, sœur des célestes Dioscures,
et de la cité de Priam,
par l'effort de l'épée, de l'écu achéen,
l'enlever vers la Grèce.

ÉPODE

D'un cercle de carnage et de têtes coupées
il va ceindre Pergame, ville des Phrygiens,
et ses remparts de pierre,
avant de les raser jusqu'aux racines[1],
faisant couler les pleurs des filles et de l'épouse de Priam.

Et la fille de Zeus, Hélène, apprendra parmi les sanglots
ce qu'il en coûte d'avoir quitté son mari.
Qu'à moi, à tous mes descendants, soit épargnée
cette image qui hante, à leur métier assises,
riches Lydiennes, épouses phrygiennes,
qui l'une à l'autre se demandent :
« Qui est celui qui saisira mes beaux cheveux,
pour me traîner en larmes, pour m'arracher comme
        une plante
du sol de ma patrie en ruine ? »
Tout cela vient de toi, fille du cygne au long cou,
s'il est vrai, comme on le raconte,
que Léda conçut de l'oiseau dont Zeus avait pris le
        plumage.
Mais ce ne sont peut-être que des fables,
portées aux tablettes des Muses
pour égarer les hommes.

                    Achille entre par la droite.

TROISIÈME ÉPISODE

ACHILLE

Où est le chef de l'armée grecque ?
Un serviteur, pour aller lui dire que le fils de Pélée,
Achille, le demande à sa porte !
Cette attente au bord de l'Euripe, n'est-elle pas pour nous
      tous assez lourde[1] ?
Ceux d'entre nous qui ne sont point mariés
ont laissé leur demeure vide pour venir ici
rester sur ce rivage à ne rien faire. Ceux qui ont une
      épouse
ne peuvent procréer. Si puissante est l'ardeur
qui entraîne la Grèce à cette campagne. Un dieu y est
      pour quelque chose.
Mes justes raisons de me plaindre, c'est à moi de les dire.
Que chacun s'il le veut en fasse autant pour lui-même.
J'ai quitté le pays de Pharsale et mon père Pélée
pour me voir arrêté par les vents trop mous du détroit,
à contenir mes Myrmidons qui m'assaillent sans cesse :
« Qu'attendons-nous, Achille ? Combien de jours
nous faudra-t-il compter encore avant de partir pour
      Troie ?
Si tu peux agir, fais-le tout de suite, ou ramène l'armée au
      pays,
sans perdre notre temps aux lenteurs des Atrides .»

*Clytemnestre sort de la ba-
raque.*

CLYTEMNESTRE

Fils de la divine Thétis, ta voix m'est parvenue
à l'intérieur de ce logis et m'en a fait sortir.

ACHILLE

Sainte décence, que vois-je ? une femme, et de la plus
      noble apparence !

CLYTEMNESTRE

Rien d'étonnant si tu ignores qui je suis,
tu ne m'as jamais vue. Mais je te loue d'honorer la
    pudeur.

ACHILLE

Qui donc es-tu ? Comment te trouves-tu au camp des
    Grecs,
une femme parmi tous ces hommes armés ?

CLYTEMNESTRE

Je suis la fille de Léda. Clytemnestre est mon nom.
Le roi Agamemnon est mon époux.

ACHILLE

Tu as bien dit en peu de mots tout ce qu'il fallait dire,
mais il me serait malséant de converser avec des femmes.

CLYTEMNESTRE

Reste donc — pourquoi fuir ? — que je touche ta main
comme prélude à un heureux mariage.

ACHILLE

Que dis-tu ? Moi, ta main ? Mais je vénère trop
Agamemnon pour toucher seulement ce qui m'est
    interdit.

CLYTEMNESTRE

Tu en as cependant le droit, fils de Thétis,
toi qui vas épouser ma fille.

ACHILLE

Un mariage ? que dis-tu ? Tu me laisses sans voix.
Il faut que ton esprit s'égare pour tenir cet étrange
    langage.

CLYTEMNESTRE

Chacun reste sur la réserve en voyant de nouveaux
    parents,
en entendant parler de mariage.

ACHILLE

Mais je n'ai jamais demandé ta fille,
et jamais les Atrides ne m'ont rien proposé de tel.

CLYTEMNESTRE

Mais alors, que se passe-t-il ? Mes paroles vont t'étonner
    encore,
car les tiennes me laissent tout aussi interdite.

ACHILLE

Tâche de deviner, ou plutôt devinons ensemble
Chacun de nous peut-être s'est mépris aux paroles de
    l'autre[1].

CLYTEMNESTRE

De quelle indignité suis-je victime ? Je viens briguer un
    mari
qui n'en est pas un, à ce qu'il me semble. Ah! j'en rougis!

ACHILLE

On s'est peut-être bien moqué de nous,
mais cesse d'y penser et de t'en faire du souci.

CLYTEMNESTRE

Adieu, car je ne pourrai plus te regarder en face,
après un pareil démenti et cet affront que j'ai reçu.

ACHILLE

Adieu à toi aussi. J'entre ici pour trouver ton époux.

*Il s'approche de la baraque
d'où sort le vieux serviteur
d'Agamemnon.*

LE VIEILLARD

Arrête, étranger, descendant d'Éaque; oui, c'est à toi que
    je parle,
fils de la déesse; — à toi aussi, fille de Léda.

ACHILLE

Qui m'appelle par la porte entr'ouverte, et d'une voix
    si émue ?

LE VIEILLARD

Un esclave. On n'est pas fier de ce nom-là, mais on doit
    accepter son sort.

ACHILLE

A qui es-tu ? pas à moi, certes : mes biens et ceux
    d'Agamemnon sont séparés.

LE VIEILLARD

A celle qui est là, et qui me reçut de Tyndare son père.

ACHILLE

Nous t'écoutons. Dis ce que tu désires et pourquoi tu
    m'arrêtes.

LE VIEILLARD

Vous êtes seuls ? Il n'y a que vous deux à cette porte ?

ACHILLE

Seuls à t'entendre. Sors du logis du roi.

LE VIEILLARD

O Fortune, ô ma Prévoyance, sauvez ceux-là dont le
    salut m'est cher!

ACHILLE

Il nous faudra quelque patience. Mais l'homme semble
avoir un message important à nous faire[1].

CLYTEMNESTRE

Ma main droite te couvre. Si tu veux me parler,
n'attends pas.

LE VIEILLARD

Tu sais bien qui je suis, dévoué à toi et à tes enfants.

CLYTEMNESTRE

Je te connais, vieux serviteur de ma maison.

LE VIEILLARD

Et que le roi Agamemnon me reçut dans ta dot ?

CLYTEMNESTRE

Tu es venu avec moi dans Argos; tu m'as toujours
appartenu.

LE VIEILLARD

C'est ainsi : je te suis dévoué, et plus qu'à ton mari.

CLYTEMNESTRE

Mais découvre enfin, je te prie, ce que tu as à dire!

LE VIEILLARD

Ta fille... son propre père va la tuer de sa main[2].

CLYTEMNESTRE

Comment ? Je crache! Vieil homme, tu es fou!

LE VIEILLARD

Il tranchera de son épée le cou blanc de la pauvre enfant!

CLYTEMNESTRE

Malheur à moi! Mon mari est-il en démence?

LE VIEILLARD

Il est sain d'esprit, sauf en ce qui regarde et toi-même et ta fille.

CLYTEMNESTRE

Mais pourquoi? Quel est le démon qui le mène?

LE VIEILLARD

Un oracle, à ce que dit Calchas. La flotte à ce prix pourra démarrer[1].

CLYTEMNESTRE

Pour où? Malheureuse mère, malheureuse enfant que son père va tuer!

LE VIEILLARD

Vers Troie, afin que Ménélas puisse reprendre Hélène.

CLYTEMNESTRE

Iphigénie devait donc au destin acquitter le retour d'Hélène?

LE VIEILLARD

Tu as compris. Ta fille va être par son père offerte à Artémis.

CLYTEMNESTRE

Mais dans quelle intention, ce mariage qui m'a fait quitter la maison?

LE VIEILLARD

Te décider à envoyer joyeusement ta fille, croyant l'unir avec Achille.

CLYTEMNESTRE

Quand tu allais, ma fille, vers ta mort, et ta mère avec toi!

LE VIEILLARD

Sort déplorable que le vôtre, et criminel dessein
    d'Agamemnon!

CLYTEMNESTRE

Malheureuse, je meurs! Comment retenir mes larmes ?

LE VIEILLARD

Ah pleure! Est-il douleur plus grande que de se voir
    arracher ses enfants ?

CLYTEMNESTRE

Mais toi, vieux père, d'où sais-tu ce secret ? qui te l'a dit ?

LE VIEILLARD

Je devais t'apporter un message après celui que tu reçus.

CLYTEMNESTRE

Pour m'arrêter, ou pour m'engager à mener ma fille
    à la mort ?

LE VIEILLARD

Pour te l'interdire. Ton mari s'était heureusement ravisé.

CLYTEMNESTRE

Comment, porteur de cette lettre, ne me l'as-tu pas
    donnée ?

LE VIEILLARD

Ménélas me l'a arrachée, l'auteur de tous ces maux.

Il rentre dans la baraque.

CLYTEMNESTRE

Fils de Thétis et de Pélée, as-tu bien entendu ?

ACHILLE

Combien tu es à plaindre, oui! L'injure qui m'est faite
    compte aussi.

CLYTEMNESTRE

Ils vont tuer ma fille, prise à l'appeau d'un hymen
    avec toi.

ACHILLE

Je suis indigné contre ton époux et peu disposé à lui
    pardonner.

CLYTEMNESTRE

Ah! je ne rougis pas de tomber à tes pieds,
moi, mortelle, devant le fils d'une déesse. Quel orgueil,
quel souci pourrait primer sur le salut de mon enfant?
Fils de Thétis, viens au secours de ma détresse,
de celle qu'on nomma ta femme, vainement, je le sais,
    mais qu'importe!
Pour toi je l'avais couronnée, je l'amenais pour t'épouser
quand je la conduisais à l'immolation. On te reprochera
de ne l'avoir pas défendue. Car si l'hymen ne vous a
    point unis,
de nom pourtant tu as été l'époux, l'époux aimé, de cette ·
    infortunée.
    Par ton menton, par ta main droite, par ta mère...
car ton nom m'a perdue qui aurait dû nous protéger,
je n'ai pas d'autel où prier, seulement tes genoux,
pas un ami ne me sourit. D'Agamemnon, tu sais ce que je
    puis attendre:
audace et cruauté. Je suis venue, tu me vois, une femme
au milieu des soldats, des marins sans loi, hardis pour
    le mal,
mais capables de faire le bien quand ils le veulent. Aies-en
    seulement le courage,
étends ta main et nous sommes sauvées. Sinon, c'en est
    fait de nous.

LE CORYPHÉE

Grande chose que d'être mère, charme puissant,
qui nous amène toutes à souffrir pour nos enfants.

ACHILLE

Un cœur altier s'exalte en moi, mais il sait garder la
      mesure,
aussi bien pour compatir aux malheurs
que pour se réjouir de ce qui exalte les gens.
C'est ainsi qu'un mortel peut espérer
bien traverser la vie, guidé par la sagesse.
      Mais il est des cas où l'on aime mieux ne pas trop
            réfléchir,
d'autres aussi où la prudence est le meilleur parti.
Pour moi, élevé par le plus pieux des hommes,
par Chiron, j'ai appris à agir loyalement.
Si les Atrides me commandent la justice,
je leur obéirai, et non s'ils sont injustes.
Mais à Troie comme ici, j'entends agir en homme libre,
et que ma lance soit l'honneur de cette guerre.
Pour toi, si durement traitée par ceux qui te sont le plus
      proches,
je veux, autant que le peut un jeune homme,
t'entourer des soins de ma piété.
Après avoir été nommée ma fiancée,
jamais ta fille ne sera égorgée par son père.
Je ne prêterai pas ma personne aux machines qu'il monte.
Car c'est mon nom, — à l'instar d'une arme levée —
qui serait l'assassin de ta fille. Le coupable, à coup sûr,
c'est ton époux : mon corps néanmoins a cessé d'être pur
dès que par ma faute et celle de mes noces
périt cette victime d'un sort terrible, intolérable,
frappée sans l'avoir mérité d'un mépris qui confond.
Il faudrait que je fusse le plus lâche des Grecs,
que Ménélas fût compté comme un homme et moi
      comme un néant,
que mon père, au lieu d'être Pélée, fût quelque génie
      malfaisant,
pour que mon nom à ton époux servît d'arme de meurtre!
Par Nérée nourri dans les flots marins, père de ma mère
      Thétis,
le roi Agamemnon ne touchera pas à ta fille,
non, pas même du bout des doigts, ni pour lui effleurer
      la robe!
Sinon Sipyle, cette marche barbare, le berceau de nos
      chefs, serait une cité[1],

et le nom de la Phthie tombera dans l'oubli!
Oui! c'est pour son malheur que Calchas prépara
l'orge et l'eau de la lustration! Qu'est-ce qu'un devin,
    après tout ?
Parmi beaucoup d'erreurs, il dit un peu de vrai,
quand la chance le sert. Si elle se refuse, il n'a qu'à dis-
    paraître.
    Ce qui m'anime à parler de la sorte n'est pas ce mariage:
cent jeunes filles aspirent à m'épouser;
mais le seigneur Agamemnon m'a fait insulte.
Il n'avait pas, sans mon aveu, à faire usage de mon nom
comme appeau pour prendre sa fille.
Clytemnestre bien volontiers me l'aurait accordée,
et moi j'aurais prêté mon nom aux Grecs si la route de
    Troie
se fût ouverte à ce prix. Non, je n'aurais pas refusé
de servir ainsi l'entreprise commune.
Mais ici je ne compte pas. Nos chefs
se soucient peu de me traiter bien ou mal.
Mon épée le saura bientôt, qui pourrait,
avant d'arriver en Phrygie, se marquer d'une tache
    de sang[1],
si quelqu'un voulait m'arracher ta fille.
    Sois donc rassurée. Je te suis apparu comme un dieu
sauveur, ce que je ne suis pas, mais que je me ferai
    pour toi.

Le coryphée

Langage bien digne de toi, fils de Pélée,
et de l'auguste déesse marine.

Clytemnestre

Ah! comment te louer sans passer la mesure,
sans perdre pourtant ta faveur, si je reste en deçà ?
Un homme au cœur noble, comblé de louanges,
prend en aversion celui qui outre l'éloge.
Je rougis de ne t'apporter que des plaintes
pour des malheurs qui ne te touchent pas et dont je
    souffre seule.
Mais c'est pour son honneur que l'homme de bien
    secourt l'infortune
si abrité qu'il soit lui-même de ses coups.

Aie donc pitié de nous, car notre sort est pitoyable,
le mien d'abord, moi qui pensais t'avoir pour gendre,
et l'espoir était vain; et pour toi-même ensuite,
quel présage pour tes noces futures
que la mort de ma fille! Il y faut prendre garde.

　　D'un bout à l'autre tu as bien parlé,
car ma fille sera sauvée si tu le veux.

　　Faut-il qu'en suppliante elle vienne embrasser tes
　　　　genoux?
Cela sied mal à une vierge, mais si tu le désires
elle viendra pourtant, son noble visage voilé de
　　　pudeur.
Si j'obtiens ton appui sans qu'elle soit présente,
mieux vaut qu'elle reste au logis, car sa réserve est
　　　respectable,
mais la décence ne doit pas être poussée trop loin.

ACHILLE

N'amène pas ta fille devant moi,
n'attirons pas sur nous le blâme du vulgaire.
Une armée réunie, désœuvrée, privée de ses travaux
　　　habituels,
se livre avec plaisir aux plus malveillants bavardages.
Du reste, implorez-moi ou ne m'implorez pas,
vous obtiendrez ni plus ni moins. Car je suis résolu,
quelque prix qu'il en coûte, à vous sauver.
Et sache-le, ce n'est pas en vain que je parle.
Si je venais à te tromper, à me jouer de toi,
que je meure! Mais que je vive si je sauve ta fille!

CLYTEMNESTRE

Sois heureux en continuant d'aider les malheureux.

ACHILLE

Pour savoir comment réussir, écoute-moi.

CLYTEMNESTRE

Inutile conseil. Mon devoir est de t'obéir.

ACHILLE

Tentons de ramener le père à des vues plus sensées.

CLYTEMNESTRE

Il est lâche et craint trop l'armée.

ACHILLE

Mais une raison peut en vaincre une autre.

CLYTEMNESTRE

Froide espérance ! Dis-moi cependant ce que je dois faire.

ACHILLE

Conjure-le d'abord en lui disant qu'un père ne doit pas
      tuer ses enfants.
S'il te résiste, alors seulement reviens me trouver,
car s'il cède à nos vœux mon intervention[1]
n'est plus nécessaire, puisque tout est sauvé,
et ma conduite envers mon ami en sera plus aisée.
En agissant par la raison et non point par la force,
j'évite aussi que l'armée me reproche rien.
Tout serait ainsi arrangé pour le bonheur des tiens,
pour ton bonheur aussi, sans que j'eusse à m'en occuper.

CLYTEMNESTRE

Que de sagacité dans tes paroles ! Oui, je vais t'obéir.
Mais si je n'obtiens pas ce que je veux,
où donc pourrai-je te revoir ? Où aller, malheureuse,
pour trouver ton bras secourable ?

ACHILLE

Je me tiendrai où je pourrai le mieux veiller sur toi
et t'épargner dans ton émoi de devoir parcourir
l'armée des Grecs aux yeux de tous. Ne dégrade pas le
      nom de ton père.

Tyndare ne mérite nul décri, car il est grand parmi les
    Grecs.

CLYTEMNESTRE

Tout cela sera fait. Commande, j'obéis.
S'il existe des dieux, ils devront te récompenser pour ta
    vertu.
Sinon, à quoi bon se donner tant de peine ?

> *Achille sort par la droite.*
> *Clytemnestre rentre dans la*
> *baraque.*

TROISIÈME STASIMON

STROPHE

LE CHŒUR

Pour ce chant d'hyménée, la flûte de Libye,
la cithare amie de la danse et les roseaux sonores
élevaient ensemble leur chant.
Sur le mont Pélion, pour le banquet des dieux,
les Muses Piérides aux belles tresses
de leurs sandales d'or marquaient le sol en cadence.
Elles venaient aux noces de Pélée
célébrer de leurs mélodies et Thétis et le fils d'Éaque,
sur le mont des Centaures, dans la forêt du Pélion.
Le fils de Dardanos, le Phrygien Ganymède,
dont Zeus en son lit faisait ses délices,
puisa le vin au cœur d'or des cratères ;
et les cinquante Néréides
sur le sable brillant déroulèrent leur ronde
en l'honneur des jeunes époux.

ANTISTROPHE

Tenant leurs piques de sapin, couronnés de verdure,
la troupe équestre des Centaures vint au festin des dieux
boire au cratère de Bacchos.
Leur voix forte a crié : « O fille de Nérée,
le devin savant en l'art prophétique,
Chiron, l'a proclamé : de toi va naître un fils,
un soleil pour la Thessalie.
Il ira embraser l'illustre cité de Priam
revêtu de l'armure d'or par Héphaïstos forgée,
dont sa mère Thétis lui aura fait présent. »
Les dieux ainsi ont promis le bonheur
à Pélée, lorsqu'il épousa
l'aînée des nobles Néréides.

ÉPODE

Mais quant à toi, Iphigénie,
les Argiens vont couronner tes belles tresses,
comme on couronne une génisse tachetée,
qui descend vierge des grottes des montagnes,
et de ta gorge humaine feront jaillir le sang !
Tu n'as pas grandi cependant
au milieu des pipeaux et des sifflets des pâtres,
mais auprès de ta mère,
pour être un jour parée en fiancée, unie à un fils d'Inachos.
Où la Pudeur, où la Vertu garderont-elles le front haut
quand l'honneur est mis à l'écart, dédaigné des mortels,
que l'illégalité l'emporte sur la loi,
que nous refusons d'unir nos efforts pour conjurer
la vengeance des dieux jaloux ?

Clytemnestre sort de la
baraque.

QUATRIÈME ÉPISODE

CLYTEMNESTRE

Je viens attendre ici que mon époux revienne.
Voilà longtemps qu'il est parti.
Ma pauvre enfant ne cesse de pleurer, passant par tous les
      degrés de la peine,
depuis qu'elle sait quelle mort son père lui prépare.
Mais je parlais de lui quand il n'était pas loin de moi,
ce même Agamemnon qui va se trouver convaincu
d'un attentat impie contre son propre sang.

> *Agamemnon arrive par la
> droite.*

AGAMEMNON

Fille de Léda, il est à propos que je te rencontre
hors de mon logis, car j'ai à te dire, loin d'Iphigénie,
ce qui ne convient pas qu'une fiancée entende.

CLYTEMNESTRE

Et quelle confidence vas-tu trouver bon de me faire ?

AGAMEMNON

Fais sortir ta fille, remets-la à son père,
car tout est prêt, les vases de la libation,
l'orge sacrée à jeter à deux mains dans le feu purifiant,
les victimes aussi qui tomberont avant le mariage, pour la
      déesse
Artémis, en faisant jaillir un sang noir.

CLYTEMNESTRE

Langage irréprochable. Quant à tes actes,
je ne sais de quel nom il faut les désigner.

Ma fille, viens, sors par ici. De ton père tu sais toutes les
    intentions.
Prends sous ton manteau Oreste ton frère et amène-le.
                            (Iphigénie paraît, portant
                        Oreste.)
Regarde, la voilà, et prête à t'obéir.
Mais pour sa cause et la mienne, c'est moi qui parlerai.

AGAMEMNON

Pourquoi pleurer, ma fille ? Pourquoi ne plus me regarder
    joyeusement,
mais fixer les yeux sur la terre et les couvrir de ton voile ?

CLYTEMNESTRE

Hélas ! par où commencer mon discours ?
Du début à la fin, je n'ai que grief à y mettre.

AGAMEMNON

Qu'y a-t-il donc ? Tous vous vous accordez
pour me montrer un visage éploré, éperdu.

CLYTEMNESTRE

Réponds loyalement à ma question, ô mon mari.

AGAMEMNON

Quel besoin de m'y inviter ? Je te répondrai volontiers.

CLYTEMNESTRE

Tu vas donc immoler ta fille, qui est la mienne aussi ?

AGAMEMNON

Ah ! quoi ? qu'oses-tu dire ? Je ne mérite pas un pareil
    soupçon.

CLYTEMNESTRE

Garde ton calme. Ma question toujours attend ta réponse.

AGAMEMNON

Quand tu m'en feras de sensées, moi je t'y répondrai de
     même.

CLYTEMNESTRE

Je m'en tiens à la mienne, ne t'écarte pas davantage.

AGAMEMNON

O redoutable destinée, ô fortune, ô mon mauvais génie!

CLYTEMNESTRE

Il est le mien aussi, et celui de ta fille, commun aux trois
     infortunés.

AGAMEMNON

Et quoi ? t'a-t-on lésée[1] ?

CLYTEMNESTRE

C'est à moi que tu le demandes ? Cette finesse-là est bien
     peu fine.

AGAMEMNON

Je suis perdu. Mes secrets sont trahis.

CLYTEMNESTRE

Oui, je sais tout. J'ai appris le coup que tu me
     prépares,
et ton silence même m'est un aveu,
avec ces soupirs. Épargne-toi donc la peine de parler.

AGAMEMNON

Oui, mieux vaut me taire. A quoi bon mentir,
quand c'est pour ajouter la bravade au malheur ?

CLYTEMNESTRE

Écoute-moi donc. C'est à mon tour de m'expliquer.

Je le ferai sans le détour des équivoques.

D'abord, et contre toi ce sera mon premier reproche,
tu m'as épousée malgré moi, après m'avoir enlevée,
tué Tantale mon premier mari,
et broyé contre terre mon nouveau-né vivant, brutale-
    ment arraché à mon sein[1].

Mes deux frères, les cavaliers aux coursiers rayonnants,
t'ont déclaré la guerre, mais tu vins supplier mon père, le
    vieux Tyndare.

Il te sauva de la mort et tu me remis dans ton lit.

    Réconciliée dès lors avec toi et avec ta maison,
tu me seras témoin que je te fus épouse irréprochable,
pudique, et soigneuse d'accroître ton bien.

Rentrant à la maison, tu y étais content;
tu en sortais pour jouir du bonheur.

C'est une aubaine pour un homme que de trouver
une telle femme. Les mauvaises sont bien moins rares.

    Après trois filles, je t'ai donné le fils
que voilà. Et c'est l'une d'elles que cruellement tu vas
    m'enlever.

Si l'on te demandait pour quelle raison tu la tues,
parle, que me répondras-tu ? Ou est-ce moi qui parlerai
    pour toi ?

C'est pour que Ménélas reprenne Hélène. Il est beau
    vraiment[2]

que nous devions payer de nos enfants la rançon d'une
    femme infidèle,
donner pour un objet de haine ce que nous chérissons
    le plus !

    Voyons, si tu t'en vas en me laissant à la maison,
et si là-bas doit durer ton absence,
quel sentiment, crois-tu, sera le mien,
lorsque je verrai vide la place où elle s'asseyait,
vide sa chambre de jeune fille, et qu'avec mes larmes
je resterai seule à la regretter à jamais ?

« Celui qui te fit périr, mon enfant, est le même aussi qui
    te donna l'être,
lui et nul autre; sa main et nulle autre a tenu l'épée. »
Voilà ma récompense pour avoir gardé sa maison[3].

Après cela il ne faudrait qu'un très léger prétexte
pour qu'avec moi les filles qui me restent,
nous te préparions ensemble l'accueil que tu mérites.

Au nom des dieux, ne viens pas me forcer

d'être hostile envers toi pour avoir rencontré ta propre
　　hostilité!
　Tu vas donc l'immoler. Mais alors que sera la prière
　　que tu adresseras aux dieux?
quel bienfait demanderas-tu pour toi-même en égorgeant
　ta fille?
Le retour? retour funeste après un si honteux départ.
Et moi, quel vœu sera-t-il juste que je fasse pour toi?
Ne serait-ce pas croire les dieux bien insensés
que de les invoquer pour le bonheur d'un assassin?
De retour à Argos, viendras-tu embrasser tes enfants?
Tu n'en as plus le droit. Lequel voudra rencontrer ton
　regard,
pour qu'en l'attirant dans tes bras tu lui donnes la mort?
As-tu déjà réfléchi à ces choses, ou bien ton seul souci
est-il de parader avec ton sceptre, de commander?
Tu pouvais faire entendre aux Grecs la voix de la
　justice :
Vous voulez, Achéens, débarquer en Phrygie?
Au sort de désigner celui dont la fille mourra.
Ainsi la chance était pour tous égale : la victime n'était
　　pas d'avance choisie,
et toi obligé d'immoler ta fille.
Ou Ménélas encore pouvait tuer sa fille,
pour racheter Hélène, cause de tout le mal,
au lieu que c'est moi, maintenant, si fidèle à ton lit,
qui serai privée de ma fille, quand elle, la coupable,
gardera Hermione dans Sparte, pour l'élever et en rece-
　　voir du bonheur.
A toi de répliquer, si je n'ai pas bien dit.
Mais si j'ai raison, épargne notre fille, et tu auras agi avec
　　sagesse.

LE CORYPHÉE

Agamemnon, écoute-la. On ne peut que louer les parents
s'ils veulent sauver leurs enfants. Nul ne dira le contraire.

IPHIGÉNIE

Si je pouvais, mon père, parler ainsi qu'Orphée,
que ma voix pût persuader les rochers de me suivre,
et attendrir les cœurs que je voudrais,
je lui demanderais secours. Mais, tout mon art,

ce sont mes larmes que je t'offre. Que puis-je d'autre ?
Comme un rameau de suppliant, j'entoure tes genoux
de ce corps que ma mère pour toi mit au monde.
Ne me fais pas mourir avant mon heure. La lumière est
        si douce
à regarder. Ne me force pas de me rendre au pays
        souterrain !
Je fus la première à te dire « mon père », et que tu
        nommas ton enfant,
la première à laisser aller mon corps sur tes genoux,
à donner et à recevoir de toi le plaisir des caresses.
Tu me disais alors : « Te verrai-je, ma fille,
mener heureuse au foyer d'un mari
une vie brillante et digne de moi ? »
Et moi je répondais, suspendue à ton cou,
à ce menton que touche à présent ma main suppliante :
« Moi, te verrai-je alors, un vieillard, recevant
l'affectueux accueil de mon foyer, mon père ?
Te rendrai-je les soins dont tu as nourri mon enfance ? »
    J'ai bien gardé le souvenir de ces paroles,
mais toi tu les as oubliées et tu veux me tuer.
Que cela ne soit pas ! J'en adjure Pélops, Atrée ton père,
ma mère que voilà, qui dans les douleurs m'enfanta.
Quelle douleur la ressaisit en ce moment !
    Qu'ai-je à voir aux amours d'Alexandre
et d'Hélène ? Pourquoi, parce qu'il vint à Sparte, dois-je
        périr, mon père ?
Ah ! ne détourne pas tes yeux ! accorde-moi un regard,
        un baiser,
pour qu'en mourant j'emporte au moins de toi
ce souvenir, si ma prière échoue à te fléchir !

            (Elle prend Oreste dans ses
      bras.)

    Mon frère, tu es bien petit pour secourir les tiens.
Joins cependant tes pleurs aux miens et demande à
        ton père
qu'il épargne la mort à ta sœur.
Les innocents eux-mêmes ont la prescience du malheur.
Vois, qu'a-t-il besoin de paroles ? Il t'implore, mon père.
    Ah ! considère-moi, aie pitié de ma jeune vie,
par ton menton qu'ensemble nous touchons, nous tes
        deux bien-aimés,

lui, le petit oiseau, moi déjà une femme.
Un seul mot contiendra ma prière et vaincra. C'est le
    plus fort de tous :
Le soleil que voilà, tout homme avec joie le regarde.
Sous terre est le néant. Bien fou celui de qui les vœux
    appellent
la mort. Vivre honteux vaut mieux que mourir avec
    gloire.

LE CORYPHÉE

Ah misérable Hélène! par la faute de tes amours
voici les Atrides aux prises avec leurs enfants.

AGAMEMNON

Je sais jusqu'où doit aller la pitié, où elle doit se taire,
et j'aime mes enfants, n'étant point un homme insensé[1].
Je tremble, ma femme, à faire cet acte inouï,
et je tremble à le refuser. Car je sais que je dois
    l'accomplir.
    Voyez quelle armée est là sur la flotte,
combien de soldats grecs en armure de bronze,
à qui sera barrée la route vers les remparts de Troie
si je manque à te sacrifier, ainsi que le veut le devin
    Calchas,
et qui ne pourront renverser les célèbres assises de
    Troie.
Une frénésie pousse l'armée grecque à s'élancer vers la
    terre barbare,
pour mettre fin à l'enlèvement des épouses.
Ils iront à Argos assassiner mes filles,
et vous deux et moi-même, si je désobéis à l'ordre
    d'Artémis.
Ce n'est pas Ménélas qui me tient asservi, mon enfant,
ce n'est pas à sa volonté que j'obéis,
mais à la Grèce, à laquelle il faut bien, que je le veuille
    ou non,
que je te sacrifie. Sa force l'emporte sur moi.
Elle doit rester libre, ma fille, en ce qui tient à toi
et à moi. Il ne faut pas que des Barbares
ravissent leur femme à des Grecs.

Il sort brusquement.

CLYTEMNESTRE

Étrangères, vous avez vu ?
Ma fille, ô douleur de te voir condamnée !
Ton père s'enfuit et te livre à l'Hadès.

IPHIGÉNIE

O douleur, ma mère !
Un même malheur nous dicte la même plainte :
fini pour moi de voir le jour, de voir cet éclat du soleil !

> Hélas ! Forêt neigeuse de Phrygie et sommet de l'Ida
> où Priam exposa son tendre nouveau-né,
> arraché à sa mère et promis à la mort,
> ce Pâris que dans la cité on l'appelait le montagnard.
> Que Priam n'a-t-il refusé
> de loger ce berger grandi parmi les bœufs
> près de l'eau écumante des sources,
> du pré fleuri aux rameaux verts,
> où les Nymphes cueillaient la jacinthe et la rose !
> Pallas y vint un jour, Cypris l'astucieuse,
> Héra, Hermès enfin, le messager des dieux.
> Cypris se prévalait des désirs qu'elle excite,
> Athéna de sa lance, Héra de sa couche royale,
> dans ce débat fatal, cet assaut de beauté
> qui pour moi est la mort.
> Il fera triompher les Grecs, ô jeunes femmes,
> mais Artémis exige une victime
> avant d'ouvrir la route d'Ilion.
> Celui qui m'a donné le jour,
> ma mère, tu le vois, ma mère,
> est parti, me livrant sans défense à la mort.
> Malheur à moi ! par les mains impies de mon père,
> je périrai pour la fatale Hélène !
> Pourquoi Aulis a-t-il reçu,
> lancées vers Troie, les nefs aux éperons de bronze,
> notre flotte chargée de soldats ?
> Jamais Zeus sur l'Euripe
> n'aurait dû envoyer les vents qui la retiennent,
> lui qui sait les régler
> pour donner aux uns bonne brise en leurs voiles,
> faire peiner les autres, frapper les derniers d'impuissance,

après quoi il leur faut démarrer, ou carguer, ou attendre.
Race malheureuse des êtres éphémères,
combien la nécessité se révèle cruelle !
Hélas, hélas, quelles douleurs
la fille de Tyndare aux Grecs a réservées !

LE CORYPHÉE

Que j'ai pitié de toi, victime du malheur le plus immérité !

IPHIGÉNIE

Ma mère, je vois venir une troupe d'hommes.

CLYTEMNESTRE

C'est le fils de la déesse, que tu venais ici pour épouser.

IPHIGÉNIE

Serviteurs, ouvrez-moi la porte, que j'aille me cacher.

CLYTEMNESTRE

Pourquoi fuir, mon enfant ?

IPHIGÉNIE

Voir Achille, quelle honte !

CLYTEMNESTRE

Et de quoi devrais-tu rougir ?

IPHIGÉNIE

De la sombre issue de ce mariage.

CLYTEMNESTRE

Tu n'es pas en état de te montrer si ombrageuse.
Reste. Laissons là notre dignité, si nous pouvons...

Achille entre en courant.

ACHILLE

Fille de Léda, infortunée...

CLYTEMNESTRE

Infortunée, c'est vrai...

ACHILLE

Un cri effrayant gronde parmi les Grecs.

CLYTEMNESTRE

Que dit-il? parle donc.

ACHILLE

Au sujet de ta fille...

CLYTEMNESTRE

Parole de triste présage!

ACHILLE

On veut qu'elle soit sacrifiée...

CLYTEMNESTRE

Et nul ne s'y oppose?

ACHILLE

Je fus moi-même pris dans le tumulte.

CLYTEMNESTRE

Comment?

ACHILLE

Et bien près d'être lapidé.

CLYTEMNESTRE

Parce que tu voulais la sauver?

ACHILLE

Oui.

CLYTEMNESTRE

Qui donc osa toucher à ta personne ?

ACHILLE

Tous les Grecs.

CLYTEMNESTRE

Tes Myrmidons n'étaient pas là pour te défendre ?

ACHILLE

Ils furent les premiers à se déclarer contre moi.

CLYTEMNESTRE

Mon enfant, nous sommes perdues.

ACHILLE

Ils m'ont nommé l'esclave de mon lit.

CLYTEMNESTRE

Et que leur as-tu répondu ?

ACHILLE

D'épargner ma future épouse...

CLYTEMNESTRE

Tu as bien fait.

ACHILLE

Que son père m'avait promise...

CLYTEMNESTRE

... et fait venir d'Argos.

ACHILLE

Mais leurs clameurs couvraient ma voix!

CLYTEMNESTRE

Foule méchante et redoutable!

ACHILLE

Je te défendrai cependant.

CLYTEMNESTRE

Tu combattras seul contre tous?

ACHILLE

Tu vois ces hommes qui m'apportent des armes?

CLYTEMNESTRE

Que ton courage soit béni!

ACHILLE

Il en sera ainsi.

CLYTEMNESTRE

Alors, ma fille ne sera pas tuée.

ACHILLE

Non, s'il ne tient qu'à moi.

CLYTEMNESTRE

Vont-ils venir s'emparer d'elle?

ACHILLE

Et très nombreux. Ulysse est à leur tête.

CLYTEMNESTRE

Quoi ? le fils de Sisyphe ?

ACHILLE

Lui-même.

CLYTEMNESTRE

Agissant de son propre chef, ou mandé par l'armée ?

ACHILLE

Ils l'ont élu, mais il se proposait.

CLYTEMNESTRE

Office affreux, sanglante mission !

ACHILLE

Je m'interposerai.

CLYTEMNESTRE

Si elle résiste, il la saisira...

ACHILLE

Oui, par ses cheveux blonds.

CLYTEMNESTRE

Et moi, que dois-je faire alors ?

ACHILLE

Couvre-la de ton corps.

CLYTEMNESTRE

S'il n'en fallait pas plus, elle serait sauvée.

ACHILLE

Ils iront jusque-là.

*Iphigénie, restée à l'écart,
intervient brusquement.*

IPHIGÉNIE

Mère, écoutez.
ce que j'ai à vous dire. Je te vois résister en vain
à ton époux. Contre l'inéluctable à quoi bon s'obstiner ?
Certes tu as grâces à rendre à l'étranger qui nous défend
　　de si grand cœur,
mais tu dois prendre garde aussi que l'armée ne l'accuse
et que sans nul profit pour nous il ne doive en souffrir.
J'ai réfléchi, ma mère, et j'ai compris
que je dois accepter de mourir. Mais j'entends
me donner une mort glorieuse, en rejetant toute faiblesse.
Considère avec moi combien j'ai raison de parler ainsi.
Vers moi en ce moment, la Grèce tout entière, la
　　puissante Grèce regarde.
De moi dépend le départ des navires et la ruine de Troie.
De moi dépend qu'à l'avenir les épouses soient
　　protégées.
Les entreprises des Barbares ne les raviront plus à notre
　　heureux pays
quand ils auront payé le malheur d'Hélène enlevée.
C'est tout cela que ma mort sauvera, me donnant
　　une gloire,
pour avoir libéré la Grèce, qui fera mon nom
　　bienheureux.
　　Dois-je, après tout, tant tenir à la vie ?
C'est pour le bien commun des Grecs, non pour toi seule,
　　que tu m'as mise au monde.
Mille soldats couverts du bouclier,
mille rameurs, pour venger la patrie outragée,
sont pleins d'audace à l'idée de frapper et de mourir
　　pour elle,
et moi seule, pour rester en vie, les en empêcherais ?
Le trouverait-on juste ? Et qu'aurais-je à répondre ?
　　Et voici encore autre chose : faut-il pour une femme
　　qu'Achille entre en conflit
avec tous les Grecs rassemblés ? Faut-il qu'il meure ?

Plus que dix mille femmes, un homme a des raisons de
  vivre.
Puisque Artémis veut ma personne,
vais-je, mortelle, m'opposer à la déesse ?
Je ne le puis. Je donne mon corps à la Grèce.
Immolez-le, et prenez Troie. Ainsi de moi l'on gardera
  mémoire,
longtemps. Cela me tiendra lieu d'enfants, d'époux, et de
  renom.
C'est au Barbare à obéir au Grec, ma mère, et non
  l'inverse.
Car eux sont des esclaves et nous sommes des hommes
  libres.

LE CORYPHÉE

Ah, que ton cœur est noble, jeune fille!
Mais la fortune et la déesse se montrent bien cruelles.

ACHILLE

Fille d'Agamemnon, les dieux auraient fait mon
  bonheur
en t'accordant à moi pour mon épouse.
Heureuse Grèce, d'être sauvée par toi! Heureuse es-tu,
  de pouvoir la sauver!
Car ton langage généreux est digne d'elle.
Renonçant à lutter contre ces dieux dont la puissance te
  dépasse,
tu as compris ce qu'exigent l'honneur et la nécessité.
Je regrette encore plus de résigner cette union
depuis que ta nature à moi s'est révélée : elle est toute
  noblesse.
Sache pourtant que je voudrais te secourir, t'emmener
  chez moi,
et que je souffre, Thétis m'en soit témoin,
si je ne puis pas te sauver en combattant les Grecs.
Réfléchis bien encore : la mort est un grand mal.

IPHIGÉNIE

Je me décide en toute liberté[1].
Il suffit des combats et des meurtres causés
par la beauté d'Hélène. Je ne veux pas

que tu meures pour moi, ni que nul meure de ta main.
Laisse-moi, si je puis, sauver la Grèce.

ACHILLE

Admirable fermeté d'âme. Je n'ai plus rien à dire,
si telle est ta décision. Elle est noblement prise;
comment méconnaître la vérité ?
Mais qui sait ? Tu pourrais te repentir encore.
Sache bien dans ce cas mon intention formelle :
j'irai me placer tout armé à côté de l'autel,
non pour assister à ta mort, mais bien pour l'empêcher.
Peut-être te souviendras-tu de mes paroles
quand tu verras près de ta gorge le couteau.
L'ivresse où je te vois, je ne veux pas que tu en meures.
Je cours porter ces armes dans le temple et y attendre
      ta venue.
                          Il sort à droite.

IPHIGÉNIE

Pourquoi, ma mère, ce silence, et ces yeux pleins de
      larmes ?

CLYTEMNESTRE

Hélas, je n'ai que trop de raisons de pleurer.

IPHIGÉNIE

Ne le fais plus, et n'affaiblis pas mon courage.
Accorde-moi ce que je vais te demander.

CLYTEMNESTRE

Parle. Ce n'est pas moi du moins qui te refuserai ton
      droit.

IPHIGÉNIE

Il ne faudra pas couper tes cheveux, te revêtir de robes
      noires.

CLYTEMNESTRE

Que dis-tu là ? Moi qui t'aurai perdue ?

IPHIGÉNIE

Tu ne me perdras pas. Par moi tu seras glorieuse.

CLYTEMNESTRE

Comment ? Je ne porterais pas le deuil de ta vie retran-
chée ?

IPHIGÉNIE

Non, car aucun tombeau ne sera élevé pour moi.

CLYTEMNESTRE

Qu'importe ? Ce qui compte est la mort et non pas le
tombeau[1].

IPHIGÉNIE

J'aurai pour monument l'autel de la déesse.

CLYTEMNESTRE

Je ferai ce que tu désires. Tu parles noblement.

IPHIGÉNIE

Comme une femme heureuse et qui sauve la Grèce.

CLYTEMNESTRE

De ta part, que dirai-je à tes sœurs ?

IPHIGÉNIE

Elles non plus, ne les vêts pas de noir.

CLYTEMNESTRE

Mais quel message d'amitié leur ferai-je pour toi ?

IPHIGÉNIE

Mes vœux pour leur bonheur. Et mon Oreste, élève-le,
fais-en un homme.

CLYTEMNESTRE

Embrasse-le, car tu le vois pour la dernière fois.

IPHIGÉNIE

Mon frère bien-aimé, autant que tu l'as pu, tu es venu en aide aux tiens.

CLYTEMNESTRE

De retour à Argos, que puis-je faire pour te plaire ?

IPHIGÉNIE

Ne garde pas de haine contre mon père, ton époux.

CLYTEMNESTRE

Rudes combats, ceux qu'il devra subir pour toi.

IPHIGÉNIE

C'est malgré lui qu'il m'a sacrifiée, et pour la Grèce.

CLYTEMNESTRE

En fourbe, bassement, et non en fils d'Atrée.

IPHIGÉNIE

Qui va me conduire à l'autel ? Je ne veux pas attendre qu'on m'y traîne par les cheveux.

CLYTEMNESTRE

Je t'accompagnerai.

IPHIGÉNIE

Non, pas toi, ce ne serait pas bien.

CLYTEMNESTRE

Je ne lâcherai pas ta robe.

IPHIGÉNIE

Mère, il faut m'obéir.
Reste ici. C'est pour toi et pour moi le parti le meilleur.
Que l'un des serviteurs de mon père me mène
vers la prairie d'Artémis, où je dois être offerte.

CLYTEMNESTRE

O mon enfant, tu pars ?

IPHIGÉNIE

Et pour ne jamais revenir.

CLYTEMNESTRE

Nous voilà séparées ?

IPHIGÉNIE

Comme tu vois : nous ne l'avions pas mérité.

CLYTEMNESTRE

Ah, reste encore, ne m'abandonne pas !

IPHIGÉNIE

Je ne veux pas qu'on pleure.

> *Elle fait entrer Clytemnestre
> dans la baraque et revient vers le
> chœur.*

IPHIGÉNIE

Vous, jeunes femmes, en paroles propices, pour ma mort,
        chantez le péan
en l'honneur d'Artémis la fille de Zeus.
Que parmi les Grecs l'on réclame le silence religieux,
que l'on consacre les corbeilles, qu'on allume le feu
pour recevoir l'orge sacrée, et que mon père,

allant vers la droite, fasse le tour de l'autel,
car je viens apporter aux Grecs la victoire avec le salut.

> *Escortez-moi, la conquérante d'Ilion et des Phrygiens !*
> *Apportez pour moi les guirlandes,*
> *voici ma tête à couronner.*
> *Apportez aussi l'eau lustrale.*
> *Venez dérouler votre ronde autour de l'autel d'Artémis,*
> *de la reine Artémis bienheureuse.*
> *Ainsi qu'il est prescrit, de mon sang répandu,*
> *je viens pour effacer l'oracle.*
>   *Ma mère, ô mère vénérée,*
> *je t'offre mes dernières larmes[1].*
> *Près de l'autel je ne pourrai pleurer.*
>   *Chantez avec moi, jeunes femmes, Artémis reine*
>   *du détroit,*
> *où s'arrêta, face à Chalcis, dans cette passe resserrée,*
> *toute une flotte de gens de guerre[2],*
> *pour que mon nom devînt célèbre !*
> *Terre pélasge où je suis née,*
> *et Mycène où est ma demeure, m'entendez-vous ?*

LE CHŒUR

> *Tu invoques la cité de Persée,*
> *bâtie par l'effort des Cyclopes ?*

IPHIGÉNIE

> *Elle a nourri en moi un astre pour la Grèce.*
> *J'accepte de mourir...*

LE CHŒUR

> *Pour une gloire en effet immortelle.*

IPHIGÉNIE

> *O jour porteur de la lumière,*
> *ô rayon de Zeus, je m'en vais*
> *vers une autre vie, une autre destinée.*
> *Lumière chérie, je te dis adieu !*

         Elle sort par la droite.

QUATRIÈME STASIMON

LE CHŒUR

Voyez partir la conquérante
d'Ilion et des Phrygiens,
offrant sa tête aux bandelettes,
allant vers l'eau lustrale et vers l'autel,
où jaillira, de son beau cou tranché, le sang.
Préparée par ton père, l'eau pure t'y attend,
dans l'aiguière consacrée.
Là t'attend l'armée grecque, ardente à s'élancer vers
    Troie.
Célébrons la fille de Zeus,
Artémis la divine souveraine.
Pour un heureux destin, déesse,
ayant reçu avec faveur ce sang humain,
conduis l'armée grecque en terre phrygienne,
à Troie séjour de perfidie[1],
et accorde à Agamemnon,
pour lui-même et les lances grecques,
l'illustre couronne d'une gloire immortelle.

> Le serviteur de Clytemnestre arrive par la droite et frappe à la porte de la baraque, d'où sort Clytemnestre.

EXODOS

Le serviteur

Fille de Tyndare, Clytemnestre,
sors du logis. Entends ce que j'ai à te dire.

Clytemnestre

Au son de ta voix, j'arrive affligée et tremblante,
craignant que tu ne m'apportes un nouveau malheur.

Le serviteur

Non. Au sujet de ta fille, je n'ai que d'étonnants prodiges
     à te dire.

Clytemnestre

Que tardes-tu ? Parle vite.

Le serviteur

Ma chère maîtresse, tu vas tout savoir clairement.
Je reprendrai les faits dès le début, de peur que quelque
     oubli
ne mette du désordre en mon discours.
Nous avons donc mené ta fille
au bosquet d'Artémis, à la prairie en fleurs
où toute l'armée se trouvait réunie.
Les Grecs aussitôt s'attroupèrent.
Voyant sa fille entrer dans le bois pour y être égorgée,
le roi Agamemnon gémit en détournant la tête.
Il dérobait ses larmes, son manteau ramené sur ses yeux[1].
Mais elle fut se placer près de lui et dit :
« Mon père, me voici. Dispose de moi.
Je viens de mon plein gré, pour ma patrie et pour la
     Grèce entière,
offrir mon corps au sacrifice.
Qu'on me mène à l'autel d'Artémis, puisque telle est sa
     volonté.

En ce qui tient à moi, votre bonheur est assuré.
Que la victoire vous soit acquise, et le retour dans la
    patrie.
Maintenant, que nul ne me touche.
Je me tairai et vous tendrai ma gorge avec courage[1] ».
    Voilà ce qu'elle dit, et chacun admira
le grand cœur, la vertu de ta fille.
Debout dans l'assemblée, Talthybios, duquel c'était
    l'office,
réclama de l'armée le silence religieux.
Dans la corbeille d'or, Calchas le devin déposa
l'épée tranchante retirée du fourreau et couronna la
    jeune fille.
Tenant la corbeille et l'aiguière, Achille
fit en courant le tour de l'autel et dit :
« Fille de Zeus, ô chasseresse,
toi qui promènes dans la nuit ton astre lumineux,
accepte cette hostie que nous t'offrons,
nous l'armée grecque ainsi qu'Agamemnon son roi.
C'est le sang pur du beau cou d'une vierge.
Accorde à notre flotte un voyage facile,
et que nos armes prennent les remparts d'Ilion. »
    Tous, comme les Atrides, gardaient les yeux fixés
    à terre.
Le prêtre prend l'épée, prononce la prière,
et cherche l'endroit de la gorge où il devra frapper.
Mon cœur était saisi d'une si grande angoisse
que je restais tête baissée. O miracle soudain !
Chacun avait bien entendu frapper un choc,
mais personne ne vit disparaître la jeune fille.
Le prêtre jette un cri, l'armée entière lui répond,
à la vue du prodige, œuvre de quelque dieu
qui était devant nous, sans qu'on pût bien y croire.
Allongée sur le sol palpitait une biche,
très grande et d'une admirable beauté,
arrosant de son sang l'autel de la déesse.
Quelle est alors la joie de Calchas, qui s'écrie :
« Chefs de l'armée des Grecs confédérés,
voyez cette victime que la déesse a mise sur l'autel.
C'est une biche des montagnes,
qu'elle veut recevoir de préférence à la jeune fille,
pour ne pas souiller son autel de ce sang généreux.
Elle l'accepte avec faveur et nous accorde

un vent propice et l'assaut d'Ilion.
Que tous maintenant reprennent courage.
Matelots, aux navires. Aujourd'hui même nous devons
quitter Aulis et ses passes étroites
pour traverser la mer Égée. »
Puis, quand le feu eut dévoré l'holocauste,
le devin prononça, pour un heureux retour, la dernière
        prière.
Voilà ce qu'Agamemnon m'envoie te dire,
les hauts destins auxquels les dieux élèvent Iphigénie
et la gloire immortelle qu'elle aura dans la Grèce.
J'étais là, et j'ai vu tout ce que je raconte.
Ta fille, c'est bien clair, s'est envolée parmi les dieux.
Calme donc ta douleur, pardonne à ton époux.
C'est quand l'homme y pense le moins que les dieux
        interviennent
pour sauver ceux qu'ils aiment. La présente journée
aura vu mourir et revivre ta fille.

LE CORYPHÉE

Grande est ma joie d'entendre ce récit,
de savoir que ta fille parmi les dieux réside.

CLYTEMNESTRE

Est-il vrai, mon enfant, qu'un dieu t'ait dérobée[1] ?
Quel nom te donner à présent ? Comment ne pas
        m'imaginer
que ce discours m'abuse par un vain réconfort
pour obtenir que je renonce à te pleurer amèrement ?

                    Paraît à droite Agamemnon.

LE CORYPHÉE

Voici le roi qui va confirmer ce récit.

AGAMEMNON

Femme, le sort de notre fille est tel qu'il faut en être heu-
        reux.
Elle jouit réellement de l'entretien des dieux.

Prends maintenant notre petit enfant
et retourne chez nous. L'armée va s'embarquer.
Adieu. Il passera du temps avant que de nouveau
        je te salue
en revenant de Troie. Que pour toi tout aille bien.

LE CORYPHÉE

Fils d'Atrée, que la joie accompagne
et ton départ pour Troie, et le retour où tu seras
tout chargé d'un splendide butin.

RHÉSOS

MES tragédies, disait Eschyle avec modestie, ne sont rien que des bribes des grands festins d'Homère. Cela ne peut être pris à la lettre ni pour ses propres drames, ni ceux qui nous restent des autres tragiques, lesquels sont presque toujours partis des récits du cycle épique ou de légendes locales, après quoi leur propre apport est entré dans la tradition commune. Une seule des trente-trois tragédies conservées traite, presque sans modification, un épisode de l'Iliade : c'est ce mystérieux Rhésos qui figure dans le corpus euripidéen et même dans les manuscrits à scholies, mais son style est si différent de celui des autres pièces qu'on hésite aujourd'hui, comme on hésitait déjà dans l'antiquité, à l'attribuer au poète.

Après la retraite d'Achille, les Grecs furent constamment battus. Il y eut un soir où Hector mena ses Troyens si avant dans la plaine qu'il crut atteindre les vaisseaux et imagina l'ennemi sur le point de se rembarquer. Les Troyens voient plonger la lumière à regret. Pour les Achéens au contraire, la nuit ténébreuse est la bienvenue, trois fois souhaitée. Hector entend aussitôt profiter de son avantage (Iliade, IX, 299 et suiv.); il envoie Dolon en patrouille vers les navires grecs. Mission dangereuse que l'autre accepte, un peu pour la gloire, davantage pour la récompense promise : les chevaux d'Achille, bêtes fabuleuses qui parlent et qui sont d'essence divine. A peine parti, il tombe sur Ulysse et Diomède qui font une reconnaissance en sens opposé. Ils s'emparent de Dolon qui perd la tête et, croyant sauver sa vie, dit tout ce qu'il sait, l'emplacement de chaque corps, et celui notamment des alliés thraces qui viennent d'arriver, commandés par leur roi Rhésos. Un coup de couteau débarrasse de Dolon les deux Grecs qui pénètrent dans le camp, trouvent les Thraces endormis, assommés par la fatigue après leur long

*voyage ; ils égorgent le roi et ramènent ses chevaux, aussi beaux,
aussi fameux que ceux d'Achille. La vraie guerre reprendra à
l'aube, les Grecs ayant marqué un point : la nuit ténébreuse s'est
faite leur alliée.*

*La tragédie transporte l'action dans le camp troyen, renon-
çant ainsi à la scène admirable et cruelle (qui ne pouvait être ni
reproduite ni refaite) où les deux Grecs se jouent de Dolon
comme deux chats d'une souris. Elle représente en revanche le
départ de Dolon, l'arrivée de l'armée thrace, l'irruption clan-
destine d'Ulysse et Diomède, la découverte du cadavre de Rhésos
et du vol des chevaux. Elle se clôt par l'apparition de la Muse
mère de Rhésos qui pleure sur son fils et lui promet des honneurs
divins.*

*Le roi Rhésos devait être le héros d'une saga de la Grèce du
Nord. Le poète lui a laissé le halo légendaire que l'Iliade efface
totalement. Voici comment il raconte sa naissance. L'aède Thamyris, petit-fils d'Apollon, lança un jour un défi aux Muses.
Pour se rendre à la joute elles passèrent le Strymon et l'une
d'elles conçut du fleuve un fils, Rhésos. Les contes grecs connaissent plus d'une paternité fluviale, mais le flot géniteur y prend
d'abord la forme humaine. Notre version repose sur une image
plus élémentaire.*

*Rhésos et la Muse Clio étaient honorés non loin l'un de l'autre
à Amphipolis, à l'embouchure de l'actuel Strouma. Le fils du
Fleuve eut peut-être un culte plus mystérieux dans la région du
Pangée. Y fut-il prophète comme Orphée, logé dans une grotte
comme Amphiaraos ? C'est ce que sa mère lui promet à l'épilogue de la tragédie, en termes malheureusement obscurs.*

*Rhésos allié d'Hector était le héros d'un conte. Si, disait-on,
il terminait vivant sa première nuit en Troade, si ses chevaux
broutaient l'herbe, buvaient l'eau du Scamandre, il vaincrait
tous les Grecs qui s'opposeraient à lui. Homère ne mentionne pas
cette raison majeure de l'éliminer sur-le-champ. La tragédie la
suppose sans la formuler nettement. Peut-être ne s'est-elle précisée
que dans des contes plus tardifs.*

*Dolon est à l'origine un autre personnage de légende. Homère
le revêt d'une peau de loup et d'un bonnet de martre, grâce à
quoi il se fondra dans l'obscurité. Le Dolon tragique s'habille
tout entier de la fauve dépouille, la gueule béante posée sur la tête,
les mains et les pieds chaussés des quatre pattes. Le stratagème
retrouve curieusement le fond archaïque du conte primitif où*

Dolon est un loup, *appartenant à une de ces confréries de jeunes gens où l'initiation à la classe des guerriers était précédée d'une période de vie sauvage. Ces lointaines origines n'affleurent pas dans l'épopée, où Dolon est, sans plus, un éclaireur malchanceux ; elles apparaissent beaucoup plus clairement dans la tragédie, où il part en véritable* loup-garou, *pour une « chasse aux têtes », promettant de décapiter Ulysse et Diomède — ceux-là même qui vont le tuer — tandis que le chœur, chantant trop tôt victoire, se l'imagine déjà remettant à Hélène, en trophée, le chef tranché d'Agamemnon.*

Athéna intervient dans le récit homérique, juste ce qu'il faut pour assurer le succès des deux Grecs ses amis. Un héron envoyé par elle les guide de son cri à travers les ténèbres du no man's land. *Puis, leur massacre accompli, elle les avertit de partir sur-le-champ avec les chevaux volés. Elle n'a pas besoin d'agir davantage puisqu'ils connaissent par Dolon l'emplacement du bivouac thrace. Dans la tragédie, Dolon part avant l'arrivée de Rhésos et ne saurait renseigner Ulysse. L'intervention d'Athéna est donc plus importante que dans* l'Iliade : *non seulement elle détourne vers les nouveaux arrivés les deux Grecs venus pour tuer Hector et déçus de ne pas le trouver à son quartier, mais, très perfidement, dans un épisode tout à fait inutile à l'action, elle prend l'apparence d'Aphrodite pour rassurer Pâris inquiet et l'empêcher d'être présent au moment où les siens seront en danger. On pourrait trouver au moins une scène d'esprit analogue chez Sophocle, celle où Athéna égare la raison d'Ajax ; je n'en vois aucune chez Euripide, à qui le merveilleux homérique est totalement étranger. Les dieux qui interviennent chez lui (Aphrodite contre Hippolyte, Héra contre Héraclès, Dionysos contre Penthée) ne sont autre chose que les forces obscures à l'œuvre dans l'âme de leur victime et qui agiraient tout aussi bien sans porter de nom divin. Un même tréfonds donne du reste sa gravité psychologique au prologue d'Ajax, dont la forme seule est vraiment homérique. Il fait défaut dans la scène de* Rhésos *où Athéna pousse le pion Pâris sur l'échiquier afin que ses protégés gagnent la partie, aussi déloyalement que le ferait Ulysse lui-même.* L'Iliade *abonde en moments de ce genre, où l'action des dieux a la valeur d'une pure tricherie.*

Dolon, puis Rhésos, sortent de l'ombre pour y rentrer bientôt et pour toujours, le premier silencieusement, le second pleuré par un cocher fidèle, par une déesse maternelle. Leur double **tragédie** *tient en quelques heures de nuit, quand l'approche de l'aube commence d'inquiéter ceux qui ont entrepris des actions dérobées. Des sentinelles de l'avant-dernière veille reviennent en hâte des avant-postes au quartier d'Hector : les feux n'ont pas cessé de brûler autour des vaisseaux grecs. Que se passe-t-il ? Les succès de la veille ont grisé jusqu'au sage Hector, qui voit trop vite les Atrides prêts à lever le siège. Énée le ramène à plus de prudence : que l'on envoie d'abord un homme en reconnaissance (et ce sera Dolon). Un berger descendu de l'Ida annonce l'arrivée en grand arroi d'un splendide contingent thrace. Pouvait-on imaginer plus heureuses rencontres ? Telle est la confiance d'Hector qu'au lieu d'accueillir le nouvel allié il lui reproche d'arriver bien tard, d'avoir été absent quand la besogne était dure et de se présenter quand il n'y a plus qu'à cueillir la victoire. Sans les admonestations du chœur il l'inviterait à s'en retourner. Rhésos expose ses excuses et annonce les plus étonnantes prouesses pour le lendemain, qu'il ne verra pas.*

Tragédie de l'espérance déçue et de la présomption châtiée. Dolon demande d'avance sa récompense : les chevaux d'Achille. A l'aube, Achille sera bien vivant, et ses chevaux près de lui. C'est Dolon qui sera mort, lui qui coupait les têtes en imagination, décapité net par le coutelas de Diomède. Et d'autres chevaux auront été enlevés, ceux de Rhésos, par deux Grecs au cœur dur, au langage sobre. La double prouesse, la chasse aux têtes et la razzia, est rêvée par un camp, accomplie par l'autre, grâce au courage des hommes servi par la fourberie d'une divinité. Au fond du tableau passent des chevaux aux crinières flottantes, qui dans toute l'imagerie grecque symbolisent la mort.

Ces contrastes sont si durement accusés qu'on imagine fort bien des modernes découvrant dans Rhésos la satire de l'esprit militaire. Aucune forme de la jactance ne fait ici défaut : naïve chez Dolon, magnifique chez Rhésos, plus sourde et plus insidieuse chez Hector qui lutte contre de grisantes illusions, tout en sachant trop bien qu'un chef est obligé de faire servir la parole, non à dire la vérité, mais à donner du mordant à ses troupes, fût-ce par mensonge et omission. Ce tragique du commandement, que Sophocle a mis tout entier dans l'extraordinaire scène de Polynice, au centre d'Œdipe à Colone, est ici moins puissamment ramassé ; il faut une lecture attentive pour le dégager d'une pièce un peu courte et sommaire. Au surplus, Polynice se sait d'avance irrémédiablement condamné, tandis qu'Hector garde *tout son espoir. Le sommet psychologique de la pièce est atteint dans les derniers vers (généralement réservés à de reposantes banalités), quand après cette nuit sans sommeil le jeune chef harassé reprend fermement les rênes, donne quelques ordres brefs et déclare, la tête haute, que rien n'est perdu. Il sait trop bien, dans la désillusion de l'aube, qu'il n'est plus le vainqueur qui s'est endormi la veille. Mais il fait front, parce qu'il le faut, et quelle que soit sa conviction personnelle, laquelle ne compte pas.*

L'œuvre est d'un grand dramaturge. Si l'on renonce à l'attribuer à Euripide, ce n'est certes pas qu'elle soit indigne de lui. La langue, la grammaire, la métrique, ne s'y opposent pas davantage. Mais comment la situer dans l'ensemble d'une œuvre à laquelle elle reste hétérogène ? On pourrait l'imaginer antérieure à Alceste, voir en elle un essai de cette jeunesse d'Euripide, de laquelle nous ignorons tout. Or, la versification est plutôt celle de la période moyenne tandis que les détails d'organisation militaire et la structure dramatique invitent à descendre plus bas. La mise en scène est compliquée. L'entrée d'Ulysse et Diomède dans le camp troyen s'imagine mal sans un quatrième acteur ; leur sortie parmi les sentinelles qui les poursuivent et les laissent échapper est d'une réalisation difficile. Aucune recherche de ce genre n'apparaît ailleurs chez Euripide. Très euripidéenne au contraire est l'admirable antistrophe où le chœur pris d'inquiétude (car Dolon n'est pas revenu) et luttant contre la fatigue, se repose dans l'image d'une nature éternelle et paisible :

J'entends venir du Simoïs la voix du rossignol...
... Déjà les troupeaux paissent sur l'Ida.
Le son du chalumeau me parvient à travers la nuit.
Le sommeil enchante mes yeux.
Vient-il jamais plus doucement
qu'au moment de l'aurore ?

Euripide aime ces contrastes. Étéocle et Polynice s'entre-tuent dans la « prairie des lotus » ; Iphigénie est égorgée dans la clairière d'Artémis ; Oreste assassine Égisthe dans le calme accueillant d'un verger.

On trouverait aisément dix autres passages qui sont tout aussi bien dans le ton d'Euripide. Mais plus étendus sont les éléments considérés, plus s'atténue le sentiment d'une parenté possible.

Au surplus, ceux-là même qui refusent d'inscrire Rhésos *parmi les œuvres d'Euripide ne savent ni à qui l'attribuer, ni même à quelle époque le fixer. Que l'inconsistance des hypothèses nous ramène à la tragédie elle-même, qui mérite une lecture attentive.*

Le texte ici traduit est celui de Murray, sauf les divergences indiquées. L'édition de W. H. Porter (Cambridge, 1916) a de bonnes notes et une introduction où sont exposés les arguments pour ou contre l'attribution à Euripide. Bilan analogue dans C. B. Sneller, De Rheso Tragoedia, *Amsterdam, 1949, qui défend l'authenticité et, après d'autres, voit dans la tragédie une pièce à clef : sous le masque de Rhésos se cacherait le Thrace Sitalcès qui, en 424, vint tardivement au secours d'Athènes. Mais quelle est la guerre où l'on n'a pas des atermoiements à reprocher à ses alliés ? De plus, si Rhésos est Sitalcès, alors Troie est Athènes, et le rapprochement aurait été des moins réconfortants. Enfin, s'il n'est pas impensable que Rhésos soit d'Euripide, comment l'imaginer contemporain d'*Hécube, *d'*Andromaque, *œuvres si étroitement apparentées entre elles et si différentes de lui ?*

RHÉSOS

PERSONNAGES

HECTOR, prince troyen.
ÉNÉE
DOLON } chefs troyens.
UN BERGER troyen.
RHÉSOS, roi de Thrace.
ULYSSE
DIOMÈDE } chefs grecs.
ATHÉNA
PÂRIS, frère d'Hector.
LE COCHER de Rhésos.
UNE MUSE, mère de Rhésos.
Chœur de soldats troyens.

*Dans le camp troyen, le quartier d'Hector. Il fait nuit. Le chœur entre
en courant pour donner l'alerte à son chef.*

PROLOGUE

Un coryphée

Approche-toi du lit d'Hector!
  Parmi les écuyers du roi, les hommes d'armes,
est-il quelqu'un qui veille,
pour recevoir notre rapport à nous, jeunes soldats,
ceux de la quatrième garde, venus des avant-postes ?

Un autre

Hector, lève la tête et sur ton coude redresse-toi.
Ouvre tes yeux, quitte la jonchée où tu dors.
Il importe que tu nous entendes.

Hector

Qui vive ? Est-ce une voix amie ? Qui va là ?
Quel est le mot d'ordre ? Dis-le! Vous avez quitté vos
        postes de nuit
pour venir à ma tente. Qui êtes-vous ?

Le coryphée

Des sentinelles du camp.

Hector

Pourquoi faire tant de bruit ?

Le coryphée

Rassure-toi!

Hector

Je suis tranquille. Il n'y a pas eu de surprise, n'est-ce pas ?
Alors pourquoi, je le demande, quitter vos postes,
agiter les soldats, sans avoir de rapport de nuit à faire ?
Si près de l'ennemi, ne le savez-vous pas ? nous dormons
        tout armés.

PARODOS

STROPHE

LE CHŒUR

Prends tes armes, Hector, cours au bivouac des alliés,
excite-les, qu'ils saisissent leurs lances !
Mande à tes amis de se joindre à tes hommes,
mettez le harnais aux chevaux.
Allez trouver Polydamas, et Sarpédon le chef des Lyciens !
Où donc sont les devins pour consulter les sacrifices ?
Où sont les chefs des troupes légères, les archers phrygiens ?
Sur la corne des arcs tendez les cordes !

HECTOR

Tu m'annonces à la fois des dangers
et tu me presses d'attaquer. Je n'y comprends plus rien.
De son terrible fouet, Pan, le fils du Cronide,
t'aurait-il rendu fou de peur
au point d'abandonner ton poste et de mettre l'armée en
    rumeur ?
Qu'as-tu à me faire savoir ?
Tu as beaucoup parlé sans rien dire de clair.

ANTISTROPHE

LE CHŒUR

Les feux des Grecs, Hector, brûlent depuis toute la nuit,
et des flambeaux éclairent le camp naval.
L'armée ne dort pas, elle se bouscule
à la tente d'Agamemnon
demandant au roi des ordres nouveaux.
Jamais une telle panique n'a saisi nos envahisseurs.
Inquiet de ce qui se prépare, je viens vers toi en messager,
pour que tu n'aies rien à me reprocher.

PREMIER ÉPISODE

HECTOR

Tu as eu raison de venir, fût-ce pour me dire tes
      craintes.
L'ennemi veut, à mon insu, lever l'ancre cette nuit
      même
et prendre la fuite. Ces feux nocturnes me sourient.
   La chance au surplus était avec moi, et tu me laisses, ô
      destinée,
comme un lion privé de son festin, avant que ma lance
      d'un coup
ait pu anéantir toute l'armée des Grecs.
Si le soleil d'hier n'avait éteint trop tôt l'éclat de ses
      rayons,
je n'aurais pas donné répit à mon heureuse lance
que je n'eusse incendié la flotte et traversé le camp
en livrant tous les Grecs à mon bras meurtrier.
Mais les devins dans leur sagesse, leur science du divin,
m'ont conseillé d'attendre le lever du jour
et que nul Grec ne resterait vivant sur notre sol.
Les voilà qui devancent le dessein de mes prêtres.
La nuit donne au fuyard toutes ses chances.
   Aussi faut-il, sans plus tarder, commander à l'armée
de sortir du sommeil pour s'équiper,
afin que l'ennemi, en courant aux navires,
le dos marqué de sang, en trempe ses échelles,
et que des captifs mis aux chaînes
apprennent comment on laboure les champs de la
      Phrygie.

LE CORYPHÉE

Tu vas vite en besogne, Hector, sans bien savoir ce qui se
      passe.
L'ennemi lève-t-il le camp ? Nous n'en sommes pas sûrs.

HECTOR

Pour quelle autre raison allumer des flambeaux ?

LE CORYPHÉE

Je n'en sais rien. Tout cela me paraît suspect.

HECTOR

Si la peur te prend à présent, quand t'épargnera-t-elle ?

LE CORYPHÉE

Jamais nos ennemis n'ont fait brûler de si grands feux.

HECTOR

Jamais non plus ils n'ont subi une telle défaite.

LE CORYPHÉE

Cette victoire fut ton œuvre. A toi de l'achever.

HECTOR

Devant l'ennemi, un seul mot à dire : armons-nous.

LE CORYPHÉE

Voici Énée qui arrive en courant
pour nous donner un important avis.

Énée entre par la droite.

ÉNÉE

Que se passe-t-il donc, Hector, pour que les sentinelles
délaissent leur garde de nuit et viennent à ton quartier
faire en panique leur rapport en effrayant toute l'armée ?

HECTOR

Revêts tes armes, Énée.

ÉNÉE

Qu'y a-t-il ? Vient-on annoncer que les ennemis
préparent en secret quelque surprise pour la nuit ?

HECTOR

Ils fuient. Ils se rembarquent.

ÉNÉE

Pour l'annoncer, as-tu un signe sûr ?

HECTOR

Toute la nuit, ils ont laissé brûler leurs feux.
Je me demande même s'ils attendront jusqu'au matin.
S'ils éclairent ainsi leurs solides navires,
c'est pour s'échapper et rentrer chez eux.

ÉNÉE

Quel dessein poursuis-tu en appelant aux armes ?

HECTOR

Quand en fuyant ils se rueront vers les vaisseaux,
ma lance les arrêtera, et de tout mon poids je tomberai
        sur eux.
Honte pour nous, et qui plus est grand préjudice,
quand un dieu nous les livre, si nous laissons fuir sans
        combat
ceux qui nous ont fait tant de mal !

ÉNÉE

Que ton conseil n'est-il prudent comme ton bras est
        courageux !
Mais nul homme n'est fait pour savoir toute chose.
Chacun a son aptitude en partage.
Tu es fait pour la lutte, d'autres pour les sages avis.
A la seule nouvelle de ces feux allumés,
te voilà exalté et tout prêt d'entraîner l'armée,
pendant le repos de la nuit, à passer la tranchée.
Mais franchi le fossé profond, si tu trouves les ennemis
prêts, non à fuir, mais à faire front à l'attaque,
et si tu te fais battre, tu pourrais bien ne jamais revenir.

L'armée une fois débandée, comment passer les
  palissades
et les chars, comment traverser les ponts
sans y fracasser les moyeux de leurs roues ?
Et même si tu es vainqueur, tu verras qui prendra la
  relève[1] :
le fils de Pélée ! il t'empêchera de brûler la flotte
et d'emmener les Grecs en esclavage, comme tu parles
  de le faire.
C'est un courage ardent, et que sa force exalte.
Laissons l'armée dormir en paix, le bouclier au flanc,
après les coups d'un combat sans merci.
Cependant je voudrais faire partir en éclaireur,
pour observer les ennemis, celui qui se proposera.
Si vraiment ils préparent leur fuite,
nous irons de l'avant, nous tomberons sur eux;
mais si ces feux couvrent un stratagème, l'homme nous
  le dira
et nous pourrons délibérer. Tel est, seigneur, mon
  sentiment.

LE CHŒUR

C'est aussi le mien ; renonce à ton projet.
Je n'aime pas, pour une armée, des commandements
  hasardeux.
Quoi de mieux qu'envoyer un éclaireur rapide
qui s'avance assez près du mouillage
pour savoir ce que signifient les feux qui lui font face ?

HECTOR

Je cède devant votre accord. Va rassurer les alliés,
car ces débats nocturnes auraient bientôt mis l'armée en
  rumeur.
Pour moi, je vais donc dépêcher un espion.
S'il nous apprend que l'ennemi prépare une manœuvre,
tu seras au courant de tout et tu prendras part au
  conseil.
Mais si c'est à lever le camp qu'ils s'apprêtent,
attends-toi que la trompette t'avertisse
et sache que je ne tarderai pas. Je me tiendrai assez près
  des canaux
pour avoir cette nuit l'armée grecque à portée.

ÉNÉE

Trouve aussitôt qui envoyer. Tu t'es rangé à la
    prudence.
Mais quand il le faudra, c'est moi qui suivrai ta bravoure.

Énée sort par la droite.

HECTOR

Qui des Troyens présents et qui peuvent m'entendre
voudra partir pour observer la flotte grecque ?
Qui consent à rendre ce service au pays ?
Qui dit oui ? Je ne puis quant à moi
tout assumer pour Troie et pour nos alliés.

Dolon s'avance.

DOLON

Moi. Pour ma patrie j'accepte ce risque.
J'irai observer les vaisseaux des Grecs,
et ne reviendrai qu'après avoir percé leurs plans.
C'est à quoi je m'engage.

HECTOR

Tu mérites ton nom[1] et tu es dévoué à ton pays,
Dolon. La maison de ton père est illustre déjà,
mais ton acte a doublé sa gloire.

DOLON

La tâche est difficile. Et l'effort demande un salaire
qui soit digne de lui. Quelque labeur que l'on assume,
le profit, en s'y ajoutant, rend le gré réciproque.

HECTOR

Ta demande est juste, je dois en convenir.
Choisis ta récompense, sauf pourtant mon titre
    de roi!

DOLON

Je ne désire pas ce sceptre, qui t'oblige à préserver
la ville.

HECTOR

Prends alors une fille de Priam, et deviens son gendre.

DOLON

Je ne veux pas d'épouse qui soit de rang plus haut
que moi.

HECTOR

Il y a de l'or, si c'est cela que tu désires...

DOLON

J'en ai chez moi et n'ai besoin de rien.

HECTOR

Que veux-tu donc de ce que Troie renferme ?

DOLON

Quand tu auras vaincu les Grecs, accorde-moi...

HECTOR

C'est accordé. Demande, mais non toutefois les chefs
de la flotte.

DOLON

A toi de les tuer! Je ne retiendrai pas ta main levée sur
Ménélas.

HECTOR

Tu ne vas pas sans doute me réclamer Ajax ?

DOLON

Ses bras ne valent rien, car ils n'ont pas appris à travailler
la terre.

HECTOR

Est-ce un autre Grec que tu veux vivant pour le vendre à
      rançon ?

DOLON

Je te l'ai déjà dit : j'ai beaucoup d'or chez moi.

HECTOR

Tu seras là pour le partage, tu choisiras dans le butin.

DOLON

Cloue les armes aux temples, en cadeau pour les dieux.

HECTOR

Quel salaire plus grand vas-tu me demander ?

DOLON

Les chevaux d'Achille. Il ne faut peiner que pour ce
      qui vaut,
quand on joue sa vie aux dés du destin.

HECTOR

Eh bien, te voilà mon rival. Je rêve aussi de ces chevaux.
Ils sont immortels et de souche immortelle !
Achille le Rapide est emporté par eux.
Pélée les dut, dit-on, à Posidon, dieu de la mer, qui les
      dressa.
Mais j'ai excité ton désir et je ne le décevrai pas. Je te
      donnerai,
splendide conquête pour une maison, l'attelage d'Achille,

DOLON

Merci. S'il m'est donné, nul Phrygien, c'est vrai,
ne sera mieux que moi récompensé de sa valeur.
Pourtant ne m'envie pas. Mille autres biens
feront d'Hector le plus honoré des Troyens.

Hector rentre dans sa tente.

Le chœur

Grand est le péril, grand aussi le prix auquel tu aspires.
Si tu réussis, tu seras heureux : fameuse entreprise !
C'est une gloire aussi d'entrer dans la famille royale.
Pour ce qui est des dieux, que la justice te regarde,
car les hommes pour toi ont fait ce qu'ils pouvaient.

Dolon

Je pars, après avoir passé chez moi
m'équiper ainsi qu'il convient pour mon entreprise,
puis je courrai vers les navires grecs.

Le coryphée

Quel habit te faut-il ? Le tien n'est-il pas bon ?

Dolon

L'autre me servira pour arriver sans être vu.

Le coryphée

D'un homme rusé nous allons apprendre une bonne ruse.
Dis-nous de quoi tu vas te revêtir.

Dolon

Je mettrai sur mon dos la peau d'un loup,
sa gueule béante posée sur ma tête.
Ses pattes de devant me chausseront les mains,
et les autres les pieds. J'imiterai à quatre pattes
la démarche d'un loup. Qui me distinguera
quand j'approcherai des fossés, des vaisseaux à l'abri ?
Mais pour traverser un endroit désert,
je marcherai sur mes deux pieds. Tel est mon stratagème.

Le coryphée

Que le fils de Maïa te conduise et ramène

heureusement, Hermès, le maître des trompeurs!
Tu tiens ton plan. Que la chance y fasse sa part!

DOLON

Je reviendrai vivant après avoir tué Ulysse,
et te rapporterai sa tête, pour te convaincre,
et que tu puisses dire : « Dolon est allé jusqu'au port »,
ou bien ce sera Diomède. Mais il y aura du sang sur ma
     main
lorsque je rentrerai, bien avant la lueur de l'aube.

Il sort par la droite.

PREMIER STASIMON

STROPHE I

LE CHŒUR

Dieu de Thymbra, dieu de Délos
maître du temple de Lycie,
Apollon, ô tête divine,
avec ton arc, viens à travers la nuit,
et, pour son salut, suis ce voyageur.
Prends en main la cause troyenne,
ô très puissant, ô toi qui as construit
nos antiques remparts.

ANTISTROPHE I

Ouvre-lui l'accès des vaisseaux,
qu'il puisse épier l'armée ennemie
et revenir à Troie au foyer de son père.
Puis, quand Hector aura soumis l'audace grecque,
que ce soient les chevaux de Phthie
qui traînent le char de Dolon,
ceux que Pélée le fils d'Éaque
reçut du dieu des mers.

STROPHE II

Car pour sa maison et pour sa patrie
il ose aller seul observer le port.
J'admire son courage.
Les gens de cœur sont rares quand l'océan est ténébreux[1];
quand la tempête bat la ville.
Il est des braves parmi nous, l'audace habite notre armée.
Où est le Mysien qui mépriserait notre alliance[2]?

ANTISTROPHE II

Quel Grec va-t-il immoler dans sa tente
en imitant au ras du sol la marche de la bête quadrupède ?
Puisse-t-il tuer Ménélas !
Et la tête d'Agamemnon, s'il pouvait l'apporter à
*   Hélène,*
qu'elle chante le deuil du funeste beau-frère
qui mena contre Troie une armée de mille navires !

Entre un berger par la
droite. Hector sort de sa tente.

SECOND ÉPISODE

Le berger

Que n'ai-je toujours, mon seigneur, à mander à mes
      maîtres
des nouvelles pareilles à celles que j'apporte!

Hector

Ah! que ces paysans sont lourds!
Les rois sont sous les armes,
et tu viens, je suppose, dire comment vont tes troupeaux.
Est-ce le lieu?
Tu sais où je demeure, où réside mon père.
Va donc y proclamer que ton bétail se porte bien!

Le berger

Oui, nous, pauvres bergers, nous sommes lourds et j'en
      conviens.
Je t'apporte pourtant un message qui vaut son prix.

Hector

Je ne veux rien savoir des destins de ta bergerie,
quand nous portons le faix de combats incessants.

Le berger

Ce que je viens te dire concerne les combats.
Un homme menant dix mille soldats
s'avance. C'est un ami à toi, qui vient pour combattre
      avec nous.

Hector

D'où vient-il? quelle est sa patrie?

Le berger

La Thrace, et on l'appelle le fils du Strymon.

HECTOR

Rhésos! Rhésos dis-tu est sur le sol troyen ?

LE BERGER

Tu as compris, et me dispenses de le répéter.

HECTOR

Pourquoi arrive-t-il par les bois de l'Ida
au lieu de prendre en plaine la route charretière ?

LE BERGER

Je ne sais pas au juste, mais puis l'imaginer.
Il est bien dangereux d'amener de nuit une armée,
dans une région découverte, où l'on sait l'ennemi
      nombreux.
Il a répandu la terreur parmi nous, les bergers de l'Ida,
racine et foyer de la terre troyenne,
en traversant de nuit les bois peuplés de fauves.
Comme un fleuve à grand bruit l'armée thrace avançait.
Affolés, nous poussions nos troupeaux vers les crêtes,
      redoutant des Grecs,
venus pour piller, pour dévaster nos bergeries.
Puis nous avons saisi des mots d'une autre langue,
et nous en avons été rassurés.
L'éclaireur du roi s'avança vers nous.
Je lui demandai, dans le parler de Thrace,
qui est leur chef, et fils de qui,
celui qui vient en allié vers la cité de Priam.
    Ayant appris ce que je désirais savoir,
j'attends, et voilà Rhésos, semblable à un dieu,
debout devant moi, menant son attelage thrace.
Un joug d'or maintenait le cou de ses chevaux
blancs, plus brillants que la neige.
A son épaule, un bouclier aux reliefs d'or
étincelait. La Gorgone de bronze, comme à l'égide
      d'Athéna,
attachée au frontail des chevaux,
répandait la terreur par ses mille grelots.

Le chiffre de ses forces, nul ne saurait même l'évaluer,
  tant il paraît immense.
Beaucoup de cavaliers, de peltastes, d'archers,
une immense foule de soldats légers,
suivaient sans arrêt, tous vêtus à la mode des Thraces.
Tel est l'homme qui vient en allié de Troie.
Qu'il le fuie ou qu'il tente de lui résister,
le fils de Pélée ne saurait échapper à ses coups.

LE CORYPHÉE

Lorsque les dieux pour une ville se déclarent,
le destin aussitôt penche de son côté.

HECTOR

Ma lance étant heureuse, et Zeus nous étant favorable,
je ne risque pas de manquer d'amis !
Mais quel besoin avons-nous de ces gens qui pendant
  des années
nous laissaient peiner seuls, tandis que le vent de la guerre
nous emportait, rompant les voiles de l'État ?
Rhésos a bien montré l'ami qu'il est pour Troie.
Il vient pour la curée, mais il n'était pas là quand les
  chasseurs
forçaient la bête, et sa lance alors restait au repos !

LE CORYPHÉE

Tu as le droit de dédaigner, de censurer les tiens.
Accueille cependant ceux qui désirent nous aider.

HECTOR

Il suffit de nous qui depuis longtemps gardons Troie
  intacte !

LE CORYPHÉE

Dès à présent, tu crois l'ennemi abattu ?

HECTOR

J'en suis sûr. Et le jour vient qui le révélera.

Le coryphée

Prends garde à l'avenir. La fortune a bien des revers.

Hector

Je déteste l'ami dont l'aide vient trop tard.
Mais puisque le voilà, qu'il soit reçu, non pas en allié,
mais en visiteur, à la table des hôtes.
Il a perdu tout droit à notre gratitude.

Le coryphée

Repousser un allié, seigneur, c'est s'attirer des représailles.

Le berger

Rien qu'à le voir, l'ennemi pâlira d'épouvante.

Hector *(au chœur)*

Ton conseil est bon.

(Au berger.)

Le tien est opportun.
Que le prince à l'armure d'or, tel que le berger l'a décrit,
Rhésos, prenne donc rang parmi les alliés!

Le berger s'éloigne.

SECOND STASIMON

STROPHE I

LE CHŒUR

Fille de Zeus, ô Adraſtée[1],
préserve-moi de dire rien qui provoque l'envie !
Car je veux exprimer ce qui me réjouit le cœur.
Te voilà donc, ô fils du fleuve, te voilà !
Entre bienvenu dans l'enclos
de Zeus tuteur de l'amitié.
La Muse Piéride t'envoie enfin vers nous,
où t'envoie aussi le fleuve aux beaux ponts !

ANTISTROPHE I

Le Strymon un jour, glissant ses remous
dans le sein virginal de la Muse au beau chant,
engendra ta robuſte jeunesse.
Menant tes rapides cavales,
tu m'apparais tel un Zeus Rayonnant[2] !
Maintenant, ma patrie, ô terre phrygienne,
les dieux te sont propices et tu peux célébrer
Zeus le libérateur !

STROPHE II

L'antique Ilion va-t-elle revoir
ces jours de beuverie, de danse et de liesse,
parmi les chants d'amour et la lutte joyeuse
des larges coupes échangées ?
tandis que sur mer les Atrides vers Sparte s'en retourne-
          ront,
tournant le dos à nos rivages ?

Que ce soit, roi qui nous est cher,
l'œuvre de ton bras, de ta lance !
Puis rentre heureux dans ta patrie !

ANTISTROPHE II

* Viens, montre-toi ! Pour éblouir les yeux d'Achille,*
lève à la fourche de ton char, de biais, ton écu d'or,
excite tes chevaux, tiens haut le double javelot.
Nul de tes adversaires n'ira plus, après la rencontre,
danser sur l'aire de l'argienne Héra.
C'est notre terre pour sa joie
qui portera le poids de son cadavre.
Un Thrace aura marqué son sort[1].

                         Apparaît par la droite
              Rhésos.

TROISIÈME ÉPISODE

LE CORYPHÉE

Salut, grand roi! Qu'il est beau, terre thrace,
le lionceau que tu as élevé! Que royale est sa mine!
Sous l'armure d'or, voyez le corps robuste,
entendez sonner les grelots de bronze aux anneaux
     de l'écu.
C'est un dieu, ô Troie, c'est Arès en personne,
ce fils du Strymon et de la Muse au beau chant,
qui aborde sur ton rivage.

RHÉSOS

Salut, ô noble fils d'un noble père, et souverain de
     ce pays,
Hector. Venu tard dans votre journée, je vous salue,
heureux de tes succès, et de l'attaque que tu as poussée
jusqu'aux retranchements de l'ennemi. Je viens pour les
     renverser avec toi
et avec toi incendier leurs vaisseaux.

HECTOR

Fils de Muse au beau chant et du Strymon de Thrace,
j'aime la vérité et mon cœur n'est pas double.
Tu as longtemps et trop longtemps tardé
à venir combattre pour nous, et à faire ta part
pour épargner à Troie de succomber aux armes grecques.
Si tu faillis à nous aider, à te soucier de nous,
tu ne diras pas que c'est faute d'avoir reçu d'appels de
     tes amis.
Que de hérauts et d'ambassades les Phrygiens
ont envoyés vers toi, pour t'adjurer de défendre
     leur ville!
Que de riches présents nous t'avons adressés!
Et toi, Barbare comme nous, notre frère de race,
tu nous livrais, s'il n'eût tenu qu'à toi, aux Grecs.
Or, tu n'étais qu'un petit prince.

C'est mon poing qui t'a fait le grand roi de la Thrace,
quand près du mont Pangée et du pays de Péonie,
en attaquant de front les chefs les plus vaillants,
j'ai brisé la ligne de leurs boucliers et mis leurs peuples
      en esclavage
pour te les soumettre. Tu aurais dû m'en savoir gré,
      devoir que tu piétines.
Quand tes amis sont éprouvés, tu tardes à les secourir.
Que d'autres à qui le sang ne nous liait aucunement[1]
sont depuis longtemps avec nous. Les uns sont morts,
et des tombeaux construits pour leur repos
prouvent à tous que Troie les a trouvés fidèles.
D'autres portent l'armure et conduisent leur char,
patients au vent glacé, au feu du soleil qui sèche
      la bouche,
au lieu d'être avec toi, étendus sur des couvertures,
à porter des santés en buvant à la régalade[2].
Voilà ce que je te reproche. Je te l'ai dit en face.
Il fallait te montrer le franc-parler d'Hector.

Rhésos

Tel est aussi mon caractère, car mes paroles
vont droit au but et mon cœur n'est pas double.
J'ai souffert plus que toi d'être éloigné d'ici,
à me ronger dans le chagrin et l'impatience.
Mais quand j'allais partir pour Ilion
des Scythes mes voisins m'ont déclaré la guerre.
J'arrivais au rivage du Pont et j'embarquais l'armée
quand le Scythe et le Thrace, immolés l'un par l'autre,
ont offert à la terre leur commune offrande de sang.
C'est là l'obstacle qui m'a empêché
de venir à Troie lutter avec toi.
J'ai dû les abattre, prendre leurs fils comme otages,
leur imposer un tribut annuel.
Enfin j'arrive : mes bateaux m'avaient mis par delà
      le détroit;
je viens de faire à pied le reste de la route,
non du tout, comme tu le prétends, en buvant à la
      régalade,
ni en dormant dans des palais dorés!
Ah! Je me souviendrai du vent glacé qui soulevait la mer
      de Thrace

et qui faisait souffrir mes Péoniens,
de mes nuits sans sommeil, roulé dans ce manteau!
   C'est vrai que je viens tard, encore à temps toutefois
      pour vous,
puisque voici dix ans que tu te bats sans avancer en rien.
Tu perds jour après jour à jouer aux dés contre l'audace
      grecque.
Le soleil d'une seule journée va me suffire à moi
pour renverser leurs murs, tomber sur leurs navires
et les tuer. Le lendemain je pourrai quitter Troie
et retourner chez moi, ayant abrégé vos travaux.
Que nul de vous ne lève seulement son bouclier.
Je saurai contenir ceux dont la lance est arrogante,
et les exterminer, ces Grecs, tout tard venu que je
      puisse être!

LE CHŒUR

*Quelle amitié dans tes paroles! Quel allié Zeus nous
      envoie!*
Puisse seulement le dieu souverain
écarter de toi l'implacable envie!
*La flotte d'Argos n'amena jamais plus grand héros que
      toi.*
Comment Ajax, comment Achille,
tiendraient-ils bon devant ta lance?
Puissé-je, seigneur, voir le jour où ta main meurtrière
exigera d'eux leur rançon.

RHÉSOS

Voilà comment je compenserai mon retard.
Adrastée veuille m'y aider.
Les ennemis par moi écartés loin de Troie,
quand tu auras, sur le butin, réservé la part pour
      les dieux,
je veux avec toi porter la guerre en terre grecque,
et ravager l'Hellade tout entière,
pour qu'à leur tour ils apprennent à souffrir.

HECTOR

Ah! délivré du mal présent,
si je pouvais régner sur Troie dans la sécurité passée.

que de grâces je rendrais aux dieux.
Mais pour Argos et les pays de Grèce,
si tu crois aisé de les mettre à sac, tu te trompes fort.

RHÉSOS

Ne dit-on pas que leurs meilleurs chefs sont partis ?

HECTOR

Et nous les admirons, débordés que nous sommes par le
    travail de les chasser!

RHÉSOS

Lorsque nous les aurons tués, la Grèce du coup sera donc
    vaincue.

HECTOR

Sans regarder trop loin, n'oublie pas ce qui est sous
    nos yeux.

RHÉSOS

Tu consens donc à subir le mal sans le rendre ?

HECTOR

Rien qu'en restant ici, mon royaume est bien assez grand.
A l'aile gauche ou à la droite, ou dans le gros
    des alliés,
tu peux où tu voudras disposer tes peltastes et ranger
    ton armée.

RHÉSOS

Je veux combattre seul, Hector, contre les Grecs.
Mais si tu rougissais de rester en arrière
quand je ferai brûler les poupes des vaisseaux,
toi qui, depuis si longtemps t'y efforces,
poste-moi en face d'Achille et au front de l'armée.

HECTOR

Tu ne pourras contre lui lever ta lance hardie.

RHÉSOS

On a dit cependant qu'il débarqua ici.

HECTOR

C'est vrai, et il y est toujours. Mais il est irrité
contre les autres chefs et il se refuse au combat.

RHÉSOS

Et quel est, après lui, le plus fameux guerrier ?

HECTOR

Ajax, me semble-t-il, ne le lui cède en rien,
ni Diomède. Il y a aussi cet homme forgé par la perfidie,
Ulysse, à qui le courage est loin de manquer.
Peu de Grecs nous ont fait plus de tort.
C'est lui qui pénétra de nuit au temple d'Athéna,
pour voler son image qu'il emporta vers les navires.
Sous les loques d'un mendiant, ce fourbe une autre fois
se glissa dans l'enceinte, en envoyant les Grecs à la
          malheure,
alors qu'il était envoyé à Troie comme espion.
Il tua des gardes et des sentinelles aux portes
et parvint à s'enfuir. Il est toujours à préparer ses coups,
embusqué près du temple d'Apollon, non loin de la cité.
Oui, c'est un ennemi qui nous donne beaucoup de mal.

RHÉSOS

Mais quel homme de cœur consent à se cacher
pour frapper l'adversaire ? Il l'attaque de front.
Celui que tu dis là, blotti à méditer ses ruses,
moi je veux le prendre vivant.
Ma lance plantée dans son dos le clouera près des portes,
en festin offert aux vautours.
Un brigand qui pille les temples des dieux
c'est bien ainsi qu'il doit mourir.

HECTOR

Il faut à présent installer le camp. Le jour est loin encore.

Je vais vous désigner l'endroit où votre armée
pourra passer la nuit sans se mêler à nous.
Phoibos est le mot d'ordre. Souviens-t'en au besoin,
et fais-le connaître à l'armée thrace.

(Au chœur.)

Vous, portez-vous en avant des lignes
et faites bonne garde. C'est vous qui verrez arriver
Dolon, notre éclaireur. S'il est encore sain et sauf
il n'est plus éloigné du camp troyen.

> *Hector et Rhésos sortent par
> la droite.*

TROISIÈME STASIMON

STROPHE

LE CHŒUR

A qui revient la garde ? qui doit nous relever ?
Les premiers des signes célestes sont près de leur cou-
     cher,
à l'horizon brillent les sept Pléiades,
l'Aigle rayonne au milieu du ciel[1].
Réveillez-vous, réveillez-vous !
Debout ! la garde vous attend !
Ne voyez-vous pas où en est la lune ?
L'aube est proche, l'aube est proche,
voici l'étoile qui l'annonce.

UN CORYPHÉE

Qui était commandé pour la première veille ?

UN AUTRE

Coroïbos, m'a-t-on dit, fils de Mygdon le Péonien.

UN AUTRE

Et qui venait ensuite ?

UN AUTRE

L'armée péonienne devait réveiller ceux de Cilicie,
puis les Mysiens nous appeler.

UN AUTRE

Il est donc temps d'aller appeler les Lyciens,
pour qu'ils prennent la cinquième veille,
qui leur est assignée par le sort[2].

ANTISTROPHE

J'entends venir du Simoïs la voix du rossignol,
à couvert dans son nid sanglant :
il a tué son fils et pleure son regret
en longs appels mélodieux.
Déjà les troupeaux paissent sur l'Ida.
Le son du chalumeau me parvient à travers la nuit.
Le sommeil enchante mes yeux.
Vient-il jamais plus doucement
qu'au moment de l'aurore ?

Un coryphée

Pourquoi l'éclaireur ne revient-il pas,
celui qu'Hector envoya aux navires ?

Un autre

Je suis inquiet. Il est parti depuis longtemps.

Un autre

Serait-il tombé dans un piège ? Aurait-il péri ?

Un autre

Je commence à le craindre.

Un autre

Allons réveiller les Lyciens
pour qu'ils prennent la cinquième veille,
qui leur est assignée par le sort.

> *Le chœur sort par la droite.*
> *Entrent par la gauche Ulysse et*
> *Diomède.*

QUATRIÈME ÉPISODE

ULYSSE

Entends-tu, Diomède — ou sont-ce mes oreilles
qui tintent ? — comme un bruit d'armes remuées ?

DIOMÈDE

Non, ce sont des chevaux attachés au rebord des chars,
et le choc de leurs chaînes de fer. Moi aussi j'ai eu peur
avant de distinguer le heurt des attelages.

ULYSSE

Prends garde, dans la nuit, de tomber sur des sentinelles.

DIOMÈDE

J'avancerai avec prudence et malgré les ténèbres.

ULYSSE

Et si tu réveillais quelqu'un, tu connais le mot d'ordre ?

DIOMÈDE

C'est *Phoibos*. Je le tiens de Dolon.

ULYSSE

Très bien. Voilà des lits que l'ennemi a laissés vides.

DIOMÈDE

Dolon m'a dit que c'est ici que couche Hector,
celui que je réserve à cette mienne épée.

ULYSSE

Que se passe-t-il ? Son escouade est-elle partie ?

DIOMÈDE

Pour nous tendre, peut-être, un guet-apens ?

ULYSSE

Il est hardi, Hector, hardi vraiment, depuis son grand
    succès !

DIOMÈDE

L'homme n'est pas dans sa baraque, et notre plan est
    déjoué.
Ulysse, que faire à présent ?

ULYSSE

Rentrer sur-le-champ au mouillage.
Le dieu qui l'a rendu vainqueur veut aussi son salut.
Ne tentons pas de forcer le destin.

DIOMÈDE

Mais Énée, mais le plus détesté des Troyens,
Pâris, si nous allions à leur recherche et leur couper
    la tête ?

ULYSSE

En pleine nuit, dans l'armée ennemie,
comment sans s'exposer les découvrir et les tuer ?

DIOMÈDE

Mais quelle honte de retourner vers les navires
sans avoir rien risqué contre nos adversaires !

ULYSSE

Rien fait, dis-tu ? N'avons-nous pas tué au camp naval
leur espion, ce Dolon, dont nous portons ici sur nous
la dépouille ? Croyais-tu donc anéantir toute l'armée
    troyenne ?
Crois-moi, rentrons, et que le sort nous favorise[1] !

Apparaît Athéna.

ATHÉNA

Quoi ? vous vous retirez loin des lignes troyennes,
et vous partez, le cœur dévoré de regrets,
parce qu'un dieu vous refuse Hector ou Pâris
à tuer ? N'avez-vous pas appris qu'un allié
vient au secours de Troie, Rhésos, en splendide appareil ?
S'il peut mener jusqu'au matin la nuit présente,
ni Achille, ni la lance d'Ajax
ne le retiendront de détruire le camp naval.
Il renversera vos défenses, forcera les passages
à la lance, et se taillera une large brèche.
Tue-le donc et tout est à toi. Ne pense plus à la tente
        d'Hector.
Laisse là ton projet de lui couper la tête.
D'une autre main doit lui venir la mort.

ULYSSE

Dame Athéna, je reconnais le son
de ta voix qui m'est familière. Car l'heure du danger
te trouve toujours près de moi, ma protectrice.
Cet homme, dis-nous quel quartier lui fut assigné pour
        la nuit,
et de quel point du camp barbare il faut partir pour
        le trouver.

ATHÉNA

Son bivouac est non loin d'ici, mais à l'écart.
Hector l'a placé en dehors des lignes
en attendant que le jour soit levé.
Il a près de lui, attachés au char thrace,
ses chevaux blancs que l'on distingue en pleine nuit,
brillants comme l'aile d'un cygne de rivière.
Tuez leur maître et emmenez-les,
beau trophée pour une demeure.
Aucun lieu de la terre ne possède un semblable attelage.

ULYSSE

Eh bien, Diomède, va tuer le roi thrace,
ou bien laisse-le moi et occupe-toi des chevaux.

DIOMÈDE

Je le tuerai. Tu t'empareras des chevaux,
car tu es rompu à l'astuce et tu sais faire un plan.
Il faut mettre chacun où ses dons le servent le mieux.

Ulysse sort par la droite.

ATHÉNA

Mais je vois Pâris s'approcher de nous.
Quelque garde lui aura transmis des rumeurs
concernant l'intrusion d'ennemis.

DIOMÈDE

Est-il accompagné ? Est-il seul ?

ATHÉNA

Seul. On dirait qu'il vient vers les tentes d'Hector.

DIOMÈDE

Ne faut-il pas, sans plus attendre, le tuer ?

ATHÉNA

Tu ne saurais être plus fort que le destin
qui n'a pas arrêté qu'il meure de ta main.
Mais hâte-toi vers celui-là que te livre le sort.
(Diomède sort par la droite.)
Je vais apparaître à Pâris sous les traits de Cypris,
son alliée, comme si je venais l'aider,
et de mots creux j'amuserai notre ennemi.
Tel est mon plan, mais l'homme qu'il menace
n'a rien vu ni rien entendu, encore qu'à portée de
   ma voix.

Pâris entre par la droite.

PÂRIS

Hector, toi notre chef, toi, mon frère, holà !

dors-tu, Hector ? Il faut te réveiller,
des ennemis rôdent dans notre camp,
des pillards ou des espions.

ATHÉNA

Ne crains rien, car je veille sur toi, moi, Cypris, ton amie.
Ton combat m'est à cœur. Je n'ai pas oublié
l'hommage que tu m'as rendu, et je me loue de ton
      service.
Pour couronner le succès des Troyens, je leur amène un
      grand ami,
le roi thrace né d'une mère amie des chants,
la Muse, et dont le père est, dit-on, le Strymon.

PÂRIS

Ta faveur toujours fut acquise à Troie
et à moi-même. En te donnant le prix de la beauté
j'ai valu à ma ville le plus beau des joyaux.
Je viens sur un bruit vague, qui court parmi les gardes,
que des espions seraient arrivés du camp grec.
Mais celui qui le dit n'a rien vu,
et celui qui a vu ne peut rien expliquer,
et c'est pourquoi j'accours vers la tente d'Hector.

ATHÉNA

Ne crains rien. Tout est dans le camp comme à l'ordinaire.
Hector s'est éloigné pour désigner leur bivouac aux
      Thraces.

PÂRIS

Tu me rassures. Comment douter de tes paroles ?
Je regagne mon poste, libre de toute crainte.

Pâris s'éloigne.

ATHÉNA

Va, sois bien sûr que j'ai tes intérêts à cœur
et que je veux voir triompher ceux pour qui je combats.

        *(Rentrent Ulysse et Dio-
mède.)*

Vous deux, quel excès d'ardeur vous emporte ?
Fils de Laërte, cache ton épée aiguisée.
Il gît à terre, le roi des Thraces, ses chevaux sont à vous.
Mais l'ennemi le sait et l'on vient sur vos traces.
Hâtez-vous de fuir vers les vaisseaux. Qu'attendez-vous ?
De ce côté-là, l'orage menace. Sauvez votre vie.

*Athéna disparaît au moment
où rentre le chœur.*

UN CORYPHÉE

Sus, sus !
Frappe, frappe, frappe, frappe, tue, tue !
Qui est cet homme ? Regardez-le bien !
C'est lui que je veux dire !

UN AUTRE

Ce sont des pillards qui viennent de nuit
nous mettre l'armée en alarme.

UN AUTRE

Par ici, tout le monde ! Je les tiens, je les maîtrise.
(Il saisit Ulysse.)
Quelle est ta compagnie, ta nation ? D'où viens-tu ?

ULYSSE

Tu n'as pas à le savoir, car tu mourras aujourd'hui même
si tu me fais le moindre mal.

LE CORYPHÉE

Le mot d'ordre ! Dis-le vite, ou ma pique se plante dans
ta poitrine !

ULYSSE

Tout doux, tu n'as rien à craindre !

UN CORYPHÉE

Plus près, plus près, frappe, frappe !

ULYSSE

C'est donc toi qui tuas Rhésos ?

UN CORYPHÉE

Non, mais toi qui allais le tuer[1].

ULYSSE

Arrêtez tous.

UN CHOREUTE

Non !

Il le frappe.

ULYSSE

Ah ! prenez garde de frapper l'un des vôtres !

UN CHOREUTE

Mais le mot, quel est-il ? dis-le donc !

ULYSSE

Phoibos.

UN CHOREUTE

C'est juste. Abaissez donc vos lances.
Sais-tu par où ont disparu ces hommes ?

ULYSSE

Je les ai vus venir de ce côté. Tout le monde à leur suite !

Ulysse s'esquive par la gauche.

UN CHOREUTE

Faut-il crier l'alerte ?

UN AUTRE

Craignons de laisser la panique troubler la nuit des alliés.

QUATRIÈME STASIMON

STROPHE

Le chœur

Quel homme a pu pénétrer jusqu'ici ?
Prodige d'audace, celui qui pourra se vanter
de m'avoir glissé hors des mains !
Où aller pour le découvrir ?
A quel indice le reconnaître,
celui qui de nuit, d'un pied intrépide,
franchit nos lignes et les postes des gardes ?
Est-ce un Thessalien ? Vient-il du port sur la côte de
*   Locres ?*
a-t-il connu la vie solitaire des îles ?
D'où vient-il ? de quelle patrie ?
Vers quel dieu suprême montent ses prières ?

Un demi-chœur

N'est-ce pas Ulysse ? qui mieux que lui aurait fait ce
*   coup ?*

Demi-chœur

A en juger par le passé, c'est vraisemblable.

Demi-chœur

Tu le penses ?

Demi-chœur

Comment ne pas le croire ?

Demi-chœur

Il est en effet bien hardi contre nous.

DEMI-CHŒUR

Qui ? De qui célèbres-tu l'audace ?

DEMI-CHŒUR

D'Ulysse.

DEMI-CHŒUR

Ah ! ne viens pas me louer ce brigand !

ANTISTROPHE

LE CHŒUR

    Car il a déjà osé s'introduire
dans notre citadelle,
les yeux chassieux, couverts de loques,
un couteau caché sous son vêtement,
mendiant du pain ainsi qu'un esclave évadé,
la peau sale, la tête crasseuse,
maudissant à grands cris le foyer royal des Atrides,
dont il se disait l'ennemi.
Que n'a-t-il péri comme il le mérite,
avant de débarquer sur le sol de Phrygie !

DEMI-CHŒUR

Que ce soit Ulysse ou un autre, je crains
Qu'Hector s'en prenne à nous, à ses gardes.

DEMI-CHŒUR

Que pourra-t-il nous dire ?

DEMI-CHŒUR

Il nous accusera...

DEMI-CHŒUR

De quoi[1]? que crains-tu là ?

Demi-chœur

... d'avoir laissé passer...

Demi-chœur

Qui donc ?

Demi-chœur

Ceux qui cette nuit ont forcé les lignes phrygiennes.

Entre par la droite le cocher de Rhésos.

EXODOS

LE COCHER

Ah, cruel coup du sort, malheur!

LE CORYPHÉE

Écoutez! Silence! Tous, terrez-vous!
C'est peut-être quelqu'un qui vient se faire prendre!

LE COCHER

Hélas, hélas, affreux destin des Thraces!

LE CORYPHÉE

Non, c'est un allié qui se lamente ainsi.

LE COCHER

Malheur à moi, à toi, ô roi des Thraces!
Pour avoir vu la très funeste Troie,
par quelle mort tu devais terminer ta vie!

LE CORYPHÉE

Tu es un allié : lequel ? La nuit obscurcit mes regards
et je ne puis te reconnaître.

LE COCHER

Où trouver le chef des Troyens ?
Où Hector dort-il tout armé ?
A qui, à quel chef signifier ce qui vient d'arriver,
ce qu'a fait l'ennemi invisible aussitôt enfui,
après avoir tramé le deuil éclatant de la Thrace ?

LE CORYPHÉE

Un malheur, ce me semble, est arrivé à son armée,
si je comprends bien ce que dit cet homme.

LE COCHER

L'armée a péri, le chef est tombé sous les coups d'un
    traître!
Ah, ah! que je souffre! ma blessure saigne, je voudrais
    mourir!
Je devais donc, avec Rhésos, mourir sans gloire,
pour être venu au secours de Troie!

LE CORYPHÉE

Il signifie trop clairement un grand désastre.
Nos alliés ont péri, voilà ce qu'il nous dit.

LE COCHER

Un désastre où la honte s'ajoute à la misère,
ce qui le rend deux fois plus accablant.
Une mort glorieuse, lorsqu'il faut bien mourir,
fait souffrir celui qui périt — comment l'éviter? —
mais donne orgueil aux survivants et gloire à la famille,
tandis que nous finissons d'une mort piteuse et obscure.
    Hector nous avait désigné l'endroit où nous coucher
et donné le mot d'ordre. Nous dormions à même la terre,
domptés par la fatigue, sans même avoir posté des gardes,
des sentinelles pour la nuit, et sans avoir rangé nos armes,
ni fixé l'aiguillon au joug des attelages,
Car notre roi avait appris que vous étiez vainqueurs
au point de menacer les bateaux à l'ancrage.
On dormait en désordre, comme on était tombé.
    Moi cependant, le souci me réveille des chevaux à
    nourrir.
Comme je prévoyais un combat dès l'aurore
et qu'il faudra les atteler, je leur donne bonne mesure de
    fourrage.
C'est alors que je vois deux hommes s'avancer
dans la nuit noire. Comme je fais un mouvement,
ils se reculent et disparaissent.
Les prenant pour des maraudeurs venus du camp
    des alliés,
je leur enjoins de ne plus approcher.
Rien ne me répondit. Je ne puis en dire plus long,
car j'allai me coucher et je me rendormis.

Puis une vision m'apparut en songe.
Ces mêmes chevaux que j'ai élevés, que j'ai menés, debout
      sur le char
à côté de Rhésos, je voyais dans mon rêve
deux loups leur bondir sur le dos, les monter,
fouetter de leur queue leur robe soyeuse
pour les faire avancer. Mais eux soufflaient
de colère, et la peur les faisait se cabrer.
Et moi, en m'efforçant pour écarter les fauves,
je me réveille en proie à l'angoisse nocturne,
je redresse la tête, et j'entends se plaindre un mourant.
Mon maître est là, affreusement assassiné,
le flot de son sang chaud jaillit sur moi.
Je bondis et me trouve debout, mais le bras désarmé,
cherchant des yeux, de la main, mon épée,
quand de côté m'atteint un coup sous la dernière côte,
vigoureusement assené. J'ai senti pénétrer
le fer, et voilà le profond sillon de la blessure.
Je tombe en avant, tandis qu'eux entraînent l'attelage,
excitent les chevaux et disparaissent.
Ah, ah! je souffre à ne pouvoir tenir debout, ah! malheur!
Notre désastre, je l'ai vu de mes yeux, mais comment
est venue la mort, je ne saurais le dire,
ni quel bras nous frappa. Je devine pourtant que ce fut
      l'un des vôtres.

Le coryphée

Cocher de l'infortuné roi de Thrace,
ne soupçonne personne, sinon les ennemis.
Voici Hector lui-même, informé du malheur,
qui vient partager ta douleur, comme c'est son devoir.

*Entre Hector qui s'adresse
vivement au chœur.*

Hector

Qu'avez-vous fait ? Ce désastre est votre œuvre.
Des espions ennemis se glissent parmi vous
à votre insu : c'est une honte. Des assassins
pénètrent dans le camp sans que vous les chassiez
et le quittent sans être arrêtés. Qui doit être puni ?

Toi et toi seul. Car c'est toi qui étais de garde, je le répète.

Eux s'en vont sans une blessure, en raillant tout leur
     saoul

et la veulerie des Troyens, et moi, leur chef.

Mais sachez-le bien, je le jure par Zeus notre père,

le fouet ou la hache t'attendent après une telle faute,

ou bien dites qu'Hector ne compte plus et n'est
     qu'un lâche.

Le chœur

   Dieux, dieux ! O toi très respecté,
chef puissant, salut de la ville[1],
ils ont dû arriver tandis que j'accourais
te faire mon rapport sur les feux allumés
du côté des navires.
   De toute la nuit je n'ai pas dormi,
je n'ai pas cédé au sommeil !
J'en jure par les eaux du Simoïs !
   Ne tourne pas, seigneur, ta colère sur moi,
je ne suis pas coupable.
   Si jamais tu apprends de moi
un acte, un mot, contraire à mon devoir,
envoie-moi vivant sous la terre. Je ne protesterai pas.

Le cocher

Qu'as-tu à t'en prendre à tes gardes ? Barbare comme moi,

pourquoi chercher à m'égarer par des mensonges ?

C'est toi qui as tout fait. Où chercherions-nous un
     coupable[2],

— eux les morts et nous les blessés, —

autre que toi ? Il te faudrait bien des discours et bien

habiles pour me persuader que tu n'es pas notre assassin.

Dans ta fureur d'avoir ces chevaux, tu mets à mort
     les alliés

de ta propre cause, après les avoir suppliés de venir.

Ils arrivent et les voilà morts. Pâris a mis plus d'élégance

à violer les lois de l'hospitalité, car lui n'a pas tué
     ses hôtes.

Ne viens pas dire que c'est un Grec qui est venu nous
     massacrer !

Dépasser les quartiers troyens, arriver jusqu'à nous, qui
     l'aurait pu sans être vu ?

Tu campais devant nous avec l'armée phrygienne :
Qui est blessé, qui a péri, parmi tes hommes
à toi ? Et des ennemis, à t'en croire, auraient pénétré dans
    le camp ?
C'est moi, qui étais loin, qui suis blessé !
D'autres, plus malheureux, ne voient plus la lumière.
Pour tout dire en un mot, nous n'accusons aucun
    des Grecs :
lequel, en pleine nuit, au milieu du bivouac,
aurait trouvé la place de Rhésos ? Il eût fallu un dieu
pour guider l'assassin. Ils ignoraient
jusqu'à notre arrivée. Non, il y eut traîtrise.

HECTOR

Nous sommes en rapports avec des alliés
depuis tout ce long temps que l'armée grecque occupe
    notre sol.
Jamais je n'ai entendu d'eux un seul mot malsonnant.
Veux-tu donc être le premier[1] ? Me préserve le ciel
    de désirer
des chevaux, au point de tuer pour eux un ami.
Je reconnais ici la main d'Ulysse. Quel autre Grec
aurait pu faire, aurait pu préparer ce coup ?
Je redoute cet homme, et mon cœur est pris d'un frisson
à l'idée qu'il aurait surpris, tué Dolon,
qui est parti depuis longtemps et n'est pas revenu.

LE COCHER

Je ne sais rien de ces Ulysses dont tu parles,
mais seulement que ce n'est pas un ennemi qui
    m'a frappé.

HECTOR

Suis ton sentiment, à ta guise !

LE COCHER

Terre de ma patrie, ah ! mourir dans ton giron !

HECTOR

Tu dois vivre. La foule des morts est bien assez grande.

Le cocher

Où irai-je, à présent que j'ai perdu mon maître ?

Hector

Ma maison va te recevoir, et tu y guériras.

Le cocher

Et quels soins puis-je attendre des mains de mes
assassins ?

Hector

Encore ? Il ne veut donc pas changer de langage ?

Le cocher

Périsse le coupable ! Mais ce n'est pas toi que ma bouche
maudit, comme tu le prétends[1] : la Justice sait à quoi
s'en tenir.

Hector

Emportez-le. Tout en le conduisant chez moi,
traitez-le de façon qu'il cesse de nous accuser.
Vous, allez trouver ceux qui siègent aux remparts,
Priam et les vieillards et priez-les de donner sépulture
aux morts,
près de la grand'route, à la halte des voyageurs.

> *Les gardes sortent, emme-
> nant le cocher.*

Le coryphée

Un grand bonheur fut accordé à Troie,
puis la voici ramenée vers les deuils
par un autre dieu. Pourquoi ? Que nous prépare-t-il ?

> *(La Muse portant le corps
> de Rhésos apparaît au-dessus
> de la baraque.)*

Mais quoi ?
Quelle divinité, ô roi, apparaît au-dessus de ta tête ?

Elle tient dans ses bras
un corps que la vie vient d'abandonner.
Elle l'emporte dans les airs.
Je crains que ce prodige ne nous annonce un malheur.

LA MUSE

Troyens, regardez-moi sans crainte. Honorée des poètes,
je suis une Muse, l'une des neuf sœurs.
J'ai vu mon cher enfant honteusement tué
par vos ennemis, et c'est pourquoi je suis venue.
Son meurtrier, Ulysse le perfide, aura un long délai,
mais il expiera son crime jusqu'au bout.

> *Un cantique de deuil me jaillit des lèvres !*
> *Je te pleure, ô mon fils, ô douleur de ta mère !*
> *Funeste le chemin qui t'amena vers Troie,*
> *route d'infortune et de larmes,*
> *dont j'ai voulu te détourner.*
> *Ton père aussi, violemment, te retenait.*
> *Que je souffre à cause de toi,*
> *ô chère, chère tête, ô mon enfant !*

LE CORYPHÉE

Je suis pour toi un étranger. Permets-moi cependant
de souffrir avec toi et de pleurer ton fils.

LA MUSE

> *Périssent le fils de Tydée et celui de Laërte !*
> *qui m'ont privée du meilleur des enfants.*
> *Périsse Hélène aussi, qui laissa son foyer*
> *pour passer la mer et courir rejoindre*
> *le lit d'un Phrygien.*
> *C'est là, mon fils aimé, que pour la cause d'Ilion[1]*
> *elle t'a tué et vidé cent villes*
> *des meilleurs de leurs hommes.*

Combien de ton vivant, et puis descendu aux enfers,
ô fils de Philammon, tu déchiras mon cœur[2]!
Si je conçus ce fils infortuné,
la faute en est à cet orgueil qui te perdit, à ton défi lancé
aux Muses.

Car c'est en passant les flots du Strymon,
que j'approchai de son lit fécondant,
tandis que nous allions vers le Pangée aux veines d'or,
nous, les Muses, portant nos instruments,
pour cette joute où nos chansons devaient s'opposer au
   poète thrace.
Nous avons aveuglé Thamyris pour le mépris qu'il
   faisait de notre art,
puis je te mis au monde. Je rougissais devant mes sœurs
de ma virginité perdue, et j'allai te placer
dans le remous des belles ondes paternelles.
Pour t'élever, le Strymon voulut mieux que de mortelles
   mains;
il te donna aux nymphes des fontaines.
Ces vierges t'ont formé aux plus belles vertus.
Tu régnas sur la Thrace et tu fus le premier des hommes,
   mon fils.
Quand tu t'armais dans ta patrie pour des combats
   sanglants,
je ne craignais pas pour ta vie,
mais je te détournais de jamais gagner Troie,
car je connaissais ton destin. Mais Hector,
à force de messages, à force d'ambassades,
te décida à secourir tes alliés.
  De son malheur, c'est toi, Athéna, qui es cause.
Ulysse et le fils de Tydée ne furent que tes instruments.
Ne te figure pas que j'en sois dupe.
  Pourtant, nous honorons ta cité entre toutes,
mes sœurs les Muses et moi-même,
et nous aimons y séjourner.
Celui qui alluma les torches pour les mystères ineffables,
Orphée, était le cousin de celui que tu viens de tuer.
Musée, de tous vos citoyens le plus auguste,
celui qui s'éleva aux plus hautes visées,
fut instruit par Phoibos et par nous, les neuf sœurs.
Et quel est mon salaire? J'emporte dans mes bras mon
   enfant mort
et je vais le pleurer. Pour le chanter, je ne veux que
   moi-même.

LE CORYPHÉE

C'est donc bien à tort que le cocher thrace
nous imputait l'intention de ce meurtre.

HECTOR

Tu ne m'as rien appris. Fallait-il un devin
pour distinguer la main d'Ulysse dans la mort de
    Rhésos ?
Quant à moi, voyant l'armée grecque occuper ma patrie,
pouvais-je m'abstenir d'envoyer des hérauts
solliciter l'aide de nos amis ?
Je l'ai fait. Rhésos est venu, c'était son devoir, lutter
    avec moi.
Pensez-vous que sa mort m'inspire de la joie ?
Je suis prêt à lui faire ériger un tombeau
où brûleront en tas pour lui des vêtements splendides.
Il était venu en ami, et s'en va au milieu des larmes.

LA MUSE

Il ne descendra pas dans les abîmes de la terre
tant j'aurai su prier l'épouse du dieu infernal,
la fille de Déméter qui fait mûrir les fruits,
afin qu'elle renvoie son âme. Elle se doit en effet
de prouver son respect pour les parents d'Orphée.
Pour moi pourtant, mon enfant sera désormais
comme s'il était mort et retranché du jour,
car il ne viendra plus vers moi et jamais il ne reverra
    sa mère.
Caché dans les cavernes de la terre veinée d'argent,
il y reposera vivant, homme et dieu tout ensemble,
comme un prophète de Bacchos logé au mont Pangée,
dieu vénéré de ceux qui ont le savoir en partage[1].
Je porterai ma peine avec plus de patience que la
    déesse marine,
dont le fils, lui aussi, est promis à la mort.
Mes sœurs et moi nous pleurerons d'abord sur toi,
    Rhésos,
puis sur Achille pour le deuil de Thétis.
Pallas qui t'a perdu ne pourra le sauver,
si terrible est la flèche qu'Apollon pour lui garde en son
    carquois.
Engendrer des enfants apporte de grandes souffrances,
et qui les pèse à leur vrai poids
finira sa vie sans enfants, pour n'en avoir aucun à
    enterrer.

Le coryphée

A sa mère à présent de lui rendre les derniers honneurs.
Toi, Hector, si tu veux accomplir l'un de tes projets,
le moment est venu, car voici l'aube.

Hector

Va dire aux alliés de s'armer sur-le-champ,
d'atteler les chevaux, de garder la torche à la main,
jusqu'à l'appel de la trompette tyrrhénienne.
Franchir le fossé, dépasser le mur, brûler la flotte grecque,
voilà mon espoir, et faire luire pour les Troyens,
avec le rayon qui point là, la journée de la délivrance.

Le coryphée

Obéis au roi. Allons revêtir nos armes,
et dire aux alliés d'en faire autant.
Le dieu qui nous protège
nous donnera peut-être la victoire.

NOTES

Le texte traduit est en principe celui de l'édition des Belles-Lettres, *sauf pour les* Bacchantes, Iphigénie à Aulis *et* Rhésos *pour lesquels on a suivi le texte de Murray. On trouvera ci-dessous les passages pour lesquels d'autres lectures ont été adoptées. Elles sont suivies d'un astérisque lorsqu'elles sont attestées par une source ancienne. La traduction revient souvent, contre l'avis des éditeurs modernes, à l'ordre traditionnel des vers : il m'a paru inutile de le signaler.*

*En ce qui concerne les manuscrits, il y a peu de chose à ajouter à ce qu'en disent Murray et Méridier dans leurs préfaces. Toutefois, un examen attentif a permis à A. Turyn (*The byzantine tradition of the tragedies of Euripides, Illinois Studies, t. XLIII, 1957, p. 268*) d'affirmer que P n'est pas une copie de L, même pour les pièces sans scholies, mais un manuscrit jumeau. K. Horna (*Hermes t. LX, 1929, p. 416*) a pu étudier un palimpseste de Jérusalem du X*[e]* siècle (injustement méprisé par Wilamawitz et Murray) qui contient des morceaux des six premières pièces, et y relever plusieurs bonnes leçons.*

LES TROYENNES

Voir *Notices* à *Andromaque* et *Hécube*, *Argument légendaire*, *Troie*, et l'excellente préface de Léon Parmentier à son édition des *Belles-Lettres*.

P. 711.

1. 14 δόρυ signifie *bois* en général, *bois de la lance, lance* et finalement *armée*, ce qui permet à Euripide de modifier l'étymologie courante du δούρειος ἵππος, le cheval de bois.

P. 712.

1. 40 λάθρα τέθνηκε*.
2. 55 καινόν*

P. 719.

1. 201 Texte suspect : corriger τεκέων σώματα en τοκέων δώματα donne un sens acceptable, mais les idées ne sont pas

liées. Le vers devait nommer un travail d'esclave, parallèle au tissage.

2. 224 La colonie athénienne de Thurii, sur l'emplacement de Sybaris en Grande Grèce. Plusieurs rivières passaient pour avoir la vertu ici attribuée au Crathis, de dorer les cheveux de ceux qui s'y baignaient.

P. 720.

1. 238 καινόν*.

P. 724.

1. 308 Cf. n. 1, p. 23. Au début de l'antistrophe, autre formule du rite nuptial.

2. 332 μᾶτερ ἀναγέλασον, qui correspond exactement à δάκρυσι dans la strophe où, vers 314, on peut supprimer καί.

P. 725.

1. 361 ἄλλαι τ' — ἐάσω.

P. 726.

1. 399 κῦδος*.

P. 727.

1. 416 ᾐτησάμην.

P. 728.

1. 430 Hécube doit être métamorphosée en chienne (cf. *Héc.*, 1265). Les vers suivants sont suspects. Ou bien il y a une lacune après 434, ou bien le début de 435 est interpolé. 441 : *Les chairs meuglaient autour des broches. On aurait dit la voix des vaches elles-mêmes* (*Odyssée*, XII, 395).

P. 732.

1. 564 Trad. conjecturale : le sens de καράτομος est des plus douteux.

P. 735.

1. 592 Texte altéré; la répartition des vers n'est pas sûre.

P. 737.

1. 618 Ajax le Locrien avait poursuivi Cassandre dans le temple d'Athéna, ce qui avait causé la colère de celle-ci.

P. 738.

1. 633 Je traduis la correction de Parmentier οὐ τεκοῦσα κάλλιστον λόγον, non sans hésitation. L'image est bien dans le style d'Euripide, mais il faudrait une particule adversative avec ἄκουσον.

P. 741.

1. 717 εἴπω τάδε κακά, incompréhensible, doit venir du vers suivant.

P. 743.

1. 764 Les Grecs faisaient de la cruauté des supplices une caractéristique des Barbares. Ce sont des prétentions de ce genre qui ont fait passer le mot du sens d'*étrangers* au sens de *non-civilisés*.

P. 745.

1. 809 ἀτιζόμενος.
2. 820-859 Cf. *Argument légendaire, Troie* 1.

P. 751.

1. 987 Amyclées, à une lieue de Sparte, résidence de Tyndare.
2. 990 Jeu sur *Aphrodite* et *aphrosyné, folie*.

P. 753.

1. 1052 Traduction conjecturale d'un passage altéré.

P. 755.

1. 1113 Le temple aux portes de bronze d'Athéna à Sparte.

P. 757.

1. 1172 Sens douteux d'un passage très difficile.
2. 1176 D'après le scholiaste il serait honteux de nommer le cerveau qui coule par les os brisés.

P. 758.

1. 1195 Abandonner son bouclier était le symbole même de la désertion.
2. 1206 κοὐ δὶς αὐτός.

P. 760.

1. 1240 Littéralement : *qu'y avait-il chez les dieux ?* Les sorts reposaient sur leurs genoux.

P. 762.

1. 1289 Zeus était père de Dardanos par Électre, fille d'Atlas.

IPHIGÉNIE EN TAURIDE

Voir *Argument légendaire, Argos* 3 et les *Notices* à *Électre* et *Iphigénie à Aulis*.

NOTES

P. 775.

1. 15 Sens certain d'une rédaction elliptique. Lire πνευμά-
των τε en sous-entendant δεινῶν.

P. 776.

1. 23 *Thoos* signifie *prompt*.
2. 36 Construction difficile. Lire peut-être χρώμεθα ἑορτῆς.

P. 779.

1. 113 ὅρα δ'. ἔνεστι τριγλύφων.

P. 780.

1. 141 χιλιόναυτα Ἀτρείδα.

P. 781.

1. 188 τίνος ἐκ.

P. 782.

1. 208 Ce vers, qu'il ne faut pas déplacer, joue sur le nom de
Clytemnestre : *celle qui eut des prétendants célèbres.*

P. 783.

1. 246 τίνες; τί δ' ὄνομα.

P. 785.

1. 292 ταῦτα. Le texte de 294 est sans doute altéré, mais ne
laisse pas supposer de lacune.

P. 787.

1. 352-3 Sens vraisemblable de vers gâtés.

P. 788.

1. 378 κακῶν*.

P. 790.

1. 424-36. Le chœur évoque le pays de Phinée sur la côte
thrace, et Leucé, l'Ile-aux-Oiseaux, à l'embouchure du
Danube, où Achille était honoré et avait un stade.

P. 791.

1. 466 Ἕλλησι διδούς semble résulter d'une glose mal
comprise. Lire peut-être ἄλλοισι avec Jackson.
2. 477 οὐδεὶς ὅποι.
3. 481 μακρὸν χρόνον... ἔσεσθ' est le texte des mss.

P. 794.

1. 516 τοῦτ' ἐρᾷ*, inutile de changer l'ordre des vers.

IPHIGÉNIE EN TAURIDE

P. 799.

1. 573-5 Sens conjectural d'un passage altéré.
2. 588 Ἀπίαν μολών, Jackson.

P. 802.

1. 633 Le rite ici décrit allusivement (la victime égorgée, brûlée dans le temple, les restes jetés dans une fissure du roc) n'a pas d'équivalent dans les coutumes grecques. Il doit y avoir une lacune entre σῶμα σόν et κατασβήσω : le corps était peut-être oint d'huile après que le feu eut été éteint avec du vin.
2. 637 Je lis, avec Jackson, μούγκαλῆς en rattachant au vers suivant.

P. 808.

1. 754 Sens possible d'un vers altéré.

P. 810.

1. 782 ἀφίξεται.

P. 811.

1. 804 Sens douteux.

P. 812.

1. 819 Sens douteux.

P. 815.

1. 901 ἀπ' ἀγγέλων.
2. 908 καιρὸν λαχόντας.
3. 912 Sens possible d'un vers altéré.

P. 818.

1. 945 Sur l'Aréopage, cf. *Électre*, 1258; à la fête athénienne des Choës, chacun buvait son pot de vin, sans qu'il y eût de cratère commun. La tradition y voyait un souvenir de la solitude d'Oreste proscrit et impur. 963 L'accusé et l'accusateur avaient chacun leur siège à l'Aréopage, dits celui du Crime, occupé ici par Oreste, et celui de l'Implacable, occupé ici par une des Érinyes.

P. 819.

1. 989 Vers difficile, dont le sens n'est pas clair.

P. 820.

1. 1010 Texte douteux.
2. Lacune après 1014.

P. 822.

1. 1037 δώσω φόνῳ.

P. 823.

1. 1046 τετάξεται χοροῦ.

P. 833.

1. Si le vers 1214 est à sa place, il faut supposer perdue une réplique d'Iphigénie.

P. 836.

1. 1234 sqq. Le texte du *stasimon* est très altéré. Les éditeurs ne peuvent établir une correspondance strophique qu'au prix de corrections très hasardeuses. Je lis 1235 Δηλιάσιν, 1237 ᾆτ' (il n'est pas question d'Artémis, mais seulement d'Apollon), 1242 ματέρ'.

P. 837.

1. 1278 δὲ λαθοσύναν.

P. 840.

1. 1324 διωγμός*.

P. 841.

1. 1349 Lacune probable après ἐλευθέρους.

P. 844.

1. 1469 Il n'y a pas de lacune : Oreste est invité à rapatrier (ἐκπέμπειν) les jeunes Grecques (J. Meunier, *Musée belge*, 1929, p. 154).

ÉLECTRE

Voir *Argument légendaire, Argos,* et M. Delcourt, *Oreste et Alcméon.*

P. 857.

1. 1 On peut prendre ἄργος comme nom commun, l'adjectif étant accordé avec le déterminé non avec le déterminant; mais comment, à l'audition, distinguait-on le nom commun du nom propre ?

P. 860.

1. 87 μυστηρίων.

ÉLECTRE

P. 861.

1. 145 Texte probablement altéré.

P. 865.

1. 216 ἐπισκίους.

P. 866.

1. 234 νόμον.

P. 867.

1. 239 οὔκουν...; ξηρόν, privé des onguents qui rendent la peau brillante, λιπαρός. 241 : les Scythes scalpaient leurs prisonniers.

P. 875.

1. 384 Sens assez certain d'un passage probablement altéré.

P. 877.

1. 426 Idem.

P. 879.

1. 475 La Chimère fuit devant Bellérophon monté sur Pégase.

P. 880.

1. 498 Vers altéré, qu'on ne voit pas comment corriger.
2. 508 Trad. conjecturale d'un vers gâté que je lis δ'οὐ τοῦθ' ὅ γ' οὐκ (Parmentier).

P. 882.

1. 546 λαθών, texte et sens douteux.

P. 884.

1. 568 πάλαι δέδορκα· μὴ σύ γ'· οὐκέτ' εὖ φρονεῖς.
2. 578 πέπεισμαι· σύγγον' ὦ χρόνῳ φανείς.

P. 885.

1. Lacune probable entre 581 et 582.
2. 594 καλᾷ σοὶ τύχᾳ.

P. 886.

1. 602 ἀνεσκευάσμεθ' ὦ στερραὶ τύχαι.

P. 887.

1. 625 Les Nymphes étaient protectrices des nouveaux-nés ; on leur sacrifiait le 8e jour après la naissance.

P. 889.

1. 641 Sens douteux d'un vers altéré.

P. 890.

1. 661 εἰσίτω.

P. 892.

1. 680-5 L'ordre des vers est douteux, ainsi que leur répartition entre les acteurs.

P. 894.

1. 719 εἶθα δόλοι Θυέστου, lecture conjecturale d'un texte altéré.

P. 898.

1. 797 Sens douteux d'un vers gâté.

P. 899.

1. 825 ἱππίους. Cette arène, double de celle de la course à pied, avait 4 stades de long, soit environ 720 m.

P. 904.

1. 928-9 Traduction conjecturale de deux vers difficiles.

P. 905.

1. 959-65 L'attribution des répliques n'est pas sûre.

P. 907.

1. 1002 ἀπώλεσε*.

P. 908.

1. 1024 Sur les filles sacrifiées pour sauver une cité, cf. *Argument légendaire, Athènes,* 1.

P. 909.

1. 1045 κείνου; πόθεν. Le raisonnement des vers précédents, qui paraît absurde à un moderne, s'explique par les idées des anciens, pour qui les fils appartiennent au père et les filles à la mère.

P. 910.

1. 1058 ὅρα· κλύουσα. 1059 οὔκ, εἴ τι σῇ ἡδύ.

P. 915.

1. Après 1181, lacune. Le sens des vers 1192-3 ne se laisse même pas deviner.

P. 916.

1. 1209 τακόμαν δ' ἐγώ*.

P. 920.

1. 1263 ἐκ τούτου θεοῖς.
2. 1289 ὄχθον Κεκροπίας, Athènes.

P. 921.

1. 1295 Les Dioscures sont à la fois fils de Zeus et de Tyndare, comme Thésée l'est de Posidon et d'Égée, Héraclès de Zeus et d'Amphitryon. Oreste les nomme ainsi pour souligner la parenté entre eux et lui-même, petit-fils de Tyndare.

HÉLÈNE

P. 933.

1. 9 Théoclymène, *gloire des dieux*, Théonoé, *pensée divine*. A la mode homérique, on donne aux enfants la qualité dont se targue le père.
2. 20 ἐξεπράξατ' αἰετοῦ.

P. 935.

1. 69 Πλούτου γάρ*, le palais du dieu des richesses, ironique : que peut-on bien enfermer ici ?

P. 936.

1. 86 τίς εἶ ποθ' ὅντιν' ἐξαυδᾶν.
2. 90 φυγὰς πατρῷας*.

P. 939.

1. 119 σκόπει δε.

P. 943.

1. 170-9 Texte très douteux. Je traduis μοῦσ' εἰ Φερσεφάσσα... παιάνας νέκυσι μελομένους.
2. 188-90 Traduction conjecturale d'un texte gâté : ὑπὸ δὲ πέτρινα γύαλα ?

P. 945.

1. 237 Texte douteux : ἐπὶ τὸ δυστυχές τ' ἐμὸν κάλλος, ὡς ἕλοι γάμον.
2. 245 Cf. *Troyennes*, n. 1, p. 755.

P. 946.

1. 260 τέρας τ' ἄρ'.

P. 947.

1. 289 δοκοῦντες ‘Ελένην Μενέλεώ μ’ ἑλεῖν δίχα, correction vraisemblable d'un vers altéré.

P. 948.

1. 309-10 ψευδῶν σαφῆ... ἀληθείας ἔπι.

2. 325 Le sens paraît certain, mais la rédaction est bizarre.

P. 950.

1. 353 Texte altéré. Il y a probablement une lacune après αἰώρημα.

2. 358-9 Traduction conjecturale d'un passage corrompu.

3. 377 Zeus transforma en ourse (Euripide semble parler d'une lionne) la nymphe Callisto pour la soustraire à la colère d'Héra. On voit mal quel parallélisme il peut y avoir entre son histoire et celle de Léda.

P. 952.

1. 389 πεφθεὶς ἐποίεις εὐθέως λιπεῖν βίον, mais le texte semble trop altéré pour qu'aucune correction ait chance de retrouver l'état primitif.

P. 953.

1. 442 ἄνες λόγον.

P. 957.

1. 505-6 Sens douteux.

P. 961.

1. 559 προσφερεστέραν.

P. 963.

1. 577 Traduction conjecturale d'un vers altéré.

P. 967.

1. 644 πόσι.

P. 968.

1. 663 ἄφυκτα πάντα.

P. 969.

1. 676 ὤμοι ’Ιδαίων, texte douteux.

P. 974.

1. 766 Pour venger la mort de son fils Palamède, Nauplios allume des feux sur les falaises du cap Capharée où les vais-

seaux grecs viennent se briser (cf. *Notice* aux *Troyennes*). L'endroit où Persée guetta la Gorgone était sur la côte d'Égypte ou de Libye. 769 εἰ γὰρ ἐμπλήσαιμί σε.

P. 975.

1. 775 ἐνταῦθ’ ἰών, πρός.

P. 978.

1. 810 ἴτω. σιδήρῳ.

P. 979.

1. 825 ἴσως ἄν.

P. 981.

1. 854 Sens douteux.

P. 982.

1. 885-6 πριαμένη φανῇ τὸ κάλλος, Ἑλένης οὐκ ἐν ὠνητοῖς γάμος.

P. 984.

1. 936 Elle imagine le pire malheur pour un vaincu : être, comme Polyxène, immolé à une tombe. On n'a guère d'exemples de tels sacrifices. Ce n'est pas une raison pour récrire le vers. La correction la plus simple consisterait à écrire κατεστάθη.

2. 961 πατρὸς μολών. Ménélas n'embrasse certainement pas le tombeau.

P. 987.

1. 1051 εἰ δὲ κερδαινεῖ λέγειν.

P. 989.

1. 1074 καὶ νεὼς δρόμος.

P. 991.

1. 1128 εἶλ’ Ἀχαίων Cf. n. 1, p. 974. Tout le texte de ce chœur est altéré.

P. 996.

1. 1225 φίλος γὰρ — ἔστι δ’ οὕπέρ ἐστιν — ἐνθάδ’ ἦν.

P. 997.

1. 1228-9 : deux vers intervertis. 1230 πιστὴ γάρ εἰμι τῷ πόσει φεύγουσά σε.

P. 998.

1. 1242 Allusion ironique aux crimes des Pélopides, Aéropé adultère jetée dans la mer par Atrée, Myrtilos par Pélops.

P. 1001.

1. 1279 ἐξελών.
2. 1286 Texte douteux. Il faut peut-être lire τρύχουσα σαυτὴν puis admettre une lacune.
3. 1287 ὁ κατθανὼν γόοις, excellente correction de Jackson.

P. 1004.

1. 1301 sqq. Le texte de ce *stasimon* est tel que la plus grande partie de la traduction est conjecturale. On a renoncé à traduire la seconde antistrophe, dont le sens ne se laisse même pas deviner. Les éditeurs la récrivent pour y mettre ce qu'ils croient y lire. Le chœur s'adresse à une « jeune femme » dont on ne voit même pas si c'est Hélène ou Perséphone : ce qui est dit ne peut guère se rapporter ni à l'une ni à l'autre.

P. 1007.

1. 1422 Sens conjectural d'un texte douteux.

P. 1009.

1. 1457 Galaneia, personnification du beau temps, était une Néréide.
2. 1464 Argos, où Ménélas fit halte avant de rentrer à Sparte. Cf. *Oreste, Notice.*
3. 1466 Castor et Pollux avaient enlevé les filles de Leucippe pour les épouser.
4. 1469 Hyakinthos, amant d'Apollon, fut tué par lui, puis honoré à Amyclées près de Sparte au cours d'une fête qui durait trois jours.

P. 1012.

1. 1535 Texte et sens douteux.
2. 1545 ἀλλ'... συνθάπτετε.

P. 1013.

1. 1564 πρόχειρον οἴσω.
1. 1590 πάλιν. τί πλέομεν Ἀπίαν. κέλευε σύ. Vers restitué par Jackson. Apia est le nom mythique du Péloponnèse, cf. *Iph. T.*, n. 2, p. 799.

P. 1018.

1. 1679 εἰσιν ἐν πόνοις.

LES PHÉNICIENNES

Voir *Argument légendaire, Thèbes* et *Argos,* et Marie Delcourt, *Œdipe ou la légende du Conquérant,* 1944.

P. 1035.

1. 174 Les bêtes égorgées sont sur le char. Amphiaraos les promène autour du champ de bataille pour rendre les dieux infernaux favorables aux Argiens.

P. 1041.

1. 342 Λαΐου τε τῷ πάλαι γένει.

2. 352 Le fer qui a tué Laïos ? ou est-ce une allusion à la vertu magique et maléfique du fer ? Cf. vers 1677, et Eschyle, *Sept,* 729.

P. 1042.

1. 371 ἄλγος, αὖ σε.

P. 1044.

1. 403 ἤν τις δυστυχῇ*.

P. 1046.

1. 422 Adraste était fils de Talaos, descendant d'Éole.

P. 1047.

1. 447 C'est au demandeur, c'est-à-dire à Polynice, à parler le premier.

2. 448 Sens probable d'un texte douteux.

P. 1050.

1. 538 νόμιμον*.

2. 546 βροτοῖς.

3. 549 Une traduction littérale est impossible. Une ἀδικία εὐδαίμων est inconcevable, puisque l'eudémonie est le bonheur qui résulte de l'harmonie intérieure, incompatible avec la pratique du mal.

P. 1051.

1. 574 A Argos, où Polynice rentrerait vainqueur.

P. 1053.

1. 609 Amphion et Zéthos, les Dioscures thébains.

P. 1054.

1. 612 Parce qu'il attaque sa terre natale, qui est sa mère aussi.

NOTES

P. 1055.

1. 618 Jeu sur χαῖρε, cf. *Hécube*. n. 1, p. 422.

P. 1056.

1. 636 Jeu sur le nom de Polynice, *aux nombreuses querelles*.

P. 1057.

1. 638 Cf. *Argument légendaire, Thèbes* 1.

P. 1058.

1. 687 Déméter et Coré portaient des torches dans les rites d'Éleusis.

P. 1062.

1. 732 Des cavaliers sont mentionnés ici et au vers 1190. Il y en avait dans les armées du ve siècle. Celles des temps archaïques n'avaient que des chars.

P. 1063.

1. 748 πόλιν doit être altéré et recouvrir un mot comme στόμα.

P. 1065.

1. 784 Traduction souvent conjecturale d'un morceau lyrique très difficile.

2. 793 τετραβάμοσι μώνυχα πώλων*. Il s'agit des chars des processions bachiques. Arès ne monte que le char militaire à deux roues. Cf. L. Parmentier, *Rev. Ét. grecques*, 1923, p. 53.

P. 1066.

1. 816 μιάσματι πατρός. Il s'agit du meurtre de Laïos ; μίασμα est toujours la souillure du sang.

P. 1067.

1. 847 πᾶσ' ἀπήνη ποῦς τε est inintelligible. On aide de la main celui qui descend du char, non le char lui-même.

2. 854 Eumolpe roi d'Éleusis, en guerre avec Érechthée ; cf. *Notice*, p. 1022.

P. 1079.

1. 1100-1 Sens probable d'un passage altéré.

P. 1080.

1. 1116-72 Passage difficile. Les vers 1116-8 décrivent un mécanisme analogue à celui du bouclier de Polynice, mais dont le sens exact nous échappe. Glaucos de Potnies nourrissait ses cavales de chair humaine. Elles devinrent furieuses et dévorèrent leur maître. La trad. de 1120-22 est conjecturale.

P. 1081.

1. 1190 ὄχοι. C'est la sortie en masse proposée prématurément par Étéocle (714) et réalisée à la faveur du désastre de Capanée, la cavalerie (cf. n. 1, p. 1062) frayant la voie aux fantassins.

P. 1083.

1. 1229 Sens probable d'un vers altéré.

P. 1091.

1. 1362 Idem.
2. 1377 ὡς. Le signal du combat, à l'époque historique, se donnait à la trompette. Euripide introduit ici une torche, soit par allusion à un hypothétique usage archaïque, soit plutôt pour suggérer une cérémonie religieuse où le feu jouerait son rôle purificateur, l'immolation réciproque des deux frères étant une sorte de sacrifice impie.
3. 1397 στέγνα.

P. 1092.

1. 1418 αὐτόν.

P. 1095.

1. 1518-22 Texte douteux.

P. 1096.

1. 1546 εἴσῃ.

P. 1097.

1. 1560-1 τάδε καταστένεις... ὀδύνας δ'ἄν.
2. 1582-3 Ces vers n'ont aucun sens dans ce passage.

P. 1098.

1. 1606-7 Vers difficiles à construire; de plus, dans aucune légende, Œdipe n'est réduit en esclavage par Polybe.

ORESTE

P. 1120.

1. 38 Litote pour désigner les Érinyes, dont on redoutait de prononcer le nom.

P. 1121.

1. 74 ἔφυ*.

P. 1123.

1. 103 δεινοὶ γάρ. Ἄργει τε.

P. 1134.

1. 344 Tantale était fils de Zeus et de Dioné, fille d'Atlas. Il engendra Pélops.

P. 1136.

1. 390 Le nom de matricide.

P. 1139.

1. Il faut supposer un vers perdu dont les débris subsistent dans l'inintelligible vers 424.

P. 1140.

1. 432 Œax, fils de Nauplios, s'associa à la vengeance de celui-ci. Cf. *Hélène*, n. 1, p. 974. *Je succombe au troisième coup,* dit Oreste. On était déclaré vaincu quand on avait trois fois touché la terre. Ménélas prend le mot à la lettre et demande quels sont les deux autres.

P 1143.

1. 488 Sens possible d'un vers altéré dont les anciens déjà donnaient plusieurs interprétations.

P. 1144.

1. 502 Sens douteux.

P. 1145.

1. 551 Excuses tirées l'une, en général, des droits supérieurs du père. l'autre, dans le cas présent, de la culpabilité de la mère.

P. 1147.

1. 606 δυσχερέστερον.
2. 613 ἑκοῦσαν οὐχ ἑκοῦσαν ἐπισείσω.

P. 1154.

1. 758 οὐ μακρὸς μακρῶν.

P. 1164.

1. 872 Danaos dut y défendre ses filles, meurtrières de leurs cousins et maris, les fils d'Égyptos.

P. 1165.

1. 904 ἠναγκασμένος est bizarre.
2. 913 καὶ τιμωμένῳ. Les vers 906-13 sont généralement tenus pour interpolés.

P. 1167.

1. 964 Perséphone, la Jeune Fille par excellence.
2. 973 οἴκοις.

P. 1168.

1. 992 sqq. Cf. *Argument légendaire, Argolide,* 4.

P. 1170.

1. 1045-6 Le texte des mss est inintelligible. Jackson propose ἥδιστόν σ᾽ ἐπῶν, ἀδέλφ᾽, ἀδελφῆς ὄμμα καὶ ψυχὴ μία.

P. 1172.

1. 1087 Le sang est ici identifié à la fois au corps (qui doit être reçu par la terre pour que le mort repose en paix) et à l'âme, reçue par l'éther.

P. 1173.

1. 1106 Sens probable. Hélène met les scellés parce qu'elle considère déjà Ménélas comme l'héritier d'Oreste. Une fois mariée à Hadès, c.à.d. morte, elle n'y aura plus aucun droit, mais Ménélas gardera les siens.

P. 1182.

1. 1256-8 Sens douteux d'un passage peut-être altéré.

P. 1186.

1. 1311 κτύπον.

P. 1189.

1. 1384 Litt. *l'air du char,* accompagné de la flûte, entonné, disait-on, par Achille à Troie lorsqu'il traîna le corps d'Hector. Les grammairiens anciens ne savaient plus bien ce que c'était et en donnaient des explications fantaisistes.

P. 1190.

1. 1395 Sur l'*ailinos,* cf. *Folie d'Héraclès,* n. 1, p. 484.
2. 1413 δεδραγμένοι.

P. 1191.

1. 1443 La supplication doit se faire au foyer. C'est pourquoi Hélène accepte de suivre Oreste dans l'appartement des hommes.

P. 1192.

1. 1473 Geste du sacrificateur qui lève le menton de la victime pour que le sang jaillisse vers le haut.

NOTES

P. 1193.

1. 1510 Μενέλεων, palimpseste de Jérusalem.
2. 1513 ἐνδικώτατ'. εἴθε... θενεῖν.

P. 1202.

1. 1624 ζῶν, αἶμα.

LES BACCHANTES

Voir *Argument légendaire, Thèbes.*

P. 1220.

1. 126 ἀνὰ δ'ἀράγματα τυμπάνων, texte altéré, trad. conjecturale. Zeus étant né au mont Ida en Crète, les Courètes le protégèrent contre les poursuites de Cronos. Ils appartiennent au cortège de la Rhéa crétoise comme les Corybantes à celui de la Rhéa phrygienne. Ils furent bientôt confondus. Le culte de Cybèle est originaire de Phrygie, ainsi que la flûte, invention de Marsyas. Les satyres obtinrent que Rhéa leur donnât le tambourin qu'ils emploient pour les fêtes biennales de Dionysos.
2. 147 χορούς.

P. 1223.

1. 209 διαριθμῶν.

P. 1224.

1. 262 Les orgies orphiques et cabiriques ne comportaient pas l'usage du vin.

P. 1225.

1. 293 Texte probablement mutilé. Un jeu sur ὅμηρος, *otage,* et μηρός, *cuisse,* ramène à un exécrable calembour l'histoire de la seconde naissance du dieu.

P. 1226.

1. 311 νοσεῖ. Trad. conjecturale d'un texte douteux.
2. 326 Les φάρμακα peuvent aussi bien être des remèdes que des recettes magiques.

P. 1228.

1. 367 Jeu sur le nom de Penthée, expliqué par πένθος, le *deuil.*

LES BACCHANTES

P. 1230.

1. 407 Βωκάρου ποταμοῦ.

P. 1231.

1. 451 μαίνεσθε. χειρῶν τοῦδε*.

P. 1236.

1. 506 οὐκ οἶσθ’ ἔθ’ ὅτι φής, correction dictée par la réponse.

P. 1237.

1. 519 Thèbes est identifiée avec Dircé, dite, comme toutes les sources, fille de l’Achélous. Bacchos reçoit le nom de Dithyrambe, d’après l’hymne qui lui est consacré, expliqué comme signifiant *deux fois sorti,* δὶς θυράζε βεβηκώς.

2. 554 κατ’ Ὀλύμπου. L’épode qui suit énumère les lieux consacrés à Bacchos. Nysa est purement mythique, mais Corycie au-dessus de Delphes avait des fêtes biennales. La Piérie, c.à.d. la Macédoine où la pièce fut jouée, avait des orgies importantes.

P. 1240.

1. 606 Texte altéré.

P. 1242.

1. 647 στῆσόν ποθ’ὁρμήν. — σὺ δὲ θὲς ἥσυχον πόδα.

2. 652 Après une réplique perdue, je lis τοῦθ’ ὁ Διονύσῳ καλόν.

P. 1246.

1. 757 Texte altéré, lacune probable.

2. 778 ἐφάπτεται*.

P. 1251.

1. 843 ἐλθών.

P. 1259.

1. 998 ματρός τε σᾶς. Peut-être faut-il lire Ῥεᾶς (cf. n. 1, p. 1220).

P. 1261.

1. 1028 Vers probablement interpolé.

2. 1036 Sens probable d’un vers incomplet.

P. 1262.

1. 1060 Μαινάδων ὅσσοις νόσων. Νόθων paraît impossible.

2. 1066 Trad. approximative d’une allusion à des instruments mal connus.

NOTES

P. 1265.

1. 1147 ἦ δάκρυα.
2. 1157 νάρθηκά τ' ἐπακτὸν ''Αιδαν.

P. 1270.

1. 1245 Agavé croit avoir tué une bête bonne à être sacrifiée. Tout sacrifice se terminait par un banquet où l'on mangeait la bête censément offerte aux dieux. L'idée d'un tel festin fait horreur à Cadmos.
2. 1254 ὅποτε νεανίαισι.

P. 1271.

1. 1272 σοφῶς.

P. 1274.

1. 1300 La fin de la pièce est défigurée par des lacunes. Il manque la déploration d'Agavé et l'arrivée de Dionysos.

IPHIGÉNIE A AULIS

P. 1287.

1. 3 πεύσει.

P. 1289.

1. 70 ὥς γε μήποτ' ὤφελεν λαβεῖν*. Λαβεῖν qui ne se dit jamais que du mari est ici intentionnellement appliqué à Hélène. 72 : ἀνθρώπων ἔχɛι*.

P. 1290.

1. 84 στρατηγεῖν κρᾶτα*, texte très douteux.
2. 105 ἀμφὶ παρθένου.

P. 1294.

1. 234 λίχνον ἁδονᾶν.

P. 1298.

1. 321 Jeu sur les mots *Atrée* et *atrestos, intrépide*.

P. 1300.

1. 336 λίαν σ' ἐγώ. κατατείνειν désigne la question par le chevalet.
2. 354-5 σύγχυσίν τε μὴ... ἐμπλήσας*.

P. 1301.

1. 373 Sens conjectural d'un vers altéré.

P. 1304.

1. 433 Le serviteur mentionne la *protélie*, sacrifice prélimi-
naire au mariage, où la fiancée offrait une mèche de ses cheveux à Héra ou à Artémis.

2. 448 ἄνολβά τ' εἰπεῖν; 449 ἄφαντα ταῦτα. Cf. J. Meunier,
Musée belge, 1927, p. 30.

P. 1305.

1. 463 ἱκετεῦσαι*.

2. 468 ὅ μ'.

P. 1307.

1. 521 Trad. conjecturale d'un texte peut-être altéré ; cf.
J. Meunier, *ibidem*, p. 136.

P. 1308.

1. 524 Ulysse, cf. *Cyclope*, n. 1, p. 16.

2. 531-3 ὅς... κελεύσει*.

P. 1309.

1. Sens douteux d'un couplet obscur, qui, sous la forme où
il nous est parvenu, se rattache mal à l'ensemble du *stasimon*.

P. 1311.

1. 592 ἄνασσαν, τήν : Iphigénie n'est pas la princesse des
Chalcidiennes.

2. 600 Une chute serait de mauvais augure.

P. 1312.

1. 639 τῶνδε, mais tout le passage semble avoir souffert de
remaniements.

P. 1313.

1. 650-66 Dialogue très altéré, où figurent deux vers inin-
telligibles, 652 et 65, que Jackson considère comme interpolés à la suite d'une confusion produite par μακρά de 651 et
μακράν de 664. L'ordre adopté par lui : 650, 51, 62, 63, 64, 53 à
61, 66 donne un sens acceptable, qui ne prétend pas retrouver
le texte primitif.

P. 1315.

1. 674 ξυνοῦσας σκοπεῖν, texte altéré, correction dictée par
la réponse.

P. 1317.

1. 699 Œnone, nom ancien d'Égine.

P. 1318.

1. 718 Cf. n. 1, p. 1304.

P. 1320.

1. 741 νυμφίοισι πορσυνῶ.

P. 1322.

1. Tout le texte de l'épode est altéré. 777 : Arès reste le sujet. On peut lire avec Weil δόρει φονίῳ. λαιμοτόμους σπάσας κεφαλάς, πέρσας... 782 εἴσεται. 795 ἔτεκεν Λήδα.

P. 1324.

1. 804 πέλας.

P. 1326.

1. 846 ἄμφω γὰρ ἐψευδόμεθα. Mais le sens des vers 844-6 est des plus douteux.

P. 1328.

1. 865 Trad. conjecturale d'un texte douteux.
2. 873 κτανεῖν*. Sur la valeur du crachat, cf. *Hippolyte*, n. 1, p. 238.

P. 1329.

1. 880 κτανεῖν*.

P. 1332.

1. 952 Tantale venait du mont Sipyle en Phrygie. On parle souvent de lui avec mépris, comme d'un Barbare.

P. 1333.

1. 975 Sens probable d'un vers altéré.

P. 1335.

1. 1017 οὐ γάρ, τὸ χρῇζον εἰ πίθοι, τοὐμὸν χρεών.

P. 1341.

1. 1138 τί δ'; ἠδίκησαι.

P. 1342.

1. 1151 ζῶν προσούδισας πέδῳ. Un premier mariage de Clytemnestre avec Tantale fils de Thyeste et par conséquent frère aîné d'Égisthe n'est connu que par ce passage. Mais la brièveté de l'allusion donne à penser que la légende était connue.
2. 1168 καλόν γέ τοι.
3. 1179 τοῖόνδε μισθόν*.

P. 1345.

1. 1256 φιλῶν ἐμαυτοῦ*.

P. 1353.

1. 1416 Sens conjectural d'un vers incomplet.

P. 1355.

1. 1442 Les cendres de l'holocauste, consacrées au dieu, restent sur l'autel. C'est pourquoi Iphigénie ne sera pas enterrée.

P. 1358.

1. 1484 πόσιν τε σόν*; cf. *Médée*, n. 1, p. 176.

2. 1488 ὡς δάκρυα : arrivée à l'autel, la présence de la déesse lui interdira de pleurer.

P. 1359.

1. 1495 et 1527-30. Textes altérés.

P. 1360.

1. 1550 δάκρυα παρῆγεν.

P. 1361.

1. 1560 Elle ne les maudira pas. À partir de 1568, le texte, qui semble avoir été copié sur un archétype peu lisible, est très suspect.

P. 1362.

1. 1615 θεῶν του.

RHÉSOS

P. 1380.

1. 119 Achille est nommé l'*éphédros,* l'athlète qui, dans les jeux publics, prenait à un moment donné la place du vaincu pour lutter contre le vainqueur.

P. 1381.

1. 158 Hector retrouve δόλος, la *ruse,* dans le nom de Dolon.

P. 1386.

1. 247 δυσάλιον*.

2. 252-3 Texte et sens douteux. L'allusion aux Mysiens nous échappe.

P. 1392.

1. 342 Adrastée, déesse troyenne des montagnes, fut associée à Athènes avec Némésis, déesse de la juste répartition, chargée d'admonester les mortels trop ambitieux. Elle est invoquée ici pour écarter la jalousie divine des Troyens qui glorifient Rhésos.

2. 355-7 βαλιός, *tacheté,* contredirait les vers 304 et 618. L'adjectif, toujours appliqué aux faons, a fini par signifier *rapide.* Zeus n'est appelé *Phanaios* qu'ici.

P. 1393.

1. 387 καταπλεῖ.

P. 1395.

1. 413 ἐγγενεῖς*.
2. 419 L'*amystis* était la façon thrace de vider le pot d'un seul coup sans reprendre haleine.

P. 1400.

1. 530 L'Aigle est au zénith et les Pléiades à l'est vers trois heures du matin à la mi-juin.
2. 545 L'ordre des veilles était donc : Péoniens, Ciliciens, Mysiens, Troyens, Lyciens.

P. 1403.

1. 594 πείθου* sans changement d'interlocuteur.

P. 1408.

1. 686 Ce passage douteux s'expliquait probablement par un jeu de scène qui nous reste obscur.

P. 1410.

1. 725 τί δράσας.

P. 1415.

1. 821 μέγα σύ μοι, μέγ', texte douteux.
2. 835 διζοίμεθα.

P. 1416.

1. 859 σοὶ δ'ἄρ...

P. 1417.

1. 875 Texte probablement altéré, dont la portée nous échappe.

P. 1418.

1. 912 πλαθεῖσ' ὅπου ὤλεσε.
2. 916 Le poète thrace Philammon, fils d'Apollon, eut un fils, Thamyris, qui défia les Muses, fut vaincu et châtié par elles. C'est en se rendant au défi de Thamyris que la Muse traversa le Strymon et conçut de lui un fils, Rhesos Cf. *Notice*, p. 1368.

P. 1420.

1. 972 Passage peut-être gâté, dont l'interprétation exacte se dérobe.

NOTES

L'ANTIQUITÉ
DANS *FOLIO*

APULÉE. L'ÂNE D'OR OU LES MÉTAMORPHOSES. *Préface de Jean-Louis Bory. Traduction de Pierre Grimal.*

ARISTOPHANE. THÉÂTRE COMPLET (2 volumes). *Préface et traduction de Victor-Henry Debidour.*

Tome I : LES ACHARNIENS. LES CAVALIERS. LES NUÉES. LES GUÊPES. LA PAIX.

Tome II : LES OISEAUX. LYSISTRATA. LES THESMOPHO-RIES. LES GRENOUILLES. L'ASSEMBLÉE DES FEMMES. PLUTUS.

SAINT AUGUSTIN. CONFESSIONS. *Préface de Philippe Sellier. Traduction d'Arnauld d'Andilly.*

JULES CÉSAR. GUERRE DES GAULES. *Préface de Paul-Marie Duval. Traduction de L.-A. Constans.*

ESCHYLE. TRAGÉDIES : LES SUPPLIANTES. LES PERSES. LES SEPT CONTRE THÈBES. PROMÉTHÉE ENCHAÎNÉ. ORESTIE. *Préface de Pierre Vidal-Naquet. Traduction de Paul Mazon.*

EURIPIDE. TRAGÉDIES COMPLÈTES (2 volumes). *Préface et traduction de Marie Delcourt-Curvers.*

Tome I : LE CYCLOPE. ALCESTE. MÉDÉE. HIPPOLYTE. LES HÉRACLIDES. ANDROMAQUE. HÉCUBE. LA FOLIE D'HÉRA-CLÈS. LES SUPPLIANTES. ION.

Tome II : LES TROYENNES. IPHIGÉNIE EN TAURIDE. ÉLEC-TRE. HÉLÈNE. LES PHÉNICIENNES. ORESTE. LES BAC-CHANTES. IPHIGÉNIE À AULIS. RHÉSOS.

HÉRODOTE. L'ENQUÊTE (2 volumes). *Préface et traduction d'Andrée Barguet.*

Tome I : Livres I à IV.

Tome II : Livres V à IX.

HOMÈRE. ODYSSÉE. *Préface de Paul Claudel. Traduction de Victor Bérard.*

HOMÈRE. ILIADE. *Préface de Pierre Vidal-Naquet. Traduc-tion de Paul Mazon.*

LONGUS. DAPHNIS ET CHLOÉ, suivi d'HISTOIRE VÉRITABLE de LUCIEN. *Préface de Kostas Papaïoannou. Traduction de Pierre Grimal.*

OVIDE. L'ART D'AIMER, suivi des REMÈDES À L'AMOUR et des PRODUITS DE BEAUTÉ POUR LE VISAGE DE LA FEMME. *Préface d'Hubert Juin. Traduction d'Henri Bornecque.*

OVIDE. LES MÉTAMORPHOSES. *Préface et notes de Jean-Pierre Néraudau. Traduction de Georges Lafaye.*

PÉTRONE. LE SATIRICON. *Préface d'Henry de Montherlant. Traduction de Pierre Grimal.*

PLAUTE. THÉÂTRE COMPLET (2 volumes). *Préface et traduction de Pierre Grimal.*

Tome I : AMPHITRYON. LA COMÉDIE DES ÂNES. LA COMÉDIE DE LA MARMITE. LES BACCHIS. LES PRISONNIERS. CASINA ou LES TIREURS DE SORT. LA COMÉDIE DE LA CORBEILLE. CHARANÇON. ÉPIDICUS. LES MÉNECHMES. LE MARCHAND.

Tome II : LE SOLDAT FANFARON. LA COMÉDIE DU FANTÔME. LE PERSE. LE CARTHAGINOIS. L'IMPOSTEUR. LE CORDAGE. STICHUS. LES TROIS ÉCUS. LE BRUTAL.

SOPHOCLE. TRAGÉDIES : LES TRACHINIENNES. ANTIGONE. AJAX. ŒDIPE ROI. ÉLECTRE. PHILOCTÈTE. ŒDIPE À COLONE. *Préface de Pierre Vidal-Naquet. Traduction de Paul Mazon.*

SUÉTONE. VIES DES DOUZE CÉSARS. *Préface de Marcel Benabou. Traduction d'Henri Ailloud.*

TACITE. HISTOIRES. *Préface d'Emmanuel Berl. Postface de Pierre Grimal. Traduction d'Henri Goelzer.*

TACITE. ANNALES. *Préface et traduction de Pierre Grimal.*

TÉRENCE. THÉÂTRE COMPLET. *Préface et traduction de Pierre Grimal.*

VIRGILE. ÉNÉIDE. *Préface et traduction de Jacques Perret.*

COLLECTION FOLIO

Dernières parutions

Impression B.C.I. à Saint-Amand (Cher),
le 20 février 1995.
Dépôt légal : février 1995.
1ᵉʳ dépôt légal dans la collection : décembre 1988.
Numéro d'imprimeur : 1/310.
ISBN 2-07-038192-7./Imprimé en France.